AMERICAN RHAPSODY

Joe Eszterhas a été, aux côtés de Hunter Thompson et Tom Wolfe, l'un des principaux collaborateurs du magazine *Rolling Stone* des années 1970, avant d'entreprendre une carrière de scénariste à Hollywood. Auteur d'importants succès, il a signé notamment le scénario de *Basic Instinct* (avec Michael Douglas et Sharon Stone). Il vit aujourd'hui près de Malibu en Californie.

JOE ESZTERHAS

American Rhapsody

TRADUIT DE L'AMÉRICAIN PAR BERNARD COHEN

ALBIN MICHEL

Titre original :

AMERICAN RHAPSODY

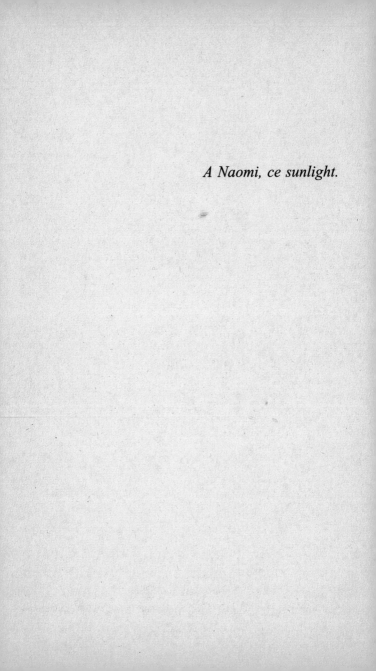

A Naomi, ce sunlight.

« L'amour, c'est comme un cigare : quand il s'est éteint, impossible de le rallumer. Il n'a plus jamais le même goût. »

Richard NIXON

NOTE DE L'AUTEUR

Il y a environ trois ans, sentant que mon personnage public de scénariste était en train de prendre le pas sur ma créativité, je suis parti aux îles Maui avec ma femme et mes trois enfants. J'ai éteint mon téléphone, j'ai arrêté d'accorder des interviews, bref, j'ai essayé d'oublier cette facette de moi.

Je me suis amusé avec mon épouse, j'ai joué avec mes enfants, je me suis laissé griller par le soleil et j'ai réfléchi à des choses. Aux valeurs morales et au succès. Aux années 60. A mes relations d'antan avec les femmes, dont je me servais, et à celles qui me lient à ma femme de maintenant, que j'adore. Et à chaque fois, d'une façon ou d'une autre, ces réflexions sur ma vie passée me ramenaient à Bill Clinton.

Je me suis dit que je reconnaissais de nombreux traits de sa personnalité, que je comprenais comment il fonctionnait. Oui, je reconnaissais et comprenais l'ambition, l'ivresse du succès, la duplicité politique, le charme hollywoodien. Et aussi cette folle obsession, ce priapisme chronique qui a toujours été le carburant de son existence... Parce qu'il a été aussi le mien jusqu'à ce que je rencontre Naomi. Je reconnaissais et comprenais les rythmes implacables qui régissaient sa vie intérieure, à pleine sono, tout comme je comprenais et j'aimais les démons glapissant dans les ténèbres qui habitaient les Rolling Stones, les Doors, l'artiste que l'on connaît à nouveau sous le nom de Prince, et Dr. Dre.

Quand nous sommes rentrés à Malibu, je me suis mis à lire tout ce qui a été écrit sur le compte de Bill Clinton. Notre téléphone toujours coupé, vivant presque une existence de reclus désormais, sans même répondre aux messages des agents, des avocats ou des amis, refusant les demandes d'interview, je me suis perdu dans la mer miroitante de ma création, j'ai plongé en apnée à la recherche de Clinton et de moi-même, j'ai nagé dans son passé à la poursuite de mes propres secrets.

Lorsque le rideau s'est levé sur le psychodrame de l'« impeachment », de la censure contre le président Clinton, je n'ai pas perdu une nanoseconde du spectacle, les yeux rouges, hagard à force de zapper comme un dément, m'abandonnant en ronchonnant à cette bacchanale collective, à cette boulimie de rumeurs et de racontars. J'ai tout lu, tout regardé, absorbé autant que possible et j'ai beaucoup, beaucoup appris. A propos de moi, de Bill Clinton et de l'Amérique, un pays que j'aime comme seul un immigré grandi dans le ghetto ethnique de Cleveland peut le faire[1].

Ce n'était plus seulement Bill Clinton qui occupait mes pensées mais toute une génération, la mienne. Une génération qui, même si elle a investi les centres du pouvoir et frise maintenant la soixantaine, est toujours en quête cahotique d'elle-même. J'ai réfléchi à l'état de l'Union et à celui de nos cœurs et de nos entrejambes tandis que nous essayons de ne pas nous casser la figure sur la glace traîtresse et cybernétique du nouveau millénaire.

---

1. Immigré d'origine hongroise et fier de l'être (distingué par la Fondation Emanuel qui vise à perpétuer la mémoire de l'Holocauste en Hongrie), Joe Eszterhas n'a sans doute pas choisi le titre de son livre par hasard : la *Rhapsodie américaine* est une œuvre d'Ernö von Dohnányi (1877-1960), autre Hongrois émigré aux Etats-Unis en 1949. (*NdT*)

Le livre que vous tenez maintenant est rempli de tout ce que j'ai médité et appris. A part que... à part que ce n'est pas si simple. Si seulement ! Mais ce n'est jamais « si simple ». Et donc il y a une précision à apporter.

A mon grand regret, je dois avouer que j'ai un associé littéraire qui afflige ma carrière depuis le temps où je publiais un journal de classe à l'école Saint Emeric grâce à la presse miniature que j'avais reçue à Noël. Dans les colonnes de ce *Saint Emeric's Herald*, j'ai été l'auteur d'une partie des articles, et mon comparse du reste. Moi, c'était des enquêtes puériles à propos de la rivière qui passait dans la vallée en bas de l'école, à travers une zone perpétuellement enfumée qu'on appelait les Marais, un cours d'eau tellement pollué par les rejets industriels que les yeux vous brûlaient rien qu'à le regarder du haut des collines (plusieurs années plus tard, soit dit en passant, cette rivière de produits chimiques a littéralement pris feu). Mon associé, lui, rédigeait des révélations fracassantes épinglant les filles de notre classe qui embrassaient les garçons : « Dernière édition ! Une exclusivité du *Herald*, Frances Madar surprise avec Robert Zak ! »

Quand je suis arrivé à Hollywood, je le connaissais assez bien pour le désigner dans les interviews sous la formule condescendante du « petit pervers qui est en moi ». Nous écrivions sur des sujets très différents, lui et moi, mais tout sortait sous mon seul nom. Moi, j'ai rédigé *Music Box*, *Telling Lies in America*, *FIST*, et *Betrayed*, et lui *Basic Instinct*, *Showgirls*, *Sliver* et *Jade*[1]. Parfois, cependant, il arrivait à imposer ses instincts d'homoncule louche dans « mon » travail : pourquoi, ainsi, était-il besoin de ces longues descriptions cliniques de l'acte sexuel au milieu d'un film aux ambitions esthétiques et morales aussi élevées que *Music Box* ?

En écrivant cet ouvrage, cette histoire d'une guerre rituelle dont le résultat a été l'assassinat symbolique

---

1. Voir la filmographie de Joe Eszterhas en fin d'ouvrage. (*NdT*)

d'un président, Bill Clinton, j'ai bien dû me rendre compte que le « petit pervers » était un écrivain compulsif, lui aussi. Bourré d'hallucinations, de fantasmes qu'il était prêt à projeter sur d'autres à tout moment : les rêves secrets de Kenneth Starr, par exemple, ou les relations entre George Bush et Patricia Nixon, ou la passion sans espoir de Hillary pour Eleanor Roosevelt... Ou les navrantes angoisses de cocu potentiel d'Al Gore, les potentialités électorales de l'épaule artificielle de Bob Dole, les espoirs brisés de « John Wayne » McCain et son goût pour les monologues. Ou encore Monica, l'appropriation abusive du président des Etats-Unis par une princesse trop gâtée. Et, évidemment, Bill Clinton, lui et son seul grand amour, son « Willard », son Frangin.

Est-ce vrai ce que le petit salopiot raconte ? Eh bien non, en fait. Mais là encore ce n'est pas si simple. Parce que dans le regard biaisé de ce saltimbanque sans foi ni loi, c'est la vérité, oui. Il utilise des faits réels pour modeler sa scandaleuse fiction, ce fourbe. C'est un contorsionniste qui jongle avec l'histoire. Plus qu'un simple imposteur, c'est une vipère doublement implacable, une créature effrayante qui ne se contente pas d'avaler ses sujets mais qui les rejette ensuite pour cracher *son* venin par *leur* bouche ! Est-ce un menteur, ce type abject ? Quand on sait que, d'après Bill Clinton, la fellation ne relève pas de l'acte sexuel... Cette petite ordure, serait-il plutôt un « menteur professionnel », ainsi que Mark Twain se considérait lui-même, quelqu'un qui forge des inventions pour exposer des vérités ? En tout cas, il a pour profession d'emballer au mieux ses mensonges d'un réalisme douteux et il a l'air de bien gagner son pain de cette manière à Hollywood.

Après toutes ces années passées avec mon coauteur, j'ai finalement décidé qu'il était temps de lui rendre ce qui lui appartient et de revendiquer ce qui est mien. Et donc...

Ce que vous lirez dans cette typographie est mon

travail, évidemment subjectif mais fondé sur des données soigneusement vérifiées et recoupées.

Ce que vous lirez dans celle-ci est de la fiction qu'il a concoctée, lui, à partir de données tout aussi soigneusement vérifiées et recoupées mais passées au crible de ses rêves hallucinatoires, recyclées.

Pour formuler autrement cet avertissement : si la colère vous envahit à la lecture de ce livre impudent, la faute en est à ce petit salaud plein d'insanités à la bouche, et d'un vulgaire !... Dieu sait combien de gens il a braqués contre lui, pendant toutes ces années ! Et si vous êtes effrayés par ce que vous apprenez dans cet ouvrage de réflexion, ou si contre votre volonté bien arrêtée vous vous surprenez à rire, la faute en revient à ce petit garçon qui n'arrêtera jamais de regarder une rivière étincelante sous le soleil, même si ses yeux en pleurent.

Travailler à ce livre sur Clinton, sur ses pairs en politique et sur l'identité américaine a eu des effets très prononcés sur moi : désormais, je veux tout le temps jouer avec ma femme, m'amuser avec mes enfants ! Je veux oublier en permanence le personnage public que je suis ! Quand ils ne sont pas coupés, nos téléphones sont surveillés par des portiers à la voix artificielle qui ont pour mission de protéger notre bonheur familial. Moi, mon épouse, nos garçons, l'énorme bulldog à la cervelle d'oiseau que nous avons surnommé « Rep ». Et « Mud » Nadler, le démocrate new-yorkais qui a tant lutté contre l'« impeachment »... Et le « petit pervers ».

Ce salopiot et moi, nous avons passé des heures irritantes, révoltantes, hilarantes, bouleversantes à écrire ces pages. Entre la crise de nerfs et l'extase. Nous espérons que votre lecture ira de même.

J.E.
Point Dunne, Californie

Acte I

L'HÔTEL DU CŒUR-BRISÉ [1]

« Dans ma voix résonne et chante le phallus...

Tout pâle le Président dans le secret de lui-même se demande : "Que va dire le peuple, finalement ?" »

Walt WHITMAN,
Feuilles d'herbe

---

1. « Alors depuis que ma baby m'a quitté / J'ai trouvé une nouvelle crèche où pieuter, / Tout au bout d'une rue désolée / A l'hôtel du Cœur-Brisé. » *Heartbreak Hotel*, créé le 20 janvier 1956 à Nashville, paroles et musique de Mae B. Axton, Tommy Durden et Elvis Presley. (*NdT*)

I

Le monde entier regarde

MONICA : Faut qu'on te trouve un plan baise.

LINDA TRIPP : Ah, je ne sais pas... Ça ne ferait pas
un effet bizarre ? Trop bizarre. Au bout de sept
ans, tu crois vraiment qu'il y ait une chance que
je me rappelle comment on fait ?

MONICA : Bien sûr que oui !

LINDA TRIPP : Non...

Mon ami Jann Wenner, le directeur et rédacteur en
chef de cette bible du rock and roll qu'est *Rolling
Stone*, m'a téléphoné le lendemain de la nomination
de Bill Clinton à la course à la présidence, tout excité.
Il avait passé la soirée de la veille à fêter l'événement
avec Clinton et ses proches. « Il est des nôtres ! a-t-il
claironné. Il va être le premier président rock and roll
de l'histoire des Etats-Unis ! »

J'étais déjà parvenu à cette conclusion, moi aussi.
Qu'il soit « des nôtres » ne faisait aucun doute, même
s'il lui arrivait d'essayer de le nier. *Evidemment* qu'il
avait esquivé l'appel sous les drapeaux, comme tant
de ces nègres blancs lestés d'une bourse Rhodes qui
se retrouvaient d'accord avec Muhammad Ali pour
proclamer qu'ils n'avaient rien de personnel contre

« ces Vietcongs-là ». *Evidemment* qu'il avait fumé du hash, et qu'il avait avalé à fond, et qu'il avait même mis un temps fou à passer le joint.

Jann m'ayant appris que Bill Clinton était un fidèle lecteur de son magazine, je n'ai pu que sourire quand, peu après les élections, j'ai vu une photo de lui en train de faire son jogging avec un tee-shirt *Rolling Stone*, la copie conforme de celui que j'avais porté le jour du championnat des petits auquel participait mon fils. La blague était vraiment cosmique : « Seigneur, *on* a pris la Maison-Blanche ! » Après toute cette traversée du désert, après le grand copain de Bebe Rebozo, après le « cow-boy Marlboro » dur de la feuille, après le bourge méprisant qui n'arrêtait pas de regarder sa montre [1], la présidence, que dis-je, l'Amérique était à nous, à nous ! Dans les années 60, notre principal souci avait été d'éviter la taule. Désormais, c'était à nous de les faire tourner comme nous le jugions, les prisons.

Si Jimmy Carter avait pu nous bercer d'illusions pendant un moment, Bill Clinton était béton, lui. Rock and roll cent un pour cent. Carter, avions-nous fini par découvrir, n'était pas « des nôtres ». D'accord, il avait autorisé le chanteur de country Willie Nelson et son aminche le méga-magnat du vinyle Phil Walden à fumer un pétard sur le toit de la Maison-Blanche, et il avait confié à *Playboy* qu'il avait « commis l'adultère bien des fois en pensées ». Mais il était si indécrottablement plouc, ce malheureux, pétri de bonnes intentions jusqu'à la niaiserie, affligé d'un frangin buveur de roteuse et agent des Libyens, d'une instit'

---

1. Soit respectivement Richard Nixon, Ronald Reagan et George Bush. Charles « Bebe » Rebozo, pittoresque businessman de Miami, en était arrivé à devenir le meilleur ami et l'éminence grise de Nixon. Pourtant leur première rencontre n'avait pas été concluante, « Bebe » se plaignant en ces termes de Nixon dans une lettre à un ami : « Il ne boit pas de whisky, il ne court pas les femmes, il ne joue même pas au golf ! » (cf. Jonathan Aitken, *Nixon, a Life*, Regnery, 1993, p. 198.) (*NdT*)

d'épouse et d'une sœur bigote qui, secrètement et dans la veine fleur-bleue-culotte-bavaroise, batifolait avec le chancelier allemand Willy Brandt, un homme marié... Pas rock and roll, lui, pas du tout, ce qu'il avait confirmé à jamais en s'étalant de tout son long pendant un jogging et en s'épuisant à expliquer ensuite que c'était à cause d'un lapin qui lui avait bondi entre les pattes... Et en plus, ce jour-là, pour courir, il portait des chaussettes noires !

A Clinton, ses gardes du corps des services secrets avaient donné le nom de code d'« Elvis » mais nous n'étions pas dupes, nous : Elvis, pote idéologique du sergent Barry Sadler [1], était un pantin bouffi aux ficelles tirées par un aboyeur de foire, très fier de ses insignes de collabo, sans cesse à espionner les Beatles et à lécher le cul de Nixon, alias la Créature de la Nuit. Ces fameuses petites culottes mouillées qui pleuvaient sur scène à ses concerts ? Elles étaient toutes taille 46, et avec des pertes blanches au fond. Bill Clinton n'était *pas* Elvis ! Avec ses lunettes de soleil et son saxo rutilant, on aurait dit un Bobby Keyes affublé de juste un début de brioche et venu taper un bœuf avec les Stones. Non, ce n'était pas tout à fait ça, non plus : pas un Bobby Keyes mais plutôt un Jack Flash sans les lunettes, un *Street Fightin'* *Man* [2] grisonnant, un Mick Jagger speedé aux cheese-burgers, aux milk-shakes, aux tacos et aux spaghettis en boîte Chef Boyardee.

Pour *Rolling Stone*, la cérémonie de son investiture était « l'avènement d'une ère nouvelle de la politique américaine ». Il y avait Fleetwood Mac, qui a joué *Don't Stop* : Fleetwood Mac, vous entendez, pas Pearl Bailey ou Sammy Davis Junior ou Sinatra ou Guy

---

1. Barry Sadler (1940-1989), chanteur et parachutiste connu pour avoir dédié une chanson au général Oden, commandant en chef des troupes américaines au Vietnam, et avoir entonné la *Ballade des Bérets Verts* devant un bunker pour les caméras d'ABC. (*NdT*)

2. Archétype du mauvais garçon vu par les Rolling Stones. (*NdT*)

Lombardo ou Fred Waring and The Philadelphians !
C'était du rock and roll qui baignait nos oreilles, et
non la musak de big band sirupeux que les politicards
nous avaient imposée si longtemps dans leurs arrière-
salles enfumées. Dylan, notre messie, était là. Et qui
se trouvait au Mémorial Lincoln ? Jack Nicholson lui-
même, l'Easy Rider revenu dans la légalité, ce bon
vieux Abe Lincoln parlant par sa bouche ! Rock and
roll à fond les manettes, la Maison-Blanche de Bill
Clinton fourmillait de jeunes, de femmes, de Noirs,
de gays, de Latinos, un appareil présidentiel « plus à
l'aise avec Madonna qu'avec Metternich », pour
reprendre l'expression d'Alvin Toffler, le gourou de
la droite à la Newt Gingrich. Ah bon ? Pour nous, au
contraire, c'était parfait : apparemment, Clinton continuait sur la voie inaugurée en Arkansas, quand on lui
reprochait de s'entourer de « hippies barbus et hirsu-
tes » qui venaient au bureau en short ou en jean avec
des pièces aux fesses. Leur patron n'avait-il pas été
vu pieds nus, en tee-shirt et jean, dans la résidence du
gouverneur ?

Il avait un côté excentrique un peu gaucho auquel
nous étions tout prêts à nous identifier. Un de ses partenaires sur le terrain de golf, en Arkansas, qui avait
remarqué que son slip était visible sous son pantalon,
notait avec émerveillement : « C'était pas un caleçon
qu'il avait, non, mais un truc très, très olé-olé. » Et sa
blague préférée, celle qu'il avait ressortie sans cesse
pendant ses tournées électorales là-bas, se situait nettement plus dans l'esprit Monty Python que dans le
répertoire des amuseurs professionnels d'hôtels de
Las Vegas si prisé par tant d'autres présidents :
« C'est l'histoire d'un fermier qui a un cochon avec
une patte de bois. Et il en est fier, de cette bête, et il
chante ses louanges à tous les visiteurs. Il leur raconte
que le cochon l'a tiré d'un incendie, une fois, et les
gens en restent baba. "Mais c'est pas tout", il continue : "C'est cet animal qui a sauvé ma ferme de la

faillite." Alors là, les visiteurs sont encore plus esto-
maqués. "Mais attendez !" il dit. "Le jour où le barrage a cassé, ce cochon a sauvé toute notre petite ville
de la noyade !" Là, quelqu'un s'étonne : "Eh ben,
mon vieux, il est vraiment incroyable, ce porc que
vous avez là. Ce que vous n'expliquez pas, par contre,
c'est pourquoi il n'a que trois pattes ?" Et le fermier :
"Hé, ho, vous voudriez tout de même pas qu'on se
mange un cochon spécial comme ça en une seule
fois !" »

Physiquement aussi, c'était le rock and roller
complet. Ces yeux d'un bleu très clair, ce sourire
paresseusement sexy, cette bouche que les gens de
l'Arkansas appellent « lèvres de chatte »... C'est
simple, les filles l'adoraient. Un camarade de classe
se souvient qu'à douze ans « les petites autour du terrain de football hurlaient : "Oh, Billy, Billy, lance-
moi la balle, Billy !" Elles avaient toutes un faible
pour lui. Il n'y en avait que pour Billy ». Selon un
reporter ayant couvert l'une de ses campagnes dans
son Etat natal, « c'est aux yeux des adolescentes qui
se pressaient pour le voir qu'on mesurait l'effet qu'il
produit sur les gens. Ils s'illuminaient, c'est simple !
On aurait cru que c'était une rock-star qui venait d'arriver sur le parking du supermarché ». Et il avait des
goûts rock and roll, également. Gennifer Flowers, sa
bavarde petite amie de l'époque, se rappelle de la fois
où il lui avait confié : « J'étais salement pété à la
coke, hier soir ! » Ou même un côté androgyne à la
Jagger qu'il ne dissimulait pas devant certaines de ses
connaissances féminines. Une nuit où il planait à la
ganja, il avait passé la robe d'une autre copine, Sally
Perdue, et, ainsi attifé, s'était mis à jouer un air d'Elvis sur son saxo. Ou bien il demandait à Gennifer de
le rejoindre dans un bar habillée en homme, et il
aimait bien qu'elle le maquille avec du mascara, du
fond de teint, du crayon à paupières. Il y avait là-
dessous une audace typiquement rock and roll, ce que

Gennifer appelait son « impression d'être à l'épreuve des balles » et qui le conduisait parfois à faire étalage de son aventure avec elle.

Et il aimait la musique, c'était clair. *Pearl*, de Janis Joplin ; *I'll Never Find Another You* dans la version des Seekers ; *A World without Love* par Peter and Gordon ; *Here You Come Again*, qui lui rappelait tellement Gennifer ; *Easy* et *Three Times a Lady* par les Commodores ; et Steely Dan, et Kenny Loggins, et Joe Cocker, et Jerry Lee Lewis, et Elvis... N'importe quoi d'Elvis. Encore gosse, il avait monté un groupe musical qu'il avait baptisé « The Three Kings » en hommage au banané. Les Trois Rois, rebaptisés « Les Trois Miros » par leurs copains parce qu'ils portaient tous des lunettes noires. Un ami de lycée se « rappelle être en voiture avec Bill et il enchaînait des airs d'Elvis en chantant à pleins poumons. Il adorait ça, chanter, écouter de la musique, en jouer... Je crois que c'est pour ça qu'il allait tellement à l'église, étant gosse : pour entendre de la musique ».

A ses yeux, l'un des aspects fascinants de Gennifer était qu'elle avait créé sa propre formation, « Gennifer Flowers and Easy Living » (Gennifer Flowers et la Bonne Vie) et qu'elle chantait du rock à peu près à la même période où le frère cadet de Bill, Roger, avait monté la sienne, « Roger Clinton and Dealer's Choice » (Roger Clinton et la Sélection du Dealer). Eux deux, c'était la même relation qu'entre Chris et Mick Jagger : Roger aurait voulu être une rock star mais il n'était pas très bon. Si ses goûts allaient plutôt au Grand Funk Railroad, à REO Speedwagon et à Alice Cooper, il partageait cependant un même amour de la musique avec son aîné. Lorsque Bill Clinton a participé pour la première fois à la célèbre émission télévisée *The Tonight Show*, ce qui l'a surtout frappé c'était que Joe Cocker se trouvait là aussi. « Il m'a parlé de l'émission mais surtout du groupe de Joe Cocker », se rappelle Philip Martin, éditorialiste à

l'*Arkansas Democrat* ; « il m'a dit : "La pêche qu'ils
ont, mec ! Méchants, ils sont !" En fait, il aurait préféré de loin jouer avec Joe Cocker plutôt que de faire
Summertime sur son saxo. Mais il n'a pas osé demander. Il était vraiment intimidé, soufflé. » Quant à
Roger, il devait remarquer à propos de la fois où Stephen Stills (de Crosby, Stills, Nash & Young) lui avait
proposé de le rejoindre sur scène : « J'étais tellement
scié que j'ai cru que j'allais en pisser dans mon
froc ! »

Et il était « des nôtres » encore d'une autre manière,
qui est vite devenue patente : le typique enfant des
années 60 fasciné par les plaisirs que lui procurait son
pénis. Il l'avait surnommé « Willard ». Son Frangin.
Un culte, une addiction. Dès le début de sa carrière
politique en Arkansas, une caricature le montrait les
yeux baissés sur son bas-ventre et soupirant : « Tri-
quard ! C'est toi qui m'empêches d'être président des
Etats-Unis d'Amérique ! »

En plus, c'était un rock and roller du Sud, un petit
gars des montagnes tout comme Elvis ou Jerry Lee
Lewis, grandi à Hot Springs, Arkansas, un sanctuaire
des joueurs et des catins bariolé de néons et jadis assidûment fréquenté par Al Capone, Bugsy Siegel et
Lucky Luciano. Il avait beau être né à Hope, ce n'est
pas dans la ville de l'Espoir mais dans celle du Péché
qu'il a appris la vie, avec une maman aux sourcils
peints et aux maousses faux cils qui faisait hurler les
pneus de sa décapotable dans sa tournée des bars et
des night-clubs, des fois avec son mari, des fois sans.
Une femme-fruit, un beau fruit mûr à point, prêt à
dispenser ses saveurs. Et, pour lui, c'était une vie à
jamais sous l'emprise de cette envie-besoin de
femmes-fruits, de rock and roll et de cabriolets.

La synthèse parfaite allait se produire en août 1977.
L'illumination, la transcendance d'un Bill Clinton

déjà casé et déjà procureur général de l'Arkansas.
Dolly Kyle, fille-fruit à laquelle il a goûté et qu'il a
perdue de vue, mariée elle aussi depuis, passe le voir
à son bureau. Il la présente à ses collaborateurs, une
grande, grande amie, il lui fait visiter les lieux et puis
il la raccompagne à sa voiture et là... il pète les boulons ! C'est une Cadillac El Dorado décapotable, six
mètres de carrosserie bleu turquoise immaculée, avec
un magnéto huit bandes et la FM. La bagnole à se
damner, l'Elvismobile dans toute sa splendeur
gothico-frimeuse, une folie chromée encore plus
dingue que le cabriolet que Chance Wayne et Paul
Newman conduisaient dans *Sweet Bird of Youth.*

Il demande s'il peut l'essayer, Dolly dit « Et
comment ! ». Bill Clinton prend le volant et fuse sur
l'autoroute, il la pousse dans les cent soixante, sla-
lome un peu, ravi comme un gosse, puis il se contente
de la laisser glisser dans sa splendeur avec un sourire
d'une oreille à l'autre. Cette fois, Elvis chante sur la
sono mais il chante seul : « Fais-moi du bien, fais-
moi plaisir, fais-moi ce que tu dois. »

A un moment, Bill Clinton s'arrête en pleine campagne, sans aucune habitation en vue. Il sort de la
voiture, il ouvre le capot et il examine le moteur.
Ensuite, il va regarder dans la malle arrière, y trouve
des couvertures, revient s'asseoir près de Dolly et se
met à l'embrasser. Il étend une couverture sur la banquette avant, remonte la capote. Demande à Dolly
d'enlever sa robe. Se déshabille entièrement, jusqu'à
ses boutons de manchette. Empile avec le même soin
ses vêtements sur le siège arrière. Le soleil brille, la
Cadillac aussi dans la chaude lumière et... ils s'y mettent. Il lèche le doigt sur lequel il a recueilli la sueur
au creux du nombril de Dolly, puis il reprend son
pantalon derrière, l'enfile et va chercher une bouteille
d'eau dans le coffre. Il boit, il en propose à Dolly,
enlève à nouveau son falze, prend la main de Dolly,
la pose sur la tête de Willard, du Frangin, et lui dit :

« Touche-le. » Ils remettent ça. Ensuite, ils se rhabil-lent et reprennent la route de son bureau. Encore Elvis sur le huit-bandes, et là ils commencent à fredonner à l'unisson.

— C'est mon anniversaire, aujourd'hui, lui annonce-t-elle.

— Tu es contente ?

— Et toi ? répond Dolly.

Il ne dit plus mot jusqu'à ce qu'ils soient arrivés, et là :

— A plus, beauté !

Il est parti. Elle reprend le volant, éjecte la cassette, et le temps d'en mettre une autre, elle entend à la radio le présentateur interrompre l'émission pour annoncer qu'Elvis Presley vient de mourir à Mem-phis. Elle éclate en sanglots et redémarre, le visage strié de larmes.

Instant de pur rock and roll, essentiel jusque dans la descente en torche finale : la Cadillac rutilante qui avale le vent en vrombissant, la musique à fond la caisse, le soleil partout, une fille canon et ses jambes nues posées sur le tableau de bord, un peu d'eau pour se rafraîchir la gorge avant de recommencer, et puis... la mort.

Quatre mois seulement après Woodstock, c'était Altamont, le concert tragique des Stones. La revanche de la réalité, peace and love et colliers hippies écla-boussés de sang, la beauté de cette foule nue à jamais abolie par l'obscénité d'un gros type avec un couteau planté dans sa chair grisâtre, brouillée. Oyez, oyez, place aux ténèbres revenues hanter l'âme du rock and roll ! Ténèbres, danger et sexe. Poignards, fusils et Cadillacs scintillent dans la nuit noire. Eclipsé, le soleil optimiste chanté par les Beatles : le rock and roll, c'est une histoire de baise, pas d'amour ; un excès, non une idylle. Et Bill Clinton le comprenait parfaitement. C'était pour cette raison précise qu'il se sentait si bien dans cette musique, cette culture. Bill Clinton se vautrait dans le rock and roll.

Et moi de même. Parce que je l'avais vu, éprouvé, goûté en direct. Journaliste à *Rolling Stone*, j'avais été balancé en hélicoptère au sein d'une foule de cent mille jeunes nus et ivres, au concert d'Alice Cooper et Three Dog Night à Darlington, en Caroline du Nord. Fasciné, j'avais regardé Alice guillotiner des poulets sur scène et asperger de leur sang ces gosses gorgés de soleil, de sueur, de nudité, de sang de poulet dont ils se frottaient les organes génitaux. Et ensuite je m'étais retrouvé au bord de la piscine de l'Holiday Inn avec les musiciens et une bonne centaine de groupies locales, et tout le monde s'était déshabillé et la nuit avait fondu en un mirage de corps entremêlés dans l'odeur du chlore.

En tant que scénariste, ensuite, je me suis retrouvé à huit heures du matin dans le salon d'une suite d'hôtel, à attendre que Bob Dylan émerge de la chambre à coucher. Sur la table basse, une bouteille de Jim Beam à moitié vide à côté de trois ou quatre lignes de coke entamées, et dessous une paire de bottes de cow-boy incrustées d'argent. Une fille est sortie de la chambre, puis une autre, et une autre encore. L'air fatigué, endormi, à peine rhabillées, elles ont vaguement balbutié un bonjour et se sont éclipsées. Cinq minutes plus tard, Bob était là, pieds nus, seulement vêtu d'un jean, une jungle aérienne en guise de cheveux, le teint cadavérique. Il s'est assis à côté de moi, il s'est envoyé une longue rasade de Jim Beam, une ligne, et a lancé avec un sourire : « Ça boume ? »

C'était « ça », le rock and roll ! Des pneus qui hurlent, des couteaux qui luisent sous la lune, des corps qui s'enchevêtrent dans l'eau illuminée d'une piscine, du sang qui jaillit de la chair nue, Mick avec un fouet à la main, la bague en tête de mort de Keith qui attrape les feux des projecteurs, une bouteille de Jim Beam, des bottes de cow-boy ferrées en argent, les jambes d'une fille dans une Cadillac, le jus de son nombril sur un doigt...

Le rock and roll, c'était Elvis beuglant *One Night* et *Mystery Train* avant que le colonel Parker[1] et Hollywood ne s'efforcent de le transformer en eunuque chantant, Jerry Lee Lewis jetant encore de l'alcool à brûler sur son piano déjà en feu, Otis Redding dévalant l'escalier de secours pendant qu'un mari trompé le canardait de sa fenêtre, Chuck Berry se filmant lui-même en train de pisser sur une fille de joie, le rideau se levant sur Little Richard gratifié en coulisse d'une pipe administrée par une groupie que Buddy Holly prenait en levrette, ou les Stones se faisant passer à bras tendus au-dessus de leur tête une blonde à se damner, nue comme la main, en plein *Cocksucker Blues*...

Ou encore le petit Jerry Lee se glissant dans un bar de Natchez, Mississippi, pour écouter un vieux Black jouer du boogie-woogie au piano. Ou le petit Elvis, les cils peints, s'aventurant sur Beale Street à Memphis pour regarder un vieux mendiant noir chanter le blues de Robert Johnson. Ou le petit Bill Clinton matant des femmes-fruits tout en courbes et provocations lever les mecs au Plaza, au Parkway ou à l'Ina Hotel de Hot Springs. Ces trois-là, ils ont appris la maîtrise de leur instrument dans cette aura de néon rouge, corrompue et trépidante, vitale. Jerry Lee avait son piano, Elvis sa voix et Billy, Bill Clinton, sa langue si bien pendue.

Près d'un demi-siècle plus tard, devenus parents ou grands-parents très occupés à remodeler notre passé dans l'espoir de devenir des exemples pour notre progéniture ou nos jeunes cadres dynamiques, nous

---

1. Né Andreas Cornelis Van Kujik en 1909, ce Hollandais immigré clandestin aux Etats-Unis avait réussi à s'imposer comme manager d'Elvis sous l'identité de « colonel Tom Parker ». Il a été accusé d'avoir détourné plusieurs millions de dollars sur les droits d'auteur du « petit gars de la montagne », l'un des surnoms du King. (*NdT*)

sommes prompts à oublier que les années 60, au-delà de l'idéalisme social et des multiples expériences visant à l'enrichissement du moi, ont surtout, fondamentalement, été la décennie du cul.

Même les drogues avaient un rapport direct au sexe. Grâce à l'herbe, le seul contact d'une langue desséchée nous plongeait dans l'extase. Un peu de coke sur la queue ou les lèvres du vagin transformait l'acte sexuel en marathon vertigineux. Les amphétamines produisaient une transe infinie jusqu'à l'orgasme. Dans un monde épargné par le danger mortel du sida, les années 60 et 70 étaient un festin érotique, un buffet à volonté de la baise. Pas de chichis, ni de simagrées romantiques, ni de préliminaires : « Tu veux baiser ? », point. Ou, pour les romantiques indécrottables : « J'adorerais vraiment te sauter. »

De 1971 à 1975, tout juste débarqué du Midwest ploucard, j'ai été rédacteur en chef adjoint de *Rolling Stone* à San Francisco et je l'ai vite attaqué avec appétit, ce buffet. Plusieurs filles de la rédaction étaient des assidues des rassemblements anti-sous-tifs, où elles entassaient gaines, soutien-gorges et petites culottes dans les « Poubelles de la Liberté ». Tous les responsables du magazine, exclusivement mâles, se montraient d'ardents supporters de ce geste de révolte, moi y compris.

A *Rolling Stone*, les nanas étaient jeunes, jolies, chaudes. Elles aimaient les formules du genre « J'ai vraiment envie de baiser » et elles aimaient les mettre en pratique. Et moi donc, et moi donc... Avec Deborah, et Kathy, et Shauna, et Sunny, et Robin, et Leyla, et Janet, et encore Deborah, en m'apercevant aussitôt qu'elles faisaient de même avec les autres journalistes pendant leurs nuits libres et que ce n'était pas grave, pas sérieux : juste un peu d'exercice physique et beaucoup, beaucoup de plaisir, juste « se marrer », un théâtre sportif, une représentation artistique à la fois intime et collective dont le meilleur exemple était ce journaleux qui entraînait sa petite amie sur le parking tous les midis et que nous regardions tranquillement se faire sucer dans sa voiture depuis les fenêtres, un show devenu rituel de bureau. Dès que Jann était en déplacement, certains d'entre nous n'hésitaient pas à lui emprunter son local pour y copuler, jusqu'au jour où, rentré de voyage et furieux de trouver sa table « couverte de coke et de purée », il avait commencé à fermer sa porte à clé.

Et là, en regardant Bill et Hillary à la télé, en entendant Gennifer raconter comment Clinton l'emmenait faire l'amour dans les toilettes alors qu'Hillary était seulement à quelques mètres, je me suis rappelé que, pendant ces années de *Rolling Stone*... j'étais marié. Et la plupart de mes collègues mâles itou. Et qu'après ces parties de jambes en l'air dans les bureaux, les parkings ou les motels de Van Ness Avenue, je rentrais à la maison en puant le sexe et avec de l'Acapulco Gold plein les veines, je retrouvais mon épouse et nous nous mettions à parler du Watergate ou du prix de l'abalone chez Petrini, un mets qui n'était pas encore devenu un tabou écologique.

Elle travaillait au journal, elle aussi, mais elle n'appartenait pas à la catégorie des nymphettes chaudes du cul. En réalité, elle était plutôt du genre Hillary : brillante, sensée, responsable, la partenaire idéale sur bien des terrains sauf celui du lit. Ce n'était pas des motivations sexuelles qui m'avaient conduit à me marier avec elle et je me suis rendu compte que c'était la même chose pour Bill Clinton. On pouvait dire des tas de choses d'Hillary mais certainement pas qu'elle était sexy. Naturellement attiré par Lucy in the Sky with Diamonds, Bill Clinton avait convolé avec Judy sur le Plancher des Vaches avec des Lunettes.

Pouvait-on imaginer Bill se glissant aux toilettes avec Hillary pendant que Mme Gennifer Clinton ferait le pied de grue dehors ? Ah, mais il y avait encore une autre, une effrayante manière de tourner la ques-

tion : est-ce que Bill Clinton aurait éprouvé le besoin
d'attirer qui que ce soit dans ces pissotières s'il avait
été marié à Gennifer et non à Hillary ? Personne ne
disait que Bill et Hillary n'avaient pas de vie sexuelle
ensemble. Simplement, le monde entier savait qu'elle
se réduisait à pas grand-chose.

Et donc notre président s'était mis à avoir ce que la
presse appelait des « aventures », bien que, Gennifer
exceptée, cet euphémisme ne tienne pas la route cinq
minutes devant l'analyse. Non, ce n'était pas des
« aventures » mais des prouesses de loge d'artiste,
Jagger-Clinton dans un bain d'admiratrices, la rock-
star de la politique devenue ouf devant le buffet de
chair à volonté. Pour lui, toutes les femmes étaient
des Connie Hamzy : Connie, la groupie rock and roll
qu'il avait connue à Little Rock, pas la simple petite
fan énamourée, mais l'égérie en droit de réclamer des
royalties depuis que le super-tube des Grand Funk
Railroad, *We're An American Band*, l'avait rendue
célèbre sous le nom de « Sweet sweet Connie »,
« Sweet sweet Connie passe à l'action... » Avant qu'il
ne la repère au bord de la piscine d'un hôtel, Connie
s'était tapé des chanteurs, et des batteurs, et des
imprésarios, et à peu près n'importe quel accompa-
gnateur mâle d'une tournée de rock habituelle, et à
peine l'avait-il vue qu'il lui avait dit : « J'adorerais le
faire avec toi. »

En ce temps-là, il se servait encore du corps des
femmes, avec le même égoïsme brutal que nous — et
lui y compris — nous étions servis mutuellement les
uns des autres au cours des années 60. C'était une
affaire d'épiderme, de chair, de viande. Une affaire
de trou. Et comment s'étonner qu'il n'ait pas gagné
en maturité, depuis ? Que, sous la simple influence de
l'âge et de la sagesse, il n'ait pas appris à traiter ses
semblables avec plus d'humanité ? Mais, mais, il n'y
avait qu'à regarder Mick Jagger, enfin ! Mick, un
sexagénaire déjà et rien qu'une star du rock, pas

même l'homme le plus puissant de l'univers, le président des Etats-Unis d'Amérique ! Eh bien, il ne s'intéressait toujours pas aux femmes, lui non plus. Tout ce qu'il cherchait, c'était encore un trou.

Mais pour une figure de l'Etat, il y a un problème avec les trous : on ne peut pas juste passer dessus et s'en aller. Quand Jagger a mis en cloque une petite chérie, les gens se sont exclamés avec un sourire : « Ce Mick, quand même ! Et dire qu'il a soixante balais ! » Impossible par contre de briguer la présidence et de déclarer : « Ecoutez, chers concitoyens, je suis un homme marié, j'aime ma femme, mais les vagins, les pipes, c'est vraiment le grand truc pour moi et si on ne m'en donne pas assez, je vous préviens, je vais rester dans le Bureau ovale à me branler. »

Alors, puisqu'on ne peut pas parler ainsi quand on est politicien de profession et qu'on sait seulement glaner les bulletins de vote, on est obligé de mentir. Forcé de se transformer en menteur assidu, en meilleur baratineur de la planète. Et si ce mensonge-là arrive non seulement à fonctionner pendant des années mais n'empêche pas non plus de continuer à ramasser des voix pour le Congrès ou pour la Maison-Blanche, pourquoi ne pas mentir sur tout et n'importe quoi ? Si votre dynamique interne est entièrement basée sur un mensonge originel « qui marche », pourquoi ne pas étendre cette excellente stratégie à toutes les sphères de l'existence ? Vous vous êtes fait réformer pour ne pas aller à la guerre ? Mentez, dites que c'est faux ! Vous avez fumé des joints ? Mentez, dites que vous n'avez jamais avalé ! Vous avez tringlé Gennifer dès que vous en aviez l'occasion ? Mentez, dites que c'est une invention ! Et une stagiaire de la Maison-Blanche ? « Je veux être très clair devant le peuple américain : je n'ai pas eu de relations sexuelles avec cette femme, Miss Lewinsky. »

Une tache de sperme sur une petite robe bleue ? Et quoi, comment, une analyse d'ADN ? Hein ? Ooooh, mec ! Dieu de Dieu !

Nous n'avons pas eu besoin d'attendre un bulletin du Centre fédéral de contrôle de la pollution pour renifler une méchante odeur de pourri autour de nous. L'Amérique avait terriblement besoin d'un purificateur d'air mental, soudain. Nous étions Écœurés, Révulsés, Au bord de la Nausée, version accablante, très années quatre-vingt-dix, du classique « j'te tourne, j'te retourne et j'lâche tout ».

C'était cette fichue tache qui lui avait été fatale, évidemment. Ah, la technologie moderne... On était sciés ! Quoi, lui, étiqueté comme menteur devant l'histoire, censuré, le rouge de la congestion au front, pointant le doigt sur les caméras, et baratinant encore ! Dans le même sac que Nixon ! « Je ne suis pas un filou » : ouais, comme Ni-xon ! La Créature de la Nuit ! Le Satan de notre jeunesse ! Pas le Nixon en bout de course, celui qui écumait en loucedé les Burger King du New Jersey pour mordre dans le cheeseburger que lui interdisaient les médecins, mais le Nixon au summum de sa malfaisance : « Non, le manteau de ma femme n'est pas en vison mais en tissu ! non, notre cocker Checkers n'était pas un cadeau de complaisance ! non, je n'ai rien à voir avec ce Daniel Ellsberg ni avec les plombiers du Watergate ! » Et aussi dégonflé que lui, alors, parce que c'était aussi par couardise que Nixon avait menti : il aurait très bien pu reconnaître les faits, admettre que l'effraction du QG démocrate au Watergate avait été une erreur grave, ou encore il aurait pu les cramer, ces bandes magnétiques ! Tip O'Neill, l'ancien président du Congrès, ne l'avait-il pas exprimé sans détour : « S'il avait détruit les bandes, il aurait terminé son second mandat. Ne pas l'avoir fait, c'est totalement irrationnel. »

Bill Clinton aurait pu admettre, lui aussi. Dire :

« Oui, d'accord, j'ai toujours eu un problème avec le sexe. Mon mariage ne m'a jamais satisfait. Je suis un enfoiré de queutard, nomdédiou ! » Mais non, c'était impensable, impossible, parce qu'il était prisonnier du mensonge originel, à propos des « trous », et que ça avait marché, jusque-là, et que *tous* les autres baratins étaient passés ! Pour citer Al Haig, l'ancien secrétaire d'Etat de Reagan : « Ce n'est pas un mensonge, c'est une inexactitude terminologique. »

Oh, quelle sale, sale histoire ! Quelle tristesse ! Un bon gars des années 60, en lutte courageuse contre les forces du racisme et de l'obscurantisme, contre Nixon et le cow-boy Marlboro et ces débiles de puritains de droite fanatisés par les fœtus avortés, le drapeau des Confédérés et le *Protocole des Sages de Sion*... Et voilà comment ça se termine : dans le même rafiot minable que la Créature de la Nuit fuyant de toutes parts tandis qu'il dévale un torrent de merde ! Démasqué, déshonoré, et tout ça après une victoire écrasante sur Bob Dole, ce vioque affligé de « DE », entendez « déficience érectile ». Tout le monde avait bien senti quelque chose qui clochait, sans pouvoir dire quoi, et puis... Bob Dole n'arrivait pas à avoir la trique alors qu'au même moment Bill et le Frangin Willard se la donnaient sur le canapé de l'assistante Nancy Hernreich ! Trop triste, vraiment.

Seul Hunter Thompson[1], notre prophète dément, avait émis des réserves sur le compte de Clinton. Il ne le sentait pas, ce type, avait-il fait savoir : aucun sens de l'humour, d'après lui, et cette façon de se gaver de frites... Lorsque le président avait certifié qu'il n'avait pas avalé la fumée du joint, Hunter avait écrit : « Il faut être complètement idiot pour dire une chose pareille. C'est une honte pour toute notre génération, ce type... Il n'avale pas, hein ? Tu parles. Tout

---

1. Le créateur du « gonzo journalism », auteur de *Las Vegas Parano*, *Hell's Angels* et *Rhum Express*, notamment. (*NdT*)

comme moi je mâche le LSD et je le recrache après ! » Son antipathie envers Clinton remontait à leur toute première rencontre : « Il m'a tout de suite traité comme une sous-merde. Genre, il avait son putain de nez tellement intact à force de ne jamais aspirer qu'il arrivait à renifler ce qu'il prenait pour de la came dans ma poche. Ou peut-être que j'étais responsable de ce qui est arrivé à son frère, qui sait ? Bien sûr ! Comme si c'était moi qui avais dit aux flics de ne pas se gêner pour foutre ce pauvre petit connard au violon. Et dans son propre intérêt, évidemment... Parce que personne n'avait de raisons politicardes à coincer Roger au tournant, c'est ça ? » Et pourtant il avait soutenu Clinton, malgré toutes ses préventions, tout comme il s'était résigné à « Jimmah » Carter, et parce qu'il croyait que le gars au saxo serait vraiment « le premier président rock and roll dans l'histoire des Etats-Unis ». Un des nôtres.

Tellement « des nôtres », en fait, que désormais beaucoup des « nôtres » n'avaient qu'une idée en tête : le voir débarrasser le plancher au plus vite. Parce que, merde, le cinéma rabâché de Mick, ils étaient nombreux à en avoir aussi leur claque, dans notre camp. Alors, dix-huit mois avant la fin de son deuxième et dernier mandat, l'Amérique était déjà entrée en période électorale. A en croire les talk-shows à la télé, le scrutin présidentiel était pour dans une semaine... Pourquoi cette hâte ? Pourquoi ce besoin urgent de voter se manifestait-il avec un an et demi d'avance ? Tout simplement parce que nombre d'entre nous auraient voulu que la page soit tournée tout de suite. Que Bill Clinton s'en aille. Le premier président rock and roll allait être aussi le premier à se faire censurer. « Impeachment » pour cause de mensonge éhonté à propos de ses femmes-fruits. Plus qu'une destitution, c'est une infibulation qu'il aurait méritée, tiens !

Quelle fin, merde, quelle déception... On avait

attendu de lui qu'il mette la pagaille, qu'il fasse bouger et trembler et vibrer les choses, oui, mais certainement pas de cette manière. Il était censé faire tourner le Bureau ovale au rythme ravageur de nos illusions, au beat primal du rock and roll. Il était censé dire la vérité, lui, enfin la vérité après tous ces menteurs qui s'étaient succédé à la Maison-Blanche et avec lesquels nous avions dû grandir, et vieillir, et nous enfoncer toujours plus loin dans le cynisme.

Rien que sa vue nous donnait mal au cœur désormais. Nous avions devant nous l'arrêt sur image d'un type de cinquante-trois ans, flapi, rougeaud, boudiné, père de famille, affalé sur un canapé au milieu d'un bureau cossu, braguette ouverte, avec Frangin à la main qu'il regardait envoyer son jus. En cette fin du millénaire, Bill Clinton achevait, dans tous les sens du terme, l'un des grands moments mythiques des sixties : Jim Morrison sur scène à Miami descendant sa fermeture éclair, montrant sa queue, mimant la masturbation et la fellation devant des milliers de spectateurs. Bill Clinton était la tache suspecte sur les draps de l'Amérique.

C'en était devenu tellement navrant, à Washington, que même les journalistes semblaient honteux des questions qu'ils en venaient à poser. Un échange entre les correspondants à la Maison-Blanche et le porte-parole de Clinton, Mike McCurry, donne la mesure de cette indignité :

« Un reporter : Est-ce que Clinton est atteint d'une MST quelconque ?

Un autre : Doux Jésus !

McCurry : Grand Dieu ! Vous maintenez vraiment cette question ?

Un autre journaliste : Euh, Mike, vous voulez nous dire que le président n'est pas traité actuellement pour une quelconque maladie sexuellement transmissible, et qu'il ne l'a jamais été depuis son entrée à la Maison-Blanche ?

McCurry : Je dis que je suis stupéfait que vous posiez une question pareille, c'est tout.

Le reporter : Je retire.

Un autre : On a vraiment atteint le fond du fond, là... »

Dans la salle de presse, la place de grands professionnels tels que Walter Lippmann, James Reston et Joe Alsop était maintenant occupée par Xaviera Hollander, Dr. Ruth et John « le Bègue » Melendez[1].

Un jour de l'été 1999, j'ai aperçu Bill Clinton. Derrière ses lunettes de soleil, il venait déjeuner chez Barbra Streisand, tout près de ma maison de Malibu, à quelques pas de chez Kenny G. et à une encablure du domicile d'un trafiquant de drogue patenté. A Hollywood, tout le monde ou presque savait qu'une amitié très spéciale le liait à Barbra, et ce même si des années s'étaient écoulées depuis la cérémonie des Oscars où elle avait montré à la planète entière son derrière bien visible sous son pantalon de pyjama de chez Scassi. Gennifer était allée jusqu'à dire que Barbra en avait « plus que rajouté pendant la campagne de Bill. Elle n'arrêtait pas de s'extasier sur lui, de vouloir faire amie-amie avec la maman de Bill... On aurait dit qu'elle était hypnotisée ».

Alors que la circulation était interrompue et que les gros bras des services secrets débarquaient en force, la limousine de Bill Clinton s'est arrêtée un moment. Ses yeux se sont posés sur la file de voitures immobilisées, puis sur les passants. En voyant que certains d'entre nous l'observaient, il s'est hâté de détourner le regard. Sur le trottoir, personne n'a dit un mot. Et personne n'a fait mine de lever la main pour saluer.

---

1. « Stuttering Joe », chanteur et animateur de talk-shows provocateurs, l'un de ses hauts faits ayant été de demander à Gennifer Flowers devant les caméras si elle avait l'intention de s'envoyer un autre candidat à la présidence. (*NdT*)

2

Monica, Andy et « Beau Gosse »

« Pourquoi tu ne te tapes pas ton père, histoire de
penser à autre chose ? » (LINDA TRIPP À MONICA)

Au lycée, elle avait certifié à sa prof qu'elle devien-
drait présidente des Etats-Unis. Et elle était arri-
vée jusqu'au Bureau ovale, oui, et cependant...

Monica grandit à Beverly Hills, code postal 90210.
Un père médecin, cancérologue, une mère qui écrivait
pour le *Hollywood Reporter*, un magazine chroni-
quant la vie des stars du cinéma. Son papa l'appelait
« ma petite nouille ».

A l'école, elle a de bonnes notes mais elle est plutôt
godiche : il lui a fallu tout un épuisant week-end pour
seulement s'initier au saut à la corde. Elle fait de la
graisse, au point que ses camarades l'ont surnommée
« Big Mac » et même « Pig Mac ». Elle, elle appelle
son père « Dr. No » parce qu'il dit toujours « non,
non »... Il ne veut pas qu'elle ait un téléphone Snoopy.
A Disneyland, il refuse de lui acheter une robe Minnie
Mouse. Mais ce n'est pas un si méchant papa : la
preuve, il lui offre un vélo rose avec une selle banane.

Sa mère est sa confidente, son amie de cœur. Elle
lui ressemble, elle s'exprime comme elle. Elle a une

puberté précoce et elle a horreur, horreur d'être grosse. L'été avant son entrée en quatrième, sa mère l'inscrit à un stage d'amaigrissement à Santa Barbara. Elle a quatorze ans quand elle connaît son premier amoureux, Adam Dave. Elle suit ses matchs de base-ball, elle passe des heures au téléphone avec lui, elle le laisse la toucher.

Ses parents ne s'entendent pas, alors elle mange encore plus et elle prend encore plus de poids. Leurs disputes presque continuelles l'inquiètent, lui font mal. Elle passe son temps à regarder *The Brady Bunch* à la télé. La mère entame une procédure de divorce. Le père est en train d'annoncer à une patiente qu'elle va mourir d'un cancer au poumon quand sa secrétaire vient l'interrompre pour lui apprendre qu'un huissier est à l'entrée, porteur de l'assignation. A Monica, sa maman certifie qu'elle en est arrivée là parce que son mari avait une aventure avec l'une de ses infirmières.

Elle pleure souvent. Il lui arrive de rester des journées entières dans une salle de cinéma, seule. En terminale au lycée de Beverly Hills, elle a encore pris près de vingt kilos et ses deux sobriquets lui collent à la peau. « Big Mac ! », « Pig Mac ! » s'esclaffent les autres. Quand elle sèche les cours, elle passe un temps fou à l'atelier de théâtre de l'école. Elle coud des costumes pour des représentations, elle obtient un rôle mineur dans *The Music Man*... C'est son refuge, son havre. Il lui arrive fréquemment de déjeuner à l'atelier, seule.

Sa mère la fait passer au Cours Bel Air, moins dominé par le culte de la beauté physique. Monica y développe une passion pour la poésie, notamment celle de Walt Whitman et de T.S. Eliot. Elle compose un poème qui s'ouvre sur ces lignes :

Accroupie solitaire dans un coin, en guerre contre mon cœur
Je repousse PEUR, ENVIE, MAL-ÊTRE ET RANCŒUR
Je lutte.

Même si elle n'y est plus inscrite, elle retourne à l'atelier de théâtre du lycée de Beverly Hills, et gagne un peu d'argent de poche avec ses travaux de couture. C'est là qu'elle fait la connaissance d'Andy Bleiler, le nouveau régisseur des spectacles de l'école. Il a vingt-cinq ans, huit de plus qu'elle et huit de moins que la femme divorcée avec laquelle il entretient une relation régulière. Elle n'ignore pas sa réputation de joli cœur. Un soir, après une représentation, il la raccompagne à sa voiture, il lui donne un baiser en guise d'au revoir et il effleure ses seins, aussi. Il est charmant, cet Andy, et il est mince.

Après avoir obtenu son diplôme à Bel Air, elle pose sa candidature à l'université de Boston. Dr. No dit : « Non. Trop cher. » A la place, elle entre à l'Institut de Santa Monica et elle se trouve un job à Knot Shop, un magasin de cravates. Elle aime beaucoup ce travail, la richesse des textures, la variété des coloris. Mais cela ne l'empêche pas de continuer à prendre du poids, de sorte que sa mère lui obtient un rendez-vous chez une psychothérapeute, Irene Kassorla, « la psychologue des stars » ainsi qu'on l'appelle à LA.

En 1980, le Dr. Kassorla a écrit un livre intitulé *Les Filles sages aussi*. Dans cet ouvrage, elle conseillait aux femmes d'apprendre à trouver leurs « muscles-boutons magiques ». Pour ce faire, il fallait selon elle aller aux toilettes, s'asseoir sur la cuvette, relâcher sa vessie puis s'interrompre en pleine miction, se retenir quelques secondes, recommencer à uriner, et ainsi de suite jusqu'à finir par trouver ces fameux « boutons magiques ». Il y était aussi beaucoup question de « s'abandonner à la passion », de « jubilation de la chair », de « tempêtes érotiques », de « tension romantique ». « Votre corps palpite dans l'attente, écrivait-elle, votre peau s'échauffe et rosit (...). Bientôt vous allez être balayée par une torride sensualité. » Devenue patiente de la savante doctoresse, Monica devient l'objet des assiduités d'Andy Bleiler, qui a

épousé entre-temps sa divorcée, Kate Nason. Il lui dit
qu'elle est sexy, qu'elle est belle, il la supplie de lui
donner sa petite culotte. Ils commencent à passer des
après-midis dans les motels du coin. Au début, elle ne
veut pas faire l'amour avec lui, parce que son statut
d'homme marié lui donne des scrupules. Mais elle se
met à genoux devant lui, littéralement, et en le suçant
elle sent qu'elle est amoureuse de lui.

Lorsqu'elle confie au Dr. Kassorla sa liaison avec
Andy, celle-ci la met en garde, certes, contre les
risques d'une aventure avec un homme tenu par les
liens du mariage, mais l'auteur des *Filles sages aussi*
ne va pas lui enjoindre d'y mettre fin sans tarder non
plus... Mis dans le secret, le Dr. No est beaucoup plus
catégorique : c'est non. Il exige qu'elle cesse immédiatement de voir Andy. La mère de Monica, pour sa
part, est indignée. Selon elle, Bleiler ne peut qu'être
« une ordure » pour s'attaquer à une fille tellement
plus jeune que lui.

En apprenant que la femme d'Andy est enceinte de
quatre mois, Monica annonce à celui-ci qu'elle se sent
trop coupable et que leur histoire est terminée. Quinze
jours plus tard, il revient à la charge et elle recommence à le fréquenter, parce qu'elle est foooolle de
lui. Le jour de son anniversaire, elle lui offre un
gâteau en forme d'iguane, elle se donne à lui dans la
salle de projection de l'amphithéâtre au lycée, et lui
chante *Happy Birthday* comme Marilyn l'avait chanté
à JFK... Mais peu avant la naissance du bébé de Kate
c'est lui qui prend l'initiative de la rupture. Il a décidé
de remplir dignement son rôle de père, explique-t-il à
Monica, ce qui ne l'empêche pas de la rappeler
quelques semaines plus tard. Et là, elle croit avoir
compris la manière dont les hommes mariés fonction-
nent : ils culpabilisent, ils essaient d'arrêter mais ils
en sont incapables.

Après avoir achevé son cursus à Santa Monica, elle
choisit de rejoindre le Lewis and Clark College de

Portland, dans l'Oregon, parce qu'il lui semble que règne là-bas la même mentalité qu'au Cours Bel Air, et parce qu'elle sait qu'elle n'a aucune chance d'en terminer avec Andy si elle reste à LA. Elle n'a pas la force de lui dire non, elle. Il est chaud, il est séduisant, il est sexy, toutes qualités dont elle s'estime entièrement dépourvue.

A Portland, elle partage un appartement proche du campus avec deux garçons, elle sillonne le marché aux puces à la recherche de tentures à fleurs — les roses, surtout, qu'elle adore — et de coussins brodés. « C'était la ringarde complète », estime un de ses condisciples, et c'était sans doute ce que pensait presque tout son amphi. Lorsqu'il faut nettoyer les toilettes, elle téléphone à sa mère pour obtenir des conseils pratiques. Et quand la maman vient en visite, Monica a toujours soin d'aller chez le coiffeur et de s'être fait épiler les jambes avant.

Il y a un Knot Shop à Portland également, et elle y a décroché un emploi, retrouvant ces cravates qu'elle aime tant. Elle travaille aussi dans un centre de loisirs pour aliénés mentaux, le Phoenix Club. Un jour, elle essaie de leur préparer une soupe aux matsot mais le résultat se révèle immangeable.

Ses nouveaux amis remarquent qu'elle parle énormément de sexe, et de son poids. Certains disent que c'est une montagne, sans préciser de quoi. D'autres estiment qu'elle pèse des tonnes. Mais la plupart apprécient sa franchise et son sens de l'humour.

Elle a beau sortir avec quelques garçons, Andy lui manque cruellement, alors elle lui téléphone à LA. Pour les congés de Thanksgiving, de retour dans sa ville natale, elle couche à nouveau avec lui, une, deux, plusieurs fois au cours de l'hiver et du printemps qui suivent, jusqu'à ce qu'elle découvre qu'Andy ne trompe pas seulement sa femme mais elle aussi.

A la fin du printemps, il l'appelle pour lui annoncer qu'il part s'installer avec Kate, son épouse, et leur enfant... à Portland. Elle est à la fois transportée et déprimée, parce qu'elle sent qu'elle l'aime encore et elle se dit qu'elle sera incapable de se détacher de lui s'il vient vivre à Portland. Andy débarque en juin, seul. Il lui explique qu'il doit trouver un travail, et un domicile pour sa famille, avant de l'amener ici. Il lui dit qu'il est fou d'elle, qu'elle est belle et sexy. Il passe tout l'été à Portland, en célibataire, et leurs relations se font de plus en plus intimes. Ils ne se quittent pratiquement pas pendant ces semaines.

A l'automne, Kate et le bébé arrivent. A nouveau, Andy avoue à Monica qu'il est trop rongé par la culpabilité, qu'il faut arrêter. Elle essaie mais ne peut pas. Elle fait la connaissance de Kate, qui lui plaît beaucoup. Elles deviennent de grandes amies. Monica ne se cache pas que son affection pour Kate découle en partie de l'amour qu'elle porte à son mari. Elle prend l'habitude de garder leur enfant, elle achète des habits au bébé et à la première fille de Kate, née d'un premier lit. Et elle fait l'amour avec Andy chez eux.

Comme Andy ne cesse de retourner à LA « pour affaires », elle finit par avoir des soupçons. Par des coups de fil à des amis, elle apprend qu'il couche avec une fille de son ancien lycée à Beverly Hills. Elle trouve son numéro de téléphone, elle l'appelle. La jeune fille se plaint de ne pas le voir assez, se sent manipulée et lui confie qu'elle pensait tout révéler à l'épouse d'Andy.

Quand Monica rapporte cette conversation à Andy et le somme de s'expliquer, il se met à pleurer comme un gamin, il gémit qu'il va se suicider, il la supplie de lui pardonner et de l'aider. Elle retéléphone à l'adolescente, arrive à la convaincre de ne pas faire de scandale. En échange, Andy s'engage à ne plus seulement s'esquiver quelques heures du domicile conjugal pour de rapides étreintes : désormais, il l'emmènera prendre un verre, ou dîner, et il la traitera comme une femme aimée et respectée. Elle continue

à faire la nounou pour Kate et, en guise de représailles
contre Andy, elle couche avec le frère cadet de ce
dernier, Chris. Andy lui avait pourtant assuré qu'elle
ne plairait pas à Chris, parce qu'« il aime seulement
les grandes filles sveltes ». Mais Chris l'apprécie, au
contraire. Elle fait en sorte qu'il l'apprécie.

Elle met au point avec Andy des raisons qui lui
permettront de s'absenter sans éveiller la jalousie de
Kate. Dès que celle-ci n'est pas chez eux, il lui
raconte à son retour que David Bliss, le technicien en
chef du département d'art dramatique au Lewis and
Clark College, vient de l'appeler pour lui proposer
quelques heures de travail, voire des journées entières.
Mais Kate commence à trouver bizarre que ce Bliss
téléphone à chaque fois qu'elle est dehors... Paniqué
par les questions de son épouse, Andy se précipite
chez Monica en quête de conseils. Elle a de la ressource : elle se glisse à l'atelier de théâtre, dérobe une
lettre à en-tête sur laquelle elle rédige une proposition
d'emploi destinée à Andy, et conclut en imitant la
signature de David Bliss.

Pendant ce temps, elle est aussi « assistante d'enseignement » dans un programme universitaire intitulé
« Psychologie de la sexualité ». Là, elle dirige un
« labo de sexe ». Alors que les autres participants se
montrent trop timides pour exposer leur vie intime,
elle se lance courageusement à l'eau, évoque sans
détour ses problèmes de poids et leurs effets sur son
épanouissement sexuel. A la même époque, elle paie
quarante dollars pour assister avec une amie à une
conférence sur le thème « Comment rencontrer un(e)
partenaire ».

Le lendemain de l'obtention de son diplôme de fin
d'études, elle accompagne deux copains qui vont faire
du saut à l'élastique. Au dernier moment, sans réfléchir plus avant, elle saute elle aussi.

Son père l'encourage à envisager de démarrer sa
carrière dans les services d'assistance juridique de

Portland. Mais sa mère, qui sait qu'elle continue à fréquenter Andy Bleiler, a une meilleure idée. Un plan qui permettrait d'éloigner Monica de Portland, et donc d'Andy. Un de ses amis, Walter Kaye, un important donateur du parti démocrate et un proche de Hillary Clinton, lui a dit que l'un de ses petits-fils avait effectué un stage à la Maison-Blanche. Ce n'est qu'un petit boulot d'été, un mois et demi non payé, lui explique sa mère, et elle sera parmi deux cents autres stagiaires, mais ça paraît excitant, non ? Et quel effet ça doit faire sur un CV ! Comme sa mère est déjà installée à Washington pour être près de sa sœur Debra, Monica peut venir habiter chez elle, au Watergate. Avec Bob et Elizabeth Dole pour voisins ! Là, Monica dit que tout ça lui semble *vraiment* excitant, et donc sa mère lui annonce qu'elle va contacter Walter Kaye, lequel appellera peut-être son amie Hillary Clinton. Monica envoie sa demande et... elle est acceptée. Elle va travailler à la Maison-Blanche ! Elle passe sa dernière nuit à Portland avec Andy. Elle sait qu'elle l'aime toujours.

Avec sa mère, elle passe les quelques semaines qui la séparent du début du stage chez sa tante Debra, dans son imposante villa de Virginie. Celle-ci possède également un petit appartement au Watergate, si bien qu'elle est constamment avec sa cousine. Mais cela ne suffit pas à lui faire oublier Andy. Elle finit par l'appeler. Quinze jours seulement après avoir quitté Portland, elle y retourne pour rencontrer son amant. C'est le 4 juillet, la fête nationale, et il ne parvient à se rendre libre que peu de temps, mais ils profitent pleinement de ces quelques heures.

Le 10 juillet 1995, dans la pièce 450 du bâtiment qui abritait jadis la direction de l'appareil présidentiel, elle se voit expliquer son rôle de stagiaire à la Maison-Blanche : elle devra servir de courrier entre cet immeuble et l'Aile ouest, là où se trouve le Bureau ovale. La première fois qu'elle passe devant la lourde porte en acajou de ce saint des saints, gardée par un membre des services secrets, son cœur s'emballe. Elle téléphone à Andy pour lui raconter d'une voix extasiée ce qu'elle a éprouvé à cet instant.

Elle se rend vite compte que la population féminine de la Maison-Blanche est fascinée par le quarante-deuxième président des Etats-Unis. Enfin, pas seulement en tant que chef des armées mais aussi parce qu'il est Bill Clinton, le queutard. Elle connaissait déjà sa réputation de tombeur mais là elle entend des anecdotes concernant des femmes bien précises, employées à la Maison-Blanche : Marsha Scott, par exemple, une vieille amie d'Arkansas devenue assistante administrative qui, d'après la rumeur, était au lit avec Clinton quand Vince Foster[1] s'est donné la mort ; ou la jeune et belle Cathy Cornelius, qui a l'allure d'une Cybill Shepherd et qui a accompagné le président dans de nombreux voyages à l'étranger ; ou Debbie Schiff, ancienne hôtesse de l'air sur l'appareil qu'il utilisait pendant la campagne présidentielle, devenue secrétaire ici... Monica n'arrive pas à comprendre. D'après ce qu'elle a vu de lui à la télé, il a un gros nez rouge, Bill Clinton. Et des cheveux gris, ternes. Et des lunettes de soleil ringardes. C'est un vieux, quoi.

Vers la mi-juillet, une semaine environ après le début de son stage, Walter Kaye invite Monica et sa mère à assister à l'accueil du chef de l'Etat coréen sur la pelouse de la Maison-Blanche. C'est une belle journée, très chaude. Elle transpire dans sa robe légère, sous son chapeau de paille style sombrero. Elle a peur de s'évanouir, dans cette chaleur. Soudain, une

---

1. Le 20 juillet 1993, Vince Foster, vieil ami des Clinton et conseiller juridique de la Maison-Blanche, était retrouvé mort dans un parc de Virginie. Un scandale retentissant mais vite étouffé allait éclater, nourri par les affirmations selon lesquelles la note qu'il avait laissée pour expliquer son suicide était un faux, et qu'il tenait le revolver dans sa main droite alors qu'il était gaucher. (*NdT*)

annonce dans les haut-parleurs : « Mesdames et messieurs... Le président des Etats-Unis et la First Lady ! » Elle entend l'orchestre des Marines attaquer une marche militaire et... il est là. Son cœur s'arrête, elle sent qu'elle perd le souffle et des papillons se mettent à tourner dans sa tête. Elle ne l'a vu qu'un instant, et de loin, mais cela suffit : il est teeeellement séduisant !

Une semaine plus tard, quand les jeunes stagiaires sont autorisés à assister à un départ du président, elle est plus près de lui. Il descend un passage délimité par des cordons en serrant les mains à droite et à gauche, très souriant. Lorsqu'il arrive devant elle, elle a l'impression d'être transparente, d'être un arbre, ou une plante en pot. Il ne lui a pas jeté un regard, ou si peu...

Le 9 août, elle est présente à un autre départ. Ce jour-là, elle porte une robe vert cendré moulante que sa mère lui a récemment achetée chez J. Crew. Et le revoilà derrière le cordon, et il s'arrête pour échanger quelques mots avec le père d'une autre stagiaire debout à côté d'elle, et soudain... Il la regarde, et il reste les yeux dans les yeux avec elle tout en continuant à bavarder avec les autres. Il lui sourit, à elle ! Et puis il se rapproche, lui serre la main. Son sourire a disparu mais son regard reste plongé dans les yeux de Monica, l'isolant du reste de l'assistance, la déshabillant... Il continue à avancer et elle, abasourdie, chancelle sur un voisin. Il s'éloigne mais leurs yeux se croisent à nouveau. Il l'observe.

Le lendemain, encore transportée par ce qu'elle a vécu la veille, elle apprend que les stagiaires ont été invités à la dernière minute à une fête surprise que les employés de la Maison-Blanche organisent pour l'anniversaire du président. Il a quarante-neuf ans ce jour-là. Elle, vingt-deux. Elle saute dans sa voiture pour aller se changer chez elle. Elle passe la robe vert cendré.

C'est une fête western. Le vice-président Gore arrive dans un vieux chariot en bois, certains conseillers présidentiels à cheval. Et puis c'est *lui*, toujours entre les cordons, et il lui sourit en arrivant à sa hauteur, il la regarde intensément, à nouveau, et là elle murmure « Happy Birthday, Mr. President », sur le ton imité de Marilyn qu'elle a déjà testé auprès d'Andy Bleiler. A nouveau tout se déroule au ralenti, en plans fixes, mais cette fois, quand il reprend son chemin, son bras vient fortuitement frôler les seins de Monica. A nouveau elle le contemple qui s'éloigne et, au bout du passage, il la regarde encore, puis il s'engage dans la Maison-Blanche et... soudain, il s'arrête, se retourne et ses yeux reviennent sur elle. Monica lui souffle un baiser sur sa paume. Il éclate de rire, la tête rejetée en arrière.

De retour chez elle, elle raconte à sa mère et à Tante Debra ce qui s'est passé. Sa mère, très amusée, constate qu'elle est en train de développer un sérieux béguin pour le président des Etats-Unis. Debra, elle, remarque : « Peut-être que tu l'intéresses, ou que tu l'attires, quelque chose de ce genre... »

Monica se rend à une librairie encore ouverte à cette heure, achète le livre de Gennifer Flowers et passe la nuit à le lire. Elle apprend que Bill Clinton appelait Gennifer « Pookie » — comme tant de chats dans les foyers banlieusards américains —, qu'il aime les femmes-fruits, ces « pêches mûres à point », et elle se revoit dans sa robe moulante. Elle dévore ses notations à propos du « regard brûlant » de Clinton, équivalent à des « préliminaires psychologiques », et elle repense à la manière dont il l'a observée.

Elle est très troublée en lisant Pookie le décrire comme un « homme fait pour l'amour (...), avec une libido plus exubérante » qu'elle n'en a jamais vue chez un autre mâle. Monica note bien son goût prononcé pour la lingerie sexy, les porte-jarretelles en dentelle, les petits bodys noirs, les petites nuisettes blanches... Il est teeeellement coquin, d'après ce que rapporte Gennifer, qu'elle a du mal à y croire : il posait des glaçons sur les seins de Pookie, il lui demandait de faire couler de la cire chaude sur son corps, il la tartinait de miel, il lui enjoignait de l'attacher aux quatre coins du lit, de se servir d'un godemiché sur lui.

Tout ce que Gennifer raconte de lui l'excite. « Son énergie me stupéfiait, lit-elle. Cette nuit-là, nous avons fait l'amour encore et encore, sans qu'il ne donne le moindre signe de fatigue (...). Et il a prouvé qu'il était capable de continuer sur ce rythme jusqu'au matin. » D'après Pookie, rien ne l'arrêtait, Bill. Il avait toujours de la came dans ses poches et s'en servait volontiers. Il adorait qu'elle le rejoigne à l'hôtel nue sous un manteau de fourrure. Il aimait le sexe au téléphone — « Me dire des mots cochons et que je lui réponde dans le même registre, c'était son grand truc » —, et couvrir le corps de Gennifer de ketchup ou de lait qu'il lappait ensuite, et les pipes... « Avec Bill, la fellation paraissait l'acte le plus naturel du monde. »

Le livre de Pookie la conduit aussi à s'interroger sur les relations de Bill avec Hillary, dont l'amitié pour Walter Kaye a permis à Monica d'obtenir son stage à la Maison-Blanche. « Bill m'a dit qu'il savait depuis longtemps qu'Hillary était attirée par les femmes, écrit Gennifer, et que cela ne le tracassait plus vraiment. Il en a eu l'intuition en constatant son manque de réaction quand ils faisaient l'amour. Il m'a confié qu'elle était froide au lit, passive. Qu'elle ne cherchait pas à expérimenter, qu'elle tolérait seulement la position du missionnaire, rien d'autre. Et comme elle ne prenait pas de plaisir, il n'en retirait pas lui non plus. Sa vie sexuelle avec Hillary était un devoir, une obligation. » Selon une autre confidence de Bill à Gennifer, sa femme « avait bouffé plus de moules que moi ».

Monica rit de tout son cœur lorsqu'elle apprend qu'il surnommait son sexe « Willard ». Willard ? Willard ! Quel drôle de nom pour un pénis ! Il n'y a pas un vieux film qui s'appelle *Willard*[1] ? L'histoire d'un garçon et de son rat domestique ? Mais elle a beaucoup apprécié l'explication qu'en donnait Gennifer : « Willard, parce que c'est plus long que Willie... »

Le lendemain, elle est de congé. Elle ne sort pas de chez elle, persuadée qu'elle va recevoir d'un instant à l'autre un coup de fil des services secrets lui annonçant que le président désire la voir tout de suite. Elle a entendu dire qu'ils procédaient de cette façon, pour JFK. Le téléphone sonne très souvent, ce jour-là, et à chaque fois son pouls s'accélère, mais ce n'est jamais *lui*.

Alors que le stage tire à sa fin, elle va trouver son instructeur pour solliciter une nouvelle période de six semaines. Comme celui-ci la juge consciencieuse et très dévouée à son travail, il soutient sa demande et elle est acceptée.

Elle a commencé à lire toute la littérature qu'elle peut trouver à son sujet. Son cœur saigne pour lui : avoir dû grandir dans cet Etat affreusement raciste, l'Arkansas, où les Noirs se faisaient encore lyncher jusque dans les années vingt ! Avoir été contraint de vivre deux ans chez ses grands-parents parce que sa mère n'avait pu trouver du travail que dans une autre ville ! Elle la voyait avec ses yeux de petit garçon, sa maman : tombant à genoux et éclatant en sanglots après être venue le voir. Et c'était aussi sur elle qu'elle s'apitoyait, du même coup. Elle avait été « la grosse » de sa classe et lui... « le gros » ! Les seuls jeans qui lui allaient à la taille étaient si longs qu'il devait se faire des ourlets jusqu'au mollet. Il avait un joli petit costume d'Hopalong Cassidy et les autres gosses l'obligeaient à sauter à la corde avec ses bottes

---

1. Un film de Daniel Mann, 1970. (*NdT*)

de cow-boy aux pieds — alors, il se débrouillait mal à la corde, lui aussi ! —, et une fois ils l'avaient relevée brusquement, il était tombé, il s'était cassé la jambe et les brutes l'avaient entouré pendant qu'il était à terre en criant : « Oh la fille, oh la fille ! » Et puis, comme elle, il s'était terré dans sa chambre pendant que ses parents s'invectivaient mutuellement.

Elle se rappelait avoir soutenu, quand elle était à l'école élémentaire, qu'un jour elle serait présidente des Etats-Unis, et donc quel ravissement de lire qu'au même âge un de ses profs avait dit à Bill qu'il deviendrait président... et qu'il l'était, en effet !

L'aspect de lui qui allait le plus la bouleverser, c'est le jour où, gamin, il avait chanté *La grenouille fait sa cour* avec son professeur de musique : « Miss Souris m'épouserez-vous ma mie, non, oui ? / Miss Souris m'épouserez-vous ma mie ? » Et le prof de donner la réplique : « Si mon oncle le Rat n'y consent, non, non ! / Si mon oncle n'y consent, / je marierai pas même le Président ! » C'est cette image qui s'est inscrite en elle, celle d'un petit garçon grassouillet aux cheveux coupés en brosse, les jambes de son jean roulées trop haut, son bedon sortant de la ceinture, en train d'ânonner : « Miss Souris m'épouserez-vous ma mie, non, oui ? » Elle se sentait si proche de lui, teeeeellement proche...

En août, elle assiste encore à un départ du président avec un groupe de stagiaires. Cette fois, quand il s'arrête pour échanger quelques mots avec eux, elle se présente, en réussissant à bien préciser que c'est son deuxième stage d'affilée. Il sourit, hoche la tête. Une semaine plus tard, à peu près, elle est en train de bavarder avec un membre de la sécurité dans le hall au sous-sol de l'Aile ouest quand il surgit, accompagné de deux visiteuses. Il se détourne d'elles pour la regarder.

— Hello, m'sieur le président ! Je suis Monica Lewinsky.

— Je sais, réplique-t-il avec une petite grimace ironique.

Et ses yeux recommencent à la détailler, à la déshabiller. Elle rentre le ventre, se félicitant de porter du noir ce jour-là.

Le second stage terminé, elle remet à son instructeur sa candidature pour un poste salarié à la Maison-Blanche et elle s'en va. Pendant plus de deux mois, elle ne le reverra plus mais elle pense à lui sans cesse, elle décrit à ses copines la façon dont le président des Etats-Unis l'a mise nue d'un seul regard. Ses amies sont inquiètes. L'une d'elles, qui travaille à la Maison-Blanche, la prévient même que selon des rumeurs insistantes il quitte sa résidence officielle tard dans la nuit pour aller rejoindre une femme à l'hôtel Marriott de Washington-centre.

Malgré ce coup de foudre décrit à ses confidentes, elle retraverse le continent pour aller voir Andy Bleiler à Portland. Il arrive à se dégager quelques heures, les passe au lit avec elle, mais une fois encore il lui déclare que c'est terminé, qu'il a trop honte de tromper ainsi son épouse. Là, Monica s'effondre. Elle s'emporte contre lui. Comment, elle a survolé toute l'Amérique rien que pour venir lui faire l'amour et il lui ressort à nouveau son vieux couplet hypocrite, mesquin, blessant ! Elle pleure pendant tout le vol du retour à Washington.

Une excellente nouvelle l'attend dans la capitale, cependant : il y a un poste à pourvoir au département des Affaires législatives de la Maison-Blanche. Elle passe des entretiens et... elle obtient la place !

Mais il y a un hic. Newt Gingrich et ses Républicains ont bloqué l'adoption du nouveau budget, ce qui met en chômage technique une bonne part de l'appareil d'Etat. Tant que l'impasse n'est pas surmontée, le personnel administratif est réduit au minimum et le staff régulier de la Maison-Blanche passe de quatre cent trente à quatre-vingt-dix. En fait, c'est une chance pour les stagiaires bénévoles, qui peuvent continuer à travailler et même voir leurs responsabilités étendues. Puisqu'elle n'a pas encore débuté son emploi rémunéré, Monica est en mesure de se rendre utile avec le statut formel de stagiaire non payée.

Le premier jour de son retour à la Maison-Blanche — en tailleur pantalon bleu marine —, elle est affectée au bureau du directeur du personnel, Leon Panetta, pour répondre au téléphone. Lequel n'arrête pas de sonner car la concierge des conservateurs, Rush Limbaug, a donné à l'antenne le numéro de Panetta à tous les enquiquineurs qui veulent protester contre ces réductions d'effectif.

A un moment, elle voit passer celui qu'elle a surnommé « Beau Gosse » dans le couloir. Ses lèvres forment un bonjour mais elle ne peut pas lâcher le combiné. « Salut ! » lui lance-t-il avec un sourire tout en continuant son chemin.

Plus tard, ce même jour, il y a un pot d'anniversaire pour l'un des employés du service et soudain le président surgit, en toute décontraction. Il lui sourit de loin tandis qu'elle doit continuer à supporter les jérémiades téléphoniques. Puis il passe dans le bureau de Leon Panetta et là, elle quitte son poste pour aller l'attendre devant la porte. Lorsqu'il ressort, elle lui tourne le dos, soulève le pan de sa veste avec ses pouces et lui donne à voir le haut du tanga en soie qui dépasse de la taille du pantalon. Le livre de Gennifer ne lui a-t-il pas appris qu'il raffole de ce genre de fanfreluches ? En passant à côté d'elle, il lui sourit encore, ses yeux dans les siens.

Pendant la soirée, il revient à plusieurs reprises. Il la regarde travailler à son bureau. Il explique à chaque fois qu'il cherche tel ou tel collaborateur alors qu'il sait pertinemment qu'ils ne peuvent pas se trouver là. Et puis, en allant chercher une boisson au distributeur, elle voit que le bureau de George Stephanopoulos, le porte-parole présidentiel de l'époque, est ouvert. Et qui aperçoit-elle assis à l'intérieur, tout seul ? « Beau Gosse » !

— Entrez une seconde, l'invite-t-il. (Elle obéit.) Alors, vous avez fait vos études où ?

— Vous savez, j'ai vraiment le béguin pour vous, vraiment, réplique-t-elle.

Il éclate de rire et l'observe un long moment, le regard fixé sur ses seins. Enfin, il se lève :

— Venez par là.

Dans le bureau privé de George, il la prend dans ses bras et la serre fort. Ses yeux « vous fouillent l'âme, très tendres, avec beaucoup de désir et d'amour dedans ». Elle pense aussi qu'il y a une sorte de tristesse en lui, à laquelle elle ne s'attendait pas.

— Vous êtes si belle, souffle-t-il. Votre présence suffit à... illuminer une pièce. (Une pause, puis :) Je peux vous embrasser ?

Et il passe à l'acte sans attendre, un baiser « à la fois doux et passionné, très romantique ». Il caresse ses cheveux, son visage.

— J'ai déjà fait ça, vous savez, dit-elle. Pas de problème.

Ce qu'elle entend par là, c'est qu'elle a déjà connu un homme marié. Andy Bleiler. Elle veut mettre Beau Gosse à l'aise.

— Dès que je t'ai vue là-bas, dehors, j'ai su que je t'embrasserais un jour, affirme-t-il.

Il la contemple longtemps, sourit, consulte sa montre. Il annonce qu'il doit retourner au travail.

Plus tard encore, vers dix heures du soir, elle est seule à la réception du bureau de Leon Panetta quand il réapparaît. Elle s'y attendait. Elle a déjà écrit son nom et son numéro de téléphone sur un bout de papier qu'elle lui tend quand il s'approche d'elle. Avec un sourire, il déclare :

— Si ça vous dit de me retrouver dans le bureau de George d'ici cinq ou dix minutes, vous pouvez.

— Oui, répond-elle en souriant. J'aimerais, oui.

Au bout de dix minutes, elle s'y rend. Il n'y a personne dans l'antichambre, où les lumières sont encore allumées. Puis la porte du bureau privé s'ouvre et il est là, dans la pénombre, lui lançant son lent sourire si sexy... Il lui fait signe d'entrer.

Dès qu'elle a franchi le seuil, il la couvre de baisers. Elle déboutonne sa veste de tailleur, sous laquelle elle ne porte qu'un soutien-gorge. Il touche ses seins, les dénude, les caresse et les embrasse. Il explore son corps, glisse une main dans sa culotte. Un téléphone sonne. Il décroche et commence à parler avec un membre du Congrès pendant que ses doigts s'activent entre les jambes de la jeune femme. C'est à propos de la Bosnie, cette conversation. Elle a un orgasme tandis qu'il poursuit son échange téléphonique, puis elle se met à genoux devant lui. Elle veut ouvrir sa braguette mais elle est plus habituée aux fermetures éclair qu'aux boutons, et comme elle cafouille un peu il la déboutonne pour elle sans abandonner un seul instant son interlocuteur. Et d'un coup Willard est là, devant elle. Elle entreprend de le cajoler, de le couvrir de baisers, son Frangin, et lui il continue à parler de la Bosnie. Quand il finit par raccrocher, il arrête Monica en pleine activité.

— S'il vous plaît, plaide-t-elle. Je veux vous faire jouir.

— Je... Je ne vous connais pas assez, dit-il. Je ne vous fais pas assez confiance pour ça. (Il prend entre ses doigts son passe de stagiaire, une carte plastifiée rose qu'elle porte accrochée à son cou.) Ça pourrait être un problème, ça...

Elle lui explique qu'elle vient d'être embauchée à temps plein, que son nouveau poste lui donnera droit à un passe bleu, celui qui permet de circuler librement dans toute la Maison-Blanche.

— Ah, super, commente-t-il en souriant. (Il la regarde un moment.) Bon, faut que j'y aille, petite.

Le temps qu'elle dise « Okay », il a déjà disparu.

Elle sent qu'elle vient de trouver son « âme sœur en sexualité ». De retour chez elle, elle réveille sa mère et sa tante pour leur annoncer que le président des Etats-Unis l'a embrassée. Elle ne mentionne pas Willard, par contre.

Le lendemain, il l'ignore. Le surlendemain, elle le guette toute la journée mais il n'approche pas du service de Leon. Elle reste tard, comme d'autres collaborateurs du président dont sa secrétaire personnelle, Betty Currie. Mais Monica, c'est pour l'attendre. Ils décident de se faire livrer une pizza. Quand leur commande arrive, Monica va jusqu'au bureau de Betty pour la prévenir. Et il est là, enfin, en conversation avec quelques personnes. Il ne lui jette même pas un regard.

Betty repart avec elle et tous ceux qui travaillent encore les rejoignent pour attaquer la pizza. A un moment, l'un d'eux bouscule Monica et renverse de la sauce tomate sur sa veste rouge toute neuve. Elle va aux toilettes nettoyer les dégâts. Quand elle ressort, Beau Gosse est sur le seuil du bureau de Betty, comme s'il l'attendait.

— Tu peux aussi passer par là, petite, lui dit-il en souriant et en l'entraînant dans le Bureau ovale, en direction de son cabinet personnel.

A l'endroit du couloir où il n'y a pas de fenêtres, il l'arrête, l'embrasse, fait courir ses mains sur son corps.

— Tu as un sourire merveilleux, soupire-t-il.

Elle lui demande pourquoi il ne l'a pas appelée chez elle.

— Mais... et tes parents ?

— Ce n'est pas un problème. J'ai une ligne rien que pour moi. Vous n'avez aucun souci à vous faire. Je... Je vous l'ai dit : j'ai déjà fait ça. (Il l'embrasse encore, la caresse, la presse contre Willard.) Je parie que vous ne vous rappelez même pas mon nom.

Il lui lance un clin d'œil.

— Ah oui ? C'est quoi comme nom, d'ailleurs, Lewinsky ?

— C'est juif.

Il reprend ses baisers mais elle chuchote :

— Il vaut mieux que j'y aille. Ils vont se demander où je suis, là-bas.

Elle veut lui montrer qu'il peut compter sur elle, qu'elle prend soin de ne pas attirer les soupçons.

Il lâche un petit rire.

— Et si tu allais m'en chercher une ou deux parts, de cette pizza ?

Alors, elle retourne au service de Leon, s'empare de deux portions de pizza végétarienne. A l'entrée du Bureau ovale, Betty a repris sa place. Monica lui explique qu'*il* lui a demandé de lui en rapporter. Betty ouvre la porte de son boss et annonce :

— La fille avec la pizza est là, monsieur.

A l'intérieur, il la reconduit dans le couloir sans fenêtres et recommence à l'embrasser. Il déboutonne son chemisier, pose les lèvres sur ses seins. Elle déboutonne sa chemise, pose les lèvres sur son torse. Elle sent qu'il essaie de rentrer le ventre.

— Oh, pas besoin de faire ça... Je l'aime bien, votre petite brioche !

Soudain, Betty frappe à la porte qui donne sur le couloir. Ils s'immobilisent, tous les deux.

— Monsieur ? Vous avez la communication que vous attendiez...

— Merci, Betty, lance-t-il, la voix un peu rauque.

Il entraîne Monica dans les toilettes du fond, plongées dans l'obscurité, et décroche le téléphone.

Encore un autre membre du Congrès, mais il est toujours question de la Bosnie. Tout en parlant, il ouvre sa braguette. Willard passe l'œil pour regarder Monica. Elle s'agenouille, commence et... il repousse la tête de la jeune femme.

— S'il vous plaît ! Laissez-moi seulement terminer !

— Non. Je te l'ai dit, je ne te connais pas assez bien.

Elle ne comprend pas cette subtilité : il la connaît assez pour la laisser cajoler Willard, mais pas suffisamment pour lui permettre de le combler jusqu'au bout, son Frangin ?

A nouveau, il évoque son « merveilleux sourire », « l'énergie incroyable » qu'elle transmet.

— En général, je suis par ici les week-ends, lui apprend-il. C'est très calme, à ce moment-là. Tu peux venir me voir, petite.

— Okay... (Elle sourit.) Appelez-moi, alors.

— Sûr.

Mais il ne téléphone pas, non. Parfois, elle le croise dans les couloirs et il lui sourit, il dit « Salut ! », l'appelle toujours « petite ».

Fin novembre, elle va voir Betty Currie. Elle lui demande si elle serait d'accord pour remettre au président une cravate si elle lui en apportait une. Elle lui raconte son travail aux deux Knot Shop, son amour de cet accessoire masculin. Betty accepte aussitôt.

Elle achète une superbe Zegna, peinte et cousue à la main, et la confie à Betty. Quelques jours plus tard, celle-ci lui annonce qu'il a adoré son cadeau, au point qu'il s'est fait photographier avec et qu'il a l'intention d'offrir un tirage à Monica.

En traversant l'Aile ouest début décembre, elle l'aperçoit au milieu d'un groupe. En la voyant, il suspend sa conversation et se tourne vers elle pour demander : « Eh bien, vous avez eu cette photo de moi avec la cravate ? » Elle lui répond que non et elle s'éloigne. Un peu plus tard, Betty lui téléphone à son poste en la priant de passer. Quand Monica arrive, elle lui dit d'entrer dans le Bureau ovale afin que le président puisse lui dédicacer la photo.

Dès qu'elle apparaît, il s'exclame :

— Mon Dieu, mais tu es ultra-mince !

Elle sait pertinemment qu'elle ne l'est pas, qu'elle ne l'a jamais été et qu'elle ne le sera jamais. Mais elle a teeeellement essayé de maigrir, et il est teeeeellement gentil de dire ça ! Il lui donne son portrait encravaté et le lui dédicace. Betty se glisse dans le bureau à ce moment.

— Merci, monsieur le président, souffle Monica.

— De rien, petite.

Elle s'en va. Après, elle confie à sa mère, à Tante Debra, à ses amies, qu'elle est en train de tomber amoureuse de lui. Personne ne la prend au sérieux. Elle, elle pense : En tout cas, Beau Gosse est en train de me détourner d'Andy Bleiler, enfin... Elle sait que les femmes ont parfois besoin de rencontrer un homme pour tourner la page avec un autre, oui, mais elle n'avait jamais imaginé qu'il lui faudrait le président des Etats-Unis pour oublier Andy.

3

Un de ces vacarmes...

« Tous les présidents que nous avons eus, tous sans
exception, ils ont toujours pris des maîtresses
parce que la pression qu'ils subissent dans ce job,
c'est juste... trop ! Beaucoup trop pour ne se
contenter que de sa femme, vu qu'à ce niveau il
s'est accumulé trop d'habitudes avec elle, trop de
train-train. C'est forcé. » (MONICA À LINDA TRIPP)

*L*e *Prince du Comeback savait que ce coup-là allait
être dur, très dur... Il allait y avoir un de ces
vacarmes ! Ses tympans allaient déguster. Baisser le
volume de l'appareil auditif qu'ils venaient de lui
mettre au point à l'hôpital Bethesda ne servirait pas
à grand-chose, parce que ça allait hurler méchant,
hurler sérieux, bien plus que...*
Bien plus que pour l'acquittement d'O.J. Simpson,
et pour les cassettes de Nixon, et pour celles de Gennifer, et pour le plantage de Carter sur les otages en
Iran, et pour quand Tyson avait mordu Holyfield, et
pour Vince et Hillary, et pour Nixon et Bebe Rebozo,
et pour Ronald Reagan et Selena Walters, et pour Bob
Dole et Meredith Roberts, et pour les « déjeuners » de

Nancy Reagan avec Frank Sinatra qui duraient trois heures, et pour Nixon et son poteau Bob Abplanalp, l'hyper-ambitieux inventeur de l'aérosol.

Bien plus qu'avec Hamilton Jordan, le directeur de cabinet de Carter, accrochant le décolleté de l'épouse de l'ambassadeur d'Egypte en bredouillant : « J'ai toujours rêvé de voir les Pyramides » ; et le même Jordan renversant un cocktail à l'amaretto et à la crème fouettée sur la robe d'une jeune femme dans un bar de Georgetown ; et Elton John proclamant que Keith Richardson n'était qu'un « chimpanzé arthritique qui essaie de remonter sur scène et d'avoir l'air jeune » ; et Tip O'Neill disant que George McGovern avait été « choisi par la troupe de *Hair* » pour représenter les Démocrates ; et le sénateur John McCain déclarant que la cote de popularité de Newt Gingrich était « pire que celle du serial killer Jeffrey Dahmer » ; et l'épisode Prince-Kim Basinger...

Oui, ses oreilles allaient en prendre bien plus que celles de Bush vomissant sur le Premier ministre du Japon ; celles de LBJ (Lyndon Baines Johnson) annonçant : « Messieurs, je bande pour la présidence ! » ; celles de Hugh Grant après la rencontre de la professionnelle Divine Brown dans une rue de LA ; celles de Carter quand il avait reconnu commettre « l'adultère en pensées » ; celles de George Bush et Jennifer Fitzgerald ; celles de Gerald Ford, qui n'arrêtait pas de se casser la figure ; celles de George Bush commentant son débat télévisé avec Geraldine Ferraro en ces termes : « Il a fallu un peu serrer les fesses, de part et d'autre... »

Ça allait encore plus vociférer qu'avec J. Edgar Hoover et ses mignons de seize ans ; LBJ choisissant ses nanas dans la foule, ses assistants transformés en maquereaux ; Jimmy Carter et ses poèmes ; LBJ volant des meubles à la Maison-Blanche pour les emporter dans son ranch ; Eddie Murphy et le travesti ; George Bush à la télé : « Bon, pour ceux qui n'au-

raient pas pigé : il n'y aura PAS de nouveaux impôts » ;
Dick Morris, conseiller en stratégie de Clinton, au
téléphone avec le boss pendant que sa copine Sherry
Rowlands écoutait ; JFK se servant de son amante,
Judith Campbell Exner, pour convoyer les fonds destinés à la pègre ; LBJ ivre mort, titubant dans la Maison-Blanche et lâchant des bordées d'injures ;
l'appartement en copropriété de Jack Kemp, le coéquipier de Bob Dole, à Lac Tahoe ; le faible d'« Ike »
Eisenhower pour Kay Summersby ; la lettre où Vince
Foster « expliquait » son suicide ; JFK et Marilyn
dans le grenier au-dessus des bureaux du procureur
général ; LBJ soulevant ses chiens par les oreilles ;
George Bush penché sur le scanner code-barre d'une
supérette, cherchant à comprendre.

Et on pourrait continuer... La fameuse photo de
Jimmy Carter avec le doigt dans le nez ; le sénateur
de l'Iowa Tom Harkin se mouchant à la hussarde
devant les caméras de la chaîne C-SPAN ; Pat Buchanan clamant que « le Congrès américain, c'est comme
les territoires occupés par Israël » ; dans la veine des
comparaisons, celle de Clayton Williams, candidat au
poste de gouverneur du Texas, à propos du mauvais
temps et du viol : « Si c'est inévitable, détendez-vous
et profitez ! » ; le sénateur et « héros du Vietnam »
Bob Kerrey racontant à Bill Clinton cette blague sur le
compte du Républicain Brown, toujours sur C-SPAN :
« Jerry Brown entre dans un bar et voit deux super-
meufs. Un client au comptoir le hèle : "Hé, gouverneur, perdez pas votre temps ! Elles sont gouines, ces
filles-là !" Brown s'étonne : "Comment vous le
savez ? — Ben, parce qu'elles adorent se faire des
langues fourrées, ces deux-là !" répond le type. Brown
le regarde, étonné : "Mais moi aussi, j'adorerais ! Ça
veut dire que je suis une gouine ?" »

Et LBJ réquisitionnant des hélicoptères des Marines
pour qu'ils rabattent les paons de son ranch ? Et JFK
avec trois call-girls à la fois dans sa chambre d'hôtel ?

Et LBJ affirmant : « Tant que je ne le tiens pas par les couilles, je ne peux pas faire confiance à un type » ? Et Spiro Agnew : « Quand on a vu un bidonville, on les a tous vus » ? Et Ronald Reagan : « Les sequoias ? Quand on en a vu un, on les a tous vus » ? Et la photo de Gary Hart avec Donna Rice ? Et Barry Goldwater, le réac de l'Arizona, tonnant que « ce pays irait beaucoup mieux si on pouvait détacher la côte Est et la laisser dériver sur l'Atlantique » ? Et Dole tombant de l'estrade ? Et Ford pinté en revenant de Russie à bord d'Air Force One ? Et le même Ford affirmant qu'il « n'y a pas de domination soviétique en Europe de l'Est » alors que les troupes soviétiques y étaient basées partout ?

Eclipsé, le scandale de Louie Welch, candidat à la mairie de Houston, pour qui le meilleur moyen de maîtriser le sida était de « flinguer les tantouzes ». Et celui de LBJ expliquant aux journalistes pourquoi nous étions au Vietnam en ouvrant sa braguette, en exhibant son Frangin et en s'exclamant : « Voilà pourquoi ! » Et Roseanne plaquant sa main sur son sexe après avoir chanté l'hymne national [1]. Et George Bush gratouillant une guitare avec un autocollant « Le Chef » au bal de son investiture. Et Gerald Ford sautant plusieurs douzaines de pages dans son discours après avoir déjeuné au Martini. Et l'assistant de Nancy Reagan refusant une demande de rencontre entre la First Lady et un enfant myopathe en ces termes : « Certainement pas ! Mme Reagan ne veut pas qu'on la prenne en photo avec je ne sais quel gosse en train de baver dans son masque à oxygène. »

Oublié, Reagan proclamant que « réaliser les promesses faites par mes adversaires, c'est comme si vous lisiez *Playboy* en laissant votre femme tourner les pages ». Ou Dole à la télé sur son vélo d'exercice,

---

1. La scandaleuse à chignon-choucroute a depuis lancé un *Cyber Trash 2000 Talk-Show* accessible sur le Net. (*NdT*)

en short, chemise de ville et boutons de manchette. Betty Ford débarquée d'Air Force One dans un état de stupeur éthylique. Nixon et Kissinger, agenouillés côte à côte, en train de prier. Le double don de sperme de David Crosby à Melissa Etheridge et à Julie Cypher. LBJ se détournant d'une conférence de presse en plein air pour pisser un coup. Ou disant à son tailleur : « Il me faut plus de place pour les couilles, dans ce foutu falze ! » Nixon sur la plage en mocassins de cuir. Reagan piquant du nez pendant les réunions de son cabinet.

Plus fort que les flatulences de Gerry Ford. Que les propos de Pat Buchanan selon lesquels « les femmes sont moins bien dotées psychologiquement pour supporter la rude compétition dans les secteurs de la finance, du commerce, de l'industrie et des professions libérales ». Que Gary Hart lançant à la presse : « Allez, suivez-moi, ça m'est égal. Vous pouvez me filer, allez-y. Vous finirez par vous lasser. » Ou encore LBJ exhibant devant les caméras les cicatrices de ses opérations des calculs biliaires. Jimmy Carter tenant Joan Kennedy par la main sous l'œil vigilant de Rosalynn. Les trois secrétaires texanes de LBJ, dont aucune ne savait taper à la machine. Les fautes d'orthographe de Dan Quayle. Carter travaillant ses jambes dans les escaliers de la Maison-Blanche. Les cigarettes de LBJ ornées du sceau de la présidence. Michael Jackson et son chimpanzé. Roxanne Pulitzer et sa trompette[1]. Alfred Bloomingdale avec Vicki Morgan...

---

1. Un des grands baroufs californiens des années quatre-vingt : le tumultueux divorce de Roxanne et Herbert (Peter) Pulitzer, ce dernier n'étant autre que le petit-fils du patron de presse qui a donné son nom au célèbre prix récompensant journalistes, écrivains et dramaturges aux USA. Le mari, visiblement dépassé par la libido de sa femme, l'ayant accusée devant la Cour d'avoir « couché avec une trompette », entre autres expérimentations érotiques. Hunter Thompson, qui s'était passionné pour l'affaire, devait déclarer au *Palm Beach Post* : « On couche TOUS avec des trompettes ! La vraie question, c'est : est-ce que Peter Pulitzer est jaloux de cette trompette ? » (*NdT*)

Wilbur Mills et Fanne Fox. David Geffen et Keanu Reeves. Ford inspectant la coupe des pourboires au McDonald's. « Couilles de Taureau », le surnom de LBJ. Les quatre Martinis de Pat Nixon à chaque déjeuner. Les fesses d'Howard Stern à la télé, heure de grande écoute. LBJ nu comme un ver à bord d'Air Force One, au milieu de sa femme, de ses filles, de ses secrétaires. Jimmy Swaggart le télé-évangéliste et la p... respectueuse. LBJ, les yeux posés sur la foule : « Bande d'enfoirés à la con, je vous pisse dessus... » L'acte de contrition publique dudit Jimmy Swaggart. La vedette de la radio Dan Rather se faisant arrêter par un inconnu sur le trottoir, qui lui demande « C'est quoi, la fréquence, Kenneth ? » et lui démolit le portrait[1]. LBJ à propos de l'adoption de la loi sur les droits civiques : « Je vais te les faire voter démocrate pour les deux siècles à venir, les négros ! » Tricia Nixon entrant dans l'eau en capeline et peignoir pour aller nager. LBJ sur le Vietnam : « On va les libérer, ces pauvres petits branques, et je resterai dans l'histoire comme le Grand Emancipateur. » Woody Allen et Soon-Yi. Hubert Humphrey et son chapeau de cowboy. Luci Baines Johnson à la recherche d'un assistant : « Vous allez me trouver mon nègre ! Tout de suite ! Je veux mon nègre ! » Jesse Jackson appelant New York « Youpinville ». Kitty Dukakis picolant l'aftershave de son mari. Le témoignage de Ted Kennedy au procès de William Kennedy Smith. Reagan avec un casque de l'université de Caroline du Sud. LBJ ordonnant au pilote d'Air Force One d'atterrir n'importe où pour trouver de la bière au gingembre. JFK sautant cette blonde qui-aurait-pu-être-un-agent-

---

1. Cet incident, survenu en 1986, est devenu une véritable « légende urbaine », surtout quand le groupe REM a sorti une chanson avec cette phrase sibylline pour titre : « What's the frequency, Kenneth ? » Plus de dix ans plus tard, en janvier 1997, Rather devait identifier son agresseur, un déséquilibré qui cherchait apparemment à savoir « sur quelle fréquence » secrète les médias lui envoyaient des ondes négatives. (*NdT*)

secret-communiste. LBJ se tapant cette même blonde qui-aurait-pu-être-un-agent-secret-communiste. Kissinger enlevant les légumes de son assiette et les expédiant sur la moquette d'Air Force One. Bruce Lindsey à la presse : « Vous avez tous été des cons depuis le début. » LBJ volant un lit télécommandé à l'hôpital militaire Walter Reed pour l'emporter dans son ranch. Richard Gere et la gerboise. Le film *Showgirls*...

Le Prince du Comeback savait que ses oreilles allaient plus souffrir que pour...

Son vrai-faux enrôlement dans l'armée. Son passage à *60 Minutes*. Sa rencontre avec les parents de Monica. Se faire interviewer par Bob Woodward. Le golf sans mulligans autorisés. Une seule prédiction de Sam Donaldson. Les blagues du chroniqueur-radio Don Imus en plein dîner de la presse. Hillary lui jetant des objets à la tête. Le regard que le père de Monica lui avait lancé. Nixon à la télé, les bras levés très haut dans le ciel. L'haleine de Boris Eltsine.

Et le sourire que la mère de Monica lui avait décoché. Et Hillary en train de hurler : « Stupide connard ! » Et les plaisanteries de Bob Dole. Et de serrer la main de Nixon. Et de regarder danser Al Gore. Et d'écouter Roger Clinton chanter. Et Hillary crier : « Abruti de merde ! » Et Harold Ickes faisant irruption dans le Bureau ovale. Et Hillary beugler : « Salaud ! » Et Monica avec ses « Ta la, ta la la... ». Et Hillary lui siffler à l'aéroport de Little Rock : « Dégage cette pute de ma vue ! » Et le regard que la mère de Monica lui avait lancé. Et la soirée d'anniversaire d'Helen Thomas. Et le discours au Mémorial du Vietnam. Et entendre Monica faire ces bruits à la Yoko Ono.

Endurer que Hillary lui demande : « Et Gennifer, ça va ? » Que Joe Klein soit en train d'écrire une suite à *Primary Colors*. Que Monica porte exactement les mêmes boots que Chelsea. Que Zeke, l'épagneul de Chelsea, soit renversé par une voiture. Les jambes non épilées d'Hillary. L'air condescendant de ce Blumenthal. Hillary esquivant son baiser à la cérémonie d'investiture. Vince tenant Hillary par une fesse en public. Monica ayant ses règles précisément *ce jour-là*. Cette façon qu'avait Betty Curie d'éviter son regard.

Devoir lire les chroniques de William Safire, et assister à la campagne d'Al Gore, et dîner avec George et Mari Will, et parler d'Hillary avec Monica, et regarder la chute de reins de Tipper Gore, et goûter au blanc de poulet bouilli que Hillary voulait le forcer à avaler. Devoir entendre Hillary siffler : « Range ta bite ! Tu ne vas pas la baiser ici, de toute façon ! », essayer de trouver un boulot à ce malheureux Web Hubbell, rencontrer William Safire, s'asseoir sur le canapé de Nancy Heirnreich pour un entretien, dîner avec les frères d'Hillary, lire les articles de la presse à scandale sur Chelsea, voir Hillary nue...

4

L'Amérique s'étrangle,
Hollywood avale

LINDA TRIPP : Hé, il y a Barbara Walters qui interviewe Barbra Streisand et James Brolin, ce soir !

MONICA : Oïe ! Je la déteste, celle-là ! Elle est tellement lourde !

LINDA TRIPP : Elle devient plus jolie en vieillissant.

MONICA : Ouais. Et d'où tu crois que ça vient ? Chi-
rurgie esthétique ! Elle a dû se faire refaire tout
entière. Sauf le nez, quoi.

Le seul endroit où j'aie vu un cigare utilisé de cette
manière, c'était dans le décor grandiosement déca-
dent de la chambre à coucher du producteur de cinéma
Robert Evans. Et même dans ce sanctuaire des plaisirs
les plus rares moquetté de vison, ce n'était pas en
vrai mais sur une grande photo encadrée au mur. Une
sensuelle jeune femme, appartenant à la collection de
butineuses sans cesse renouvelée du maître des lieux,
y apparaissait entièrement nue, à quatre pattes, avec
un chapeau melon sur la tête et un cigare allumé
émergeant de ce splendide postérieur levé en l'air. Je
n'ai jamais su si Bob Evans ou l'auteur du cliché,

Helmut Newton, ont terminé de le fumer après la prise
de vue, ou si c'est la voluptueuse qui, à sa très particulière façon, l'a savouré jusqu'au bout.

Ce que je sais, par contre, c'est que l'entreprenant
cigare de Bill Clinton — désormais le plus célèbre de
l'histoire mondiale, plus que celui de JFK, plus que
tous ceux de Winston Churchill réunis — n'a jamais
suscité deux questions qui auraient pourtant dû être
évidentes pour tous ceux qui adorent couper les cheveux politiques en quatre : 1. S'agissait-il d'un cigare
cubain, et dans ce cas ne constituait-il pas, en plein
milieu du Bureau ovale, une violation de l'embargo
imposé par le président lui-même sur les produits en
provenance de Cuba ? 2. Etait-ce un choix tactique
judicieux que d'allumer un cigare à la Maison-
Blanche alors que les canons tonnaient de toutes parts
dans la guerre de l'Amérique contre la puissante
industrie du tabac ? Mais c'est que personne ne voulait en entendre parler, de ce barreau de chaise, et en
vérité il y avait de sérieuses raisons de faire comme
s'il n'avait jamais existé, bien plus profondes que le
souhait parental d'éviter des remarques à la Howard
Stern pendant le dîner.

Dans les années 60, nous avons été la génération
du droit à la parole, de l'amour libre, du sexe
« comme on boit un verre d'eau », de l'amour sans
chaînes ni culpabilité, du sport en chambre à coucher.
Nous avons ri avec dédain de nos pauvres parents,
condamnés au coït hebdomadaire sans génie, à l'as-
sommante position du missionnaire. Papa qui grogne
deux fois et finit trop vite, Maman étendue là, les
yeux au plafond, qui assume son devoir tout en pensant que les côtelettes de porc seront en promotion le
lendemain au supermarché du coin, et pour enjoliver
le tout quelques rapides baisers collants, ainsi qu'une
touche de vaseline dont le tube était dissimulé dans le
tiroir de la table de nuit. C'était Maman qui l'appliquait, la vaseline.

Oui, tout cela était vrai, mais il y a longtemps, très longtemps. Désormais c'était nous, les papas, les mamans. Et nous avions une trouille bleue que nos gamins décident d'essayer les mêmes trucs déments que nous avions expérimentés au lit dans notre jeunesse. Nous étions en train de modeler « une Amérique meilleure », dans la définition de laquelle nos folies de jadis n'avaient pas de place. Ni les partouzes avec plein d'huile corporelle, ni la danse du tapis dans sa version hard, ni la baise acrobatique, ni la drogue. Nous avions atteint l'orgasme dans toutes les positions imaginables, nous nous étions frottés jusqu'à en avoir la peau à vif mais nous ne voulions pas que nos gosses fassent de même, dans « une Amérique meilleure ». Parce que nous les aimions, ces enfants, parce que nous voulions leur bien, c'est-à-dire qu'ils ne nous ressemblent pas mais qu'ils soient comme *nos* parents. Oui, comme Papy et Mamie assis sur la terrasse à regarder le crépuscule après un demi-siècle d'existence monogame et à contempler à travers les brumes de la mémoire un lointain bal de fin d'année au campus tout en sirotant du thé au miel dans leur tasse « Moi » et « Toi ».

A l'âge de nos enfants, nous lisions Bukowski, Kerouac, Henry Miller, mais maintenant nous attendions d'eux qu'ils se plongent dans du Tom Clancy ou du Tom Brokaw ou, à la limite, s'ils tenaient vraiment à aller si loin, du Stephen King. Rien de trop explicite, rien de trop sexe, rien qui puisse irriter leurs glandes jusqu'à ce qu'ils terminent comme tant d'entre nous, abrutis au Prozac et otages des psys.

Nous avions vu des films tels qu'*Orange mécanique*, *El Topo* ou *Mean Streets*, des œuvres qui nous avaient niqué la tête à dessein. Et nous n'avions certainement pas envie que celle de notre progéniture subisse le même traitement ! Issus de notre génération, ceux qui étaient devenus nos meilleurs critiques de cinéma — Janet Maslin du *New York Times* et

Kenneth Turan du *Los Angeles Times*, par exemple —
menaient une véritable croisade contre les films aux
dialogues orduriers, qu'ils jugeaient « vulgaires » et
« régressifs », vantant au contraire les mérites de Jane
Austen, de Dickens, de Shakespeare, de James Ivory.
(Il y avait certes des réalisateurs qui s'indignaient de
ce qu'ils appelaient le « néopuritanisme » : « Des fois,
j'ai une envie d'attraper un de ces critiques par la
gorge, de lui donner un coup de boule et de le laisser
saigner dans un coin », devait ainsi avouer le Britannique Mike Figgis.) Mais alors que dans les années
60 nous nous faisions notre cinéma porno dans notre
tête, ou que nous regardions volontiers les frères
Mitchell, Linda Lovelace, Marilyn Chambers, Ralph
Bakshi, nous étions désormais terrifiés à l'idée de ce
sur quoi nos gamins pouvaient tomber en surfant sur
le Net.

Et puis là, tout d'un coup, ce déballage d'hédonisme sixties ! Le cigare, les turlutes, les branlettes,
tout ça déversé sur la table de la cuisine à l'heure du
dîner familial ! Et par celui pour lequel nous avions
voté, par celui qui avait partagé notre espoir en « une
Amérique meilleure »... Non, nous ne voulions pas
entendre parler de *ça*. Autant se boucher les oreilles,
se masquer les yeux. Ça n'existait pas, point final !
Parce que ce bon vieux temps de tous les excès qui
nous revenait soudain à la figure ne nous inspirait
aucune nostalgie, du moins en public. Nombre d'entre
nous, devenus entraîneurs d'équipes junior, mamans
supportrices de leurs gamins sur le terrain de la vie —
ces « soccer moms », selon le terme obligé —, étaient
carrément honteux de ce passé. Comment, mais
comment avions-nous pu être de petits vicieux pareils,
de petites garces aussi effrontées ? Eh bien nos
enfants — Dylan, ou Caitlin, ou Sky, ou Montana, ces
prénoms de maintenant... — ne suivraient pas cette
voie, sous aucun prétexte. Nous allions nous y opposer de toutes nos forces, même s'il fallait pour cela

rejeter l'exemple que *notre* président était en train de donner très ouvertement à nos chères têtes blondes.

Bon, peut-être que l'aspect masturbation de cette histoire n'était pas aussi tragique que le reste, si nos enfants étaient déjà adolescents. Nous n'étions tout de même pas comme nos parents, qui nous avaient prévenus que nous aurions des poils qui nous pousse-raient dans le creux de la main et que nous devien-drions aveugles si nous nous touchions par là. Nous, nous disions à nos gosses que « c'est très bien la mas-turbation, mon chéri, ou ma grande ; tout le monde fait ça, tu sais, même Maman et Papa ». Au moins avions-nous désormais un argument supplémentaire, et de poids : « C'est très bien, la masturbation, mon chéri, ou ma grande ; tout le monde fait ça, tu sais, même le président. Et tu vois, il n'a pas attrapé des poils dans la main ! » Là, il y avait un aspect presque positif dans le comportement de Bill Clinton, quelque chose qui rappelait relativement le rôle de modèle qu'il aurait dû tenir : son exemple pourrait soulager nos enfants de leur culpabilité, sur ce plan. Il fallait seulement prier pour que ni Sky ni Dylan ne nous regardent avec leurs grands yeux et ne nous deman-dent : « Dis, M'man, tu crois que je le ferai encore, quand je serai vieux comme le président ? » Ou encore : « Euh, P'pa, tu as quel âge, là ? Et est-ce que tu le fais toujours ? »

Et il y avait encore une autre raison pour laquelle l'Amérique préférait ignorer les sombres et toxiques volutes montant du fameux cigare, une raison assez bizarre, assez loufdingue pour dépasser l'imagination la plus enfiévrée : parce que Gloria Steinem et Jerry Falwell s'étaient retrouvés ensemble au lit ! Dans le genre de liaison hallucinante, on n'avait certes pas fait mieux depuis Mick Jagger et David Bowie, depuis Portnoy et sa tranche de foie, depuis Marilyn Manson

se faisant retirer une côte afin de s'unir avec lui-
même. Imaginez Gloria, l'infatigable vibrion féministe, bourrée de distinction et de charisme, avec le
révérend Jerry Falwell et son ventre de bibendum, son
sourire onctueux, son amour lubrique pour Notre Seigneur et maître... Mais c'était une question, une seule,
qui avait provoqué cet étrange appariement : leur
position respective vis-à-vis de la pornographie. Pour
Steinem, c'était une forme de dégradation des
femmes. Pour Falwell, c'était un péché et nous allions
tous cramer en enfer.

Ainsi, la gauche et la droite s'étaient réunies en une
poisseuse étreinte et les ressources combinées de leur
moralisme respectif, de leurs propagandistes et de
leurs compagnons de route médiatiques s'exerçaient
maintenant à plein régime sur l'industrie du cinéma
et de la télévision. Paralysant, l'effet. Car tous ces
scénaristes et réalisateurs qui avaient volontiers joué
la carte du cul en se préparant avec jubilation aux
protestations outragées des révérends Jerry Falwell,
Donald Wildmon et tutti quanti ont été soudain éten-
dus raides sur le carreau, non par les jabs rageurs de
la droite, mais par le punch paradoxal de la gauche :
du jour au lendemain, aux yeux d'éditorialistes issus
de la même culture, de la même génération, ils
n'étaient plus les valeureux combattants de la liberté
d'expression repoussant les armées de la Nuit idéologique, mais des bateleurs graveleux, des pornographes
exploitant l'image de la femme pour se remplir les
poches. En d'autres termes, ils étaient des pécheurs,
tout comme le révérend Falwell le clamait, mais qui
ne s'en tireraient pas aussi facilement qu'en allant
brûler chez Satan : des pécheurs dont les films
seraient soumis à l'ostracisme des piquets de femmes
outragées devant les caisses des salles de cinéma. Le
révérend Wildmon n'avait même plus besoin de ressortir ses pancartes et de se déplacer là-bas. Il pouvait
rester au chaud chez lui, se reposer et préparer son

prochain sermon sulfureux du dimanche : les féministes de la culture post-hippie abattaient le travail
pour lui.

Au moment où les premiers effluves du cigare présidentiel parvenaient aux réticentes narines de l'Amérique, l'accueil réservé aux images explicitement, ou
même pas explicitement érotiques était devenu si glacial que les actrices de Hollywood qui étaient parve-
nues au statut de stars en jouant des rôles hyper-
sexués, telles que Sharon Stone dans *Basic Instinct*,
Julia Roberts dans *Mystic Pizza* et Annette Bening
dans *The Grifters* [1], veillaient à exclure toute « scène
de nu » de leurs contrats, se coupaient les cheveux,
s'habillaient en apparatchiks soviétiques et s'ingéniaient à paraître aussi peu appétissantes que possible
à l'écran, inondant ainsi le marché d'une vague de
navets plus lamentables les uns que les autres. La
Stone allait même en rajouter, en annonçant au monde
entier qu'elle avait eu la révélation de Jésus dans une
église de San Francisco. Mais sans doute avait-elle
des raisons à la fois d'en rajouter et d'avoir vu le
Christ : des trois, c'était la seule à avoir montré sa
touffe à toute la planète.

Tourner le nez à l'arôme du cigare clintonien était
révélateur d'un autre phénomène culturel encore : la
tendance, très présente dans notre génération, à vouloir tout aseptiser, pasteuriser, à passer un vernis rose
sur l'existence, à faire comme si plein de choses
n'existaient pas ou n'étaient pas arrivées. Une attitude
qui faisait curieusement écho au genre de réactions
obtuses dont nous avions été victimes dans les années
60, quand on nous taxait d'« anti-américanisme ».
« America : Ou tu aimes, ou tu t'en vas ! » procla-
maient alors les autocollants sur les pare-brise.

Oui, c'était cette tonalité que je croyais reconnaître
chez les anciens parias qui conspuaient maintenant

---

1. *Les Arnaqueurs* de Stephen Frears, 1989. (*NdT*)

Kenneth Starr pour la « vulgarité » de son rapport et qui s'élevaient contre le langage cru, le sexe et la violence sur le petit écran comme sur le grand. Peu importe que des dizaines de millions d'Américains disent des grossièretés tous les jours, que la violence reste au cœur de la société, que les gens continuent à penser au sexe et à le pratiquer : certains secteurs de notre génération ne voulaient plus entendre parler de ça, pas plus qu'ils n'avaient envie d'écouter le rap de Public Enemy ou de Snoop Doggy Dog. Pour leurs oreilles, ils voulaient du Yanni, ou le chant des baleines en train de s'accoupler, ou l'*Anthology* des Beatles. Ils attendaient des films pleins de sentimentalisme, de violons et de lumière tamisée. Du Spielberg, pas du Spike Lee. Et ils refusaient, ils refusaient absolument de savoir que pendant ses réunions avec les petits génies de la stratégie politique à la Maison-Blanche Hillary utilisait le mot « fuck » à une cadence qu'aucun président américain n'aurait pu soutenir, LBJ y compris, lui qui aurait pourtant dû avoir ce terme qu'il chérissait tant gravé sur sa tombe.

Et surtout, surtout, SURTOUT, ils ne voulaient pas qu'on leur parle du cigare ! Le tabac était un sujet trop douloureux, de toute façon. Le seul côté que certains d'entre nous avaient apprécié dans le film par ailleurs incroyablement mauvais de Kevin Costner, *Waterworld*, c'était que le camp des salauds, des ordures, des crapules s'appelait « les Fumeurs ». Publier le rapport Starr dans un tel contexte, cela revenait à lire à voix haute des pages entières d'Henry Miller, de Terry Southern, d'Iceberg Slim et de Luther Campbell[1] à un couvent de bonnes sœurs.

---

1. Southern, écrivain et scénariste, auteur notamment de *Barbarella* (1967) ; Slim, romancier après une longue carrière de souteneur ; Campbell, rappeur tonitruant, leader de 2 Live Crew. (*NdT*)

Mais tandis que le reste de l'Amérique se bouchait le nez, Hollywood semblait tout prêt à le renifler, ce cigare, à tirer dessus, à le lécher, à avaler la fumée, à le bouffer, à le digérer et à demander une analyse des selles. En fait, pour Hollywood — et même si personne ne le reconnaissait publiquement, bien sûr, bien sûr —, c'était la plus grosse, la plus formidable info depuis que Michael Ovitz avait claqué la porte de la Creative Artists Agency pour former sa propre agence de « gestion de talents », depuis qu'ils avaient failli tuer le patron des studios Universal Lew Wasserman à l'hôpital, depuis que Hugh Grant et Eddie Murphy en avaient vu de toutes les couleurs avec *leurs* turlutes.

Plus l'histoire était scabreuse, plus les gens d'ici, loin d'être choqués, bichaient. Hollywood, pour reprendre l'image de je ne sais plus qui, a toujours été une super-blonde à la culotte très, très sale. Au bout d'un quart de siècle passé à écrire et à caser des scénarios, je connaissais la majeure partie de sa tradition orale, ces anecdotes racontées avec une sorte de fierté clanique qu'on peut trouver dans un endroit tel que le City Club de Kansas City, par exemple. Mais leur sujet n'avait rien à voir avec Kansas City, oh non ! C'était la légende de ce petit monde, cette crasse mythique venue s'accumuler dans les rainures des étoiles tracées sur le marbre de Hollywood Boulevard.

Hollywood était encore un endroit où l'on comprenait et appréciait l'honnêteté fondamentale de Virginia Hill, la maîtresse de Bugsy Siegel [1], qui déclarait : « Hé, je suis le meilleur coup de toute cette foutue ville et j'ai tous les diamants qui le prouvent, pigé ? » Les débordements de Bill Clinton n'étaient que « bup-

---

1. Benjamin, dit Bugsy : une des principales figures du gangstérisme « historique » aux Etats-Unis, ami du non moins célèbre Meyer Lansky et coqueluche de ces dames, il avait su tirer profit de la Prohibition et c'est lui qui a donné à Las Vegas sa dimension de haut lieu du jeu et de l'argent. Un grand hôtel de cette ville porte désormais son nom. (*NdT*)

kes », comme on dit en yiddish, des noix, lorsqu'on les comparait à ceux d'un Marlon Brando décorant les murs de sa chambre avec les tampax de toutes ses ex ou collectionnant les échantillons de matières fécales correspondant à chaque visiteur toléré dans son île privée des Fidji. Ou d'un Robert Mitchum, qui avait déféqué sur le tapis blanc d'Harry Cohn au cours d'une dispute à propos d'un contrat, ou avait présenté son postérieur à un passager qui lui demandait de ne pas fumer dans l'avion avant de lui lâcher une bordée de gaz en pleine figure. Ou d'un Errol Flynn, toujours prêt à sortir son Willard personnel pendant les soirées et à jouer du piano avec, ou encore se plaçant devant la porte de sa voisine, Hedda Hopper, la reine des potins jet-set, et se masturbant sur le loquet.

Alors, une pipe administrée en pleine Maison-Blanche par une écervelée de Beverly Hills qui avait la dégaine et la façon de parler d'une fille de la Vallée, des faubourgs... Oh, mama, tout ça était teeeeellement hollywoodien ! Mais Hollywood était rien moins que « Turluteville », le centre d'une industrie symbolisée par cette pratique depuis les origines ! Quand elle avait été prise sous contrat par un studio pour la première fois, quel avait été le commentaire de Marilyn Monroe devant la presse ? « Ça signifie que je n'aurai plus à sucer une seule queue dans cette ville ! »

Et ceci dès l'époque héroïque des pionniers, les vieux de la vieille tels que Cohn, Goldwyn, Zanuck, Thalberg, les « Pères fondateurs », tous de sacrés fumeurs de cigare, soit dit en passant... Eh bien, que faisaient-ils, ceux-là ? Ils se tapaient un bon déjeuner au Brown Derby, ou chez Musso, ou au Scandia plus tard, et après peut-être un petit bain de vapeur, puis ils regagnaient leurs bureaux respectifs, ils allumaient un cigare et ils appelaient qui ? Leur manucure ! Ah, un bon petit... soin des mains comme ça, après un gueuleton, après un sauna, avec le havane entre les dents ! Et elles savaient ce qu'on attendait d'elles, ces expertes, elles savaient s'y prendre pour que ça ne leur prenne pas trop de temps. Jeunes, belles, ces filles de la Vallée — car les meilleures manucures venaient *toujours* de la Vallée — se glissaient vite sous le bureau, impossibles à surprendre même si la secrétaire ou l'épouse entraient à l'improviste.

C'était le délassement idéal, qui ne demandait pas trop d'effort après un copieux repas et toute cette suée au bain, qui ne mettait pas le palpitant en danger. Et la posture aussi était parfaite, digne de ces hommes de pouvoir, de ces titans, de ces pères fondateurs : à genoux devant eux, la jupe relevée, la culotte baissée, une belle petite les prenait dans sa bouche, une bouche aussi fraîche et bien entretenue que celle avec laquelle leurs épouses dispendieuses et en troubles prémenstruels permanents les enquiquinaient depuis des années. Et puis on se sentait encore plus titanesque en l'entendant s'étrangler puis avaler, là-dessous... Car les filles de la Vallée les mieux payées avalaient toujours, puis elles s'en allaient et les géants finissaient leur cigare en concluant quelque juteuse transaction, quelque gros coup.

Il y avait même une expression spécialement destinée à décrire l'état assez somnolent de ces Willards-là, en début d'après-midi, alors qu'ils s'abandonnaient à leur manucure quotidienne en manquant un peu de concentration, distraits par d'autres pensées mais tenant tout de même à recevoir ce soin parce que c'était un bon remontant et parce qu'il appartenait à un emploi du temps immuable, tout comme la révision de la Bentley chaque lundi : « les briochons d'Hollywood », tel était le sobriquet taquin qu'ils avaient reçus, ces Frangins tire-au-flanc.

Et voici que surgissait cette Fille de Beverly-Hills-la-Vallée, cette synthèse très années quatre-vingt-dix, une gentille petite juive avec ces belles lèvres-là, affublée d'une mère peut-être un peu secouée, certes...

C'était quoi, cette histoire que la maman se vantait de coucher avec Pavarotti ? Mais n'empêche, nos titans contemporains ont immédiatement pigé ! Ils étaient capables de comprendre à la seconde ce que le reste de l'Amérique n'arrivait même pas à assimiler : « Elle l'a sucé, d'accord, mais ils n'ont pas eu de relations sexuelles. »

Tout simplement parce qu'une pipe, à Hollywood, ce n'était pas sexuel. C'était une petite pause dans une journée trépidante, une manière traditionnelle d'aider à la digestion après un solide déjeuner, meilleure que les cachous, et que le sorbitol. C'était pratiquement équivalent à aller pisser, bon Dieu ! C'était, en un mot comme en cent, une séance de manucure.

Alors quoi, quoi, qu'est-ce qu'il y a ? Bill Clinton était un bon président, en train de bâtir « une Amérique meilleure », ce rêve que nombre de titans d'aujourd'hui, anciens enfants des sixties eux aussi, partageaient pleinement. Alors quoi ? Il n'était pas le premier chef d'Etat à s'offrir une manucure ! Et en plus, c'était le président d'Hollywood, dans une ville où le libéralisme démocrate avait de vivaces racines. La preuve ? Ici, on n'avait pas oublié feu Mark Rosenberg, producteur en chef de la Warner et l'un des dirigeants des « Etudiants pour une société démocratique » dans les années 60. Et on parlait toujours de Gary Hart, de la logique destructrice — pour lui — de l'amitié qui l'avait lié à Warren Beatty et qui était devenue un sujet de plaisanterie : alors que Gary avait toujours rêvé d'être Warren, disait-on, soit le plus grand sabreur d'Hollywood depuis « Mister Television » — Milton Berle, à propos duquel Marilyn avait un jour confié que Tonton Miltie possédait le plus gros Willard qu'elle ait jamais vue —, Warren, lui, aurait voulu être Gary, l'intellectuel progressiste...

Au moins Bill Clinton était-il épargné par des amitiés aussi dangereuses, n'était celle de l'entreprenant et onctueux Dick Morris, dont l'une des occupations

préférées était de sucer les doigts de pied des prostituées. A LA, qui étaient ses meilleurs copains ? Steven Spielberg, qui en matière de sexualité était un vrai
saint, Jeffrey Katzenberg, dont la vie était entièrement
vouée à l'argent et à sa femme Marilyn, et David Geffen, qui était homo.

Oh, évidemment, la rumeur d'Hollywood s'était
parfois intéressée à Bill Clinton, au cours de toutes ces
années. Quand Bill et Sharon avaient dîné ensemble,
certains s'étaient aussitôt délectés à imaginer la Stone
répétant sur le président les mêmes petits cris et les
mêmes positions de jambes qu'elle avait simulés avec
Joe Pesci au cinéma. Et il y avait eu Bill et Barbra...
Mais celle-ci était presque hors course, désormais,
encore plus vieille qu'Hillary. L'eau avait coulé sous
les ponts depuis que le producteur Jon Peters l'avait
baptisée « le plus joli cul du coin ».

Il avait même une relation de famille avec Hollywood, Bill, quoique de énième niveau : la fille de
Barbara Boxer avait épousé l'un des frères d'Hillary
et... elle avait travaillé un temps avec le producteur
Rob Fried. Ce qui avait valu à ce dernier quelques
parties de golf avec le président sur le parcours de
Burning Tree, mais guère plus.

Même si Hollywood, la cité du stupre et de la fornication, s'amusait avec les manucures depuis près d'un
siècle déjà, nous autres, les ex-soixante-huitards, nous
étions convaincus que la pipe était le legs de notre
génération à la culture populaire américaine. Pour des
raisons esthétiques, nous évitions le terme de « blow
job », définitivement trop plouc, pas cool une minute.
Nous, nous appelions ça « head », une tête.

C'était le signe de toute une époque, à l'instar de
la position du missionnaire symbolisant le tristounet
univers parental. Et les deux mondes étaient inconci-
liables. Nous avions vu nos mères rougir jusqu'aux

cheveux quand Papa sortait de la marmite le cou du
poulet avec un sourire entendu, le gardait un moment
en l'air, au bout de sa fourchette, et... Non, la seule
idée que Maman — ou Mamie Eisenhower, ou Pat
Nixon, ou Debbie Reynolds, ou Doris Day — puisse
faire, eh bien, *ça*... Jamais, jamais !

Jusqu'au cœur de la décennie de la révolte, la plupart des filles du Midwest, ou du Sud, ou de la campagne en général, continuaient à pousser des
« Ooohh ! » et des « Pouaah ! » dès qu'il était très
vaguement question qu'elles puissent consentir à
incliner leur jolie tête là-dessus. Mais celles de Californie, par contre, connaissaient la question à fond :
c'était un terrain sur lequel elles pouvaient éclipser
leur mère. Elles se musclaient les mâchoires avec des
concombres ou des bananes, elles soumettaient leurs
lèvres, leur langue et leur glotte à des exercices de
yoga oral, elles demandaient à leur dentiste de leur
limer les dents du bas « pour qu'elles ne gênent pas ».
Elles apprenaient à enfiler des préservatifs en s'aidant
seulement des lèvres. Elles se mettaient à l'œuvre
après avoir léché une glace, ou un piment mexicain,
ou avec du poivre rouge dans une joue.

C'était l'acte sexuel intrinsèquement « sixties », ne
serait-ce que parce qu'il était encore « hors la loi »,
au sens propre du terme, dans plusieurs Etats du continent. Entre hommes mais aussi entre une femme et un
homme. On pouvait se retrouver en taule pour ça. Et
puis c'était pratique, rapide : même pas besoin de se
déshabiller. Et la certitude que nos parents ne
l'avaient jamais, jamais expérimenté jouait évidemment pour beaucoup, à une époque où « Tuez vos
vieux ! » était le mot d'ordre que nous lançaient des
cinglés tels qu'Abbie Hoffman ou Jerry Rubin, même
s'ils ne trucidaient aucunement les leurs, eux... Enfin,
l'aura de rébellion iconoclaste qu'il revêtait pour nous
était en partie liée au fait qu'il s'agissait d'une pratique érotique inscrite dans la culture black, depuis

longtemps célébrée par de vieux blues aux titres aussi évocateurs que *Bouffe-moi bébé* ou *Le Blues de Gorge-qui-pique*.

Or nous l'avions embrassée dans sa totalité, cette « négritude », et avec un tel enthousiasme que si des Black Panthers débarquaient à une soirée en plein Haight, le quartier hippie de San Francisco, et qu'ils trouvaient l'une de nos « doudous » ou de nos « mamas » à leur goût, nous, les Blancs aux cheveux longs, leur cédions aussitôt le terrain en allant fumer un joint dehors pendant que l'élue suivait le combattant de la cause noire aux toilettes. Pour nous tous, garçons et filles, c'était là une forme d'expiation idéologique, une pénitence librement et volontiers infligée afin de nous racheter d'un monstrueux passé d'esclavagisme et de racisme blanc. Certaines de nos « mamas » — pas toutes, cependant — se mettaient à rechigner uniquement lorsque des Panthers tels que Huey Newton, cofondateur du mouvement et maquereau hyper-actif, essayaient de les convaincre de monnayer leurs talents contre ces dollars que notre génération mettait un point d'honneur à mépriser, en surface.

Sous l'impact de ces têtes chercheuses du plaisir, il y avait aussi des barrages qui cédaient, des résistances édifiées chez certains depuis l'enfance : avec assez de dope ou d'alcool dans les veines, ils étaient nombreux à découvrir qu'ils se souciaient finalement peu que la silhouette agenouillée devant eux dans leur vision incandescente, que ces lèvres de lave appartiennent à une femme ou à un homme.

L'industrie pornographique s'est vite engouffrée dans la brèche que nous avions ouverte. Soudain, les salons de massage proliféraient, chapelles fluos où l'on sacrifiait au nouveau rite américain, celui de la fellation. Les prêtresses nues de ces temples à la propreté douteuse n'auraient jamais consenti à se prêter au coït mais une offrande conséquente pouvaient les convaincre de « masser » les fidèles dans leur cavité buccale. Du jour au lendemain, à travers toute l'Amérique, les hommes avaient pris l'habitude d'y venir furtivement s'adonner à une rapide oraison, mais les cloches qu'ils entendaient alors sonner dans leur crâne n'annonçaient pas précisément la rédemption...

Entre-temps, notre génération avait découvert *sa* source miraculeuse, *son* sex-symbol. Nos pères avaient eu BB, ou MM, nos enfants auraient SS un jour, mais pour l'heure nous vénérions LL : Linda Lovelace, l'Impératrice de la clarinette baveuse, la Tête des têtes officiant dans *Gorge profonde*, un film que nous avons tous vu et revu alors, tous, du futur président Bill Clinton au futur chef de la Cour suprême Clarence Thomas. Pendant une heure et quelques, Linda ne faisait que sucer, et « à fond » encore, le rêve de n'importe quel mâle de l'époque. Elle avait le don incroyable de pouvoir entièrement relaxer les muscles de sa gorge, voire de les paralyser, allez savoir... Elle affirmait que son clitoris se trouvait là-dedans, d'ailleurs. Son imprésario, un ancien Marine du nom de Chuck Traynor, avait une explication à lui : « Quand votre gorge s'ouvre complètement, votre œsophage prend pas mal en largeur, comme celui d'un avaleur de sabre. » Quelle émotion lorsque nous avons appris que Linda partait en tournée médiatique dans tout le pays afin de démontrer aux journalistes que ce qu'elle nous donnait à voir à l'écran n'avait rien de l'illusion d'optique ! Une marque de shampooing avait annoncé que sa participation à un spot publicitaire était sérieusement envisagée : un soin de la « tête » pareil, imaginez...

Et quand Richard Nixon a été terrassé par les révélations d'un énigmatique informateur dont le nom de code était « Deep Throat » (Gorge profonde), nous y avons vu de la poésie pure : Nixon se la prenant à la Linda Lovelace. A fond.

Donc Hollywood était bien disposé à l'égard de Bill Clinton, une sympathie assez vague mais fondée sur la conviction que s'il se relaxait un peu — comme JFK quand il venait à LA, la maison du producteur Irwin Winkler se transformant en nid d'amour pour Angie Dickinson et lui —, il ne pourrait que se plaire ici. C'était si facile, de l'imaginer se retrouver avec Jack Nicholson dans la chambre-salon de Bob Evans, se partager un joint en regardant un magicien faire tournoyer une fille jusqu'à la faire vibrer comme une corde et émettre un *do* continu par chacun de ses orifices. Ou écouter Evans lui décrire la fois où il avait uriné sur une nana qui avait fini par se relever, lui avait sauté dessus et lui avait cassé trois côtes. Se marrer un peu. Prendre du bon temps. La vie, quoi ! A Hollywood, cela signifiait la grosse baraque à Bel Air, la maison de plage à Carbon Beach, les deux Mercedes noires, la Ducati noire, le 4×4 Dodge noir et la séance de manucure quotidienne, évidemment. Bon, vivre correct, tu vois ? Rigoler avec Sharon quand elle lui raconterait comment Bob avait passé un collier de chien à une copine à elle pour la balader en laisse. Et puis aller regarder d'un peu plus près cette super photo d'Helmut Newton sur le mur de la piaule d'Evans, celle de la fille en train de fumer un cigare dans l'autre sens...

Il y avait même des rumeurs relativement sérieuses selon lesquelles Bill Clinton voulait s'installer ici après avoir achevé son mandat. N'était-ce pas lui qui avait certifié : « Ce qu'il y a de mieux dans la présidence, ce n'est pas Camp David, ni Air Force One, c'est tous les films que les gens m'envoient » ? Et puis il les aimait vraiment beaucoup, ces trois petits gars, Steven, Jeffrey, David. Et ils avaient l'air d'apprécier la compagnie du grand bonhomme, qui ferait sans doute un très bon PDG, plus tard, ou un directeur honoraire très présentable, ou n'importe quel poste de

représentation que ce battant de Geffen voudrait bien
refiler à l'ancien président des Etats-Unis d'Amérique.

A vrai dire, on le voyait facilement en pleine séance
de brainstorming d'un studio important, aussi. Parce
que le cinéma, il en connaissait un rayon. N'avait-il
pas confié à Mel Brooks qu'il revoyait *Blazing
Saddles*[1] tous les ans, et pas une seule fois, non, mais
à six reprises ! Il ne l'avait pas dit publiquement, bien
sûr, parce que six fois *Blazing Saddles* dans l'année,
tout de même... Ça aurait fait jaser. En public, le
grand chelem de ses films préférés était *Le train sif-
flera trois fois*, *Casablanca* et *Les Dix Commandements*... Non, sérieux. Il affirmait aimer les œuvres où
il était question « d'amour, d'honneur, de courage, de
tout ce qui compte vraiment pour les gens ». Et celles
qui décrivaient « des individus qui arrivent à rester
humains dans des contextes inhumains ». Il adorait
Bogart — « Un acteur à l'aise dans tous les rôles,
parce que tellement authentique » —, De Niro — « Il
a vraiment une palette impressionnante » —, Meryl
Streep — « L'une des deux ou trois plus grandes
actrices qui aient existé » —, et Tom Hanks, toujours
prêt à mettre la main à la poche pour aider les campagnes électorales de Clinton — « très crédible, très
impressionnant ». En plus, il était relativement
cultivé, Bill. Il appréciait beaucoup *Feuilles d'herbe*
alors que la poésie de Walt Whitman, tout de même,
c'était nettement au-dessus de la moyenne, à Hollywood. Il suffisait d'écouter Michael Eisner, par exemple, un homme qui pesait plusieurs milliards mais
dont toutes les références littéraires paraissaient se
limiter aux contes d'O. Henry. Et puisque ce Clinton
était capable de dealer avec le Newt Gingrich en veste
Indiana Jones, il arriverait certainement à convaincre
les scénaristes de revoir leur copie, les réalisateurs de
reprendre une scène. Et il n'y aurait pas de honte à

---

1. *Le shérif est en prison*, un classique de Mel Brooks (1973). (*NdT*)

être circonvenu par un fin négociateur qui était parvenu à amadouer un Bibi Netanyahou et un Yasser Arafat. Même si, avec leur ego affligé d'hypertrophie hollywoodienne, peu de scénaristes étaient prêts à s'imaginer dans le rôle du roi d'Israël déchu et même si aucun réalisateur n'aurait eu la sincérité d'admettre qu'il se comportait en effet comme Abou Ammar.

Dans les dîners au Dome, au Spago, ou au Crustacean, certains imaginaient même Hillary prenant un nouveau départ avec Bill ici. Sauf que bon, elle ne correspondait pas vraiment au profil de l'épouse hollywoodienne. En rectifiant un peu ce bedon, peut-être ? Une petite liposuccion de-ci de-là, éventuellement ? Et des lèvres un tantinet plus charnues ne seraient pas du luxe, non plus : ça marchait très bien, maintenant, ce genre d'opérations. Et puis une heure ou deux sur un banc d'UV dès que possible. Et bien sûr l'indispensable masque de beauté bihebdomadaire chez Veronica, le salon que fréquentaient et Mel Gibson et son épouse... Mais non, ça ne marchait pas ! Ça ne « fonctionnait » pas !

Plus les gens y réfléchissaient, moins ils arrivaient à voir Hillary dans le nouveau restaurant-patio du Bel Air Hotel, en train de débattre de questions éminemment hollywoodiennes : est-ce que Wolfgang est encore un meilleur traiteur que Along Comes Mary ? est-ce que l'aventure de Mark Canton avec la secrétaire de Luc Besson a de l'avenir ? est-ce que Michael Eisner a abusé ou non en s'exclamant à propos de Jeff Katzenberg : « Je le hais, ce petit gnome » ? Chacun se rendait compte qu'elle était trop trépidante, trop énergique, trop ambitieuse pour une telle vie. Comment avoir la patience d'organiser un thé de charité pour *x* personnes, de pair avec la femme de Wolfgang, Barbara, quand on disposait déjà de l'expérience d'avoir codirigé la planète entière ? Comment s'intéresser au sort des singes de laboratoire retournés à la sauvagerie quelque part au sud de la Floride intérieure, lointains

mais coriaces résidus d'un tournage de *Tarzan* qui
remontait aux années quarante, quand votre approche
habituelle de la réalité était « globale », voire strato-
sphérique ? Sans compter que n'importe quelle
authentique épouse californienne était sûre à cent pour
cent qu'une fois hors de la Maison-Blanche elle allait
l'envoyer bouler, le Bill...

Quelques vétérans du casting qui aimaient se
retrouver au bar du Regent Beverly Wilshire, ancien-
nement Beverly Wilshire Hotel de glorieuse mémoire,
étaient allés jusqu'à ruminer une nouvelle carrière
pour Bill Clinton tout en mâchouillant le cigare qu'ils
n'avaient plus le droit d'allumer. Une renaissance,
la vie après le Bureau ovale, la vie après Hillary. Et
comme ils avaient fini par se persuader qu'il pourrait
faire un excellent acteur, le moulin à rumeurs infon-
dées s'était emballé pendant quelques jours. Il était
encore jeune, ce garçon, avaient raisonné ces vieux
hiboux du showbiz, alors avec le renfort de l'entraî-
neur de Sly et du chirurgien plastique de Michael
Jackson ils le voyaient promis à... Bill et Sharon dans
Basic Instinct 2, Bill et Redford dans *Butch Cassidy et
le Kid 2*, Bill et Warren dans *Shampoo 2*... D'ailleurs
Clinton n'utilisait-il pas déjà les services du coiffeur
le plus lancé d'Hollywood, Christophe ?

Ça tenait pas mal la rampe, en effet. Ce regard si
efficacement persuasif, braqué directement sur l'objectif au lieu de passer de caméra en caméra dans une
salle bondée, était plein de ressources... Et puisque
Redford avait été un aussi bon « Candidat », pourquoi
un professionnel chevronné de la candidature ne
serait-il pas aussi bon que Redford ? Il suffisait de
tellement peu : sashimi en lieu et place des cheeseburgers, le masseur de David Geffen, quelques heures de
karaté avec Michael Ovitz, quelques légumes venus
du potager de Maman Spielberg, qui sait ? Plus le prof
de diction de Jackie Chan, la franchise en dix leçons
par Sydney Pollack, quelques pincées d'herbe thaïlan-

daise dans la pipe de Sharon et... une étoile *pouvait* naître.

Pendant le pire creux de la vague, il s'était d'ailleurs souvent pointé à Hollywood pour donner un coup de fouet aux collecteurs de fonds, s'immerger dans des bains de foule amicale et triée sur le volet, et taquiner la balle avec un groupe de joueurs de golf hollywoodien, dont un trafiquant de ganja connu pour fournir les stars du septième art. Je tiens de l'intéressé lui-même que Bill Clinton ne lui en a jamais demandé — alors qu'il savait pertinemment qu'il avait le meilleur matos disponible à LA —, mais qu'il se faisait un vrai plaisir d'allumer un bon cigare après avoir sué un moment sur le parcours. Plus encore, le président lui avait confié que c'était le seul endroit où il pouvait encore tirer une taffe. Et à chaque fois les services secrets veillaient à ce qu'aucun photographe ne rôde dans les environs tant que le cigare — un Davidoff, non un cubain : la cause de l'embargo était sauve — se trouvait dans la bouche du président.

Hollywood, la patrie des manucures qui ne se souciait pas plus de celui-là que des volutes de tabac montées du Bureau ovale, allait d'ailleurs se voir accaparé par une autre pipe, celle-ci réellement tonitruante, du moins au niveau local. L'incident s'était produit aux Palisades, dans la villa d'Arnold Rifkin, ex-marchand de fourrures reconverti dans la « gestion de talents » new-age : la sœur de l'un de ses confrères avait été surprise sur un balcon, en train de pomper le patron de New Line, Mike DeLuca, producteur de plusieurs films assez osés pour l'époque. Cet épisode aérien allait faire la une du cahier « business » du *Los Angeles Times*, tandis que DeLuca, avec un clin d'œil à Alexander Pope, soupirait devant des proches : « Je suis le produit de ce qu'il m'a été donné de voir. » Mais les révélations du quotidien étaient passées à côté d'un autre événement sensationnel de cette soirée : constatant que toutes les toilettes étaient occupées, Farrah Fawcett était sortie poser sa pêche sur le gazon, sous le regard attentif des invités derrière les baies vitrées.

Ces deux hauts faits, la sérénade au balcon et le caca de Farrah, allaient suffire à détourner pour longtemps les conversations locales des fantaisies clintoniennes. Et alors que l'Amérique était sans doute en pleine négation subliminale de ce qui s'était passé dans le Bureau ovale, Hollywood s'agitait sous les ondes venues d'autres scènes autrement plus chargées d'électricité : le balcon et la pelouse d'Arnold Rifkin.

Du coup, Bill Clinton devenait de l'histoire ancienne. Tu m'en diras tant, un tintouin pareil pour une séance de manucure comme tant d'autres ! Offerte par une fille qui n'était même pas vraiment « de la Vallée » ! Toute cette agitation, tout ce Sturm und Drang, toutes ces chialeries... Vachement intéressant ! Parlez-nous plutôt de Farrah !

5

Hillary reste,
Tammy Wynette s'en va

LINDA TRIPP : Je ne pense pas qu'il soit bonne âme,
non. Ce n'est pas son style. D'ailleurs il l'a
reconnu devant toi.
MONICA : Tu as dit quoi ? Monogame ?

L'un des multiples et navrants paradoxes dans ce
mélodrame graveleux, c'est que plus le président
adoptait les traits du Gros Salaud, plus son épouse
se métamorphosait en sainte Hillary. Parce que si un
homme risque toujours de trébucher dans un des trous
qui jalonnent l'existence, une femme peut aller très
loin en se moquant d'eux.

Et donc la femme qui nous avait certifié qu'elle
n'était pas une Tammy Wynette, cette « First Lady de
la country » aux cinq maris dont le commandement à
ses semblables, « Lâche pas ton homme », était
devenu un tube, a pourtant réagi de la même façon :
elle n'a « pas lâché » le type rougeaud et gesticulant
devant les caméras qu'était devenu son mari. Et les
Américains des deux sexes l'ont adorée pour ça, les
femmes parce que beaucoup d'entre elles se savaient

trompées par leurs époux, les hommes parce que, en ne claquant pas la porte, elle justifiait le discours qu'ils avaient préparé pour leur moitié au cas où le silence ne suffirait plus : « Tu sais combien je t'aime, chérie, toi et les enfants. Cette histoire n'a aucune importance, mon trésor. C'était juste pour le sexe. »

On nous a demandé de croire qu'Hillary était blessée par les frasques de son époux avec Monica la fille au tanga, la suceuse d'Altoids, ces pastilles de menthe « étonnamment forte ». On nous a demandé d'accepter que sa vie conjugale avait été saccagée par son bouc de mari. On nous a asséné que la première dame du pays avait besoin de temps pour panser ses plaies. Sainte Hillary et Bill sont allés à l'église sous l'œil des caméras. Il avait une Bible à la main, dites ! Et sainte Hillary portait des lunettes noires derrière lesquelles les Américains étaient invités à imaginer des yeux martyrisés par les larmes. Et la plupart d'entre nous ont gobé tout cela. Ont « voulu » le gober, parce que le contraire aurait été encore pire.

Le contraire, c'était ceci : que le seul élément un peu surprenant de l'affaire Lewinsky, pour Hillary, était le cigare. Qu'elle connaissait parfaitement le bonhomme qu'elle n'avait « pas lâché », et ce avant même de l'épouser. N'avait-elle pas demandé à son papa de descendre en Arkansas pendant que Bill était en tournée électorale, afin d'essayer de faire en sorte qu'il garde sa braguette fermée ? Elle savait qu'il se rendait en véhicule des « state troopers » de l'Arkansas à l'appartement de Gennifer aux fameux canapés à zébrures. Elle était au courant pour la fille au soussol de la résidence officielle. Elle n'ignorait pas tous les détours par les buissons qui ponctuaient ses joggings. Mais elle ne s'en souciait plus, désormais. Au début, peut-être, quand elle envoyait le paternel surveiller un peu... Mais plus maintenant. Elle avait épousé un obsédé. Il pouvait faire tout ce qu'il voulait, à condition que cela ne se retrouve pas à la une des journaux et en premier titre des bulletins télévisés. A condition que ni elle ni Chelsea n'en soient affectées.

Un pacte tout à fait cynique existait entre Bill et Hillary, qui puisait cependant sa source dans l'idéalisme qui leur avait été commun au temps des sixties. Ils pensaient pouvoir rendre « meilleur » ce pays qu'ils aimaient tous deux. Quand il avait brigué le poste suprême, elle avait été main dans la main avec lui. Puis ils avaient partagé le pouvoir, et tant qu'il ne cherchait pas à faire cavalier seul, tant qu'il prenait son avis à propos des affaires publiques, il pouvait avoir ses petites affaires à lui. Elle ne le lâcherait pas, non, et lui ne lâcherait pas Willard, même si c'était à d'autres femmes qu'il demandait de l'« embrasser ».

Ce pacte lui convenait très bien, à Bill. Il avait une épouse intelligente, dévouée à la cause d'une « Amérique meilleure », une fine politicienne qui n'avait jamais peur de tomber à bras raccourcis sur le camp conservateur lorsqu'on prétendait remettre en cause tout ce qui avait été accompli sur le terrain social et politique depuis les années 60. Elle avait des opinions arrêtées, sincères et réfléchies, qui ne dépendaient pas des sondages. Elle était énormément utile près de lui quand il s'agissait de politique intérieure. Oui, c'était une véritable partenaire de salle de réunion, un univers qui lui était aussi naturel qu'à Gennifer la chambre à coucher.

Et Hillary était très satisfaite de cet arrangement, elle aussi. Elle avait un mari plein de charisme, qui avait le don d'inspirer de la sympathie en dix secondes, qui avait un regard craquant. En campagne, il était infatigable : il se serait arrêté pour parler aux bouches d'incendie, pour faire de petits signes aux poteaux électriques. Il savait emballer une salle comme personne. Devant un auditoire, il devenait un acteur consommé, interprétant inlassablement le même monologue enthousiasmant, rédempteur, à chaque étape de la tournée des popotes.

Pas étonnant que toutes ces greluches fondent comme du miel rien qu'en lui serrant la main ! Il y avait de l'érotisme dans sa manière de s'adresser aux gens, de les séduire, de les conduire à lui donner leur vote. Elle n'avait pas son aisance, son magnétisme lubrique, et elle l'admettait sans mal, ayant elle-même été raide, sèche, celle-que-les-garçons-n'invitent-pas-à-danser, depuis toujours. Lui, il était comme une Cadillac briquée à la peau de chamois... Qu'à cela ne tienne. Alors elle allait se mettre au volant de cette caisse d'enfer, elle allait la conduire jusqu'à la Maison-Blanche, et veiller à ce qu'aucune aile ne soit cabossée. Elle croyait au sacerdoce du service public. Et si le prix à payer pour faire le bien autour d'elle, pour bâtir une plus belle Amérique, était parfois de laisser discrètement la Cadillac dans des garages tendus de peaux de zèbre, aux mains de sales petites garagistes en porte-jarretelles, tant pis...

Il y avait cependant une clause du pacte très, très sensible : pas question de plaquer Hillary tant qu'il était en fonction. Il pouvait en parler, d'accord — et il ne s'en était pas privé avec Gennifer, avec Monica —, mais de là à passer aux actes... S'il voulait garder sa place, en tout cas. Parce que toutes les enquêtes d'opinion étaient formelles : une séparation et sa carrière était à l'eau. Et il était aussi exclu qu'il la laisse s'en aller. Dick Morris, son mentor en popularité, était formel là-dessus : aucun locataire de la Maison-Blanche ne pouvait garder le bail après un divorce. Et donc il devait se contenter d'« en causer », de jouer avec l'idée, de caresser dans son imagination la perspective d'une vie sans Hillary puis de la repousser avec une blague pleine d'autodérision. Par exemple, que viendrait un jour où il devrait pisser vingt fois par jour, ainsi qu'il l'avait dit à Monica.

D'accord, mais en attendant il pouvait servir à autre chose, son robinet. Et comment !

Il savait également qu'il n'avait pas intérêt à *trop* chercher Hillary. Il avait besoin d'elle pour son image, et pour l'aider à définir ses orientations, et... parce qu'elle savait qu'il baisait dans les coins ! C'était quelqu'un qui lisait tout, Hillary, qui disposait de son propre réseau d'informateurs, femmes pour la plupart, des professionnelles de la politique cyniquement idéalistes et malignes comme tout, auxquelles pas un potin n'échappait. OK, elle lui jetait des trucs à la tête, de temps à autre, elle lui donnait des noms d'oiseaux, mais elle ne s'en irait nulle part. Elle dirigeait le pays avec lui, hé ! C'était « Madame le président Clinton » ! Ils étaient associés dans l'entreprise « Une Amérique meilleure » ! Un trip pareil, elle n'en trouverait jamais ailleurs, avec qui que ce soit. Dans le monde entier, il n'y avait pas un meilleur plan ! Donc il était à l'abri. Et il pouvait l'enquiquiner, même, mais pas trop, évidemment. Pas trop.

Dans le New Hampshire, en 1992, il avait cependant frisé la grosse cata : Gennifer, la salope ! Elle avait des bandes ! A force de mensonges et de dénégations, il avait réussi à s'en tirer, assez miraculeusement mais aussi en partie grâce à Gennifer elle-même, qui avait choisi de se faire du pognon avec la presse à scandale. Heureusement qu'il y a des femmes qui ont besoin d'argent : leur crédibilité est vite détruite par les dollars que les hommes leur refilent. Et puis, pour l'épreuve de *60 Minutes* à la télé, pour ce cuisinage public qui s'annonçait rude, ils avaient choisi le gentillet Steve Kroft au lieu de ce bouledogue acharné de Mike Wallace ! Mais ce qui l'avait sauvé, avant tout, c'était Hillary. Elle lui avait tenu la main. Elle avait mis une pincée de Sud profond dans son accent midwestern : elle avait soutenu son homme, à la manière Tammy Wynette. Il mentait en paroles, Bill,

mais c'est le mensonge d'Hillary, ce que disaient ses
yeux, son attitude, ses mains, qui l'avait tiré d'affaire.

Et puis, quand le nom de Monica est apparu sur le
site Web de Drudge, il y a eu des moments où il s'est
dit que c'était cuit. Est-ce que les détails allaient sortir, maintenant ? Parce que la mort de sa présidence,
cette ignominie historique, ne tenait qu'à eux : les
détails. Si l'on ne retenait finalement de tout ça
qu'une « aventure galante » avec une jeune femme,
il y avait une petite lueur d'espoir, disons. Mais ces
« détails » dont il ne se souvenait que trop bien, et
avec une précision effrayante, le cigare, toutes ces
branlettes... Est-ce que Monica allait les leur donner ?
Est-ce qu'ils allaient apparaître dans le rapport que
l'autre insupportable bigot était en train de concocter ? Et s'ils finissaient par monter à la une, comment
Hillary le prendrait-elle ? Est-ce que sa propre fille
serait obligée d'apprendre qu'il avait glissé un cigare
là-dedans, puis qu'il l'avait mis dans sa bouche et
qu'il avait dit : « Super goût » ? Il n'y avait pas
d'autre choix que mentir et mentir encore. Les détails,
c'était Freddy Krueger prenant la caméra : l'horreur
absolue.
    En conséquence, il fallait que Monica apparaisse
comme une nympho de bas étage, sort déjà subi par
Paula et Gennifer. Elle était mythomane, en pleine
névrose ! Il lui fallait un psychiatre ! Elle n'était pas
crédible une seconde ! D'ailleurs, il suffisait d'entendre les « détails » qu'elle avait fabriqués de toutes
pièces pour comprendre la gravité de son cas ! Un
cigare, c'est ça ! Elle avait trop lu Krafft-Ebing, oui !
Une petite vicieuse de Beverly Hills !
    Et donc il a tout nié, à Hillary, à Chelsea, à l'Amé-
rique. Catégoriquement, la main sur le cœur, en nous
regardant droit dans les yeux. Un innocent sali, traîné
dans la boue. Et nous en sommes venus à nous dire

qu'il l'était peut-être, en effet. Vous avez vu comme il est fâché ? Bon, d'accord, les hommes politiques sont des menteurs patentés, mais là, vous avez vu quelle passion il met à se défendre ? Quelle véhémence dans ses dénégations ? Et devant nous tous ? « Je ne suis pas un filou », la minable défense de Nixon, avait sonné tel un mensonge, une excuse fabriquée, si plate... Tandis que Clinton, c'était sérieux. C'était le gars dans un bar qui a tout l'air capable de se lever et de venir te casser la gueule si tu répètes ce que tu viens de dire.

Hillary aussi : très convaincante, dans son registre. « Une vaste conspiration de la droite. » Un peu, oui ! La copine a bien parlé ! Le pouvoir au peuple ! Nous savions qu'ils étaient tous là, à l'affût, les fachos poseurs de bombes dans les cliniques d'avortement, les malades en treillis-rangers, les racistes, les anti-homos... Qu'ils veuillent la peau de Bill Clinton, un des nôtres, ça paraissait logique. Ils voulaient sa peau justement parce qu'il était des nôtres ! Parce qu'il s'était fait porter pâle pour la guerre au Vietnam, parce qu'il aimait les Blacks, parce qu'il parlait de laisser les homosexuels entrer dans l'armée ! S'ils le haïssaient tellement, c'était parce qu'ils n'avaient toujours pas digéré le saint bordel que nous avions fichu dans les rues trente ans plus tôt ! Parce qu'ils avaient toujours la haine que nous ayons mis fin à ce stupide gâchis du Vietnam dans lequel ils prenaient un tel pied, eux !

Lorsque le rapport Starr est sorti, le pire cauchemar de Bill Clinton s'est réalisé et puis... il s'est aussitôt dissipé. C'était comme s'il avait rêvé qu'il était en train de faire un cauchemar. Car les détails y étaient, certes, le cigare, la langue, les pastilles mentholées, la masturbation dans le lavabo, et sur le canapé de Nancy Hernreich. Mais ils étaient perdus dans des notes de bas de page et des annexes. Enterrés.

L'erreur politique de Starr ne consistait pas à avoir

rédigé un rapport trop salace : c'était de ne pas l'avoir fait plus indécent. D'avoir annihilé les détails, ces détails à la Freddy Krueger qui faisaient dresser les cheveux sur la tête de Clinton, en les perdant dans des milliers de pages imprimées en petits caractères. A aucun moment ces petites charges d'infamie n'étaient réunies en méga-bombe dans le corps même du rapport. A aucun moment il ne s'appuyait sur ce qu'elles pouvaient signifier une fois mises bout à bout pour demander si le type du Bureau ovale n'aurait pas dû être non seulement sorti de là mais soumis d'urgence à une psychothérapie.

En plus d'avoir été ainsi désamorcés, ils présentaient un caractère tellement sordide qu'ils finissaient par venir à la rescousse de Bill Clinton. D'accord, il y avait eu les pipes qui ébranlèrent le monde, et c'était déjà assez grave pour qu'à la table du dîner familial la réponse à laquelle s'exposaient les parents dès qu'ils posaient une question aussi anodine que « Alors, qu'est-ce que tu as fait l'école, aujourd'hui ? » soit « Dis, m'man, c'est quoi, une fellation ? ». Mais un cigare ? Le président des Etats-Unis en train de se tripoter dans son bureau ? En une ? Aux infos de vingt heures ? Non, mais ça va pas la tête ?

Alors les détails sont restés des détails, et tout s'est passé comme si Clinton était sauvé précisément par ce que ses actes avaient d'« innommable ». Pour les médias, il était bien moins risqué, bien plus hygiénique de prendre l'angle de l'aventure galante, d'enjoliver l'emballage, de rendre l'histoire presque romantique, hollywoodienne, au lieu de projeter l'image crue, aucunement glamour, pas du tout technicolor, de la réalité : celle d'un quinquagénaire se servant d'une jeune femme comme d'un vulgaire bout de bidoche.

Et Hillary ? Eh bien ses assistants nous ont annoncé avec un visage de marbre qu'elle ne l'avait même pas lu, ce rapport. Ben voyons. Alors que son associé risquait de passer à la trappe ? Cette Cadillac d'enfer qu'elle avait réussi à garer à la Maison-Blanche était menacée de se retrouver à la fourrière et on nous demandait de croire qu'elle n'avait pas pris la peine de regarder la contredanse ? Mais non : selon la version officielle, Mrs. Clinton était trop occupée à se triturer les méninges sur de la haute politique, à se préparer des pense-bêtes pour le prochain millénaire.

Dans l'histoire récente des Etats-Unis, aucune First Lady n'avait subi une aussi cuisante humiliation. Si Pat Nixon avait noyé la sienne dans l'alcool, le discrédit de son mari n'avait pas rejailli sur elle personnellement. L'épouse de LBJ n'ignorait pas que celui-ci avait recours aux catins de son ami Bobby Baker mais elle n'avait pas à en subir la description dans les journaux. Quand JFK s'enfermait avec trois poules de luxe dans sa suite d'hôtel, personne n'était au courant. Et si George Bush avait une très chère amie qui était restée si longtemps sa secrétaire personnelle, eh bien... Aucun d'eux, en tout cas, ne s'était servi du Bureau ovale, ce tabernacle de la puissance américaine, comme d'une chambre de motel à quatre dollars l'heure. Aucun d'eux n'avait été surpris en train de se répandre dans les lavabos ou sur les canapés de la Maison-Blanche. Et si certains d'entre eux avaient été fumeurs de cigares, ils n'avaient pas... Assez.

Je me suis demandé si, au plus sombre de cette terrible période, Hillary n'a pas eu la crainte que son époux finisse comme Spiro Agnew, l'ancien second de Nixon, prêt à se vendre pour un sac de steaks congelés, reclus dans des cabines d'avions à destinations intercontinentales ou dans le désert jusqu'à sa mort. Ou en tant qu'associé chez DreamWorks, matant d'un œil concupiscent la petite nouvelle du département technique, celle avec un anneau dans le téton... Mais elle ne l'a pas lâché, en tout cas, avec ses lunettes noires de femme en deuil, et elle a joué

jusqu'au bout l'opéra-bouffe à l'eau de rose du chagrin et du pardon, et elle a continué à soutenir que la
Lewinsky lui était arrivée dessus comme la foudre
dans un ciel serein, qu'elle n'avait jamais rien soup-
çonné... Elle a eu la grande intelligence de jouer les
idiotes, ce qui lui a permis de continuer à se faire
passer pour la victime qu'elle n'était pas. Elle savait
que son personnage de sainte Hillary (re)descendue
sur terre passait très bien dans les chaumières.

Dans cet exceptionnel feuilleton familial, elle est
même allée jusqu'à trouver un rôle à Chelsea, sa fille
adorée : lorsqu'ils sont allés passer des vacances à
Martha's Vineyard, à un moment où nous observions
chacun de leurs faits et gestes au microscope — est-
ce qu'elle lui tient la main ? à quelle distance mar-
chent-ils l'un de l'autre ? —, elle s'est débrouillée
pour convaincre Chelsea d'aller au-devant du comité
de réception. Et nous avons vu cette adolescente, la
vraie victime innocente dans cette affaire, serrer les
mains, sourire aux côtés du paternel, bref, se comporter en vieille routière des campagnes électorales, en
authentique Clinton. Le message recherché était très
clair : si Chelsea lui pardonnait ses turpitudes et ses
mensonges, comment aurions-nous pu nous montrer
intraitables, nous ? C'était à nouveau le coup des
bandes de Gennifer Flowers et de l'interview à *60
Minutes*, le renversement des signes. La première fois,
Hillary s'était chargée elle-même de sauver son
époux. La seconde, elle avait cornaqué sa fille dans le
même but.

L'année de la béatification de sainte Hillary,
Tammy Wynette est morte. Très vite, les filles de la
chanteuse ont accusé son cinquième mari d'avoir tué
celle dont la profession de foi conjugale s'inscrivait
maintenant au linteau de tant de foyers américains.
Fallait-y voir un sombre, un macabre avertissement ?
Etait-ce là le sort qui attendait inévitablement celles
qui ne « lâchent pas leur homme » ? Allait-il frapper

un jour Hillary également, non pas littéralement mais sur le plan politique ?

Et puis l'enquête policière a lavé de tout soupçon l'époux de Tammy. Il n'était pour rien dans son décès. Il n'avait apparemment pas fait faux bond à sa femme, lui non plus. Et cette nouvelle a donné un espoir trompeur à ceux qui pensaient que Bill Clinton en ferait de même avec la sienne.

6

Hillary, Barry et Nixon

« Tu sais ce que j'ai quelque part ? Ah, j'espère que je ne l'ai pas jetée ! Eh bien j'ai une photo de moi à son anniversaire, et dessus on le voit, sauf qu'il est penché en avant, il n'y a que son derrière... Et c'est moi qui suis en train de mater ses fesses ! » (MONICA À LINDA TRIPP)

Le premier flirt politique d'Hillary, à son époque de jeune étudiante en fleur, avait eu pour objet un réactionnaire convaincu : Barry Goldwater. Et même si le sénateur-cow-boy de l'Arizona avait voté contre la loi sur les droits civiques, même s'il aurait volontiers transformé le Nord-Vietnam en un gigantesque cratère de bombe, cette expérience devait constituer pour elle le point de passage idéal, le pont qui allait la conduire à la nouvelle gauche et à l'activisme des sixties.

Je comprenais parfaitement le coup de foudre d'Hillary : en 1964, sur le campus de l'université de l'Ohio, je portais, moi, un badge Goldwater et j'étais, comme elle, affilié au Mouvement des jeunes conservateurs. Deux ans plus tard, je me retrouvais dans la rue, à casser les vitres d'un bâtiment administratif de l'armée, je lisais Marcuse ou Fanon et je fumais des joints.

Si nous avions craqué pour Barry Goldwater, Hillary et moi, ce n'est pas parce que nous partagions ses opinions parfois plus que loufoques, mais parce qu'il personnifiait finalement ce dont nous rêvions : un homme politique et cependant honnête, qui ne craignait pas de se montrer humain en public, qui ne parlait pas sans cesse de sa biroute comme Lyndon Johnson, ne s'exprimait pas par tous les trous de son anatomie comme Nixon, ne nous endormait pas en marmonnant des platitudes comme « Ukelélé » Eisenhower. Journaliste étudiant, j'avais interviewé et suivi Goldwater au cours de sa campagne présidentielle malheureuse, en 1964, dont un moment était resté inscrit dans ma mémoire parce qu'il résumait pour moi toute sa personnalité. C'était un rassemblement à la salle municipale de Cleveland ; nous étions des milliers de zélotes surexcités à crier des « Viva ! » et des « Olé ! », puis des « On veut Barry ! On veut Barry ! Barry, Barry... ». Le candidat était resté là un moment, silencieux, à regarder l'assistance comme s'il s'agissait d'une bande d'orangs-outans mal dressés dans un zoo. Soudain, il avait levé les bras en l'air et il avait grondé : « OK ! Si vous la fermez, maintenant, vous allez l'avoir, Barry ! » Cela avait suffi à leur couper le sifflet, et plus encore : les braillards étaient restés bouche bée devant lui, aussi tétanisés que s'ils venaient de se prendre une balle paralysante. Et pendant vingt bonnes secondes Barry s'était esclaffé à leurs dépens, de sa grosse voix de baryton enroué.

Si l'on veut trouver des équivalents entre la scène politique américaine et celle du rock and roll, on pourrait dire que Goldwater était un Bill Haley[1] sans les bouclettes et le petit ventre, un cow-boy en complet-

---

1. « *One-two-three o'clock, four o'clock ROCK ! Five-six-seven o'clock, eight o'clock ROCK !* » (*NdT*)

veston et lunettes à monture d'écaille. Surnommé
« sénateur Branchwater » (sénateur Whisky à l'eau)
par certains de ses collègues, il avait avoué à un reporter avant le début de sa campagne : « Vous savez, je
ne suis pas vraiment une grosse tête, moi. » Et quand
il avait été désigné candidat du parti républicain, il
avait lancé : « De Dieu ! On devrait écrire un discours
pour leur dire qu'ils aillent se faire voir, qu'ils annu-
lent le truc et qu'ils prennent quelqu'un d'autre ! »
Un millier de psychologues du pays avaient signé une
pétition affirmant qu'il était « psychiquement inapte à
la fonction » de chef d'Etat. Il lui arrivait de monter
dans l'avion qu'il empruntait pour sa tournée électorale coiffé d'un grand sombrero blanc, une couverture
mexicaine à rayures blanches et jaunes jetée sur
l'épaule.

Ses ennemis, libéraux réalistes à la LBJ souvent
issus de l'appareil présidentiel de JFK, feignaient
d'être horrifiés par certaines bouffonneries du dur à
cuir de l'Arizona. Comment avait-il osé fendre une
foule de supporters en beuglant « Enlevez-moi ce
fichu marmot de là » lorsqu'une mère lui tendait le
énième bébé à embrasser depuis le matin ? Comment
avait-il pu faire peindre la consigne suivante sur la
carlingue de son zinc : « Mieux vaut l'escalade que la
débinade » ? Ils s'ingéniaient à déterrer des aspects de
sa vie privée qui selon eux le condamnaient sans
appel, de petites manies qui le conduisaient par exemple à toujours avoir un appareil photo de poche quand
il se rendait à une fête, pour attraper ses amis dans
quelque situation compromettante pendant que leurs
femmes avaient le dos tourné, ou bien à dissimuler un
haut-parleur dans les toilettes de son domicile, avec
un micro à l'autre bout dans lequel il hurlait « Salut,
chérie ! » lorsqu'une invitée s'asseyait sur le trône ;
ou bien à s'allonger pendant des heures au fond de sa
piscine avec une ceinture de plomb autour de la taille
et un tuba surdimensionné hors de l'eau, posture qu'il

expliquait par le fait qu'il en « avait plus qu'assez de répondre au téléphone, crénom ! ». Et ils étaient également scandalisés par sa conduite au conseil municipal de Phoenix, auquel il appartenait : un dentier postiche posé à côté de lui, il attendait qu'un intervenant s'éternise dans son exposé pour se mettre à faire claquer la mâchoire en plastique. Le cadeau de Noël idéal pour le futur président Clinton, ce gadget...

La gifle monumentale qu'il avait reçue aux élections m'avait déprimé, évidemment, mon seul réconfort ayant été fourni par son colistier, l'obscur et grandiosement médiocre William Miller, lorsque ce politicien new-yorkais avait commenté la défaite en ces termes : « Ce que nous avons dit a visiblement peu marqué les électeurs, et ne restera sans doute guère longtemps dans les mémoires. Il nous appartient toutefois, à nous qui sommes non ivres morts mais vivants, de proclamer haut et fort que ce gouvernement des prunes, par les prunes et pour des prunes, doit disparaître de la face du monde ! » Comme à son habitude, Barry avait répliqué sans prendre de pincettes : « Dans toute l'histoire, aucune équipe électorale n'aura bu plus de gnôle, perdu plus de linge dans les hôtels et parié plus d'argent aux cartes que celle de Miller. »

Ce n'est qu'après des années et des années que, comme tant d'autres, j'ai reconnu deux mérites à ce maître de la déroute éclatante, Barry Goldwater, et ce alors que je m'étais pourtant rallié au mouvement anti-guerre des années 60 et 70. Premièrement, il avait eu raison à propos du Vietnam, lui qui déclarait dans son discours de nomination à la candidature républicaine : « Hier, c'était la Corée, ce soir c'est le Vietnam. Il n'y a pas à tortiller là-dessus. N'essayez pas de vous cacher derrière des boîtes d'allumettes : nous sommes en guerre, là-bas. Mais le président (...) refuse de dire (...) quel est notre objectif dans ce conflit, si la question est ou n'est pas de remporter la victoire. Et son secrétaire à la Défense continue à désinformer et à tromper le peuple américain. » (C'est en 1997 seulement que Robert McNamara devait enfin reconnaître qu'il nous avait leurrés, bernés. Et il allait faire cet aveu non en face du public mais dans un livre, pour la rédaction duquel il avait été grassement payé...)

Secundo, Barry avait également été dans le vrai au sujet de Walter Jenkins, dont les déboires allait offrir un intéressant sujet de réflexion, non dénué d'analogies, au cours du long et stérile travail d'accouchement de la motion de censure contre Bill Clinton. Jenkins, le plus proche conseiller de Lyndon Johnson, son assistant personnel, par ailleurs marié et père de six enfants, avait été appréhendé dans une auberge de jeunesse à quelques centaines de mètres de la Maison-Blanche et accusé de pratiques homosexuelles. En 1964, à un mois des élections. Comme les journalistes avaient rapidement eu vent de son arrestation mais aussi d'un incident similaire à l'occasion duquel il avait déjà été taxé de « pervers », le cas Jenkins avait occupé les premières pages au moment où la campagne électorale atteignait son paroxysme. Et qu'avait choisi Barry Goldwater, à l'encontre de ce que lui préconisaient la plupart de ses collaborateurs ? Il avait formellement interdit que l'affaire Jenkins soit exploitée par son appareil de propagande. (LBJ, pour sa part, avait d'abord diligenté un sondage d'opinion avant de manifester publiquement sa « compréhension » à l'égard de son vieil ami...)

Autant nous aimions Barry Goldwater, Hillary et moi, autant nous vomissions Nixon, celui qui lui avait repris la bannière républicaine des mains. « Richard Nixon, devait déclarer Barry, est le plus malhonnête homme que j'aie connu. » Harry Truman était d'accord avec lui, sur ce point : « Richard Nixon, disait-

il, est un menteur aussi malfaisant que méprisable. Il
est capable de sortir deux mensonges en même temps,
et si par extraordinaire il lui prenait l'envie de dire
une fois la vérité il mentirait quand même, juste pour
ne pas perdre la main. » Oui, exactement ! Et c'était
la raison précise pour laquelle ma génération éprou-
vait une telle aversion envers lui. Nixon, selon la très
juste formule de Barry, n'était qu'un « mensonge
ambulant ».

Nous l'avions eu sous les yeux depuis l'enfance,
Dick le Roublard, cette ombre persistante en costume
synthétique qui planait sur nos écrans à l'heure du
journal du soir. Son allure guindée, ses gestes méca-
niques n'étaient pas sans nous rappeler Charlie Cha-
plin ridiculisant Hitler dans *Le Dictateur*. Son nez de
Pinocchio nous paraissait s'allonger chaque jour, le
bayou poissé à la brillantine sur sa tête grouiller de
créatures rampantes. Ses muscles bougeaient sans
aucune concertation, chacun pour son compte, éjec-
tant ses bras en l'air comme s'ils étaient manipulés
par un montreur de marionnettes, raidissant ses doigts
en V plus vindicatif que victorieux, qu'il pointait sur
nous de la même manière que Nelson Rockefeller
aimait expédier son majeur sous le nez des journalistes. Il avait le sourire glacial et satisfait du tortion-
naire de la Gestapo ou du KGB s'apprêtant à brancher
la gégène. Ses yeux étaient deux sombres cavités dans
un cimetière perdu de Transylvanie où des chauves-
souris aux ailes velues s'agitaient autour des gorgones, des croix gothiques et des stèles. Sa bouche ?
Un autre trou béant, plus vaste celui-là, une fosse
commune dans laquelle s'activait sa vipère de langue,
crachant des mensonges venimeux mais aussi, comme
nous ne l'apprendrions que plus tard, des insanités
racistes, antisémites et sexistes.

Voilà ce qu'il m'inspirait, à moi et à toute ma génération. On le gerbait, c'est simple. Nous l'avions vu

invoquer à la télé le « simple manteau républicain » de sa femme pour échapper à la patère où, nous en étions convaincus, il méritait lui-même d'être pendu. Un individu prêt à se servir de son chien, le tristement célèbre Checkers, pour forcer notre sympathie ! Plus tard, d'ailleurs, Bill Clinton en ferait autant avec son Buddy, argument visuel et non rhétorique cette fois. Un type capable de s'acharner encore sur Alger Hiss pour parfaire sa renommée d'anticommuniste intransigeant. Pour nous, ce n'était qu'un carriériste plein de vent mauvais. Un sans-cœur. Il était la personnification du concept de « tocard », si important pour une génération qui avait décidé très tôt qu'on « ne la lui faisait pas », à elle.

Que JFK lui mette la pâtée, c'était pour nous... l'extase. Enfin débarrassés de lui, enfin libérés de ce que nous étions arrivés à vivre comme une maladie chronique, la crise de cafard que cette présence ténébreuse nous provoquait chaque soir. Et puis même si nous n'étions pas en âge de voter, JFK était « des nôtres » : un président qui avait le sens de l'humour, qui pouvait rire pour de bon et non produire quelques « ah-ah » forcés, qui parlait de solidarité, et des droits de nos prochains, et de s'aimer les uns les autres sans se préoccuper de la couleur de leur peau... Pour citer Hubert Humphrey, JFK avait « donné une forme à nos aspirations informulées ».

JFK, c'était l'espoir d'une Amérique sans ténèbres, sans ombres sinistres écumant des cimetières perdus. Et la Créature de la Nuit par excellence venait de se ramasser dans la course au poste de gouverneur en Californie : battu jusque dans son fief ! Et il avait maugréé : « Vous n'aurez plus de Nixon sur qui vous défouler, maintenant. » L'ex-tase, oui ! C'était lui qui gisait maintenant dans cette fosse, politiquement mort et enterré, tandis que nous brûlions d'aider à faire de ce pays le siège merveilleux de la cour du roi Arthur, la nouvelle Arcadie.

Et puis, là, en un instant brutalement apocalyptique... Les sept visions saisissantes, six chevaux gris suivis du classique étalon noir sans cavalier... Chauves-souris, démons et gorgones ont fondu sur nous et nous ont enlevé JFK. Quelques années ont passé, celles de LBJ et de son invraisemblable Stetson doublé de vison, et Nixon s'est hissé péniblement hors de sa tombe politique, et deux cadavres plus tard — Martin Luther King et Bobby Kennedy — la Créature de la Nuit se retrouvait président des Etats-Unis. Victoire sur Humphrey en 1968, grâce à l'une des toutes premières expérimentations de publicité malhonnête à la télé : une photo d'Hubert riant aux éclats pendant que par derrière défilaient des images de villes en flammes, de manifestants matraqués et de corps de soldats américains entassés au Vietnam. Mais nous avions l'âge de voter, désormais. Et celui de lancer des briques dans les fenêtres. Et nous avions maintenant assez de cynisme pour répliquer à son stock de grossièretés ultra-connues par les insanités bien salées que nous inventions chaque jour.

Pour nous, toutes les valeurs qu'il personnifiait se retrouvaient dans l'uniforme grotesque qu'il avait lui-même dessiné pour les gardes de la Maison-Blanche : des tuniques croisées avec des galons et des boutons en or partout, complétées de casques qu'on aurait crus sortis d'un surplus de l'armée ukrainienne. Nombre d'entre nous avaient même renoncé à regarder le programme comique *Laugh-In* depuis qu'ils l'avaient laissé s'y montrer. « Allez-y, cognez-moi ! » avait-il lancé, et le bruit des écrans de télévision explosant à travers tout le pays avait résonné dans nos têtes. Vu le degré de haine que nous lui portions, il était encore heureux qu'aucun siphoné à l'acide parmi nous n'ait réussi à le buter. « Nique Nixon avant qu'il te nique ! » recommandait un de nos slogans. Et Dick Tuck, notre plaisantin anti-establishment, avait même embauché deux jeunes femmes très visiblement enceintes pour arpenter l'esplanade devant la Convention nationale républicaine avec une pancarte « C'est Nixon qu'il nous faut ! ».

Lorsque le romancier Robert Coover nous a révélé la face secrète de Nixon dans *The Public Burning*[1], nous avons lâché des rires entendus. Le Nixon de Coover avouait : « Je suis quelqu'un de réservé. Je l'ai toujours été. Quelqu'un de convenable. Quand je baise, c'est sous les draps et sans la lumière. Quand je vais chier, je ferme le verrou. J'ai plein de poils sur le torse mais je ne les exhibe pas. Même manger en public, ça me gêne... » Et nous étions au comble de la jubilation quand Coover exposait la cicatrice fondamentale qui expliquait le bonhomme : la sodomisation forcée que lui avait infligée... l'Oncle Sam, ni plus ni moins ! « "Non ! j'ai crié. Arrêtez !", mais c'était trop tard, il était déjà logé dans mon anus et s'enfonçait plus loin encore, et... Oh, Jésus ! C'était comme s'il voulait me fourrer cette merde d'obélisque du Washington Memorial jusqu'au fond du cul ! (...) J'étais là, effondré sur le parquet de la chambre d'amis, des gargouillis dans la gorge, en nage, à moitié évanoui, déchiré et distendu et bourré comme une saucisse, et alors je me suis dit : "Voilà, tu as passé l'épreuve du feu, toi aussi... Tu revois le regard fixe de Hoover, maintenant, et les tics nerveux de Roosevelt, et le sourire idiot d'Ike... Tu aurais dû t'en douter !" »

Pas complètement crétin, Nixon se rendait compte à quel point nous le détestions. Il était notre ennemi, nous étions le sien. « Minables », « déchets » : c'était en ses termes qu'il pensait à nous.

Nous voulions être tout le contraire de Richard Nixon. Sex, drugs and rock and roll : notre identité

---

1. *Le Bûcher de Times Square*, Seuil, 1980. (*NdT*)

dans ses dents. Et les badges que nous portions sur
nos corps décharnés résumaient notre philosophie :
« L'amour comme un verre d'eau ! », « Jeunesse en
lutte ! », « Ganja si, Lacrymos no ! » ; « Faites
l'amour, pas la guerre ! », « A bas les chiottes payan-
tes ! », « Libérez les corps ! »...

Nous avions remplacé les cravates par les colliers
et les amulettes. Le symbole pacifiste se balançait à
notre cou. Plus de chemises strictes mais des jeans
brodés, ou des blousons avec la bannière étoilée cousue tête en bas dans le dos, ou des vestes à franges,
ou des gilets de marin comme celui que portait Bill
Clinton lorsqu'il allait revenir d'Oxford. Ceux d'entre
nous qui travaillaient dans des bureaux où la mous-
tache et la barbe étaient interdites s'achetaient des
postiches pour les week-ends. Les sous-vêtements
étaient bannis et nos pattes d'éléphant cradingues
étaient encore plus « dans le coup » quand un exemplaire du *Petit livre rouge* du président Mao dépassait
de la poche arrière pendant que nous gueulions « Hô
Hô, Hô Chi Minh ! ». Nous ne l'avions jamais ouvert,
ce bouquin, mais nous le gardions sur nous de même
que nous avions toujours une capote dans le porte-
monnaie. En fait, nous étions bien trop pétés pour lire
grand-chose, quoique les plus cultivés d'entre nous
aient appris par cœur des passages de Tolkien, du
Siddharta d'Hermann Hesse et de Khalil Gibran.

Alors que Nixon ne jurait que par sa « bonne vieille
mère quaker », nous ne jurions que par notre appareil
génital. Nous formions notre Baie des Cochons à
nous, dont les flots turbulents attaquaient le mur de
Berlin du puritanisme. Sur la pochette de *Sticky Fin-
gers*, l'album des Stones, il y avait une vraie fermeture éclair avec une grosse bosse en dessous, portant
à gauche, bien sûr. Sur celle de *Two Virgins*, John et
Yoko apparaissaient à poil. Yoko avait tourné un film
intitulé *Bottoms* (*Derrières*), dont le casting était
constitué par trois cent soixante-cinq fessiers nus.

Andy Warhol peignait avec sa queue, de même que Tom de Finlande[1] qui devait déclarer : « Si je ne bandais pas quand je travaille, je ne pourrais pas dessiner. » Les Plaster Casters transformaient une vulgaire bite en objet d'art. Ces mouleurs et mouleuses de plâtre travaillaient en équipe : quelqu'un de leur troupe éveillait l'intérêt du Willard d'un rocker fameux, puis quelqu'un d'autre se hâtait de plonger le Frangin tout émoustillé dans un shaker rempli de pâte. Les moulages de biroute — la plus grosse revenant à Hendrix, selon la tradition — étaient ensuite présentés telles des reliques saintes aux expositions d'art underground.

Nous portions des jeans si serrés qu'ils nous coupaient la circulation, avec en plus des kleenex en boule dans l'entrejambe. Eldridge Cleaver, ex-« ministre de l'Information » des Black Panthers, allait commercialiser le principe en lançant les « Cleavers », des pantalons « renforcés » à cet endroit stratégique. Il faut dire que les Panthers joignaient à leur fascination pour les flingues une attention permanente à leur zoizeau. Nous avions célébré l'ère du Verseau par ces vastes rassemblements hippies où, au bout de quelques minutes, on se retrouvait habituellement non seulement dans le coup mais dans quelqu'un, même si nous ne connaissions même pas son nom, la plupart du temps. Et le show érotique permanent se poursuivait sur les routes, dans des camping-cars Volkswagen qui étaient tout un luxe pour nous, après des années de contorsions sur le siège arrière de la voiture paternelle. Nous découvrions les lits aquatiques et le « Slip'N'Slide », cette feuille de plastique préalablement mouillée sur laquelle nous évoluions à deux ou plus par les nuits d'été. Nos brosses à dents électriques trouvaient une destination plus intime. Nous

---

1. Surnom de Touko Laaksonen (1920-1991), artiste homosexuel très en vogue aux Etats-Unis. (*NdT*)

hurlions en chœur « Non ! » quand sur l'écran Dustin
Hoffman demandait timidement à Mrs. Robinson :
« Vous ne croyez pas qu'on pourrait un peu se parler
d'abord, cette fois ? » La pub pour le Noxzema était
notre spot fétiche — « Enlève ça ! Enlève ! » — de
même que *Lay Lady Lay* était notre hymne. Burt Reynolds était notre idole depuis qu'il avait montré
quelques poils de pubis dans *Cosmopolitan*.

L'instant le plus emblématique des sixties, d'ailleurs, ce n'était peut-être pas Woodstock ni le « Sum-
mer of Love », mais cette soirée dans un bar du
Village, à New York, avec Hendrix sur scène, Morrison et Janis Joplin dans la salle. Jimi à la guitare,
planant complètement, Morrison et Janis, qui sortaient
ensemble à l'époque, pétés à l'herbe et à l'alcool.
Soudain, Morrison se lève, s'approche de l'estrade,
ouvre la braguette de Jimi et prend son Willard dans
sa bouche. Jimi ne lâche pas sa guitare, Janis bondit
sur Morrison, le plaque par terre et ils font la bête à
deux dos pendant que Jimi remonte sa fermeture
éclair et continue à jouer...

Quand nous n'exhibions pas nos parties ancienne-
ment honteuses, nous nous occupions à nous défoncer
la ruche. Pour nous, la marijuana était aussi basique
que le ketchup et le fromage blanc pour Nixon. Nous
allumions nos pétards avec des briquets Smile et
quand nous étions à court de ganja nous fumions des
peaux de banane séchées, de l'origan, des cosses de
maïs, des aiguilles de pin. Toute l'Amérique embau-
mait le joint et il y avait même certains « croulants »
qui voulaient eux aussi aspirer cet air du temps. Lors
d'un dîner chez les très mondains Alfred et Betsy
Bloomingdale, les invités étaient le comédien Jack
Benny et sa femme, George Burns et son épouse ainsi
que le gouverneur de Californie Ronald Reagan et
madame. Alfred, toujours très en verve, avait allumé
un pétard et l'avait fait circuler. Après avoir pris deux
taffes — et avalé —, le gouverneur, Nancy, Jack et

George avaient évidemment annoncé qu'ils ne sentaient rien. Oui, le Ronald Reagan qui à la même époque ordonnait à ses gardes nationaux d'utiliser contre nos rassemblements la même poudre irritante que l'armée déversait sur le Vietcong dans la jungle... Enfin, apparemment tout le monde ne pensait qu'à s'envoyer en l'air, en ce temps-là : jusqu'aux cosmonautes de la mission Apollo, qui avaient emporté en cachette des mignonnettes de cognac dans la capsule spatiale.

Sexe, drogue et rock and roll, c'était un style de vie mais aussi une position politique, dont le manifeste avait été résumé par John Lennon : « Le christianisme va disparaître. Il s'épuisera et sera oublié. Je ne vais pas argumenter sur ça, parce que j'ai raison et que ça sera prouvé. Nous sommes plus populaires que Jésus, nous. Ce que je ne sais pas, c'est qui s'en ira le premier, du rock and roll ou du christianisme... » En brûlant soutien-gorges, livrets militaires et drapeaux américains, nous pensions naïvement couper les ponts avec les valeurs que nos parents avaient voulu nous inculquer. Nous communiions dans des cours d'éducation politique en plein air, revêtus de notre mine la plus sérieuse et de notre jean le plus moulant, à l'affût de quelqu'un avec qui partager un joint, une exploration mutuelle de nos anatomies et une analyse du décompte des corps qui s'entassaient là-bas, dans un Vietnam heureusement si lointain... Avec une insouciance puérile, nous avions remplacé Memorial Day, le jour du Souvenir, par Moratorium Day, l'exigence d'un moratoire dans l'escalade en Asie du Sud-Est : cent mille barbus et chevelus s'écoulant devant la Maison-Blanche, une bougie à la main, pendant que Nixon nous matait en douce derrière les rideaux richement brodés de ses appartements. Dans notre arrogance juvénile, nos certitudes messianiques, nous ne doutions pas qu'au même moment, tandis que nous prenions notre pied à manifester, à fumer et à baiser, nos frères noirs et paysans envoyés au Vietnam écrivaient sur leur casque des constats aussi terribles que « Nous, Insoumis obligés par des Incapables à une guerre Inutile pour le compte d'Ingrats »...

Si nous étions terriblement fiers d'appartenir à une force politique — « le Mouvement », comme nous l'appelions laconiquement —, cet engagement était lui aussi marqué, déterminé par le cul. « Sexualité et politique ne font qu'un », édictait Bernardine Dohrn, l'égérie des Weatherpeople[1], et personne n'était mieux placé qu'elle pour l'affirmer. Parce que les médias avaient beau propulser Jane Fonda en tant que sex-symbol de notre révolution, nous n'accrochions pas, nous : Jane, c'était une star, une infiltrée du Mouvement dans le monde du show-business, rien de plus qu'un élément de relations publiques. Notre vraie pin-up, notre Amazone anti-nazes, celle qui menait ses troupes sur le front des « Wargasms », comme elle disait, c'était Bernardine. Un autre guérillero des Weathermen, Mark Rudd, l'avait énoncé on ne peut mieux : « Le pouvoir ne sort pas d'un canon de fusil. Le pouvoir sort du con de Bernardine. »

Elle avait vingt-six ans, elle était grande, avec de longues jambes bronzées et des yeux noisette, craquante, hardie, débordante de sensualité. Tous les mecs que j'ai croisés à cette époque rêvaient d'« y passer » une fois au moins avec elle. Sur le podium des meetings, flottant au-dessus de marées humaines baignées de patchouli, elle surgissait en mini-barboteuse et cuissardes noires, ou pieds nus en short moulant et chemise ouverte jusqu'au nombril, ou en jupe violette et gilet orange constellé de badges « Je te suce, tu me suces », en jean taille basse et bain-de-soleil, les cheveux teints aux couleurs du drapeau

---

1. Scission extrémiste de l'organisation estudiantine SDS apparue en 1969. Le nom de « Weatherman », météorologue littéralement, était tiré d'une chanson de Bob Dylan : « Pas besoin de Monsieur Météo pour savoir dans quel sens souffle le vent. » (*NdT*)

d'Hô Chi Minh, ou avec un casque et des gants de motard noirs, jouant avec une barre de fer comme Mick jouait avec son micro... Elle organisait des orgies libertaires sur invitation uniquement, et bien entendu nous nous serions tous damnés pour en avoir une ! Elle était notre pasionaria sexy, une dure des durs qui, un jour où un type reluquait de près ses seins, en avait sorti un et le lui avait mis dans la figure en disant : « Il te plaît, ce nibar ? Eh bien prends-le ! » Bernardine, c'était notre doudou à nous, notre diva du ghetto, une bombe sexuelle qui se définissait elle-même comme une « salope zinzin » et certifiait vouloir « foutre la chiasse à la vieille Amérique blanche ».

Nous étions une « contre-culture », America au sein d'Amerika, un pays à part, agressif, fier de ses valeurs, de ses héros et de sa musique jusqu'à en devenir chauvin. *I Can't Get No Satisfaction* était l'hymne de nos armées, *Sympathy For The Devil*[1] notre *Star-Spangled Banner*, Woodstock notre Fête nationale, Altamont notre Pearl Harbor, Dylan notre Elvis, Tim Leary notre Einstein, Che Guevara notre Patrick Henry, ce héros de l'Indépendance américaine.

Nous n'avions pas *notre* Nixon, cependant. Sincères jusqu'à l'exhibitionnisme, convaincus que la vérité seule allait nous libérer de nos chaînes, nous étions tous décidés à ne jamais produire un Nixon, à ne jamais nourrir dans notre sein un président qui nous regarderait dans les yeux, nous braquerait son index dans la figure et débiterait mensonge après mensonge.

---

1. Que l'on aurait dû entendre au début et à la fin de *Basic Instinct*, dans la version initiale du script conçu par Joe Eszterhas. (*NdT*)

Ouais, nous étions tout un tas, toute une force, et la Créature de la Nuit sentait le danger, et donc elle a déchaîné ses momies-vampires contre nous... Toute sa cohorte de goules, à commencer par le pédophile faux derche, le travesti honteux à la tête du FBI, J. Edgar Hoover. Par ses diatribes hystériques — dont Pat Buchanan et William Safire étaient les auteurs —, il aiguisait la soif de sang de ses morts vivants, la soif de *notre* sang qui coulait déjà sous les matraques policières, jusqu'à ce qu'ils en arrivent à tuer quatre d'entre nous sur le campus de l'université du Kent. Mais à ce moment son trône vacillait, son empire était menacé par la ruine : après une mort et une résurrection due à ses mensonges, Nixon allait périr à nouveau, et à nouveau pour avoir menti.

Hillary, que Dieu la bénisse, était alors en première ligne, travaillant nuit et jour pour la Commission d'impeachment de la Chambre, aidant à boucler le dossier qui allait sceller sa perte. Les cassettes qu'il avait lui-même enregistrées seraient le pieu qui transpercerait enfin le cœur de la Créature de la Nuit : non seulement elles confirmaient son rôle actif dans la tentative de dissimulation du Watergate mais elles montraient aussi à toute l'Amérique que le Bureau ovale était devenu la tanière de l'Immonde, un nid de saletés, d'ongles morts et de déjections puantes. Et en toute justice, en toute poésie, c'est à Barry Goldwater qu'il allait revenir d'enfoncer d'un ultime centimètre ce pieu dans le cœur noirci de la Créature en affirmant que Nixon tomberait s'il ne démissionnait pas de lui-même, en annonçant qu'il voterait la censure.

Un mot à propos de la trajectoire de Barry, en passant. Vingt ans plus tard, il était définitivement dans *notre* camp, et de pied ferme comme le prouvaient ses propos : « Jesse Helms a une araignée dans le plafond », par exemple, ou : « Un acteur, rien de plus » à propos de Reagan, ou : « La droite religieuse me flanque une sacrée trouille »... En 1994, il allait être distingué par l'Association pour les libertés civiques d'Arizona pour son engagement en faveur des droits constitutionnels des homosexuels et pour celui des femmes à une maternité assumée.

Porter le coup de grâce à la Créature de la Nuit, quelle belle revanche ! Ils nous avaient pris JFK, et Martin Luther King, et Bobby Kennedy, l'Immonde avait resurgi de ses ténèbres mais nous l'y avions renvoyé, finalement... Grâce aux efforts d'Hillary, et de Barry, et des millions d'entre nous qui s'étaient unis pour bouter le « mensonge ambulant » hors de la Maison-Blanche. Le jour de sa démission, nous étions tous réunis devant une télé dans un bureau de la rédaction, à *Rolling Stone*. A jeun pour une fois, sans un seul joint allumé dans la pièce, nous avons vu la Créature de la Nuit nous faire une dernière fois les cornes, pardon, le V de la victoire. En face de moi, j'avais un jeune stagiaire qui avait payé le champagne à toute l'équipe : Bobby Shriver, un neveu de JFK. Son visage tourné vers l'écran ruisselait de larmes, et moi aussi, en regardant Bobby, je me suis mis à pleurer.

Beaucoup plus tard, en 1993, quelques mois avant sa mort, j'ai aperçu Richard Nixon dans la salle à manger du Ritz-Carlton à Laguna Niguel, en Californie. Il dînait avec des amis à une table assez proche de la nôtre. Je l'ai observé.

Je l'avais rencontré une seule fois, en 68. Reporter débutant, je couvrais le rapide passage de sa caravane électorale à Fairview Park, une banlieue de Cleveland blanche comme neige. Ce jour-là, il était sur pilote automatique pendant la conférence de presse, le regard vide, morne. Mais quand je lui avais demandé s'il savait que Denny McLain, des Tigers de Detroit, venait de devenir meilleur joueur aux points de l'American League, il avait brièvement retrouvé un peu d'allant, m'avait interrogé sur le nombre de strike-outs, son sourire figé faisant place à une expression

légèrement plus humaine lorsqu'il avait remarqué :
« Je suis un fan de McLain, moi. » Aucun de nous
deux n'imaginait alors que Denny allait se retrouver
en prison pour proxénétisme et paris clandestins, ni
encore moins que seul le pardon que ce kamikaze de
Gerald Ford allait lui accorder permettrait à Nixon
d'échapper à la taule. Le jour où la Créature de la
Nuit avait reçu l'absolution, j'étais en train d'attendre
Evel Knievel, encore un autre voyou notoire, qui
devait réaliser un de ses sauts en moto déments, cette
fois par-dessus la Snake River pour retomber en
Idaho. Lorsque la nouvelle de la grâce s'était répandue dans la foule d'anars mal lavés, un peu de l'ancienne violence sacrée s'était emparée des garçons.
Des vitres avaient explosé, des brasiers avaient été
allumés, des dents avaient volé pendant que les filles
dépoitraillées s'approchaient au plus près de l'abîme
pour regarder Knievel s'élancer dans le vide, et se
ramasser dans l'air chargé de maléfices.

Toutes ces années plus tard, au Ritz-Carlton,
Richard Nixon paraissait très affaibli, défait par
l'existence, vieux. Moi, j'étais en veston, tee-shirt et
caleçon noir de femme coincé dans mes bottes de
cow-boy, que j'avais dû emprunter à mon épouse
parce que le port du jean était proscrit à dîner et que
je n'avais rien d'autre dans ma valise. Lorsqu'il est
passé devant notre table, je me suis levé et je lui ai
serré la main en lui souhaitant une bonne santé. Je ne
sais pas, c'était peut-être pour moi une manière de
faire la paix avec la Créature de la Nuit au moment
où elle approchait, sans rémission cette fois, de sa
dernière tombe. Mais Nixon s'est contenté de fixer le
caleçon noir qui menaçait de craquer aux cuisses, et
puis il a lancé une de ces plaisanteries consternantes
dont il avait le secret et qu'il continue sans doute à
sortir là-bas, en enfer.

Il avait déjà disparu lorsque je me suis rendu
compte que ce devait être *précisément* pour cette rai-

son que je m'étais levé. Une ultime provocation pour ses yeux las : « Hé ouais, vise un peu ça, Dick ! Voilà où ton Amérique chérie en est arrivée : un pays où les types se baladent en bottes de cow-boy et caleçon de nana ! »

7

Le président voit rouge

LINDA TRIPP : Tu vois, ça ne me déplairait pas qu'il
   soit obligé de reconnaître en public qu'il a un
   problème, et de le regarder patauger.
MONICA : Ah, ça serait trop...

U n chancre grossissait au cœur de la présidence,
   jour après jour. Tout espoir d'immortalité s'était
enfui, ou plutôt barré vite fait. Il n'y aurait pas de
timbre à l'effigie de William Jefferson Clinton.
Jamais les billets de dix dollars ne s'orneraient de sa
tronche rubiconde. Il fallait oublier un futur *USS Clinton* sillonnant les mers, un bombardier F-54 Clinton
fendant les airs, et les avenues Clinton, et les aéro-
ports Clinton, et les centres commerciaux Clinton.
Plus question de Pavillon WJ Clinton à LA, ni de
Tour WJ Clinton à New York. Le prix Nobel de la
paix ? Laisse tomber. Mais grâce à Jann Werner il
pouvait sans doute compter sur sa photo au Musée du
rock and roll de Cleveland.
   Ce qu'il avait donné à l'Amérique était désormais
éclipsé par son apport — involontaire — à la langue
anglaise : « to Clinton », « ratiociner dans le but de
dissimuler la vérité » ; « to get a Clinton », « se voir

administrer une fellation »... Son démenti télévisé deviendrait bientôt un morceau d'anthologie aussi célèbre que la bande vidéo amateur de l'assassinat de JFK par Leon Zapruder. Et la scène où il donnait l'accolade à la-fille-au-béret... De quoi rigoler quelques années.

Trébucher sur son Willard comme ça... Peu d'hommes avaient vécu une expérience aussi douloureuse, surtout lui, le Prince du Comeback, depuis toujours, depuis le lycée, quand il avait oublié de faire son TP de physique à la maison, qu'il s'était arrêté acheter une saucisse, une petite plaque en acier, et qu'il avait mis le tout au soleil : et voilà, un gril à hot-dog solaire ! Mais là, comment se sortir d'une telle impasse ? Même lui ? Fallait-il se retrancher derrière un mur de « no comment » ? Demander à Checkers d'aboyer en sa faveur à la télé ? Invoquer la clause de confidentialité ? Emprunter à Ted Kennedy la minerve qu'il avait portée après avoir fait le plongeon à Chappaquiddick ? Se cacher derrière Betty Currie de même que Nixon s'était planqué derrière Rose Mary Woods ? Pleurnicher à la Jimmy Swaggart ? Engrosser Hillary ? Saucissonner Linda Tripp façon Jeffrey Dahmer ? Réserver à Paula Jones le sort de Mary Jo[1] ? Défenestrer Helen Thomas ? Tomber à la cravache sur Maureen Dowd et autres journaleux ? Emigrer au Paraguay ? Se retirer à Malibu ? Arrêter de fréquenter Sharon, Barbra, Eleanor ? Se mettre en pull et tenter le coup de la discussion au coin du feu ? S'autoflageller en plein Times Square ?... Se la couper ? !

---

1. Le 18 juin 1969, peu avant minuit, la voiture de Ted Kennedy tombe d'un pont près du débarcadère des ferrys de l'île de Chappaquiddick, dans la baie de Nantucket. Il signale l'accident à la police près de dix heures plus tard. Entre-temps, un plongeur a retrouvé dans l'épave le corps de Mary Jo Kopechne, vingt-huit ans. Le 25 juin, Ted Kennedy est condamné à deux mois de prison avec sursis et un an de mise à l'épreuve. Les circonstances n'ont à ce jour pas été élucidées. (*NdT*)

Comme si le pire était encore possible, cette misé-rable abrutie de Paula Jones, poussée par les réacs qui lui payaient ses frais de justice, avait annoncé urbi et orbi qu'elle était en mesure de décrire certaines « caractéristiques particulières » de Willard. Et main-tenant, quand il parcourait le pays pour recueillir les fonds nécessaires à « une Amérique meilleure » et asperger les gens de son charisme, il sentait qu'on le regardait... bizarrement. Il savait qu'ils pensaient tous au Frangin : est-ce que Willard était trop petit, comme celui d'Hitler ? avait-il la forme d'un crayon ? d'une saucisse de cocktail ? d'un dé à coudre ? d'un champi-gnon ? d'un radis ? d'une olive ? C'était trop injuste ! Lui, il dispensait à ses administrés des idées et des orientations sur lesquelles ils pouvaient bicher et eux, ils ne s'intéressaient qu'à Willard ! C'était comme si chaque révélation scandaleuse dans la presse rouvrait sa braguette. Allait-il passer le reste de sa vie les yeux baissés dessus, à vérifier qu'elle ne bâillait pas ? Lyn-don Johnson avait la peau des bourses qui lui pendait presque aux genoux mais personne ne le savait, à l'époque ! Personne ne lui matait le poireau, à LBJ !

Son avocat personnel, Bob Bennett — le frère de cet insupportable moralisateur de Bill Bennett —, a commencé à appeler ses vieux copains de Hot Springs, des gars qui avaient partagé des vestiaires de gymnase avec Clinton au temps du lycée, et à les bombarder de questions à propos de Willard : était-il possible que Paula Jones connaisse vraiment un secret qui n'appartenait qu'aux élu(e)s ? Une fois, il a même été tenté de rentrer aux toilettes avec son client mais il s'est dégonflé, au dernier moment. Et en tout cas il n'est pas allé demander à Hillary si, dans les très vagues souvenirs qu'elle pouvait en avoir, il n'y avait pas quelque chose de...

Non, Bennett s'est contenté d'aller voir les méde-cins du président, de l'époque ou plus anciens, et ils ont tous juré sous serment que Willard allait très bien, merci. Et puis il lui a fermement conseillé de consulter le Kenobi des poireaux, l'urologue qui s'était penché sur l'illustre tagada de Reagan et de Bush, et donc il a fallu supporter que cet « expert républicain mais impartial » le touche, le tire, le pince... Mais ce n'était pas encore assez ! Il y a un « si », ont indiqué les avocats de Jones : *et si* ce que la plaignante avait vu n'était apparent que lorsque Willard était en érection ? Les rumeurs le présentaient déjà soumettant son Frangin aux chatouillements du maître du Jedi médical jusqu'à ce qu'il atteigne toute sa fière et impérieuse prestance. Conscient qu'il y avait des limites à ne pas dépasser — ce qu'il appelait « le facteur Beurk » —, Bennett n'allait pas permettre qu'on aille jusque-là. Et Bill Clinton, lui, s'est souvenu d'une remarque d'Al Gore : « La boussole de la moralité devrait toujours être au nord. » Une grande part de ses tracas venait de là, justement. Willard avait toujours pointé au nord, au nord du pôle Nord.

C'était un problème très sixties, en fait, un problème auquel les hommes de ma génération se confrontaient depuis trente ans : on était tellement obnubilés par notre Willard... Pendant trop longtemps, avant que les femmes ne se révoltent contre cette absurde, nombriliste obsession — trois décennies s'étaient écoulées jusqu'au jour où « John Wayne » Bobbitt allait se faire couper la chique par son épouse —, nous nous étions comportés comme si le monde tournait autour de notre queue. Mais ce n'était pas le cas, et elle semait surtout une sacrée pagaille. Les femmes en avaient plus qu'assez de devoir entendre combien d'entre elles avaient servi à l'étalon du X, Wilt Chamberlain (vingt mille), ou à Warren Beatty, ou à JFK, ou à Mick, et leur colère était justifiée.

Pour être honnête, la faute ne nous revenait pas entièrement. Willard exigeait d'être à l'air, de se balancer sous les regards et de se fourrer dans...

quelque chose. Etions-nous atteints du syndrome de Clara Bow, cette incapacité à repousser la moindre tentation sexuelle, comme Clara, l'actrice des années vingt qui n'aurait pas pu dire non à toute une équipe de football ? Etait-ce de l'érotomanie, ou une forme quelconque de priapisme ? Le Frangin se durcissait, ce qui nous mettait mal à l'aise et nous obligeait à lui trouver quelqu'un pour qu'il se calme, n'importe qui. Même ceux d'entre nous qui occupaient les postes les plus en vue avaient souffert de cette... affection, et la description que Geraldo Rivera avait donnée de lui s'appliquait à pratiquement chacun d'entre nous : « Un insatiable porc en chaleur. »

J'ai vu Michael Douglas, que je connaissais déjà, au bar du Westwood Marquis, assis beurré à côté d'une petite bombe genre Lolita de palace, quasiment couché sur elle, et au bout d'un moment je me suis approché pour lui lancer : « Hé, Michael, prends-toi une chambre, vieux ! » Il a rigolé, et il l'a fait. Quelques années plus tard, son épouse le surprenait au Regent Beverly Wilshire en torride flagrant délit avec la femme de son meilleur pote. Elle l'a plaqué et Michael est entré dans une clinique de désintoxication de l'Arizona, où il a avoué devant tous les participants à la thérapie qu'il était « accro au sexe », il a tout déballé, il est remonté jusqu'à son admiration éperdue pour son père Kirk, un des plus grands sabreurs de tous les temps... Entre parenthèses, un des intoxiqués présents, qui avait enregistré toute sa confession, s'est empressé de vendre les bandes à la presse à scandale.

Sur le plateau de *Jagged Edge*, j'ai vu Jeff Bridges, cette quintessence des sixties, supplier qu'on le laisse tourner lui-même la première scène du film, celle où une femme nue, attachée sur un lit, est sauvagement tuée par un homme encagoulé. Le réalisateur était pantois : « Mais Jeff, tu es en cagoule, là ! Tu n'as pas besoin de la faire, cette scène ! Ta doublure peut

très bien s'en charger. » Mais Jeff a eu gain de cause
et il l'a refaite... à six reprises, en insistant pour la
reprendre « jusqu'à ce que ce soit vraiment ça ».

Et j'ai vu l'avant-dernier mariage typiquement sixties voler en éclats, le couple royal de la contre-
culture se briser sur cette damnée braguette, encore
une fois : Jane Fonda, une super-nana incroyablement
belle, et Tom Hayden, un super-mec malgré sa
dégaine bizarroïde, l'ancien leader des Etudiants pour
la démocratie, l'auteur de la Déclaration de Port
Huron, cet appel aux armes de toute notre génération,
l'un des « Huit de Chicago », nos « Sept Mercenai-
res » à nous... Et ce nœud de Hayden, avec sa bouille
d'Irlandais boutonneux, qui avait une fille pareille
dans son lit, n'avait pas été fichu de garder sa braguette fermée quand Jane avait le dos tourné ! C'était
comme s'il avait craché dans le Saint Graal de l'érotisme féminin, couru les catins de cinquième zone
alors qu'il était déjà le roi de l'univers ! Mais il les
avait courues quand même, et Jane l'avait jeté, non
sans être forcée par la législation californienne sur le
divorce de verser des millions de dollars à un crétin
qui l'avait trompée.

A l'orée du nouveau millénaire, nous, les rescapés
mâles des années 60, étions certes plus qu'invités à
regarder en face les porcs que nous étions. Dans le
vieux conflit entre les sexes, à vrai dire, nombre
d'entre nous méritaient le titre de criminels de guerre.
Soudain, le terme de « queutard » n'avait plus rien de
flatteur. Et même si beaucoup d'hommes continuaient
à s'adonner à une chasse sexuelle aussi obsessionnelle
qu'égoïste ils n'en parlaient plus volontiers, ils évi-
taient de clamer en public les bulletins de victoire du
style « J'l'ai ramonée toute la nuit » ou « Le prochain
petit cul sur ma liste, c'est... ». Ils s'étaient assagis,
ils percevaient mieux la nécessité de tenir compte de
la sensibilité d'autrui. Maintenant, ils invoquaient un
« manque de communication », une « déficience de

motivation », une « lassitude sentimentale » avant de passer au petit cul suivant. Ils avaient de mignons animaux en peluche dans leur chambre, histoire de prouver leur tendresse naturelle, leur antimachisme conséquent, et de saper ainsi les défenses de leurs futures victimes.

Bill Clinton avait assimilé ce nouveau discours, lui aussi. Tout en se servant de Monica comme d'une poupée gonflable — non plus pour ses lèvres, désormais, mais pour sa voix dans leurs marathons de téléphone rose —, il lui faisait de petits cadeaux, une peluche, de rigolotes lunettes de soleil, une modeste boîte de chocolats... Il la laissait jouer avec son nouveau chien-chien, Buddy, puisqu'elle ne pouvait plus taquiner son Willard, sinon indirectement, par téléphone interposé. Il ne voulait plus être un de ces machos de l'époque rock and roll. « Mets-toi à genoux et suce ! », ce n'était pas ce qu'elle méritait. Elle valait mieux que cela : au moins une boîte de chocolats. Et puis, naturellement, quand il s'était lassé d'elle, quand ses pensées avaient commencé à dériver sur Eleanor Mondale, la fille de l'ancien vice-président, sans conteste plus fiable et plus jolie que Monica — Monica que Vernon Jordan, avec son œil de maquignon chevronné, appelait « la fofolle grassouillette » —, la rupture s'était passée dans l'urbanité formelle des années quatre-vingt-dix, avec l'immémoriale métaphore « printemps/automne » si appropriée dans ce cas : « Je suis trop vieux pour toi, ma jolie, bientôt j'en serai à pisser vingt fois par jour alors que tu seras encore une... belle fille. » Parce qu'il aurait pu dire quoi ? « Encore un gros tas » ?

Une autre de ces tragiques amours modernes avec une fin édifiante et pleine de larmes, donc, l'antithèse du queutard donnant à son amour impossible un dernier « baiser de Noël » dans l'espace réduit, pas plus grand qu'un box de peep-show, qui se trouvait entre le Bureau ovale et son cabinet privé. Adieu, Monica,

on s'est bien marrés quand même, et je penserai toujours à toi, et peut-être qu'une nuit, vers les deux
heures et quart, je te passerai un coup de fil, enfin,
Willard et moi, hein, tu vois le genre, petite ?

Après la pluie, ainsi que Bill Clinton était désormais assez âgé pour le savoir, vient *toujours* le beau
temps. 1968, par exemple, l'année la plus terrible avec
l'assassinat de Martin, celui de Bobby, l'élection de
Nixon, avait cependant aussi été celle où McDonald's
avait lancé le Big Mac... Mais là, dans le cas présent,
où était-elle, cette fichue éclaircie ?

Ce qu'il aurait eu envie de faire, il l'avait confié à
son directeur de cabinet, Leon Panetta : flanquer son
poing dans le ventre de Kenneth W. Starr. Ce fils de
prédicateur puritain s'était mué en un cauchemardesque projecteur pivotant, venu s'arrêter pile sur son
Frangin et n'en bougeant plus. Reagan avait peut-être
été en teflon mais Willard devait être en velcro, lui.

Oui, Bill Clinton bouillait de rage sous le « supplice
chinois », comme il l'avait lui-même surnommé avec
pertinence, qu'on lui infligeait. Il brûlait de casser la
mâchoire à quelqu'un, de même qu'il avait failli le
faire, le jour de sa campagne pour le poste de gouverneur de l'Arkansas, sur la personne de Dick Morris
qu'il avait jeté au sol. Il se surprenait maintenant à
martyriser les accoudoirs de son fauteuil tout en parlant à ses collaborateurs, à crier, à hurler, à tempêter,
selon la description donnée par l'un de ses proches :
« Ces enfoirés de merde de réactionnaires à la con ! »

Et Ronald Reagan, alors ? Pourquoi personne ne
parlait de *ses* frasques ? Le soi-disant chantre des
valeurs familiales avait pourtant complaisamment
décrit à son biographe, Edmund Morris, toutes ces
groupies déchaînées qui l'entouraient au temps où il
était acteur : « Elles déchiraient ses vêtements, tam-
bourinaient à la porte de sa chambre d'hôtel... » Il

avait avoué à Morris qu'à cette époque-là il avait tellement d'aventures qu'il s'était réveillé un matin à côté d'une femme dont il ne connaissait pas le nom et qu'il ne pensait même avoir jamais vue. Ce qu'il ne lui avait pas dit, par contre, c'est que même dans sa jeunesse il aurait eu parfois bien besoin d'un des comprimés de Viagra si prisés par Bob Dole. A ce sujet, la starlette Jacqueline Parks était formelle : « Sexuellement, il n'était pas du tout au point. » Et son ancienne petite amie Doris Lilly : « Dans l'intimité, ce n'était pas une expérience inoubliable. » Et son ex-épouse Jane Wyman se montrait encore plus nette : « Il ne valait rien au lit. » Et le problème datait de loin, apparemment, puisque certains de ses copains de l'armée se rappelaient le plaisir qu'il prenait à sortir les blagues les plus obscènes, les plus choquantes en présence de femmes, si bien que l'une d'elles avait fini par lui lancer : « Qu'est-ce qui ne va pas avec toi, Ronnie ? Tu ne tires pas assez ton coup, c'est ça ? »

Même Nancy Reagan n'était pas à l'abri des rumeurs. Etait-il vrai qu'elle avait jadis obtenu des rôles en couchant avec le responsable du casting à la MGM ? La « Dame de glace » aurait-elle commencé par être une petite sauteuse d'Hollywood ? Elle recevait vraiment en tête à tête à la Maison-Blanche le plus vieux cochon du pays, Frank Sinatra, un type qui aimait consommer ses œufs au plat sur les seins des putes ? Pour des déjeuners qui duraient trois heures, avec le panneau « Ne pas déranger » sur la porte ? Spencer Tracy, qui l'avait connue en son temps d'actrice, n'y croyait guère. D'après lui, « elle irradiait autant de passion qu'un esquimau basse calorie : de la glace sur un bâton et presque pas de sucre ».

Et l'administration Reagan, alors ? Tous ces hypocrites de Républicains, tous ces tartufes de la majorité morale, avaient-ils donc oublié leurs propres scandales d'alcôve, pourtant gratinés, dans leur genre ! Encore plus fort que les pipes, le cigare, les pognes, celui-ci révélait les tendances sados-masos du camp républicain puisqu'ils demandaient pour ingrédients des femmes fouettées au ceinturon et chevauchées à cru, ainsi que beaucoup de salive. Et qui avait organisé tout ça ? Alfred Bloomingdale, héritier de l'empire commercial du même nom et grand ami du président Reagan ! Vicki Morgan avait dix-sept ans lorsqu'elle avait été embauchée pour la première fois dans ces soirées très spéciales. Alfred en avait quarante de plus. « Il y avait déjà deux filles, toutes nues, devait-elle raconter. Alfred a commencé à se déshabiller en me disant d'en faire autant. Il a ordonné à une des nanas d'aller chercher son "équipement", c'est-à-dire sa ceinture, des cordes et... et un gode, excusez-moi du terme. Ensuite, il a fait aligner tout le monde contre le mur et il s'est mis à fouetter (...). Il obligeait ces filles à ramper par terre, à se mettre à quatre pattes et il s'asseyait sur leur dos et il... bavait ! Littéralement, je veux dire ! Il bavait ! » Hypocrites ! Tartufes ! Jusqu'à Dan Quayle, accusé d'avoir sauté une sympathisante du Parti ! Et sa femme Marilyn avait pris sa défense en déclarant : « Dan ? Entre une partie de golf et une partie de sexe, il choisirait le golf n'importe quand ! »

Ouais ! Derrière toute cette campagne venimeuse se cachait Jesse Helms, l'abominable troglodyte ! La preuve : le « conseil des sages » qui avait nommé Starr pour mener l'enquête était présidé par le juge David Sentelle, dont le protecteur, le « rabbin » comme on dit vulgairement — une image devant laquelle l'intéressé risquait de faire la grimace —, n'était autre que Jesse Helms. Là, Bill Clinton voyait rouge, rouge sang ! Il y avait des claques qui se perdaient, plus que des claques ! Son état d'énervement allait même être porté à la connaissance du public par son conseiller de presse, Mike McCurry : quand l'éditorialiste William Safire avait traité Hillary de « menteuse congénitale », il avait indiqué que si Bill

Clinton n'avait pas été président des Etats-Unis il aurait répliqué par un argument adressé à « l'arête du nez de Safire ». C'était une manière assez laborieuse d'invoquer le souvenir rassurant de ce bon vieux Truman, un Américain pur sucre, pas du tout coureur de jupons, qui avait un jour menacé d'un bourre-pif un journaliste qui avait osé mettre en doute les talents pianistiques de sa fille...

Mais malgré tous les cris et hurlements et bousillages d'accoudoirs de Bill Clinton, de nouvelles accusations se produisaient presque chaque jour. Une maquilleuse de la Maison-Blanche déclarait ne pas avoir apprécié la façon dont il « flirtait » avec elle. Une hôtesse sur son avion de campagne électorale affirmait qu'il avait croisé les bras et lui avait chatouillé le bout d'un sein du doigt pendant qu'Hillary était plongée dans un petit somme à quelques mètres de là. Il semblait donc que l'ordalie ne finirait jamais, que sa « mise à nu », pour reprendre le terme de l'un de ses collaborateurs, allait continuer. Tout en tempêtant, Bill Clinton regrettait de ne pouvoir se comporter comme un Harold Ickes, son assistant qui avait lancé au conseiller juridique de la Maison-Blanche : « Vous avez intérêt à ouvrir vos esgourdes et à piger ça vite fait : vous n'allez pas fourrer votre putain de nez là-dedans, compris ? Et si ça ne vous plaît pas, vous pouvez tout simplement aller vous faire foutre ! » Seigneur, se disait Clinton, qu'est-ce qu'il aurait aimé parler de cette façon à Kenneth Starr ! Et même, que Dieu lui pardonne, convoquer les télés pour une déclaration en direct : « Bonsoir, mes chers concitoyens. Ouvrez vos esgourdes : je vous demande de garder votre putain de nez hors de tout ça ! Et si vous n'êtes pas contents, allez vous faire mettre ! »

Il ne faisait pas bon fréquenter la Maison-Blanche, à cette époque. Imaginez un peu : le fils du prédicateur, l'abruti donneur de leçons, parlait maintenant d'émettre... un mandat de perquisition ! Comme si le siège de la présidence des Etats-Unis était un vulgaire labo à crack ! Et ils avaient fouillé dans la comptabilité du cabinet d'avocats d'Hillary ! Puis le FBI avait débarqué pour prendre les empreintes digitales de sa femme d'abord, et ensuite les siennes. Comme dans tous ces feuilletons de flics, là... Une pellicule entière pour chaque doigt, et la paume, et le tranchant de la main ! Les employés de la Maison-Blanche portaient des gants de chirurgien, maintenant, en recherchant les dossiers que Starr risquait peut-être de réclamer... Et pendant tout ce temps ce fichu projo restait braqué sur le centre de sa gravité personnelle, sur cette partie de lui-même où il avait conduit tant de mains à se poser...

Il fallait changer d'air. Il s'est organisé un autre voyage à LA, histoire de récolter encore de l'argent pour une Amérique meilleure. Histoire de jouer encore au golf. Histoire de fumer tranquillement son cigare sur le green.

Le temps est vite passé à Los Angeles, cette cité où la vie réelle ne dure que quelques bobines. A Hollywood, plus personne ne s'intéressait à la turlute de Mike DeLuca, ni au caca de Farrah. Toutes les conversations étaient accaparées par la taille de la biroute de Tommy Lee, le batteur de Mötley Crüe, révélée dans une vidéo pirate avec Pamela Anderson qui circulait à grande vitesse dans tous les studios. J'avais reçu ma copie d'un ponte de chez Disney, qui me l'avait envoyée par coursier, avec *Le Roi Lion* et *La Belle et la Bête* dans le même paquet.

Les filles du service de publicité de la Fox n'étaient pas du tout impressionnées, cependant. Elles détenaient un matos autrement plus chaud, une collection de diapos tirées de scènes écartées au montage. Les « P-files », elles appelaient ça. Plein, plein de beaux mâles, des stars du cinéma en tenue d'Adam, tout ça en pied, bien éclairé... Laissez tomber Tommy Lee, s'esclaffaient-elles : visez plutôt Willem Dafoe !

Alors, bravo, Hollywood ! Le président des Etats-Unis trouvait soulagement et réconfort dans le seul coin du pays, voire de la planète, où les gens parlaient d'autres Willards que le sien.

8

Guerre aux aigreurs d'estomac !

MONICA : Il m'est arrivé de ne pas embrasser un seul
garçon pendant quatre ans.
LINDA TRIPP : Vraiment ?
MONICA : Quand j'étais au lycée, oui. Ah, ça a dû
être la période la plus déprimante de toute ma
vie ! Ce qui n'est pas peu dire...
LINDA TRIPP : Eh bien, tu t'es bien rattrapée depuis,
en tout cas.

Bonsoir, l'Amérique et tous les équipages en mer !
Allumez les rotatives ! Cette histoire-là faisait un
million de mégatonnes. Bill Clinton était maintenant
enfoncé jusqu'à la taille dans la Big Muddy River
mais ce n'était pas de l'affluent du Mississippi qu'il
s'agissait : emporté par ce torrent de boue, il cherchait
de l'air, la bouche ouverte comme celle de Brian
Jones sur scène.
Les dossiers secrets du Pentagone avaient moins
fait couler d'encre que le rapport Starr, en leur temps.
Les incursions clandestines de Nixon au Cambodge
avaient moins attiré de courroux journalistique que la
« demi-incursion » du Frangin Willard dans Monica.
Si l'échec retentissant de la politique de vietnamisa-

tion n'avait pas conduit les éditorialistes à exiger la démission de Nixon, pourquoi ses entreprises de masturbation à lui soulevaient-elles tous ces cris, maintenant ? Nixon avait été coupable de barbarie par voie des airs ; il n'avait, lui, rien fait de plus que de la sodomie par voie orale. Il l'avait eu facile, le Dick : d'accord, il y avait la guerre, et les manifs, mais il disposait aussi de toutes ces mises en orbite, de tous ces alunissages, de tous ces Apollos et autres Surveyors... « Je ne suis pas un filou », ça sonnait un peu moins mal dans le contexte des « Ici Houston, Base de la Tranquillité : l'aigle vient de se poser ».

Après avoir esquivé l'appel sous les drapeaux, Bill Clinton était désormais la cible du pilonnage aérien des télévisions, faisant des entrechats pour éviter les mines sur les bords glissants d'une piste Hô Chi Minh graveleuse, assourdi par l'artillerie lourde des commentateurs en train de hurler : « Démission, démission ! » Même Bob Dole avait trouvé une place dans le scandale : devenu le lobbyiste qu'il aurait dû être depuis toujours, et voisin de palier de Monica dans l'immeuble du Watergate, il distribuait des donuts aux reporters qui campaient à l'entrée, puisant avec libéralité dans la ration hebdomadaire qu'il recevait en échange de ses spots télévisés pour la marque Dunkin'Donuts.

« Si tu te retrouves avec un gros, gros pépin, avait un jour conseillé Dick Morris à Clinton avant sa propre disgrâce, avant que son faible pour les pieds des professionnelles n'explose à la une des feuilles de chou, la meilleure tactique, c'est de les distraire avec autre chose. » Ou pour reprendre la formule d'Harry Truman : « Si vous n'arrivez pas à les convaincre, embrouillez-les ! » Mais comment « distraire » ou « embrouiller » l'Ogre médiatique alors qu'il était en train de se repaître de cette histoire avec sa gloutonnerie coutumière — « L'info en continu ! Restez avec nous pour la suite ! » Que pouvait-il lui jeter en pâture pour échapper à ses dents ? Quel nouveau festin lui offrir quand celui-ci était tellement succulent que l'audimat crevait le plafond, même pour une chaîne comme Fox News ?

A la recherche d'une diversion, ses conseillers les plus pointus plaidaient pour une « remise en perspective globale », une « redéfinition contextuelle » : en clair, il s'agissait de prouver que la conduite de Bill Clinton n'avait rien de vraiment insolite, d'indigne de sa fonction ni de l'Amérique, rien... d'exceptionnel. Des chercheurs transformés en détectives privés ont donc été chargés de fouiner dans les livres d'histoire, d'écumer les mémoires d'hommes célèbres. Leur mission : trouver n'importe quel précédent « pertinent » à cette malheureuse situation.

George Washington était sans doute bisexuel : mauvais. Thomas Jefferson avait engendré un enfant noir : excellent ! bingo ! très, très pertinent. Benjamin Franklin aimait bien les coucheries à trois : mouais, intéressant. James Buchanan avait sans doute été homosexuel dans sa jeunesse : pas bon, non. Warren Harding avait troussé une jeune soubrette dans une penderie de la Maison-Blanche (là, la similitude devenait presque effrayante), mais le vingt-neuvième président des Etats-Unis avait aussi été une telle crapule que toute tentative de le transformer en bouclier se retournerait contre ses auteurs. Roosevelt laissait Lucy Mercer, l'une de ses nombreuses maîtresses, lui faire plein de choses avec la bouche (alerte ! pertinence totale !) mais comme il était cloué sur sa chaise roulante, c'était pratiquement une obligation, dans son cas... LBJ avait proclamé s'être « tapé plus de chattes en vingt-quatre heures que Jack Kennedy dans toute sa vie » : exploitable, peut-être, sauf que tracer un parallèle entre Bill Clinton et cet indécrottable bouseux risquait d'avoir un effet boomerang. JFK était un obsédé sexuel : absolument pertinent mais déjà connu et rabâché, hélas, si voracement ingurgité et digéré par l'Ogre que cela ne pourrait en aucun cas détourner son attention de ce qu'il avait maintenant sur sa table.

En plus des historiens qui avaient revêtu l'imper fripé du privé classique, il y avait les rescapés de scandales plus récents, ces anciens combattants du déballage de linge sale qui pouvaient mettre la Maison-Blanche sur la piste de juteux morceaux à balancer sous le nez de l'Ogre. On s'est donc souvenu de la stripteaseuse Fanne Fox et de l'octogénaire représentant de l'Arkansas, Wilbur Mills ; de Wayne Hayes et sa secrétaire, Elizabeth Ray, qui ne connaissait pas la dactylographie de Teddy Kennedy sous une table du Sans Souci, rond comme deux queues de pelle, essayant de forcer une serveuse scandalisée à... Stop ! Zéro pertinence ! Ce bon vieux gros Teddy, avec ses yeux tristes de cocker, l'éternel petit frère qui n'a pas réussi, et de toute façon discrédité à jamais par sa fatale lâcheté de Chappaquiddick.

Et Gerald Ford, alors ? Gerry avait eu plus d'ennuis avec les femmes que n'importe qui au monde, sans que personne ne comprenne pourquoi. Squeaky Fromme voulait le tuer, Sara Jane Moore rêvait de le buter, mais pour quelle raison, mystère. Et cette dame de soixante-dix-sept ans qui avait enfoncé les portes de la Maison-Blanche avec sa voiture un soir ? On l'arrête, on la relâche, elle revient chez elle, elle reprend sa bagnole et vlan, dans les grilles présidentielles, la même nuit ! Qu'est-ce qu'il avait, ce fumeur de pipe lymphatique et affligé de flatulences, qu'est-ce qu'avait Gerry pour que les femmes veuillent sa peau ?

L'entreprise de « remise en perspective » n'était pas sans danger, malheureusement : l'histoire de la vie politique américaine était un champ de mines qui n'avait jamais été nettoyé, semé d'obus rouillés mais qui présentaient toujours le risque de sauter à la figure de Bill Clinton et de lui emporter la tête. Par ailleurs, l'Ogre était désormais âprement critiqué par les

« nouvelles mamans » ulcérées de le voir se goberger de toutes ces ordures. Apporter d'autres mets grouillants d'asticots sur sa table ne pouvait que les mettre au comble de la fureur. Et c'est là que quelqu'un — Hillary ? — a eu une idée géniale : pour distraire la Bête, il ne fallait pas rajouter du faisandé mais la tenter par une saveur différente. Par une douceur.

Ah oui, mais quoi ? Qu'est-ce qu'il y avait de « doux » dans cette histoire ? Une boîte de chocolats riquiqui pour liquider la note des turlutes et du sexe au téléphone ? Le dernier « baiser de Noël » ? Non, ce n'était pas par là qu'il fallait chercher. Monica n'était surtout pas l'élément féminin sur lequel faire converger l'attention. Chelsea. C'était elle, la douceur ! Et sa maman, et son papa. Une famille dans la tourmente. Une famille s'efforçant de surmonter sa crise. Une famille travaillant au pardon. Donnez du pathos à l'Ogre, gavez-le d'eau de rose, envoyez les violons ! Il va aimer, il ne peut qu'aimer...

C'était si beau, c'était si bouleversant que la Bête a tout gobé... et nous aussi. C'était un bol de céréales bien craquantes par un beau matin, irisées de sucre, à mastiquer énergiquement. Nous n'étions pas devenus par hasard la génération de l'empathie permanente, de la recherche de l'authentique, de la communication, de l'intervention, de la thérapie, de l'expression mesurée de sentiments « vrais ». Nous nous étions préparés, programmés pour croire à cette histoire, et ce dès les années 60 : « All you need is love », comme disaient les Beatles.

Et donc, au milieu des mégots de cigare et sur les encouragements insistants de l'Ogre, nous nous sommes inventés une histoire d'amour aussi mièvre qu'éternelle. L'homme commet un faux pas. Il se repent. Il aime sa femme. Ils adorent leur fille. Est-ce que Maman et la fifille vont lui pardonner ? Restez avec nous pour la suite ! L'info en continu !

D'un coup, nous étions entraînés loin du Bureau

ovale et du cabinet privé de Bill Clinton, loin des lieux d'un crime qui n'en était pas un. On avait changé le film sous nos yeux : c'était *Familles, je vous aime* qu'ils passaient maintenant. Sortis du X pour revenir en territoire du « Tous publics, avis parental conseillé », tournant le dos aux *Boogie Nights* pour nous plonger dans une version postmoderne de *Kramer contre Kramer*. Certains d'entre nous en avaient les larmes aux yeux. Oh, regardez cette pauvre Chelsea, tellement courageuse ! Elle essaie de tenir les emplois du temps démentiels qu'ils ont à Stanford University même après ce qu'a fait son père ! Pauvre, pauvre Chelsea ! Jusqu'à son petit ami, un sportif propre sur lui, excellent milieu et tout et tout, qui la laisse tomber parce qu'il ne veut pas entendre parler d'un pareil papa... La pauvre ! Des gens déguisés en cigares dans les rues ! Et ces pancartes sur les passerelles des échangeurs routiers : « Klaxonnez si vous voulez qu'il démissionne ! » Comment une fille aussi brave, innocente, généreuse peut-elle supporter ça ? Aussi « douce »...

Et voyez cette pauvre Hillary, dont le sort est celui de tant de femmes américaines : trahie, humiliée, bafouée ! Ah, elle s'est crue la plus maligne, hein ? Avec ses airs, avec ce manteau noir si chic à l'audience du grand jury où elle avait même dédicacé son livre à un des jurés, avec cette façon de vous faire comprendre que la sienne sent la rose... Mais terminé, tout ça ! Jetée à bas du trône ! Rien qu'une épouse trompée parmi des millions d'autres ! Rien qu'une des nôtres. Et pourtant, il faut reconnaître qu'elle a de la classe, au milieu de toute cette puanteur d'égout. De la noblesse, oui. Elle pleure derrière ses lunettes noires, elle pleure parce que... parce qu'elle l'aime... et qu'il l'aime, lui aussi ! Oui, ça se voit, c'est clair ! Et ils aiment tous les deux leur petite Chelsea, et ils vont continuer à s'aimer pour toujours, et ils vivront heureux et il ne la trompera jamais plus !

L'Ogre était heureux, et nous aussi : on craquait pour ce conte de fées comme Monica avait craqué pour *lui*. Et au cas où nous aurions eu des doutes, Jesse Jackson et ses ministres-officiants brandissaient devant nous les consignes écrites en capitales : AMOUR ! RÉPARATION ! PARDON, PAS DÉMISSION ! EMPÊCHONS L'IMPEACHMENT ! QU'IL TERMINE SON MANDAT !

D'accord, il y a eu quelques esprits critiques pour protester. « Réveillez-vous ! C'est quoi, cette crotte de cheval qu'on vous sert ? Démagogie ! C'est du Dick Morris : la stratégie de la diversion à plein régime ! » Ledit Morris était également l'auteur d'aphorismes tels que « Mon boulot, c'est de faire tourner la chaufferie, pas de réparer le trou dans la coque » et « Le véritable maître du monde occidental, ce sont les sondages », mais n'empêche, le plan faisait des merveilles. La cote de popularité de Bill Clinton était de nouveau à son summum... et celle d'Hillary aussi, maintenant qu'elle avait été jetée à bas de son trône, maintenant qu'elle avait été humiliée. C'était d'ailleurs un point qui tracassait un peu certains de ses conseillers : si nous n'aimions Hillary qu'humiliée, était-ce à dire que nous aimions humilier Hillary ? Est-ce qu'on peut vraiment aimer quelqu'un qu'on a envie d'humilier ?

Nous avons regardé *Le Temps du repentir*, qui venait de sortir en salle. Bill Clinton y répétait et répétait qu'il était désolé, en s'étranglant parfois sur ses phrases, même s'il restait difficile de comprendre exactement *de quoi* il était désolé. De ses « comportements déplacés », selon ses termes, ce qui pouvait aussi bien signifier le recours abusif à un mot de quatre lettres, ou la fois où il s'était à peine retenu d'en envoyer un autre très grossier à Yasser Arafat pendant une séance à Camp David. Dans une Amérique de plus en plus convenable, cette formule délibérément vague pouvait englober presque tout et n'importe quoi, mais bon, il était désolé, Bill Clinton, tellement, tellement désolé... Au cours de cette période de contrition, il passait beaucoup de temps avec des ministres du culte, de la même manière qu'il allait jadis voir ses copains Steven, Jeffrey et David, la main crispée sur sa bible comme celle d'un malade des poumons sur le masque à oxygène, ou celle d'un casseur de banque sur son flingue.

Au bout d'un mois de cette chorégraphie de la « réparation », telle la suite d'un feuilleton hâtivement montée pour répondre à la demande inattendue du public, nous avons eu *Le Temps du pardon*. Hillary revenue à ses côtés, les lunettes noires disparues, Chelsea entre eux, et même Buddy, le chien-chien, qui recommençait à remuer la queue au lieu de s'accroupir tristement sur la pelouse de la roseraie.

Mais les séries les plus populaires ont forcément une fin. Les Républicains en pleine démence continuaient à tonitruer pour exiger la censure. Ainsi que l'avait noté Adlai Stevenson, la mascotte républicaine, l'éléphant, est « un animal à la peau très dure, avec la tête pleine d'ivoire et, comme le savent tous ceux qui ont déjà vu une parade de cirque, qui se déplace plus facilement en tenant la queue de celui qui le précède ». Quant à l'Ogre, plus capricieux et irritable que jamais, il n'était pas loin de la crise de diabète, avec toutes ces sucreries... Si l'on voulait poursuivre le scénario écrit par Dick Morris, une autre, une nouvelle distraction s'imposait. Parce que l'impeachment, pas question ! Est-ce qu'ils avaient définitivement perdu la boule, ces Républicains ? Avec la cote de popularité du président au zénith, avec une économie en plein boom ? Et même Hillary, la grande perdante des élections de 1994, qui triomphait à nouveau grâce à son abjecte humiliation, qui forçait à nouveau l'admiration dans son infortune. Rien à faire ! Impeachment dans tes dents ! Nada ! Que dalle ! Mais juste par prudence, juste au cas où... Une distraction s'imposait.

Les petits génies de la politique se sont réunis et ils

se sont mis à se triturer les méninges. Une grande cause, peut-être ? Le mariage des homosexuels ? Une nouvelle offensive dans la guerre contre l'industrie du tabac ? Pourquoi pas un autre épisode dans le débat sur la médecine publique, désormais qu'Hillary n'était plus radioactive ? Encore des zones de développement prioritaire ? Ou une mobilisation générale face à une maladie inédite ? Ou au contraire contre celles dont les gens entendent tout le temps parler à la télé ? Comme ça il y aurait une audience captive, préconditionnée. Les hémorroïdes ? L'incontinence ? La calvitie précoce chez les hommes ? La constipation ? Le virus Epstein-Barr, cet incoinçable agent de l'herpès ? Les renvois acides ?

Les plus hypocondriaques de ces stratèges s'enflammaient en imaginant déjà une offensive médicale s'étendant rapidement d'une cible limitée, la régurgitation chronique, à la zone de conflit bien plus vaste des aigreurs d'estomac. Cette guerre aux becs puants, soulignaient-ils tout en admettant qu'elle n'avait tout de même pas la dimension de précédentes et illustres campagnes (la guerre à la pauvreté ou à l'analphabétisme), était d'autant plus intéressante que les potions anti-rots occupaient une industrie qui pesait déjà un milliard quatre sur le marché américain. Les sucs hyperacides clapotant dans leur estomac, plein d'Américains dyspepsiques courraient se rallier à cette bannière New Age si distrayante. Ça allait gazer !

Il n'échapperait à personne, poursuivaient les petits génies, que cette mobilisation s'inscrivait également dans le djihad que l'administration Clinton livrait depuis toujours au cancer. Les remontées de chyme gastrique provoquent en effet des irritations du tissu de l'œsophage et laissent derrière elles des cellules altérées plus vulnérables au terrible fléau, autrement plus effrayant que Saddam et autres criminels de guerre en tenues bibliques, l'Ennemi public numéro

un, « the big C » ! Mais là les grosses têtes s'éga-
raient, elles gambergaient en rond : le cancer avait
déjà été trituré et pressuré même par les forts en
thème de l'aile libérale républicaine, les « Conservateurs Compatissants »[1], un intitulé qui d'après les
plaisantins d'Hollywood constituait un oxymoron
aussi spectaculaire que le concept de « producteurs
femmes » dans la branche du cinéma.

Non. Ce dont Bill Clinton avait terriblement besoin,
c'était d'une méga-tragédie nationale, opinaient les
politicards les plus endurcis, les plus cyniques, de
l'espèce de ceux qui étaient convaincus que la loi sur
les droits civiques était passée une première fois grâce
aux balles de Lee Harvey Oswald et une deuxième
avec celles de James Earl Ray, l'assassin de Martin
Luther King. Il lui fallait un maousse ouragan avec
des milliers de victimes, ou une épidémie d'anthrax à
Central Park, ou une avarie de calibre tchernobylien
à Three Mile Island, ou un bout de Californie annihilé
dans les flots par un séisme costaud, ou un sniper
genre Texan dans la Tour prenant un stade sous son
viseur. N'importe quoi d'aussi tragique. (La fusillade
sur le campus de Columbine dans le Colorado, qui
allait survenir bien plus tard, aurait été idéale à ce
moment.)

Bill Clinton avait besoin d'un drame capable de
laisser l'Amérique avec le cœur brisé pendant un mois
ou deux. D'abord, nous aurions à vivre l'horreur en
tant que telle. Puis à la revoir sur bande vidéo pendant
quelques semaines. Puis à faire le travail du deuil.
Puis à regarder le travail de deuil à la télé pendant
encore quelques semaines. Les prières. Les sermons.
Les visages striés de larmes. Les enfants accrochés à

---

1. « Compassionate Conservative », formule ultra-américaine forgée récemment et qui, avec ses nuances de charité chrétienne, vise à proclamer que les
Républicains ne seraient pas totalement dénués de préoccupations sociales,
une image pourtant tenace... Dans le jargon politique français contemporain,
« solidaire » serait le terme plus approchant. (*NdT*)

leurs mamans. Les cris déchirants des parents...
« Nous revenons à ces obsèques après une page de
publicité. » Puis les experts pontifieraient soir après
soir chez Larry King, décortiquant l'horreur, le deuil
et la catharsis à partir de tous les documents filmés,
en piochant dans les ruines des symboles édifiants,
une poupée, un cadre brisé avec la photo d'un jeune
couple souriant, une vieille dame pleurant sur l'épaule
de son compagnon, avant un panoramique final sur
les tombes encore fraîches d'un cimetière à la fin du
millénaire... et au crépuscule, évidemment.

Bill Clinton avait besoin de toucher nos cœurs d'un
uppercut à la Mike Tyson. De quoi nous calmer un
peu. De quoi nous ramener à la raison. De quoi mieux
nous disposer au pardon. De quoi nous rendre moins
durs à son égard. Alors que sa cote dégringolait avec
le scandale Iran-Contra, Reagan avait lancé : « Peut-
être que je devrais sortir et me faire tirer dessus encore
une fois ! » A Bill Clinton, il fallait une tragédie aussi
affreuse que bienvenue, histoire de tout remettre en
perspective.

Il ne l'a pas eue. Il n'a pas obtenu l'apocalypse
dont il avait tant besoin, mais il a eu au moins quelque
chose : les explosions dans les ambassades américaines au Kenya et en Tanzanie, preuve formelle que
le Dieu de bonté était de son côté. D'aucuns allaient
en douter un peu plus tard, lorsqu'une tornade, autre
manifestation divine, allait pulvériser son ancienne
résidence de Little Rock, la cabane suspendue de
Chelsea comprise. Mais en attendant il était heureux ! Oui, le Père Noël existait ! Bill Clinton jubilait
autant que le jour où les épiceries du coin de la rue
avaient commencé à vendre des pizzas surgelées ! Ces
bombes étaient un vrai don du ciel, survenu à un
moment où il s'accrochait à sa bible.

Puisque des terroristes arabes avaient préparé et

réalisé ces attentats, la guerre aux becs puants pouvait être définitivement mise au rancard. Il allait y avoir une guerre pour de vrai, contre le terrorisme moyen-oriental. Et l'Ogre allait montrer l'Amérique infligeant sa juste vengeance, et la cacophonie de tous ces bombardements en direct sur CNN finiraient par couvrir les appels croassants et coassants à sa destitution. Bill Clinton, alias « le Zombie », recyclé en commandant suprême des armées, se drapant dans la bannière étoilée qu'il avait jadis brûlée, ainsi que certains tenaient à le rappeler lourdement, couvrant du glorieux emblème la partie la moins glorieuse de son anatomie...

Rien que pour assurer un peu plus ses arrières, il a ressorti son épouvantail de Saddam des placards du Pentagone et il a expédié quelques bombes et quelques Tomahawks en direction du despote irakien, également. Oh, avec quelle aisance il fendait les airs, le Zombie volant sur son trapèze politique, balançant un missile par-ci, un missile par-là, sur Bagdad, sur l'Afghanistan et, tiens, attrape ça, sur le Soudan ! Boum, boum, boum ! Ah, la jolie petite guerre de baby boomer, qui tombait tellement à point ! Même la vieille Amérique rurale scrogneugneu, qui pourtant le détestait foncièrement, s'est retrouvée piégée : ouais m'sieur, l'Amuruque a pris les armes, de Dieu ! Faut qu'on soutienne nos garçons, de Dieu, et qu'on serre les coudes derrière le commandant en chef, et Dieu sait qu'on peut pas le blairer mais c'est ben tout de même le CHEF !

Bon, il y en a eu quelques-uns à être pris d'une sérieuse envie de gerber. Les Républicains Trent Lott, du Mississippi, et Gerald Solomon de New York s'estimaient capables de faire la différence entre un show non stop — *Le Temps du repentir* suivi du *Temps du pardon*, et maintenant *Le Temps des bombes* ! — et la réalité. Mais quand ils ont dénoncé le cynisme des manigances du président, le moment choisi avec une aussi écœurante impudence pour cette démonstration de force, ils ont essuyé le feu de leur électorat de base, tous ces pécores et ces tenants de l'Amuruque qui entendaient faire corps derrière le commandant en chef et ses gars, de Dieu ! Et ils ont dû opérer en hâte une piteuse retraite.

Lott et Solomon n'ignoraient pas qu'ils s'étaient aventurés sur un terrain dangereusement glissant. Sur le Net, il y avait des frappés qui échangeaient des messages accusant Clinton d'avoir lui-même bombardé les ambassades pour sauver sa peau, et ce avec l'aide de la CIA. On avait déjà connu ce genre de brindezingues dans le passé, à soutenir que LBJ et la CIA avaient liquidé cent vingt-neuf personnes plus ou moins liées à l'assassinat de JFK, ou que dans l'avion entre Dallas et Washington Johnson avait fouillé les plaies béantes de JFK avec son Willard. La vérité vraie, j'vous dis ! Mais la vérité, c'est que Lott et Solomon s'étaient déculottés dans les grandes largeurs et que, pendant ce temps, nos Tomahawks continuaient à pleuvoir un peu partout.

Travesti bannière étoilée, menant une guerre multi-front couronnée de succès, publiquement pardonné par Hillary et Chelsea, tous les sondages dans la poche, le commandant en chef a eu brusquement l'idée qu'il pourrait gagner la bataille des batailles. Non pas contre les fauteurs de tabagisme, ni contre les aigreurs d'estomac, ni contre le terrorisme, ni contre Saddam, mais pour terrasser l'ennemi absolu : Kenneth Starr. La tête de Kenneth Starr serait l'ultime gâterie, le plus succulent filet mignon servi à l'Ogre. Bill Clinton, ses conseillers et leurs amis dans les médias — tous héritiers des sixties ou presque — allaient s'emparer de « ce vieux dégoûtant », ainsi que le président appelait le fils du prédicateur, et le transformer en fantôme de l'ivrogne McCarthy. Kenneth Starr en voyeur maladif fourrant son vilain nez dans le saint des saints, j'ai nommé la chambre à coucher communautaire de l'Amérique.

Il voulait saddamiser Starr de la même façon que Nixon avait saddamisé McGovern. L'affaire Clinton allait devenir « l'affaire Starr ». Parce qu'il ne se laisserait pas détruire, il se disposait à démolir le fils du prédicateur. « Ici, ruiner les réputations est tout un sport », avait déploré Vince Foster dans sa lettre de suicide. Il exploiterait Starr tout comme il le soupçonnait d'avoir voulu spéculer sur lui, le président. Il allait faire sien le sage conseil de son premier conseiller juridique de la Maison-Blanche, Bernie Nussbaum : « Amoche tes adversaires autant que tu le peux. »

Kenneth W. Starr était celui que les Républicains avaient chargé d'exécuter un contrat sur lui : sur ce point, Bill Clinton se montrait catégorique. Cette démoniaque créature de Jesse Helms, qui avait été de 1981 à 1983 directeur de cabinet du procureur général de Reagan, William French Smith, avait été nommé à la Cour d'appel fédérale cette année-là, toujours par Reagan. Fallait-il encore d'autres preuves ? C'était *leur* homme. Mais il y avait plus encore : tandis qu'il servait de « procureur spécial » pour tourmenter Clinton, il continuait à recevoir un million de dollars annuel en honoraires, de qui ? Des gros bonnets du tabac ! Helms, Reagan et les propagateurs du cancer ! Et ce minable bigot prétendait à l'impartialité ! Impartial, avec de pareils amis ?

Bill Clinton n'avait pas perdu courage. Il se souvenait encore des règles d'or que sa maman lui avait apprises : « On n'a rien de valable facilement... Il suffit de serrer les dents pour aller plus loin... On gravit plein de montagnes mais il y en a toujours une autre devant soi... Ce qui est fait n'est plus à faire. »

Pour lui, c'était maintenant le retour aux barricades, le retour à 68 : les cognes en ligne, matraque levée, fusil à l'épaule, et les capsules de gaz lacrymogène partaient dans tous les sens, et les flashs crépitaient, et Bill Clinton était là, avec les Stones et les Who à fond dans la tête. Le *Street Fightin' Man* de l'Arkansas avec sa coupe à la Prince Vaillant-Beatles ne se laisserait plus jamais avoir. Et il te renvoie les cartouches de gaz à la tronche de tous les oppresseurs, du juge-flic Starr, et il hurle : « Va te faire ! » dans la nuit âcre de la résistance... « Regarde, M'man, je suis en haut de l'Everest ! » Abbie Hoffman, entre-temps décédé, Jerry Rubin — mort lui aussi, après être devenu agent immobilier —, Bobby Seale, qui vendait maintenant de la sauce barbecue, et le brave docteur Spock, qui avait veillé sur tous les berceaux de sa génération par parents interposés et n'était plus là pour le voir, lui non plus... Ils auraient tous été fiers de lui.

Le vent commençait à tourner en faveur du commandant en chef. Les trois épisodes précédents avaient remporté un vif succès. Le quatrième, le temps de la saddamisation, était dans la boîte et cependant Bill Clinton n'avait pas encore retrouvé toute son assurance. Deux moments récents de son existence le mettaient mal à l'aise.

Le premier s'était produit à Vancouver, sur le balcon en compagnie de Boris Eltsine, quand le poivrot qui sucrait les fraises l'avait surpris en train d'adresser un signe amical à la superbe épouse de Bud Yorkin, l'actrice Cynthia Sikes, en bas avec les autres, leur enfant dans les bras... Eltsine avait braqué ses yeux injectés de vodka sur lui et il avait grogné : « C'est le bôtre, ce bébé ? » Scandaleux ! Le patron ivre d'un pays en pleine banqueroute n'avait pas le droit de parler sur ce ton au président des Etats-Unis d'Amérique.

Et puis il y avait eu l'embarrassant épisode de cette réception à Hollywood, lorsqu'il était apparu sur le chariot ailé de son charisme et que Sharon Stone, déjà assise, n'avait même pas pris la peine de se retourner. Non, elle avait continué à lui tourner le dos, les jambes croisées, montrant un bon bout de cuisse. Et puis, sentant enfin sa présence, elle avait laissé tomber la tête en arrière pour lui lancer un lapidaire « Salut, Bill ! ». Comment ça, « Salut, Bill » ? Comment ça, « Bill » ? Elle le prenait pour un ex-petit ami ou quoi ? Le président des Etats-Unis, voilà ce qu'il était, nom de nom ! Le chef suprême des armées ! Et elle, une actrice sur le retour avec un seul et unique succès planétaire dans sa bio ! C'était peut-être la façon dont une greluche devait saluer son commandant en chef, hein ?

En quelques heures, tout Hollywood savait de quelle manière Sharon Stone avait présenté ses respects à Bill Clinton. Dans une ville où un bon titre valait de l'or, leur brève rencontre en avait déjà reçu un qui pesait un million de dollars : *The Flasher and The Masher*. Ou « Montre-moi ta craquette et j'ouvre ma braguette ».

La confession de Kenneth Starr

Pardonne-moi, Seigneur, car j'ai péché. Bannis le démon qui a corrompu ma chair. Donne-moi Ta force. Inspire-moi de Ton esprit. Sauve-moi du bûcher de la perdition.

J'ai toujours été Ton serviteur. Je chante Tes hymnes pendant mon jogging du matin. Je lis Ton Livre pendant nos promenades en voiture du dimanche après-midi, avec ma femme. Je n'ai jamais trompé Alice, jamais ! Dans le droit chemin et la voie étroite, je suis un homme bien éduqué, courtois, réfléchi et résolu. Je m'efforce de me comporter de manière chrétienne et d'être respectueux de la Loi. J'ai été un bon mari pour mon Alice, qui a été une bonne épouse pour moi. Jadis une Mendell, une Israélite, elle est maintenant une Starr dans l'Eglise du Christ, elle aussi. Et je ne l'ai jamais trompée, jamais !

Jusqu'à ma dernière heure, cependant, je ne pourrai oublier l'expression de ma pauvre Alice lorsqu'elle m'a découvert tout à l'heure dans notre sous-sol en train de me dégrader sur l'Internet, convoitant, violentant de mes yeux rougis le corps immodeste de Pookie. Elle est remontée à la cuisine, où je l'entends aller et venir d'un pas agité, et je sais qu'elle perçoit elle aussi très clairement les ignobles sanglots de ma déchéance. Qu'un être aussi attaché que moi au discernement, à la mesure et à la bienséance soit surpris par sa fidèle épouse devant son ordinateur, en habit de gala, fasciné par les formes nues de *sa* catin — la sienne, oui, pas la mienne ! —, constitue, je suis le premier à l'admettre, une pure abomination. Mais je n'ai jamais trompé ma femme, Seigneur !

Je ne parviens même pas à *le* désigner par son nom, pas plus que je ne me résous à me faire pire violence encore en lui donnant du President Of The United States. Donc je l'appellerai POTUS, l'abominable acronyme sous lequel les Services secrets le suivent sur leurs cartes de situation. Veuille ne pas me soupçonner, mon Dieu, de chercher par cette référence à répartir sur lui le blâme qui m'échoit et qui restera mien seul. Je suis à genoux tandis que j'écoute Alice qui maintenant sanglote là-haut, et prie pour le pardon de *mes* péchés, non ceux de POTUS. Alors j'aurai recours à la formule usée et désormais privée de sens que j'ai si souvent entendue dans le prétoire en ma qualité de juge : la vérité, toute la vérité et rien que la vérité, aussi viens-moi en aide, Seigneur...

Tu sais que j'ai mis toute ma vie et tous mes efforts à Ton service et à celui de l'Amérique. Ce rappel ne vise aucunement à excuser mes forfaits mais à préciser le contexte moral dans lequel j'ai vécu, la ligne de conduite que j'ai suivie avec une rigueur presque irréprochable, du moins pour un être de chair et de sang, jusqu'à ce que le destin me fasse croiser la route de POTUS. J'affirme ceci en toute humilité, Seigneur, mais dans Ton universelle sagesse Tu sais que la véracité de ces mots est légalement avérée. Mère m'a souvent dit que je T'adressais déjà mes prières quand j'étais un nourrisson de deux semaines. Lorsque Père, abandonnant un instant ses ciseaux de coiffeur, venait prêcher à la maison, je l'écoutais à genoux. Je ne

buvais pas, je ne fumais pas, j'allais contempler Ta Face
à l'Eglise du Christ, je faisais du porte-à-porte pour
répandre Ta Parole. Je me tenais loin des salles de
danse et de la fornication. Quand Alice est devenue
ma femme, c'est elle qui m'a appris à danser. Et même
alors nous ne nous livrions pas au stupre, tout comme
aujourd'hui : nous célébrons Ta Présence en nos
cœurs et en nos reins. J'ai été un Américain fervent,
mon Dieu. Etudiant, j'ai soutenu la campagne de
Richard Nixon, j'ai exercé sous la conduite de Ronald
Reagan et de George Bush, j'ai pris la parole au Collège du Révérend Pat Robertson.

A cause de mes convictions, de ma loyauté envers
Toi et l'Amérique, j'ai enduré les pierres et les flèches
d'un monde dominé par le blasphème et la profana-
tion. J'ai été accablé de calomnies et de farces stupides. On a brandi des pancartes « C'est quoi, la
fréquence, Kenneth ? » sur mon passage, on m'a traité
de croulant, de vieille fille. A Ton service et à celui de
l'Amérique dans mes fonctions au parquet fédéral, j'ai
pris des positions aussi courageuses que persiflées,
préconisant de fermes mesures contre l'avortement,
la destruction volontaire du drapeau et l'homosexualité. J'ai plaidé en faveur de la prière quotidienne dans
les écoles. Par gratitude pour Toi et avec l'aide
d'Alice, j'ai fondé une magnifique famille et... je n'ai
jamais trompé mon épouse, Seigneur ! Pour une
photo de groupe avec des collègues, j'ai mis un cigare
à la bouche mais je ne l'ai pas allumé, non !

J'ai été Ton soldat de la Foi guerroyant contre les
chantres du relâchement. Dans un monde toujours
plus échevelé, j'ai défendu les valeurs familiales, les
droits du fœtus, Paula Jones, la Constitution. J'ai
représenté les fabricants de tabac parce qu'ils Te faci-
litent la tâche en renvoyant plus vite les pécheurs vers
Toi, les constructeurs automobiles dont Tu as besoin
pour amener des corps mutilés au repentir. Je me suis
flatté de ne pas être cool, j'ai assumé fièrement mon

conformisme, mes lunettes de myope, ma casquette de base-ball, ma tasse Starbucks, ma calvitie, mon psoriasis, car c'était des tributs à Ton Règne, les vestiges discernables par tous les Américains d'un monde disparu où mes concitoyens ne sacrifiaient pas à l'autel d'idéologies dévertébrantes, n'étaient pas obsédés par la minceur de leur corps, la destruction de leur langue, les accents barbares de leur musique. Ecoutemoi, Seigneur ! Au temps où des foules dépenaillées désacralisaient le sol de ce pays, j'allais au lycée en costume-cravate, moi ! Et mes enfants s'expriment dans l'idiome de leurs ancêtres, non dans un sabir pratiqué par les couches les plus incultes de notre pays. Et ma femme est une compagne, non une suffragette.

Tu sais également, bien sûr, que dans l'intimité je n'ai profané ni mon enveloppe terrestre, ni Ta Volonté. Père m'a enseigné les divines vertus de la douche glacée. Mère n'a jamais rien trouvé de suspect lorsqu'elle inspectait mes draps. Depuis la prime enfance, je ne me suis servi que du bout de deux doigts pour accomplir un besoin naturel devant l'urinoir. Et dès l'instant où j'ai ressenti, pas même un trouble, pas même une tentation, mais la plus infime curiosité platonique envers une personne de l'autre sexe, je me suis réfugié en toute hâte dans Tes Saintes Ecritures. Et Ta récompense a été de me gratifier d'une force de travail inépuisable, d'une énergie que rien ne peut abattre. Tu as donné à ma peau marquée par les éruptions la douce texture et le parfum de vieux savoir des pages d'un gros livre de droit relié de cuir. Grâce à Toi, les seuls sommiers que je visite sont ceux du greffe, et ce sont uniquement mes plaidoiries, à taux horaire maximum, que je conclus dans l'extase. Grâce à Toi, ma semence est bien placée et produit des dividendes. Je n'en ai jamais mésusé, Seigneur !

Et maintenant que j'ai rappelé le contexte moral, la

ligne directrice de mon existence, je Te supplie de me pardonner ce que le pécheur que je suis est sur le point de confesser.

En 1993, dans le cadre du travail de forçat que j'accomplis par dévotion pour Toi et pour l'Amérique, on m'a demandé de lire un livre. Non pas le Livre saint, hélas. Ton Esprit n'apparaissait à aucune ligne de cet ouvrage repoussant. *Le Journal d'un félon*, Robert Packwood. Comme la demande venait d'une commission du Congrès, il m'était impossible de refuser. Ce perfide était sénateur des Etats-Unis et j'avais été choisi pour examiner ce texte en raison de la probité et de la retenue que Tu m'as dispensées. Oh mon Dieu ! Une chronique de débauches sexuelles et d'actes contre nature ! Un témoignage écrit dans un égout ! J'avais pour tâche de le lire de bout en bout et d'indiquer si une procédure interne au Sénat se justifiait à l'encontre de son auteur. Et je l'ai lu, oui, chaque mot, chaque page, et je l'ai relu, encore et encore et encore et... Un supplice. Un supplice ! Cette... chair, Seigneur ! Le plus secret du corps féminin livré au groin de Packwood, et ce monstre reniflant comme je ne sais quel animal.

Une nuit, j'ai été réveillé en sursaut par un hurlement d'Alice. D'une voix oppressée, elle m'a expliqué que j'avais plaqué mon visage contre elle, contre son intimité, en respirant fort du nez. J'ai dû me précipiter aux toilettes car j'étais mouillé entre les jambes, comme cela m'arrivait parfois pendant l'adolescence.

J'ai tout essayé. Les douches glacées. Les glaçons. La neige carbonique. La glace à la vanille. Nous avons tenté de nous lire mutuellement des passages de la Bible. Je l'entendais mais mes yeux ne quittaient pas sa poitrine. Même quand c'était mon tour de déclamer, j'avais la bave aux lèvres. Packwood, la bête immonde, avait laissé la trace indélébile de ses mains gluantes sur mon cerveau. Des éclairs de chair rosée — voire plus sombre en une occasion, mais pas noire, non —

venaient polluer mes pensées les plus immaculées. Et puis, après une période qui m'a paru sans fin, je me suis senti revenir à moi.

Peut-être parce que je me cantonnais désormais au décaféiné, et que j'avais solennellement renoncé à la viande rouge ? Ou parce que les amies de ma fille ne venaient plus chez nous ? Quoi qu'il en soit, je m'étais purgé du poison. Mais la convalescence restait fragile. Il m'arrivait encore d'être assailli par des réminiscences de cette abominable lecture, que la vue d'objets les plus anodins pouvait déclencher avec une force incompréhensible : un blanc de poulet, le cœur évidé d'un melon, un ange en plastique sur notre sapin de Noël... Mais je T'adressais sans cesse mes prières. Je me suis acheté un agenda de bureau qui dispensait Ta Parole à chaque heure. Et j'ai poursuivi ma guérison.

J'ignorais pas encore que le *Journal* de Packwood n'était que le premier pas sur la voie de ma destruction, que ses démentes évocations n'avaient d'autre but que de m'affaiblir en prévision de POTUS.

Je savais pertinemment de quel genre d'individu il s'agissait. A la télévision ou dans des réceptions officielles, je l'avais observé tandis qu'il faisait montre de son charme avec une aisance étudiée. POTUS représentait tout ce que je n'étais pas, et que je ne voulais surtout pas être. Plus encore que cool, c'était le Pape de l'Eglise baba-cool. Un homme qui pouvait parler de ses sous-vêtements dans un débat télévisé, souffler dans je ne sais quel instrument à vent sous les yeux admiratifs des simples d'esprit... Sa présence dans une salle faisait l'effet d'une puissante décharge d'électricité, il était séduisant, agréable. Il ne portait pas de lunettes, lui, il n'était pas chauve, il ne souffrait pas de psoriasis. Personne ne le traitait de « croulant ». Mais je connaissais aussi toutes les rumeurs quant à ses infidélités permanentes envers son épouse. Et moi... je n'ai jamais trompé ma femme, Seigneur !

POTUS personnifiait tout ce que j'avais le devoir de combattre en Ton Nom et en celui de l'Amérique : l'avortement, la licence sexuelle, la pornographie, les suffragettes, l'homosexualité, le sida, l'égalitarisme démagogique, la promiscuité raciale, le darwinisme, la Nation de Woodstock, l'enseignement bilingue, le paganisme, le communisme, le globalisme, l'onanisme, le « busing », le piercing, la destruction de l'emblème national, la marijuana, les cigarettes à l'eucalyptus, l'herpès, les tatouages, les tags, les skateboards, les sushis, le saut à l'élastique, l'encens, les espèces en danger, le bikini, le yoga, les pastilles Altoids, les militants, les manifestants, les compagnons de route, les anarchistes, les surfers, les streakers [1], les Rosenberg, les Teletubbies, le Studio 54, les catcheurs et surtout les catcheuses, les Étudiants pour la démocratie, la Coalition arc-en-ciel, les syndicats, Nine Inch Nails, les MST, Marilyn Manson, Marilyn Monroe, Charles Manson, Warhol, Alger Hiss, Henry Reske, Mike Tyson, McGovern, Abbie Hoffman, Allen Ginsberg, Ralph Ginzburg, Al Goldstein, Howard Stern, Jane Fonda, Gus Hall, Che Guevara, Ralph Nader, Mapplethorpe, les Rolling Stones, le rap, le hip-hop, Internet, Hollywood, les salons de massage, le jacuzzi, l'expression corporelle, la contraception, les mariages gays, les sondages.

Je détestais POTUS et tout ce qu'il représentait, et lorsqu'on m'a prié de remplacer Fiske dans la fonction d'avocat général indépendant sur le dossier Whitewater, j'ai éprouvé la même joie que les jours où Papa me coupait les cheveux et improvisait en même temps un de ses prêches pour moi. J'avais la Croix dans une main et l'épée dans l'autre, désormais ! Et grâce à Toi, le *Journal de Packwood* maintenant repoussé au fond

---

1. Ancêtres des « flashers », adeptes d'une activité « contre-culturelle » très prisée jadis sur les campus américains, qui consistait à se déshabiller et à courir tout nu un peu partout. (*NdT*)

de mon esprit, toute mon ancienne énergie m'était
revenue. Oui, j'allais démasquer POTUS, révéler sa
méprisable nature de Borgia ! J'allais forcer ses partisans à se détourner de lui avec dégoût. J'allais abattre
l'idole et son cortège d'infamie. Ceux qui me poursuivaient de leurs sarcasmes et de leurs calomnies ne
comprenaient rien : je n'étais pas le commissaire
Javert, ni Achab à la poursuite destructrice de sa
baleine blanche. J'étais Ton saint Georges affrontant le
dragon de Lucifer. Je *savais* que POTUS était coupable. Il
me restait seulement à déterminer de quoi.

J'ai commencé par Little Rock, cette ville bâtie sur
l'ordure. Je connaissais maintenant toute l'étendue de
la pestilence. Il n'y avait pas que POTUS mais aussi sa
suffragette d'épouse, FLOTUS. Jusqu'au cou dans le
cloaque et la corruption, tous les deux. Mais à chaque
fois que j'allais atteindre le cordon qui ferait tomber
leurs vêtements et les exposerait l'un et l'autre dans
leur scrofuleuse nudité, il m'échappait au dernier
moment. Whitewater, d'autres scandales... Grâce à
moi, deux de leurs complices se sont retrouvés sous
les verrous, mais cela n'a pas suffi.

Sans cesse de nouveaux échos me parvenaient de
l'abjection atteinte par POTUS dans la recherche des
plaisirs de la chair. En Arkansas, les histoires à propos
de sa lubricité se multipliaient plus vite que les pastèques. Et plus je devais les entendre, plus le funeste
Journal de Packwood revenait me hanter, à nouveau.
Mon crâne me semblait devenir une sombre caverne
emplie d'ombres obsédantes. Seigneur, la luxure
s'était glissée dans ma syntaxe et dans mes rêves ! Il
m'arrivait maintenant d'attribuer à Packwood des
actes abominables commis par POTUS, et réciproquement. Alice, repartie à Washington, n'était plus là
pour me soutenir. Dans le miroir, je voyais un croulant, oui, harassé, enflé, avec des poches d'insomnie
sous ses yeux de pêcheur. Je fuyais le sommeil, crai-

gnant de polluer dans mon inconscience le lit de l'Holiday Inn, l'hôtel de Little Rock où je résidais. Mais je ne T'ai pas trahi. Si ma semence s'est répandue en vain, je n'en ai jamais été complice.

Deux nouvelles épreuves se sont abattues sur moi, presque simultanément et en tout cas restées liées l'une à l'autre dans ma mémoire. D'abord, j'ai lu la déposition de Gennifer Flowers recueillie et mise en forme par Robert « Bulldog » Bittman, Jackie Bennett et quelques autres de mes disciples. Quelles ordures dans cette bouche, mon Dieu ! Quelles saletés sorties de ces belles lèvres, généralement maquillées d'un rouge violent, communiste... Je n'aurais pas dû lire ces pages, je n'y étais pas préparé, même après le *Journal*, même après les racontars scabreux dont cette ville bruissait, même après mes rêves troublés. Comment Tes créatures peuvent-elles en arriver à de telles perversions ? Tout leur servait donc pour les accomplir ? Jusqu'à de la nourriture prise dans le réfrigérateur, jusqu'aux... glaçons ! Moi qui m'en étais servi dans le but exactement inverse pendant tout ma vie !

Et puis j'ai vu les photographies contenues dans ce dossier. Celle qu'il surnommait « Pookie » dans toute sa honte. Sous tous les angles. En gros plans. En couleurs ! Je ne pouvais m'empêcher de les regarder, encore et encore, les photos, elle... J'ai passé des heures enfermé à double tour dans mon bureau, Pookie devant moi, sous mes yeux exorbités. Raide sur mon siège, littéralement pétrifié. Interdit devant l'impudique, fasciné. Elle était dégoûtante ! Odieusement superbe, superbement odieuse.

Peu après, j'ai rencontré POTUS et FLOTUS à la Maison-Blanche. Tandis que nous prenions leur déposition, je n'ai pu détacher mon regard de lui. Souriant, insidieux, égal à lui-même. Et les photographies de mon dossier sont revenues envahir mon esprit. Pookie. Il l'avait soumise à toutes ces horreurs et il était maintenant devant moi à côté de l'épouse dupée, tout sourire. Il avait souillé Pookie, l'avait fécondée et lui avait donné deux cents dollars pour son avortement. Deux cents dollars ! Tout en l'observant et en pensant au corps qu'il avait dégradé, j'ai compris que si je ne le détruisais pas mon existence n'aurait pas de sens.

A ce stade, cependant, je souffrais plus que jamais. Mon sommeil était hanté par les mains de Packwood, l'humiliation de Pookie, POTUS avec des seaux à glace, et même, parfois, nous étions là aussi, Alice et moi... Pardonne-moi, Seigneur ! Je n'arrivais plus à chasser ces images. Même mon épouse ne m'était plus d'un grand secours, à cette époque. Elle souriait très souvent sans raison apparente, parlait de notre deuxième lune de miel, me réveillait en pleine nuit... Avec les lèvres maquillées, ou était-ce mon imagination qui m'induisait en erreur ? Est-ce que ma tendre moitié, cette femme aimante, non juive, baptisée dans l'Eglise du Christ, en était venue à appartenir à ces rêves diaboliques ? Ou était-ce Pookie et non Alice ? Alice devenue Pookie ? Etais-je POTUS, alors ? Ou Packwood, POTUS et moi, chacun attendant son tour pour... Etait-ce la main d'Alice sur moi ou celle de Packwood ? Abomination ! Blasphème ! Ignobles glaçons ! Je ne me suis jamais pollué, Seigneur, ni n'ai trompé mon épouse !

Et puis cet être obscène, cette femme au groin de truie, est venue nous trouver avec les bandes qu'elle avait en sa possession. Là, le coup final m'a été porté : d'abord le livre de Packwood, puis le récit de Pookie, puis ses photos, et maintenant toute cette fange, ces détails incroyables, splendides ! Les douches glacées ne servaient plus à rien. Alice ne voulait plus lire les Saintes Ecritures à haute voix, elle ne pensait qu'à... Et moi je devais me confronter à l'ignominie qui avait eu pour cadre le couloir du Bureau ovale et son cabinet de toilette, supporter ces histoires de fellation, de masturbation, et cet acte hideux que je ne veux même pas évoquer. Après les cordes, le lait, la glace, ce cigare plutonien... Je n'en toucherai jamais un seul, Seigneur !

J'étais à la fois transporté et torturé. Je savais que la femme au groin de truie venait de me donner la lance qui me permettrait de terrasser POTUS. Mais à quel prix pour moi-même ? Etais-je capable de télécharger toutes ces nouvelles images dans mon cerveau sans en perdre la vie, et à tout le moins sans exposer à Alice à périr d'épuisement ?

J'ai décidé de nous sacrifier, Alice et moi. Aidé par mon innocente apparence, mes lunettes, ma casquette de base-ball, j'allais l'encercler et le détruire, même si mes rêves et mes pensées devaient être envahis par des scènes d'orgie qui auraient indigné le censeur le plus chevronné. Et personne ne se douterait de l'épreuve à laquelle je m'étais condamné. Personne ne mesurerait le sacrifice ainsi consenti. Personne ne saurait que le modèle de retenue et de discernement était devenu aussi bassement sensuel que POTUS.

Et personne n'a su, non, mais certains ont commencé à avoir des soupçons à la publication de mon rapport : pourquoi donnait-il une telle place à toutes ces descriptions détaillées, à toute cette débauche ? Mais parce que c'était ce que POTUS avait perpétré, voilà pourquoi ! Lui, pas moi ! Je m'étais contenté de chercher et de trouver la vérité, toute la vérité et rien que la vérité. C'était lui, et non moi, qui avait accompli ces actes innommables. Le dégénéré, le pervers, c'était lui ! En quoi étais-je responsable ? Car enfin ces rêves, ces pensées impures, ne m'avaient jamais effleuré avant que Packwood, Pookie et POTUS ne viennent fouiller mon intégrité de leurs répugnants cigares !

Alors je l'ai mis à nu, Seigneur, et des millions de concitoyens ont détourné de lui leurs regards scandalisés. Pas autant de millions que je ne l'avais espéré, certes, parce que les idolâtres du cool ont choisi son camp. Mais nous savions déjà qui prendrait sa défense, n'est-ce pas ? Les juifs, la plèbe noire, les Kennedy, et les invertis des deux sexes. Mais tout cela ne le mènera pas très loin. POTUS peut être censuré, voire destitué. S'il le faut, je saisirai le Congrès et je ne céderai pas, moi. Concrètement, j'ai accompli la tâche que je m'étais fixée : au niveau politique, POTUS est nu, POTUS est mort. Je me suis prouvé que j'étais plus fort que lui. Le croulant a gagné ! L'Eglise du Christ a vaincu l'Eglise des babas !

Je Te supplie de pardonner ces pensées et ces rêves. De me laver de mes péchés. Je me fais horreur d'être là, devant mon ordinateur, dans ce triste sous-sol, à regarder les toutes dernières photos nues de Pookie qu'un pécheur a mises en circulation sur Internet. Je suis raide sur ma chaise mais je ne me suis jamais pollué, Seigneur, ni n'ai trompé mon épouse !

J'entends encore Alice geindre là-haut et je m'en veux terriblement de lui avoir donné cette image de moi. Mais elle s'en remettra. J'implorerai son pardon, je lui lirai un passage de Ta Sainte Bible, puis nous célébrerons Ta Présence en nos cœurs et en nos reins... tout comme, dans mon imagination, j'explore éperdument la chair impudique de Pookie.

10

Sharon et Bill

LINDA TRIPP : Le tu-sais-quoi de tu-sais-qui t'a trouvée terriblement séduisante.

MONICA : Mon cul, oui ! Tout le monde est séduisant, pour lui. Je te garantis que si l'occasion se présente il laissera n'importe qui lui sucer la queue.

Catherine Tramell était peut-être le meilleur coup du siècle dans *Basic Instinct,* mais cela ne signifiait pas forcément que Sharon Stone l'ait été, elle. Pas plus que Bill Clinton, d'ailleurs, et il est possible que cela explique pourquoi Sharon ait eu une réaction aussi blasée lorsque le président des Etats-Unis s'est approché d'elle par derrière lors de cette fameuse soirée.

Ils se connaissaient déjà. C'est lui qui avait modifié son programme pour pouvoir la rencontrer à San Francisco. « Il était très parti là-dessus, vraiment, devait remarquer Dick Morris. Il en pince sérieux pour elle. » A ses copains de golf, le président parlait beaucoup de Sharon, de sa scène préférée. La fameuse. Vous voyez laquelle, bien sûr ! Cette scène

qu'elle affirmait maintenant avoir tournée à son insu.
Et que j'avais écrite.

Lorsque j'ai appris ce qui existait entre Bill et Sharon, j'ai réagi un peu comme un propriétaire estomaqué. C'est moi qui l'avais créée, en tant que star.
Et j'avais voté pour lui. Jusqu'à ce que mon scénario
fasse d'elle une vedette mondiale, sa carrière était à
vau-l'eau. Ses comptables ne voulaient plus entendre
parler d'elle. Même ses agents l'avaient jetée. Un producteur qui l'avait croisée au Festival de Deauville
plusieurs années avant *Basic Instinct* m'avait raconté :
« Elle est venue frapper à ma porte à minuit mais moi,
pas question que je la laisse entrer ! » Selon un de ses
anciens imprésarios, « on avait une blague, à l'agence :
"Laissez Sharon seule dans une pièce avec le réalisateur et elle décroche le rôle" ! ». Sur les plateaux, elle
était tellement mal vue que l'équipe de tournage de
l'un des navets dans lequel elle avait joué avant *Basic*
a collectivement uriné dans la baignoire pleine où elle
devait entrer peu après.

Et puis elle a lu mon scénario, elle s'est battue pour
incarner Catherine Tramell, et le reste... est un conte
d'Hollywood. Le plus formidable sex-symbol de
l'Amérique depuis Marilyn Monroe. La preuve
vivante que Frank Capra se plantait totalement lorsqu'il affirmait qu'« une fille à poil, c'est une fille à
poil et point final, et personne ne peut faire une star
d'une fille à poil ».

Elle représentait l'idéal féminin de Bill Clinton. La
plus mûre des femmes-fruits, l'apothéose de la blonde
sinueuse Miss Ceci ou Miss Cela, le genre de beauté
qu'il préférait, du même type que Dolly Kyle, restée si
longtemps sa maîtresse, que Cathy Cornelius, la jeune
assistante qui l'avait accompagné dans maints voyages
officiels, que Kristy Zercher, l'hôtesse qu'il avait
voulu peloter dans son avion de campagne électorale,
que Gennifer, évidemment, qu'Eleanor Mondale... Et
Sharon avait aussi de nombreux points communs avec

Hillary : vive, directe, mais sans doute moins grossière. Ceux qui la connaissaient ne l'aurait jamais imaginée dire, par exemple : « J'ai besoin d'être tringlée quand même plus de deux fois par an, Bill. » Il est vrai que ceux qui la connaissaient savaient que Sharon ne s'imaginait pas avoir besoin de dire une chose pareille...

Et puis il y avait encore la dimension JFK. Avant même de devenir gouverneur, ou président, ou « Beau Gosse », ou « Zombie », lorsqu'il était encore « Bubba », le gros garçon de l'Arkansas, Bill Clinton avait serré la main de Kennedy à la Maison-Blanche et cette expérience avait bouleversé sa vie. Il s'était mis à imiter JFK jusque dans les moindres détails. Comme son modèle, il n'avait jamais d'argent sur lui, il changeait de chemise trois fois par jour, et il avait lui aussi un « frangin » foufou qui avait le don de faire sans cesse d'heureuses rencontres. Dans son bureau privé, juste au-dessus de la place où il aimait que Monica se mette à genoux, il y avait un portrait... de JFK. Et donc la suite était logique, voire incontournable : puisque le président Kennedy en avait « pincé sérieux » pour Marilyn, la déesse érotique de la Nouvelle Frontière, Bill Clinton ne pouvait qu'être « très parti » sur Sharon, la déesse érotique du millénaire.

Certains avaient l'impression qu'elle avait un sens politique aussi aigu que lui. A Hollywood, on sait bien qu'une carrière de star ressemble à une campagne électorale qui durerait toute une vie. Chaque nouveau film est un scrutin à disputer. Les vedettes de cinéma doivent surveiller leur image autant que les professionnels de la politique, et c'est une des raisons pour lesquelles ils ou elles choisissent des rôles héroïques, c'est-à-dire sans complexité : parce qu'ils cherchent à associer leurs traits à l'héroïsme de leur personnage et à se parer de sa noblesse, son exemplarité. Une contrainte particulièrement complexe pour Sharon, puisqu'elle avait décroché son étoile en dévoilant son entrejambe, mais dont elle s'est fort bien tirée.

Sur les conseils de la papesse des relations publiques à Hollywood, Pat Kingsley — son Dick Morris à elle ! —, elle allait renier son pubis, tout simplement. Tout d'abord, elle a affirmé qu'elle ne savait pas ce que le réalisateur avait en tête quand il avait pris ce fameux plan, qu'on lui avait « joué un tour ». Elle oubliait juste qu'il avait besoin d'éclairage, ce plan, et que coiffeuses et maquilleurs avaient passé le plus clair de la matinée entre ses cuisses. Mais bon, c'était sa manière de dire qu'elle n'avait pas avalé la fumée... Ensuite, elle s'est lancée dans le circuit de la bienfaisance, se transformant en porte-parole de la lutte anti-sida, reprenant la bonne vieille tradition américaine de la star au chevet des enfants malades avec une nuée de photographes autour. Et puis elle a cessé de se déshabiller devant la caméra, un choix justifié non seulement par la redéfinition de son image mais aussi par l'âge — « J'ai les fesses qui me dégringolent à mi-cuisse », m'avait-elle confié pendant le tournage de *Sliver*. Et finalement elle a trouvé Jésus, même si je soupçonnais cette expérience mystique de s'apparenter plutôt à l'une des illuminations fulgurantes d'un Jimmy Swaggart.

Au zénith de sa gloire, elle cherchait à ignorer qu'elle n'avait qu'un seul méga-succès à son actif, un peu comme Bill Clinton qui ne s'est jamais appesanti sur le fait qu'il avait été à deux reprises un président sans majorité au Congrès. D'aucuns, parmi ses proches à Hollywood, craignaient qu'il ne lui arrive la même chose qu'à tant d'autres : terminer en has-been criarde et boudinée, devenir une célébrité professionnelle à la Zsa-Zsa Gabor qui ressemblerait surtout à Petula Clark... Mais il y avait aussi des « amis de Bill » à lui imaginer avec inquiétude un avenir qui consisterait à apporter son décaféiné à Spielberg tous les matins.

Je me suis rappelé ce que Sharon m'avait dit une nuit, alors que nous étions tous les deux pétés à l'herbe thaïlandaise : « Alors il y avait une montagne de flan glacé et je me traînais dessus, et je suçais, je suçais, je suçais jusqu'à en perdre le souffle et la vie. » Parfait, ai-je pensé. Bill Clinton l'apprécierait énormément, cette fille, à la fois pour l'ineffable et whitmanienne tristesse de l'image, et pour les perspectives d'action qu'elle ouvrait.

Et elle se serait également bien entendue avec lui, je le savais. Pendant que nous préparions le casting de *Sliver*, le studio voulait avoir Alec « Billy » Baldwin, et à cette nouvelle elle s'était exclamée : « Voilà un mec ! Donnez-m'en des comme ça, des vrais ! Donnez-moi Billy. Celui-là, je le laisse me prendre sur une table quand il veut ! » Oui, elle aurait été parfaite pour Bill Clinton. A la hussarde, bing, bang ! De l'action, quoi ! Slalomer de file en file à cent quatre-vingts dans la décapotable bleu turquoise de Dolly Kyle ; ou en promenade à pied, toujours avec Dolly, trébucher sur une chaise longue, la faire tomber avec lui dans l'herbe puis la déshabiller avec les dents ; ou le gouverneur en arrêt devant la groupie numéro un, Connie Hamzy, celle qui avait été avec Mick Fleetwood, Huey Lewis, Keith Moon, Don Henley... Hé, hé, le rock and roll s'arrête jamais !

Du pur sixties en 1984, cette histoire avec Connie. Grandiose. D'un couloir du Little Rock Hilton, il l'aperçoit au bord de la piscine. En bikini. Il envoie un de ses hommes la ramener à l'intérieur. Pas de baratin, pas de temps perdu. « Sur la table », direct, comme disait l'autre : « J'adorerais le faire avec toi. Où on peut aller ? Tu as une chambre ici ? » Non, elle est là juste pour la piscine. Il la prend par la main, se met à parcourir le hall en essayant les portes des salles de conférence. Zut ! Et merde ! Qu'est-ce qu'ils fabriquent là, tous ces gens ? C'est quoi, toutes ces réunions ? Mais il *adorerait* vraiment, méchamment...

« Où on peut aller ? répète-t-il. Où ? Est-ce qu'il y aurait des chambres ouvertes ? Alors, où ? » Elle lui dit de demander à quelqu'un de son équipe de leur prendre une chambre. « J'ai pas le temps pour ça ! » réplique-t-il, et il recommence à foncer de porte en porte en la tenant près de lui, il la flaire, lui tâte les seins, enfonce une main dans la culotte de son maillot, prêt à tomber sur le sol avec elle, frénétique, et... Là, ce n'est pas fermé ! La blanchisserie de l'hôtel. Bon, mais... Il y a encore plus de monde, là-dedans, zut, merde ! Elle l'embrasse. Il lui presse les nénés comme des citrons. Merde ! Il a une réunion, là ! Lui : « Comment je peux rester en contact avec toi ? » Elle : « Je suis dans l'annuaire. » Il s'en va à toute allure, s'arrête, se retourne. De sa place, elle distingue la bosse sous son pantalon. Lui : « Tu vas y rester combien de temps, à la piscine ? » Elle : « Tout l'après-midi. » Il s'éloigne.

Sauvage, le type. Fait pour Sharon, me disais-je, parce qu'elle avait elle aussi une sacrée dose de folie, dans son genre. Peu après la sortie de *Basic*, on a passé une soirée ensemble. Je suis passé la prendre chez elle, une villa avec vue sur la Vallée. On a fumé de sa ganja thaïlandaise, elle a sorti deux bouteilles de Cristal et on s'est retrouvés sur le tapis, à ramper autour de sa maison de poupée. Et puis on a eu faim, on a grimpé dans la limousine et on est allés dîner dans un restau chic d'Hollywood, pétés complets. Avec la sauce de ses scampis lui dégoulinant sur le menton, elle a lancé un regard circulaire avant de demander, très fort : « C'est qui, ces branleurs ? » Oh, des directeurs de studio, des producteurs, des agents, tous en train de nous mater. On a encore bu de la bière, on est remontés en voiture, on a refumé de la thaï. Il manquait de la bonne musique.

C'est parti ! On s'est arrêtés à Virgin Records et

elle s'est lancée dans les escaliers en courant, elle voulait du James Brown. Et puis elle est redescendue à toute vitesse, les bras écartés, jouant à la diva, et elle a crié : « Mais où tu étais passé ? » pendant que tout le monde regardait les deux oufs que nous étions. On a payé, on est partis. Non, on a essayé : un vigile nous a informés que nous étions en train d'essayer de passer par la vitrine, et qu'il valait mieux essayer la porte, jusqu'à laquelle il nous a escortés.

De retour chez elle, elle a déclaré : « J'ai mis ce pantalon en daim rien que pour toi. Je savais que tu allais y fourrer la main. » On est entrés, on a contemplé les myriades de lumières en bas, on a repris de la Cristal, on a échoué à nouveau par terre, à côté de la maison de poupée. Et puis je suis reparti à mon hôtel, content de ma création.

Tout droit sortie de *Basic*, cette scène. Je m'en suis fait la réflexion alors que je continuais à méditer sur Sharon et Bill Clinton. Lequel était lui aussi un personnage de ce film. Revenu de tout comme mon Nick Curran, l'inspecteur, il s'exprimait de la même manière que lui ! « Je la leur mets au cul » (au sujet des Républicains), ou « Idiot au point d'être infoutu de faire traverser un pont à une pute » (à propos de Ted Kennedy), ou « Pourquoi les gens se lancent dans la politique, c'est clair, non ? A cause de leurs frustrations sexuelles » (en parlant de lui), ou « C'est une telle pompeuse qu'elle serait capable de faire passer une balle de tennis dans un tuyau d'arrosage » (son hommage à Gennifer).

Question langage, Hillary aurait plus appartenu au casting de l'un de mes derniers films, *Showgirls*, qu'à celui de *Basic* : « Où qu'il est, ce putain de merde de drapeau ? » avait-elle aboyé sur un officier des « state troopers » d'Arkansas : « Vous allez le hisser, bordel de merde ? » Et contrairement à Hillary — que son mari surnommait « Hilla la Harpie » ou « la Matonne-chef », j'étais presque sûr que Sharon comprendrait bien ses goûts particuliers. S'il avait envie de se la faire au beau milieu de la nuit, fumer quelques joints, lui emprunter sa nuisette en dentelle et jouer du Elvis au saxo, Sharon marcherait tout de suite. Et elle avait sa propre réserve de thaï.

En parlant de goûts particuliers, je me suis rendu compte que Sharon et Hillary avaient peut-être plus en commun que d'être blondes et rapides. Le réalisateur Wes Craven m'a raconté que Sharon avait séduit sa femme Mimi, restée une de ses « meilleures amies » depuis, et l'avait écartée de lui. Et quand Mimi avait obtenu le divorce, Sharon avait envoyé à Wes une douzaine de roses mortes. Ce geste, j'en étais convaincu, résumait tous les dangers que Bill Clinton courrait au cas où une « relation significative » avec elle serait envisagée. Sharon représentait sans doute son idéal féminin mais ces roses mortes prouvaient qu'elle n'était pas du genre à se laisser traiter par-dessus la jambe.

Certes, elle avait un côté câlin, gentil-gentil, massages de la nuque et infusions de plantes médicinales, mais il y avait avant tout la fille « qui entre dans le bureau et qui décroche le rôle ». Paul Verhoeven, le réalisateur de *Basic*, disait qu'elle *était* réellement Catherine Tramell, ce démon. Une femme qui avait traité Dwight Yoakam de « bâton merdeux » quand elle avait rompu avec lui et qui, après sa séparation d'avec le producteur Bill Macdonald, lui avait renvoyé par Federal Express la bague de fiançailles qu'il avait héritée de sa mère...

Si elle en connaissait au moins aussi long sur la mécanique du pouvoir qu'Hillary, son savoir ne lui venait pas des débats contradictoires ni des manuels d'agit-prop datant des années trente. C'était une connaissance d'ordre intime, essentiel, primal, accumulée durant les séances de pose — quand elle avait dix-neuf ans —, sur les canapés des bureaux de casting et dans la lumière noire des arrière-salles de discothèques à Milan ou Buenos Aires. Hillary pouvait faire des merveilles avec un scalpel et une langue assassine dans une réunion, Sharon avec un pic à glace et une langue mutine sur un sofa. Elle obtenait en général tout ce qu'elle voulait sur le plan personnel. Idem pour Hillary sur le plan politique, mais dans la vie privée, pour Bill Clinton en tout cas, elle devenait « la Matonne-chef ».

J'ai eu l'occasion de voir Sharon à l'œuvre avec le réalisateur Phillip Noyce. Nous étions sur le point de commencer le tournage de *Sliver* mais elle pensait que le choix de Noyce était désastreux. « C'est un gros niais, soutenait-elle. Le sexe et lui, ça fait trente-six. » L'objet de ses sarcasmes était un Australien massif, plein de talent, qui à cette période précise tentait d'en finir avec une consommation quotidienne de cinq paquets de cigarettes.

Plus le moment de mettre la caméra en route approchait, plus elle s'est focalisée sur une scène, exigeant que le script soit modifié. Celle où le personnage qu'elle incarnait se masturbait dans sa baignoire, les yeux fixés sur une publicité de Calvin Klein dans un magazine. Impensable, clamait Sharon : une femme ne ferait jamais ça. C'était moi qui l'avais écrite, cette scène, mais comme je n'avais aucune envie de me battre là-dessus, je lui ai dit : « Parfait. Tripote-toi comme tu le sens. » Phillip a estimé qu'il fallait mettre les points sur les i, cependant : il voulait qu'elle se masturbe conformément à mon scénario. Chacun à sa place, et la sienne consistait à diriger.

Menaçant d'abandonner le film, Sharon a exigé une rencontre à trois dans ma suite à l'hôtel. Nous nous sommes installés côte à côte sur le canapé, Noyce dans un fauteuil en face de nous. Vêtu d'un costume en toile et d'un tee-shirt noir, il avait le visage et les aisselles déjà baignés de transpiration, le teint livide.

Ses nerfs en manque de nicotine le mettaient sur un
gril. Sharon portait une robe blanche légère, très
classe. Moi, j'étais en short et débardeur.

Quand Phillip a entrepris d'insister sur « l'importance visuelle » de la revue et de la pub dans la scène,
elle l'a coupé sèchement : « Vous ne savez pas de
quoi vous parlez. C'est un fantasme masculin, ça. Les
femmes ne se caressent jamais de cette façon. » Phillip s'est défendu mais déjà elle se tournait vers moi :
« Est-ce que ton dos te fait mal ? » J'ai répondu que
oui — je m'étais froissé un muscle — et elle s'est
mise à me frotter la nuque. « Etends-toi sur le tapis »,
a-t-elle commandé sans prêter attention à Phillip, qui
continuait à parler. Je me suis allongé à plat ventre.
Au bout de quelques secondes, j'ai perçu trois
choses : d'abord que Phillip s'était tu ; ensuite que
Sharon, à califourchon sur moi, commençait à bouger
d'avant en arrière, d'arrière en avant ; et enfin qu'elle
était nue sous sa robe.

Elle a continué son déhanchement, l'a accéléré.
Phillip était derrière elle, toujours dans son fauteuil.
Je savais qu'il la regardait et dans le silence de la
pièce, je l'ai entendu respirer plus vite. Soudain, elle a
plaqué ses cuisses contre mes flancs, les a maintenues
serrées un long moment et puis nous nous sommes
détendus tous les deux. « Mieux, non ? » m'a-t-elle
demandé avec un petit rire. Oui, mon dos allait beaucoup mieux, ai-je reconnu d'un ton amusé.

Elle s'est détachée de moi, je me suis redressé. Suffoqué, fixant sur nous des yeux énormes, des taches
de sueur sur tout son tee-shirt maintenant, Phillip est
resté un instant muet avant de murmurer à Sharon
d'une voix éteinte, morne : « Faites-la comme vous
voulez, cette scène. »

Et en effet, cela s'est passé « comme elle voulait »
jusqu'à la fin du tournage. Pas seulement pour cette
prise en particulier mais pour toutes les autres, de bout

en bout. Chacun à sa place, et la sienne était de diriger !

Finalement, elle n'a pas du tout aimé Alec Baldwin non plus. Après l'avoir catalogué de « lourdingue », elle l'a soumis au même processus d'étripage systématique. Par exemple s'essuyer la bouche, voire se gargariser après avoir tourné un baiser avec lui. Au cours de l'un d'eux, elle lui a mordu la langue et le lendemain on aurait cru qu'il avait du coton dans la bouche quand il parlait. Il redoutait tellement les scènes d'amour, maintenant, que son jeu en est devenu pour de bon « lourdingue », gauche, emprunté. D'après Billy, l'hostilité de Sharon était une façon de se venger de lui. Lorsqu'il avait été choisi pour le rôle, elle avait paraît-il confié à une amie : « Je vais le faire tomber amoureux de moi si fort qu'il ne va plus comprendre ce qui lui arrive, le connard ! » Toujours selon Billy, qu'il soit resté fidèle à sa compagne de l'époque avait « enragé » Sharon.

Le résultat de mes méditations sur une éventuelle « relation significative » entre Sharon et Bill Clinton, c'était qu'une très, très mauvaise nouvelle attendait ce dernier : il ne pourrait jamais la tromper, elle. Hillary pouvait lui griffer la figure, lui expédier à la tête un gobelet en plastique bien ajusté (et constater froidement : « Tss, mauvais réflexes, Bill »), faire sauter une porte de placard d'un coup de pied, mais Sharon le tuerait, carrément. Au pic à glace ou à l'arsenic, il irait rejoindre ses ancêtres dès le moindre faux pas. A part ça il y avait du très positif, aussi, et notamment que son idéal de femme, avec tout ce qu'elle savait de la masturbation, pourrait lui être d'une aide précieuse.

J'avais idée que si les choses devaient aller jusque-là Sharon serait Bill et lui Hillary, dans ce couple. Sharon JFK et Bill Marilyn. Mais peut-être s'en doutait-il également... Alors ils se contenteraient sans doute l'un et l'autre de tailler chacun une encoche dans la crosse de son pistolet, comme dans les duels au Far West dans le bon vieux temps. Une victoire de plus, sous la ceinture, et pas de perdant. Rien qu'une confirmation de plus qu'ils étaient des super-stars, elle comme lui.

Une fois, j'ai présenté un de mes amis à Sharon Stone dans l'espoir qu'ils se plaisent réciproquement. Le mobile fondamental de cette initiative, c'est que j'étais amoureux de la femme de cet ami. Et le plan a marché. Ils se sont connus et se sont séparés moins d'un an plus tard. Moi, j'ai épousé celle que j'aimais et nous vivons heureux depuis. Le jour de mon mariage avec Naomi, j'ai eu la tentation d'envoyer une douzaine de roses mortes à Sharon mais je l'ai repoussée. Je ne voulais pas faire un coup pareil à quelqu'un que j'avais créé et transformé en star. Quelqu'un qui, grâce à moi, n'avait même pas à se donner la peine de se retourner lorsque le président des Etats-Unis s'approchait pour dire bonjour.

11

Hillary et Bill

« Tu sais à quoi je pensais, cet après-midi ? Eh bien
que bon, c'est tellement bizarre tout le plat qu'on
faisait de ça quand j'étais jeune, la virginité, se
faire prendre sa cerise comme on disait, et qui te
l'a prise, et à quel âge, et mon Dieu c'est terrible,
et bla bla bla ! Alors que maintenant, maintenant
c'est genre "mais on s'en branle !" et terminé... »
(MONICA À LINDA TRIPP)

Un homme avait ouvert sa braguette devant elle et
lui avait montré son affaire, devait annoncer la
petite Hillary Rodham à ses parents. Une autre fois,
un inconnu l'avait menacée avec un couteau de boucher pendant qu'elle jouait avec ses amies. Et il y en
avait eu encore un qui l'avait jetée au sol, s'était
couché sur elle et avait commencé à l'embrasser, mais
elle s'était tant débattue qu'il avait fini par se sauver
en courant.

Stupéfaction chez les Rodham. Park Ridge, leur
quartier de Chicago, était plus un country club qu'une
banlieue. Les ségrégationnistes de la John Birch
Society, le mouvement d'extrême droite, étaient bien
implantés dans ce coin bucolique de l'Illinois où l'on

ne voyait ni juifs, ni Asiatiques, ni Latinos, ni Noirs. (Plusieurs années après, d'ailleurs, ce district allait avoir pour représentant un adversaire tonitruant du droit à l'avortement, Henry Hyde, le président de la commission des affaires judiciaires de la Chambre.) Les rues étaient si calmes qu'Hillary et ses deux frères avaient le droit d'aller à l'école à pied, et qu'en hiver ils pouvaient patiner dehors sans surveillance. Et pourtant leur fille avait eu à surmonter ces chocs : un Willard, un couteau à saigner et ce qui avait tout l'air d'une tentative de viol !

Hugh, le père d'Hillary, était à la tête d'une affaire familiale de tissus sur mesure. Dans sa jeunesse, il avait travaillé dans les mines de charbon de Pennsylvanie, puis charrié des caisses pour se payer des études supérieures. Le genre de bonhomme à ne jamais avoir eu de carte de crédit de sa vie. Il payait tout en liquide, banco, du pavillon en brique jusqu'à la Cadillac qu'il changeait chaque année. Hugh Rodham, qui chiquait du tabac et admirait Barry Goldwater, était quelqu'un de bourru, peu commode. Lorsque Hillary ne ramenait que des A à la maison, il grommelait : « Ils ne doivent pas être trop exigeants, dans cette école... » Pas question d'argent de poche pour ses enfants : « Ils sont nourris et logés gratis, on va pas les payer, en plus ! » Le soir où Hillary lui avait demandé au dîner quelques dollars pour aller au cinéma, il avait déposé une pomme de terre supplémentaire sur l'assiette de la petite, en guise de réponse. Il lui arrivait d'emmener les gosses en voiture à travers les banlieues pauvres, pour qu'ils comprennent la chance qu'ils avaient. Mais il s'asseyait aussi à la table de la cuisine et les aidait à faire leurs devoirs, ou bien il jouait à la bataille avec eux. Quand il avait appris à Hillary le secret des balles coupées au base-ball, ses frères l'avaient traitée de « fifille à son papa ».

Dorothy, leur mère, appelait son mari « Mr. Diffi-

cult » — il se serait sans doute bien entendu avec
« Dr. No », le père de Monica... Elle n'avait jamais
vu ses parents ensemble : la mère de Dorothy avait
quinze ans quand elle l'avait eue, son père dix-sept,
et ils s'étaient séparés peu après. Elle enseignait à
l'école du dimanche mais Hugh Rodham ne mettait
pas les pieds à l'église, lui. Elle tenait énormément à
la vie de famille, organisait des barbecues dans le jar-
dinet pour sa nichée, sortait peu. Lorsque Hillary était
devenue le souffre-douleur d'une fille du quartier plus
grande qu'elle, c'est sa mère qui lui avait appris à se
défendre. Et c'est elle qui avait affirmé à cette si
bonne élève qu'elle allait être plus tard la première
femme à siéger à la Cour suprême des Etats-Unis —
au même âge, les ambitions de Monica visaient encore
plus haut. Devant leur progéniture, Dorothy et Hugh
se montraient réservés, gardant leurs témoignages
d'affection réciproque pour l'intimité. Mais Dorothy
pouvait aussi faire preuve d'un sens de l'humour surprenant, comme lorsqu'elle allait apparaître à une fête
d'anniversaire d'Hillary, déjà grande, déguisée en
bonne sœur...

Celle-ci est devenue très vite une sportive accom-
plie. Pratiquant le tennis, le foot, le softball, le ping-
pong, elle s'est aussi initiée au kayak et elle était
maître-nageuse à la piscine. Hugh Rodham, qui avait
été instructeur d'éducation physique un temps et qui
avait activement participé au programme de formation
sportive pendant son passage dans la Marine, approuvait ces dispositions. Et c'était toujours lui qui lui
donnait la fessée quand il apprenait qu'elle s'était mal
conduite à l'école. Dorothy, de son côté, ne lui donnait « jamais de conseils sur la façon de s'habiller, de
se maquiller et de séduire les garçons ».

Et comme les garçons ne l'intéressaient pas, de
toute façon, Hillary se montrait dans la vie de son
lycée. Elle participait au comité des fêtes, au conseil
des délégués, à la commission des valeurs culturelles,

au club des supporters, au cercle de débats, à la National Honor Society, à l'association des amis du collège, à l'organisation du spectacle annuel, au journal du campus. A la rubrique des portraits de lycéens de cette publication, on pouvait cependant lire que ses camarades la trouvaient froide et distante, qu'ils l'avaient surnommée « Sœur Frigidaire » et qu'ils la voyaient finir dans un couvent — et ce bien avant que Dorothy n'arrive à son anniversaire déguisée en nonne... Elle avait une réputation de « chouchoute des profs » (Bill Clinton, au même âge, était traité de « fayot » par ses condisciples). A cette époque, elle a eu un bref flirt avec un garçon, qui s'est terminé abruptement quand l'un de ses lapins domestiques, qu'elle lui avait demandé de surveiller, s'est échappé : elle lui a flanqué une pêche dans le nez. Bill Clinton aurait dû réfléchir à cet incident révélateur, plus tard...

Les garçons du bahut ne la recherchaient pas, la trouvant trop « femme » et pas assez « fille ». Et puis elle avait les dents de devant qui avançaient. Quand ses copines organisaient des fêtes, elle n'allait pas se joindre à leurs piaillements. Dans une série de sketchs montée par les lycéens, elle avait choisi d'incarner Carry Nation, celle qui entrait dans les saloons et fracassait les bouteilles de whisky. Même ses amies proches pensaient qu'elle devrait prendre toutes ses nombreuses activités « un peu plus à la coule ». Après la cérémonie de remise des prix, sa mère allait s'avouer « gênée » par le nombre de fois où Hillary était montée en recevoir sur l'estrade.

Les rares filles de prolétaires qu'elle avait pu connaître l'ont détestée au premier regard. Alors qu'elle avait lancé à l'une d'elles, goal dans l'équipe adverse pendant un match de foot, un anodin « Mince, qu'est-ce qu'il fait frisquet, aujourd'hui ! », l'autre avait répliqué : « J'aimerais que tous les gens comme toi crèvent de froid. — Mais tu ne me connais même pas ! » s'était étonnée Hillary. Réponse de cette fille venue d'un quartier ouvrier : « J'ai pas besoin de te connaître pour savoir que je te déteste. »

Le père à la chique de tabac mis à part, la première et durable influence masculine qu'elle ait subie allait être celle d'un jeune pasteur méthodiste. Tout frais émoulu du séminaire, Don Jones se déplaçait en décapotable, une Chevrolet Impala 1959 rouge. C'est lui qui a fait connaître à Hillary l'œuvre de Bob Dylan et de François Truffaut, qui lui a donné à lire *L'Attrape-cœur*. Avec les autres élèves du cours de Bible, il la conduisait dans les camps de travailleurs itinérants mexicains aux abords de la ville. Les filles distribuaient les petits cakes qu'elles avaient préparés, confectionnaient des poupées en chiffon pour les enfants des immigrés.

Don Jones, qui avait rebaptisé son programme d'enseignement biblique « l'Université de la Vie », les a aussi emmenées assister à un discours de Martin Luther King Jr., ou aux rassemblements pleins d'humour que le légendaire dirigeant syndical Saul Alinsky organisait devant le siège des grandes sociétés de Chicago. Ou bien il les entraînait dans les quartiers noirs défavorisés, où il sortait quelque reproduction de Picasso en demandant aux gosses du ghetto ce qu'ils voyaient là-dedans.

Hillary était transportée. « Elle paraissait en quête de transcendance », devait noter le pasteur Jones. Mais cela ne l'empêchait pas de continuer à encourager ses camarades d'études à voter Barry Goldwater. Elle suivait avec une égale énergie ses leçons de piano, qu'elle prenait au domicile de son professeur, une maison remplie de chiens empaillés, anciens animaux de compagnie de la dame.

Elle est entrée à Wellesley, un collège de riches, l'un des plus huppés de la côte Est. Dès sa première année, elle est élue présidente des Jeunes Républicains de l'établissement. Elle se rend aux thés de la bonne société, habillée avec modestie. Immergée dans ses études, elle écrit cependant au pasteur Jones que « les deux dernières semaines de février ont été une orgie de décadente complaisance vis-à-vis de moi-même », formule qui signifie tout simplement qu'elle a un peu ralenti le rythme et s'est autorisée trois repas par jour. La militante républicaine qu'elle est tombe sous le charme du maire de New York, John Lindsay, au physique de star de cinéma.

Elle commence à sortir avec un étudiant d'Harvard, une relation qui va se poursuivre pendant trois mois et que l'intéressé décrira « pleine de romantisme, mais platonique ». En d'autres termes : Hillary Rodham, au beau milieu de ces années 60 si chargées de sexualité, était l'une des rares filles de son campus à ne pas baiser... On se souvient de ses camarades d'école la traitant de bonne sœur. Et du déguisement choisi par sa mère pour son anniversaire. Et en 1968, alors que les opposants à la guerre du Vietnam se massaient derrière les bannières d'Eugene McCarthy et de Bobby Kennedy, elle se rend à la Convention nationale républicaine à Miami, non pour manifester dehors mais en tant que participante.

Malgré cet engagement politique, elle a déjà des lectures que les Républicains considéreraient affreusement subversives. Le mensuel *Motive*, notamment, dont elle conserve les numéros bien rangés en tas et où l'on peut lire les contributions de Carl Oglesby, un marxiste et l'un des fondateurs du SDS, le Mouvement des étudiants pour la démocratie. En plus du terrorisme et des rites de sorcellerie, cette publication défend également l'amour lesbien. Il lui arrive de « jouer à la hippie », même : pendant un mois, elle porte des habits teints à la main, se peint des fleurs sur les bras...

« Mon univers mental a explosé à Wellesley », allait-elle dire plus tard. Le processus de radicalisa-

tion, pourtant, va démarrer chez elle à partir de préoccupations limitées à la vie étudiante. Toutes les filles
entrant dans ce collège devait « prononcer des
vœux » : signer un engagement à respecter le règlement de bonne conduite, qui les forçait notamment à
être de retour au campus avant minuit, à être en robe
pour le dîner et à accepter que leurs chambres soient
fouillées au besoin. Hillary décide de lancer une
mobilisation contre cette discipline contraignante. Elle
paie de sa poche la fabrication de badges et arbore
fièrement le sien : « Non aux vœux ! » (Lequel aurait
très bien pu être porté par Bill Clinton, plus tard...)

En dernière année, lorsqu'elle est élue présidente
du conseil étudiant, elle est devenue une jeune femme
un peu pot à tabac et... la cible du journal du campus,
qui l'accuse de corruption et d'abus de pouvoir : « La
coutume de nommer des amis appartenant à la même
coterie doit cesser immédiatement si l'on veut que le
fait de connaître des gens hauts placés ne soit pas une
condition indispensable à la moindre prise de responsabilité », peut-on lire dans ses colonnes. La relation
platonique avec l'ami d'Harvard continue, elle danse
parfois sur la musique des Beatles ou de Supremes,
mais le plus clair de son temps elle le passe à discuter
politique. Elle a abandonné les Jeunes Républicains et
elle affirme à ses connaissances qu'elle n'a plus rien
à voir avec ce parti. Elle évoque avec admiration
Eleanor Roosevelt, l'ancienne First Lady engagée au
service des causes sociales, une femme bisexuelle
dont le mari est mort dans les bras de sa vieille maîtresse.

La nouvelle de l'assassinat du révérend Martin
Luther King la bouleverse de tristesse et de colère.
Lors de la remise des diplômes à Wellesley, l'orateur
invité est le sénateur du Massachusetts, Edward
Brooke, un Noir modéré, républicain et pro-guerre,
pour lequel Hillary a fait campagne deux ans plus tôt
seulement. En tant que présidente du conseil étudiant,

elle est autorisée à dire quelques mots après son discours, « une apologie de Richard Nixon » ainsi qu'elle
l'expliquera plus tard. « On parle beaucoup de
compréhension et de sympathie, déclare la future première dame du pays dont l'époux sera connu pour sa
capacité à éveiller la sympathie autour de lui, mais le
problème, c'est que ça n'a rien donné. Nous en avons
eu plein, de ces grands mots. Maintenant nous recher-
chons une manière de vivre qui nous rapproche plus
de l'intensité, de l'extase, de la pénétration. » Intensité, extase, pénétration : une mine d'or pour des
commentateurs freudiens...

Le magazine *Life* publie des extraits de son intervention, accompagnés d'une photo peu flatteuse où
elle apparaît engoncée dans sa tenue de cérémonie,
avec des lunettes trop grandes pour son visage. Cette
publicité lui vaut d'être invitée au séminaire d'été
qu'organise la Ligue des femmes pour le vote. Là,
elle fait la connaissance d'un homme qui se révélera
un grand et fidèle soutien pour elle et son mari : Vernon
Jordan, le responsable du programme de sensibilisation
au devoir électoral au sein de la NAACP, l'association
fédérative des organisations noires modérées.

Elle envisage de partir en « voyage spirituel » à travers l'Inde — c'est l'époque où les Beatles viennent
de découvrir leur maharichi en pratique méditative —,
choisit à la place de s'inscrire à Yale, en droit. Sitôt
dans la prestigieuse université, elle entre en contact
avec les leaders de la mobilisation anti-guerre sur le
campus, parmi lesquels Gregory Craig, futur avocat
qui figurera parmi l'équipe de légistes chargés de
défendre Bill Clinton contre la procédure d'impeachment. A ce moment, elle a définitivement opté pour
le chic baba militant : manteau en mouton afghan,
jeans pattes d'éléphant ou pantalon de toile noire à la
Vietcong, sandales, blouses brodées et petites lunettes
rondes de grand-mère. Elle porte si souvent un ruban

noir autour du bras que certains finissent par croire que c'est une mode qu'elle veut lancer.

Hillary débarque dans un Yale en pleine ébullition, pour ne pas dire révolution : Bobby Seale, le leader Black Panthers qui finira en représentant de sauce barbecue, passe en procès pour avoir commandité le meurtre d'un autre militant de l'organisation radicale. Les rock stars du Mouvement affluent sur place. Huey Newton, futur magnat de la coke, Tom Hayden, Jane Fonda sont là. Cette dernière salue Huey descendant de son avion avec le poing levé. (Pas encore avec Hayden à cette époque, elle était venue avec l'acteur Donald Sutherland, très engagé dans la mobilisation anti-guerre au Canada.) Craignant des brutalités policières, Hillary met sur pied un groupe d'étudiants afin de surveiller le déroulement des manifestations et du procès lui-même.

Les provocations ne seront pas le fait de la police, pourtant, mais des manifestants eux-mêmes. Devant un rassemblement sur le campus, le Black Panther David Hilliard déclare qu'« il y a absolument pas de problème de tuer un ou deux enfoirés de flics par là ». Des étudiants se mettent à siffler. Hilliard s'emporte : « Ouais, sifflez ! Sifflez Hô Chi Minh ! Sifflez les Coréens ! Sifflez les Afro-Américains ! Sifflez tous les Noirs qui souffrent dans ce pays ! » Comme les protestations enflent, il réplique : « Vous êtes une bande de débiles si vous croyez que je vais rester tranquillement là à laisser des soi-disant pacifistes... des connards violents, oui !... A me laisser siffler sans que je devienne violent, moi aussi ! » Un étudiant étranger en visite ayant tenté de monter sur scène pour prendre la parole, Hilliard le repousse en bottant énergiquement son cul de toubab même pas américain...

Dans un autre meeting, Jerry Rubin, superstar du Mouvement et futur marchand de biens à Beverly

Hills, lance que « travailler, c'est un gros mot ! (...) Tout devrait être gratuit (...). On emmerde les rationalistes, nous ! Ouais, on est irrationnels, irresponsables, et fiers de ça ! (...). Moi, j'ai pas pris un bain depuis six mois ! (...) Nous mettre en taule pour avoir fumé un joint, c'est comme emprisonner les juifs pour avoir mangé des matsot. (...) Priorité des priorités dans ce programme : flinguez vos parents, parce que ce sont eux qui nous ont foutus dans ce merdier, après tout ! »

Ces héros repartis, Hillary entre au comité de rédaction de la *Yale Review*, qui publiera un long éditorial en défense des Black Panthers illustré par des caricatures de flics à tête de porc. Pendant les vacances d'été à la fin de sa première année, elle occupe un poste à la Fondation pour la protection des enfants à Washington, ce qui la conduit à travailler avec les collaborateurs du sénateur Walter Mondale. Elle fait la connaissance de ce dernier ainsi que de sa famille, dont sa charmante fillette Eleanor, celle qui mettra plus tard Monica Lewinsky au bord de l'épilepsie quand elle découvrira Eleanor devenue adulte (et quelle adulte !) dans le Bureau ovale, en compagnie du mari d'Hillary.

Au début de sa seconde année, elle est en train de lire à la bibliothèque quand elle sent le regard insistant d'un garçon sur elle. Il porte une barbe d'adolescent hirsute, les cheveux longs. Il est plus qu'un peu enveloppé mais sa stature relativise cet embonpoint. Elle trouve qu'on dirait un ours en peluche. Elle l'a déjà remarqué à la cafétéria quelques semaines plus tôt, en train de vanter bruyamment devant un groupe d'étudiants la saveur des pastèques de l'Arkansas. Et là, tandis qu'il l'observe avec insistance tout en parlant avec un copain, elle va le trouver sans hésiter : « Ecoute, tu me regardes, donc je te regarde, donc on pourrait au moins faire les présentations, non ? »

Il lui parle de son pays, l'Arkansas, de la Foire du

crapaud suceur[1] à Daze, de la Fête de la pastèque à Hope, de la Parade des francs-maçons de Hot Springs. En le connaissant mieux, elle se rend compte que son alimentation se résume à peu près exclusivement aux sandwichs au beurre de cacahuète. Il a l'accent du Sud, il dévore les livres. Il la fait rire en racontant des histoires bizarroïdes, par exemple celle de Lyndon Johnson besognant une fille sur le tapis du Bureau ovale après lui avoir demandé de passer l'insigne du mouvement pacifiste autour du cou... « Arrête tes bêtises, Bill ! » s'exclame alors Hillary, ou : « T'as fini de charrier, Clinton ? » Ils en viennent à prendre un appartement ensemble. Il est invité chez les parents d'Hillary, très amusé que Dorothy et Hugh l'obligent à coucher dans une autre chambre qu'elle.

Ils partent ensemble travailler pour George McGovern au Texas. Bill est à Austin, standardiste au QG de campagne du candidat démocrate. Hillary s'active à glaner les voix de la population hispanique à San Antonio. Ils ne se voient que les week-ends. Elle ignore qu'il couche avec d'autres filles pendant la semaine. Trois différentes, une fois.

Bill accompagne McGovern et sa femme dans une rapide tournée en Arkansas pendant qu'Hillary reste à San Antonio. Chez un sympathisant du Parti où le sénateur démocrate s'adresse à un groupe de sponsors, Bill retrouve par hasard une ex, Dolly Kyle. Ils sont déjà en train de s'embrasser tandis que McGovern continue à parler. A la fin du discours, ils s'éclipsent et vont faire l'amour dans le jardin.

Mais Bill ne cache pas à ses autres conquêtes qu'il est très épris d'Hillary, qu'elle lui manque. Un soir,

---

1. Ce nom surprenant dérive d'une tradition locale : à l'époque où les bateaux à roues devaient attendre que le niveau de l'Arkansas soit assez haut pour poursuivre leur route, leurs équipages s'installaient dans une taverne au bord du fleuve et tuaient le temps en buvant, en telles quantités que les natifs du cru disaient : « Y sucent la bouteille jusqu'à qu'y enflent tels des crapauds ! » (*NdT*)

de retour à Austin, il se met à soupirer et à se plaindre à ce sujet devant une jeune femme, qui évidemment essaie de le consoler et, de fil en aiguille... il la prend sur la grande table de conférence pendant que les téléphones sonnent de tous côtés.

Il approuve et encourage Hillary quand elle se montre de plus en plus féministe convaincue. Un week-end où elle l'a rejoint à Austin, il feuillette le livre qu'elle est en train de lire, *La Femme eunuque* de Germaine Greer. Il s'abstient de raconter à Hillary qu'il l'a rencontrée en Angleterre, ayant participé à une lecture publique où la future icône du féminisme avait affirmé que les petits-bourgeois donnaient une importance exagérée à l'acte sexuel mais que cela ne les empêchait pas d'être très décevants au lit. A la fin, Bill Clinton s'était levé pour poser une question : « A propos de cette importance exagérée dont vous parliez ? Bon, au cas où vous voudriez donner encore une chance aux mâles petits-bourgeois, je peux avoir votre numéro de téléphone ? »

Pendant ces retrouvailles, et tant d'autres, la future First Lady se sent heureuse. Elle a tourné la page de l'adolescence, elle s'est libérée des images terrifiantes de couteaux de boucher et de Willards brandis devant elle, d'inconnus s'agitant sur elle après l'avoir jetée au sol. Pour la première fois, après toutes ces années de flirts platoniques, Hillary, la jeune femme grassouillette avec les dents de devant qui avancent un peu, Hillary est enfin amoureuse.

L'homme qui était en train de gagner son cœur allait le sortir plein de fois, son Willard. Guère souvent pour elle mais devant plein, plein de femmes. L'homme avec lequel elle allait faire sa vie.

12

Monica, Andy et Tête de Nœud

MONICA : Il est plus que satisfaisant. Oh, c'est pas celui d'Andy, mon Dieu ! Mais il est... respectable.

LINDA TRIPP : Tu avais dit qu'il était du genre maigrelet...

MONICA : Quand je le comparais à celui d'Andy ! Parce que celui d'Andy, il est énorme. C'est une bête, celui d'Andy.

M onica est en train de raconter à Bayani Nelvis, l'un des intendants de la Maison-Blanche, qu'elle a fumé le premier cigare de sa vie la veille au soir. Nel lui demande si elle aimerait essayer un Davidoff du président, de sa réserve personnelle.

— Oh ça alors ! Cool !

Nel ouvre la porte de la salle à manger privée et... *Il* est là, juste devant le seuil. Il s'apprêtait à sortir.

Il tend une liasse de papiers à Nel en lui demandant de les apporter au bureau de Leon Panetta, puis il invite Monica à entrer.

Dès qu'ils sont seuls, elle tend la main et se présente facétieusement :

— Monica Lewinsky. La « petite » du président.

Il lâche un rire.

— Je connais ton nom, tu sais !

Il lui apprend qu'il a essayé de l'appeler mais qu'il a égaré son numéro de téléphone. Il l'a cherché dans l'annuaire, sans succès.

— Je ne me suis même pas trompé sur l'orthographe : L-e-w-i-n-s-k-y.

— Je suis sur liste rouge.

Avec son sourire paresseux, sexy, il répond :

— Ah, tout s'explique alors... Mais bon, qu'est-ce que tu fais là, d'ailleurs ?

Elle lui résume l'enchaînement : son premier cigare hier, son récit à Nel, la proposition de ce dernier.

— Mais bien sûr, dit-il en souriant.

Il la conduit à l'humidificateur, lui en tend un.

— Ah, il est gros !

— Je les aime gros.

— Moi aussi, répond-elle en le regardant droit dans les yeux.

Il l'embrasse, soulève son pull, parcourt ses seins de la bouche. Elle pose les deux mains sur Willard, lui conférant de pleins pouvoirs. Elle s'agenouille, se met à l'œuvre et... il l'arrête à nouveau. Il n'y a pas eu d'appel téléphonique, pourtant.

— Bonne année, lance-t-il en se reboutonnant.

Il lui donne un long baiser passionné. Elle lui redonne son numéro en le taquinant :

— C'est la dernière fois, attention !

Il va au cabinet de toilette. En partant, elle l'aperçoit à travers la porte ouverte. Il a son Frangin dans la main. Il est en train de soulager Willard au-dessus du lavabo.

Une semaine plus tard, encore un dimanche après-midi, le téléphone sonne chez elle. Elle décroche mais personne ne parle. Quelques minutes plus tard, nouvelle sonnerie. Son répondeur s'est déjà enclenché, mais comme le correspondant ne dit rien elle prend le combiné.

— Allô ?

— Ah, tu es là, donc !

Elle croit d'abord qu'il s'agit d'un ami à elle, un collègue.

— Je suis là, ouais. Alors, comment va ? Quoi de neuf ?

— Je ne sais pas. C'est à toi de me dire.

— La vache ! (Elle l'a reconnu.) C'est vous !

Il éclate de rire pour de bon.

— Où vous êtes ? demande-t-elle. Qu'est-ce que vous faites ?

— Eh bien, je dois me mettre au travail d'ici trois quarts d'heure, à peu près.

— Et... Et vous aimeriez avoir de la compagnie ?

— Ça serait super, oui, reconnaît-il en rigolant.

Elle lui donne son numéro de poste à la Maison-Blanche, il dit : « D'accord, je t'appelle. »

Elle traverse une tempête de neige en voiture. Enfin arrivée, elle s'assoit à son bureau et elle attend. Il téléphone comme convenu, lui explique qu'elle doit passer devant son bureau, avec des dossiers à la main. Il sera là. La rencontre semblera fortuite si on les voit.

Quand elle entre dans le Bureau ovale, pourtant, elle tombe non pas sur lui mais sur un agent des services secrets.

— J'ai des papiers pour le président, lui déclare-t-elle.

L'agent la laisse continuer. Et le voilà, installé à sa table, souriant.

— Vous pouvez fermer la porte, dit-il à l'agent. Elle va rester un moment.

Il lui demande si elle voudrait boire quelque chose. Elle a compris ce que ce code signifiait, maintenant : une invitation à gagner le cabinet de toilette, dans le couloir qui s'étend entre le Bureau ovale et celui du président.

Une fois à l'intérieur, il la prend dans ses bras, l'embrasse.

— Je veux te sucer.

Elle est stupéfaite, interdite, prête à défaillir.

— Non... S'il vous plaît.

— Je veux te sucer, répète-il, plus fermement encore.

Oh mon Dieu ! Oh Dieu ! C'est teeeeellement incroyable ! Le présidêt des Etats-Unis d'Amérique veut se mettre entre ses jambes et... Elle, elle ! Big Mac, Pig Mac, tous ces surnoms affreux qu'on lui a infligés si longtemps. Elle se rappelle ce que Gennifer Flowers a écrit dans son livre : que c'est un expert du cunnilingus.

— C'est... C'est impossible.

— Pourquoi ?

— J'ai mes règles.

— Oh non !

— Oui, je sais.

Elle se met à genoux. Au bout d'un moment, il l'interrompt, comme d'habitude.

Quelques minutes plus tard, il est en train de mordiller un cigare. Et puis il le garde dans la main, avec le bout humide, de la même façon qu'elle l'a vu tenir Willard quand il était un peu mouillé. Elle contemple le cigare, le regarde lui :

— On peut faire ça aussi, un de ces jours...

Il sourit.

Moins d'une semaine après, vers minuit, il l'appelle.

— Qu'est-ce que tu as sur toi ?

Elle comprend aussitôt ce qu'il cherche. Le livre de Gennifer est très clair, là-dessus : il adore l'amour au téléphone, il adorait que Gennifer lui dise des obscénités à l'autre bout du fil.

Alors elle prend sa voix à la Marilyn Monroe et elle lui en dit, et elle se met à se caresser et elle sait qu'il est en train de jouer avec son Frangin, là-bas. Elle l'entend respirer plus vite, plus fort. Elle a l'impression qu'ils ont joui presque ensemble.

— Fais de beaux rêves, chuchote-t-il, et il rac-croche.

Le dimanche suivant, elle le croise par hasard devant l'ascenseur dans un couloir de l'Aile ouest. Comme elle avait des problèmes avec ses cheveux ce jour-là, elle porte un béret noir. Il lui demande de la suivre dans le Bureau ovale. Une fois arrivés, elle l'interroge :

— C'est seulement pour le sexe ? Ou bien ça vous intéresserait de me connaître en tant qu'individu ? Si c'est juste pour le sexe, ça me va. Mais vous devez me le dire.

— Hein ? fait-il avec un petit rire.

— Vous ne me posez jamais de questions sur ma vie, sur moi.

Il la regarde longuement dans les yeux.

— Je chéris les moments que je passe avec toi. (Il l'enlace d'un bras.) Et j'adore ton béret. Il fait magni-fiquement ressortir ta jolie petite bouille.

Plus tard, il lui dit :

— Tu ne peux pas imaginer quel cadeau c'est de passer du temps avec toi, de parler avec toi. Je chéris ces moments, sincèrement. C'est très dur, la solitude, ici. Les gens ne se rendent pas compte.

Il lui confie sa détresse. Son dos recommence à le faire souffrir mais il y a encore pire que ça, explique-t-il : il vient d'apprendre la mort d'un militaire améri-cain en Bosnie, la première perte humaine subie par le pays dans cette intervention.

Elle se sent rassurée, d'un coup. C'est vraiment quelqu'un de sensible. Il a l'air tellement accablé de savoir qu'un soldat vient de perdre la vie à cause d'un ordre qu'il a donné.

C'est ce qu'elle voudrait lui dire quand il l'entraîne vers le couloir, le cabinet de toilette. Mais il se met à l'embrasser si soudainement, si passionnément, qu'elle n'a pas le temps d'articuler un mot. Puis :

— Je me sens complètement idiote avec ce béret débile !

— Il n'est pas débile. Il est mignon comme tout. Il me plaît.

Elle s'agenouille... et là, ils entendent quelqu'un entrer dans le Bureau ovale. Il fourre Willard dans sa prison, se rajuste en hâte et s'en va. Elle a envie de rire en le voyant disparaître : on croirait que Willard est la Créature dans *Alien*, prêt à crever l'enveloppe de ses vêtements.

Peu après, il revient en rasant les murs. Il a une réunion qui commence, il faut qu'elle parte. Il la fait passer par une porte dérobée qui donne dans le bureau de Nancy Hernreich, prend congé avec un baiser torride. Elle se dispose à s'en aller par le couloir de l'Aile ouest mais cette sortie est fermée à clé. Elle est obligée de battre en retraite dans le bureau de Nancy.

Ebahie, elle le découvre assis sur le fameux canapé, solitaire, les yeux dans le vide. Il tient son Frangin dans la main, cherchant le dénouement. Elle le contemple un moment, puis elle sourit et elle s'approche de son beau gosse, et elle l'embrasse... sans qu'il arrête de faire aller et venir Willard entre ses doigts.

Le dimanche suivant, le 4 février, elle est assise à son poste de travail lorsqu'il l'appelle des appartements présidentiels pour lui annoncer qu'il sera au Bureau ovale dans une heure et demie. Il lui explique qu'il retéléphonera lorsqu'il sera sur le point de quitter sa résidence, dans les étages de la Maison-Blanche.

Elle surveille la montre. Une heure et demie s'écoule, deux, deux et demie. Alors qu'elle commence à se dire qu'il lui a posé un lapin, son téléphone sonne. Trois heures plus tard.

Elle propose qu'ils « se tombent dessus presque par hasard » quelque part, comme à leur habitude. Cela se passe dans l'entrée. Ils traversent la roseraie, gagnent le Bureau ovale. Il la conduit à son bureau particulier. Il l'embrasse. Ce jour-là, elle porte une robe longue, boutonnée du cou aux chevilles. Il les ouvre un par un, la lui retire. Elle enlève son soutien-gorge et sa culotte. Pour la première fois, elle est nue devant lui. Mais elle a toujours ses rangers aux pieds.

— Les mêmes que Chelsea, remarque-t-il.

Il lui dit qu'elle est belle, tellement belle... Il lui met la main entre les cuisses. Elle jouit. Ensuite elle se met à genoux et... Il l'arrête. Elle se rhabille, il rectifie sa tenue, et ils retournent dans le Bureau ovale.

Avec un sourire, elle demande :

— Vous êtes sûr que ce n'est pas que pour le sexe ?

Il lui semble que ses yeux vont la mettre en pièces.

— Il est hors de question que tu penses une chose pareille. Ce n'est pas du tout ce dont il s'agit.

Alors elle lui parle d'Andy Bleiler. Elle lui explique qu'Andy était marié et qu'elle avait parfois l'impression de n'être qu'un jouet sexuel pour lui. Il l'écoute attentivement. A la fin, il n'a qu'un commentaire :

— Quel con, ce type.

Elle se dit qu'il s'intéresse vraiment à elle, qu'il lui a accordé toute son attention. Au moment de s'en aller, elle contourne la table et vient le serrer dans ses bras, longtemps. Il l'embrasse sur le bras, lui dit qu'il l'appellera.

— Ah oui ? Et c'est quoi, mon numéro ? (Il débite sans hésiter les deux, au travail et à la maison.) Très bien. Vous avez un 20.

Elle est à peine revenue à son bureau que le téléphone sonne.

— Je voulais juste te dire... (C'est lui.) Tu es vraiment quelqu'un de bien.

Elle se dit, pour la première fois aussi, qu'ils sont devenus amis. Et elle comprend d'autant moins pourquoi, les jours suivants, il ne la regarde ni ne lui sourit lorsqu'ils se croisent. Elle s'inquiète. Pour la Saint-Valentin, elle espère un coup de fil qui n'arrive jamais. Quand il finit par l'appeler le lundi suivant la fête des amoureux, le 19 février, elle comprend au son de sa voix que ses craintes étaient justifiées : il y a quelque chose qui ne va pas.

— Je peux venir vous voir ? demande-t-elle.

— Je ne sais pas combien de temps je vais être encore là.

Elle saute dans sa voiture, se hâte jusqu'à la Maison-Blanche, ramasse un tas de papiers sur sa table et se dirige vers le Bureau ovale. A l'agent en faction devant la porte, elle annonce qu'elle a des documents à faire signer au président.

Beau Gosse est à son poste. Il a l'air fatigué, déprimé.

— Assieds-toi, je te prie.

Elle n'aime pas cette formule de politesse. Dans son esprit, il n'y a que les vieux qui s'expriment comme ça.

Il lui dit qu'il a réfléchi. Et il a conclu que ce qui se passe entre eux n'est « pas correct ».

— Je suis désolé, continue-t-il. Je ne veux pas faire de mal à Hillary et Chelsea. Je veux protéger mon couple.

Elle se met à pleurer et à supplier. Invoque la force de ce qu'elle éprouve pour lui. Comme ils se comprennent, comme ils ont besoin l'un de l'autre...

— Non, répète-t-il, ce n'est pas correct. (Et ensuite :) Je ne veux pas être comme ce petit schmoque, là-bas, dans l'Oregon.

Andy Bleiler ! Elle a tout de suite compris l'allusion. Là, sous ses yeux, le président des Etats-Unis se compare à un Andy Bleiler ! Elle regrette de lui en

avoir parlé, maintenant... Il reprend la parole, et c'est
pour dire :

— Tu sais, si j'avais vingt-cinq ans et si j'étais
célibataire, je t'aurais eue par terre, en trois secondes,
là-bas.

— Je ne comprends pas ! crie-t-elle à travers ses
larmes.

— Tu comprendras plus tard. Mais on peut... on
peut rester amis. (Il vient la prendre dans ses bras.
Elle essaie de l'embrasser.) Non, ça, ce n'est plus possible.

Le téléphone sonne, il décroche.

— Il faut que je le prenne, celui-là, lui chuchote-
t-il.

C'est un gros producteur de canne à sucre en ligne,
explique-t-il, et il est sur le point d'approuver de nouvelles normes qui vont faire très mal à cette industrie.

— Quand je vais baiser quelqu'un, j'aime bien prévenir à l'avance.

Cette dernière remarque soulignée d'un grand
sourire.

Elle s'en va, effondrée, en pleurs. Elle s'est mise à
genoux devant lui à trois reprises, elle l'a laissé
s'amuser avec son corps et maintenant il la jette !
Mais elle l'aime, enfin ! Et lui, il lui refait le coup
d'Andy Bleiler, sa culpabilité, ses responsabilités de
père et d'époux... Et cependant il y a un espoir, dans
toute cette désolation : toutes les fois qu'Andy l'a
abandonnée en invoquant ses scrupules de mari adultère, il a fini par revenir à elle. Sa seule chance, désormais, c'est que le président de la plus grande
puissance au monde en vienne à se comporter comme
l'homme qui l'a fait terriblement souffrir pendant des
années.

Quand elle confie à sa mère et à sa Tante Debra
que Beau Gosse a mis fin à leur relation, ces dernières
ne peuvent que se sentir soulagées même si elles
constatent facilement à quel point elle est affectée.

Elle ne leur a jamais dit un mot au sujet de Willard, évoquant seulement un flirt sérieux, des baisers... Mais elles ont vu la photo couleur du président sur sa table de nuit et elles sont inquiètes pour elle, très inquiètes.

Une semaine après sa scène d'adieux, Beau Gosse l'appelle chez elle. Il l'a aperçue dans un couloir et :

— Tu m'as paru tellement maigre...

Elle lui propose d'aller le rejoindre sans tarder mais :

— Il faut que j'aide Chelsea à ses devoirs.

Dix ou quinze jours plus tard, elle le croise enfin alors qu'elle est en train d'offrir une visite guidée de la Maison-Blanche à une amie. Il est tout en jean, pantalon et chemise, avec une casquette de base-ball, et sort de la salle de projection où il se trouvait avec Hillary. Elle le présente à sa copine tout en piochant les grains de pop-corn restés collés à la liquette présidentielle.

A la fin mars, elle se coupe la main sur le bord d'un classeur en acier, va la montrer au médecin de la Maison-Blanche. Le lendemain, elle aperçoit ce dernier en compagnie de Beau Gosse, qui ne s'est pas senti bien après son jogging. Comme le docteur lui demande des nouvelles de sa blessure, Beau Gosse l'interroge sur cet incident. Dans la soirée, il l'appelle à son bureau :

— Je suis désolé pour ta main.

Il lui demande de venir voir un film avec lui dans la salle de projection. Elle estime que ce n'est pas raisonnable, qu'il y aura forcément des gens autour.

— Tu as raison, oui. C'est *vraiment* trop risqué.

— Mais ce week-end, je pourrai venir ?

— Je vais voir comment je peux me débrouiller.

Le dimanche, à l'heure du déjeuner, il l'appelle à son poste. L'agent des services secrets la laisse entrer dans le Bureau ovale. Il n'est pas là. L'agent passe la tête dans le couloir. Ils entendent la chasse couler. Ils se regardent, gênés : le bruit court à la Maison-Blanche que le président souffre d'une grippe intestinale. Il émerge des toilettes le visage en sueur, en jean et tee-shirt.

Dès que l'agent se retire, il l'embrasse. Il tient dans sa main un cigare qu'il n'a pas allumé mais qu'il a mordillé.

— Tu m'as beaucoup manqué, beaucoup...

Les doigts de son autre main se sont glissés en elle, profond. Puis il introduit le cigare et le fait aller lentement, plus vite. Elle a un orgasme.

Il retire le cigare, le met en bouche.

— Super goût.

Il sourit. A nouveau il l'embrasse, la serre contre lui. Mais quand elle fait mine de libérer Willard, il arrête son mouvement.

Elle a l'impression que cette fois « il a voulu que le centre d'intérêt sexuel, ce soit moi ». Et puis il y a cette grippe intestinale, évidemment... Elle rentre chez elle sur un nuage.

Leur rupture a duré un mois et demi. Sa culpabilité a tenu six semaines, jusqu'à ce que son envie d'elle reprenne les commandes. La bonne nouvelle, c'est qu'il est comme Andy Bleiler. La mauvaise, c'est qu'il n'a rien de différent d'un Andy Bleiler.

Cinq jours plus tard, le vendredi 5 avril, son chef de service, Timothy Keating, la convoque pour lui annoncer qu'elle est licenciée. Son emploi à la Maison-Blanche se termine le lundi suivant. A partir de cette date, elle aura un poste d'assistante au Pentagone.

Keating n'emploie pas le terme de licenciement. Il parle d'une « nouvelle chance » qui lui serait offerte. Mais elle comprend aussitôt ce qu'il y a derrière, d'autant que son boss ajoute :

— Vous êtes trop sexy pour travailler ici. Le job au Pentagone est bien plus sexy.

Autour d'elle, le monde s'écroule. Elle connaît parfaitement la raison de cette « mutation ». Avec Beau Gosse, elle a pris le maximum de précautions. Ils se sont efforcés de ne jamais approcher des fenêtres du Bureau ovale, ils ont cantonné leurs folies au couloir et au cabinet de toilette, autant que possible. Mais tout finit par se savoir, à la Maison-Blanche. Elle a été trop souvent en sa compagnie. Les hommes des services secrets l'ont vue entrer et sortir de son bureau privé, parfois par la porte dérobée.

Elle sait également qu'il ne manque pas de femmes dans l'équipe présidentielle pour garder un œil vigilant sur les faits et gestes de Beau Gosse. Beaucoup sont des amies d'Hillary, certaines ont été ou restent des maîtresses du président. Elle les englobe sous un sobriquet générique : « les Pestes ». Et elle n'ignore pas que ces zélotes du professionnalisme qui ne sourient jamais, qui diffèrent radicalement d'elle dans leur manière de s'habiller et de se comporter, sont encore plus aux aguets en ce printemps 1996, à sept mois des élections. Au scrutin précédent, il a eu très chaud avec l'affaire Gennifer et donc « les Pestes » veillent à ce qu'il n'y ait pas encore une « petite bombe à retardement » alors qu'il s'apprête à se battre contre Bob Dole, son voisin de palier dans le complexe résidentiel appelé... le « Watergate ».

Et elle sait aussi qu'il tient énormément à le vaincre, celui dont il dit : « Mauvais comme tout, le type. Sabrer les coupons alimentaires, sabrer l'aide médicale gratuite, sabrer le budget de l'enseignement... Il prend son pied ! Sabrer les quotas d'immigration. C'est comme ça qu'il prend son pied ! »

Elle est en larmes tout le week-end. Dimanche après-midi, il appelle.

— Je peux venir vous voir ? pleurniche-t-elle.

— Raconte-moi d'abord ce qui se passe. (Elle

s'exécute.) Ah, je parie que ça a un rapport avec moi, ça... OK, je t'attends.

Il sort tout juste du service de Pâques, auquel il a assisté avec Hillary.

Elle part immédiatement, même si elle est consciente d'avoir une tête pas possible. Elle arrive avec sa liasse de documents alibis. L'agent en faction refuse de la laisser entrer. Il doit d'abord vérifier auprès de quelqu'un du cabinet présidentiel. Une des « Pestes » ! Elle insiste — « S'il vous plaît ! Je n'en ai que pour deux minutes ! » — et il finit par céder.

Beau Gosse a l'air teeeellement triste... Le secrétaire au Commerce Ron Brown, un grand ami à lui, a péri dans un accident d'avion quatre jours auparavant. Elle se met à pleurer. Elle lui raconte à nouveau l'histoire de sa « mutation ». Il est fâché, ulcéré.

— Pourquoi faut-il qu'ils t'éloignent de moi ? s'exclame-t-il. Moi qui ai une telle confiance en toi...

Il se lève, la serre dans ses bras un long moment puis l'entraîne vers le couloir.

— Si je gagne en novembre, je te fais revenir ici comme ça ! affirme-t-il en claquant des doigts.

Elle se sent un peu mieux, d'un coup. Sourit à travers ses larmes.

— C'est vrai ?

— Promis ! Le poste que tu veux, tu l'auras.

— Oui ? Je pourrai être secrétaire aux turlutes ?

Il éclate de rire. Elle aussi, moins fort parce qu'elle pleure toujours, elle est « effondrée », explique-t-elle.

Il commence à l'embrasser, lui retire son pull. Il caresse ses seins, les libère du soutien-gorge, qu'elle dégrafe et enlève.

— Monsieur le président, vous avez un appel ! crie quelqu'un dans le Bureau ovale.

Il se dégage, disparaît. Elle se rhabille. Mais soudain il est de retour et il la regarde d'un air sarcastique :

— Bon sang, mais pourquoi tu as remis tout ça ?

Après l'avoir fait passer dans son bureau privé, il prend le combiné. C'est Dick Morris, son conseiller politique. Tout en parlant, il laisse son pantalon tomber sur ses chevilles, descend son caleçon. Il a les yeux ailleurs lorsqu'elle vient s'agenouiller devant lui et... Elle ne comprend pas ce qui lui arrive mais c'est un fait : elle se sent comme une prostituée, pour la première fois. Comme s'il était un « client ». Beau Gosse raccroche et la regarde s'occuper de Willard, sans rien dire.

Puis il l'arrête et elle relève le visage vers lui.

— Je vous aime.

Jamais elle ne le lui avait dit encore.

— Ça signifie beaucoup, pour moi, chuchote-t-il.

— Monsieur le président !

C'est Harold Ickes, l'un de ses assistants, qui a crié dans le Bureau ovale.

— Merde et merde !

Il se lève d'un bond, remet son pantalon. S'en va d'un pas précipité.

Elle se rajuste en hâte, quitte les lieux par la salle à manger privée. Elle pleure pendant tout le chemin du retour. Elle a perdu le travail qui lui plaisait tant. L'homme qu'elle adule l'a fait se sentir avilie, vulgaire. Mais il n'empêche, elle l'aime toujours, elle l'aime teeeeellement... Tandis qu'elle surveille la route de ses yeux noyés, elle ne se doute pas qu'elle ne va plus revoir son aimé pendant près d'un an.

Le lundi suivant, le 15 avril 1996, elle commence son nouveau travail au Pentagone. Dès la première minute, elle déteste cet endroit : lugubre, et puis tous ces uniformes... Moins sexy que ça, tu meurs. Le job consiste essentiellement à réaliser la transcription d'enregistrements et à taper des communiqués. Elle est passée tout droit du Paradis en Enfer.

Il n'y a plus que des ténèbres autour d'elle. Ses

jours libres, elle les passe près du téléphone, à attendre un appel. Au début, elle a si peur de le manquer qu'elle ne sort plus du tout. Il téléphone, rarement. Une fois, il lui dit : « Ne t'inquiète pas. Je vais m'occuper de toi. Ça va aller. »

Quand il appelle, c'est surtout parce qu'il veut du sexe en ligne. Maintenant, il se montre aussi osé qu'elle. Un matin, il la réveille en l'appelant d'Atlanta — il est là-bas pour les JO —, et ce n'est qu'après être parvenu à l'orgasme qu'il lance : « Bonjour ! » Et puis il souffle : « Ça, c'est une façon de démarrer sa journée ! » De juin à octobre 1996, il lui téléphone à huit reprises dans ce but.

Entre-temps, elle a entamé une liaison avec Ted, un homme plus âgé qu'elle, rencontré au Pentagone. Mais à ses amies, à sa mère et à sa Tante Debra, elle continue à confier que son grand amour, c'est le président des Etats-Unis. Elle a aussi repris une cure d'amaigrissement, et puis elle se rend à plusieurs reprises à la Maison-blanche pour laisser à Betty Currie des cadeaux qu'elle destine à Beau Gosse : une autre cravate Zegna, un tee-shirt...

Tout en poursuivant son aventure avec Ted, elle participe à toutes les cérémonies publiques ou officielles qui lui permettent de l'apercevoir de loin. Elle attend sur le trottoir la voiture qui le conduit à l'église avec Hillary ; il l'aperçoit, lui fait un petit signe. Elle prend l'avion pour New York afin de prendre part à une grande réception au Radio City Music Hall, organisée à l'occasion de son cinquantième anniversaire. Elle porte une robe rouge, ce jour-là. Quand il passe rapidement à travers la foule, serrant les mains, souriant plein pot, elle arrive à atteindre Willard et c'est au Frangin qu'elle serre la main.

Le lendemain, elle prend position sur le trottoir à l'entrée de son hôtel, de sorte qu'il ne puisse que la voir le saluer à sa sortie. A une réunion de donateurs du Parti, elle l'aperçoit en train de serrer une femme dans ses bras. A la même période, elle l'a découvert à la télé, filmé en plein jogging avec Eleanor Mondale à LA. Lors d'un autre rassemblement, il tend son doigt vers elle au moment où il quitte la salle et elle croit avoir lu sur ses lèvres : « Tu me manques ! » Quand elle n'est pas avec Ted et qu'il n'y a aucune apparition du président prévue, elle reste chez elle, à écouter Billie Holliday dans *I'll Be Seeing You* : « Je regarderai la lune mais c'est toi que je verrai... »

Au cours de l'un de leurs échanges érotiques, elle lui déclare qu'elle se languit de lui, quémande une rencontre. Il répond qu'il n'a pas le temps. Une autre fois, elle lui demande un petit plaisir : qu'il lui donne la sérénade au saxophone le jour de son anniversaire, par téléphone bien sûr. Il promet, mais ne le fait pas. Encore à une autre occasion, elle veut savoir quand ils feront l'amour pour de bon.

— Jamais, répond-il. (Et lorsqu'elle s'étonne, il complète :) Tu comprendras plus tard.

Elle se fâche, s'attirant une réplique plutôt sèche :

— Si tu ne veux plus que je t'appelle, tu n'as qu'à le dire.

Fin septembre, elle rompt avec Ted. Elle a découvert qu'il couchait avec d'autres femmes tout en lui répétant qu'elle était l'élue de son cœur. Début octobre, elle se rend compte qu'elle est enceinte. Ted ne veut même pas participer aux frais de l'avortement, ni l'accompagner le jour de l'opération. Elle se rend seule à la clinique, qu'elle paie avec l'argent que lui a prêté sa tante.

A la réélection de Beau Gosse, elle se joint à la foule massée pour acclamer son arrivée à la Maison-Blanche. Elle a mis son béret. Il la remarque et lui adresse ce qu'elle considère être un « regard qui en dit beaucoup ».

Après, elle attend son appel. Il a tout de même promis qu'après la victoire il la ferait revenir près de lui « comme ça », non ? Elle est même allée chez le coiffeur, certaine que son retour dans les services présidentiels est imminent. Elle attend des jours et des jours. Se ronge. Rien. A tout moment, elle fond en sanglots, sans pouvoir se contrôler.

Le 2 décembre, elle doit s'envoler pour le mariage d'une amie à Hawaii mais elle retarde son départ de vingt-quatre heures en lisant dans les journaux qu'Hillary va s'absenter de Washington pour la première fois depuis la réélection. C'est la dernière chance de Beau Gosse, se dit-elle, mais elle ne l'appelle plus toujours ainsi, désormais. Des fois, quand elle pense à lui, c'est « Zombie » ; des fois « le Grand Zombie ». Et même « Tête de Nœud », oui, ça arrive... S'il ne téléphone pas maintenant, elle fera changer son numéro. Elle se souvient de la définition que Gennifer a donnée de lui : « Un bout de carton plat, en deux dimensions, dépourvu de la moindre émotion. »

Le téléphone sonne vers neuf heures et demie, le soir. Six semaines se sont écoulées sans qu'elle n'entende sa voix.

— Salut. Ici Bill. Je me suis chopé une laryngite.

Il lui dit qu'il aimerait qu'elle soit là, pouvoir « te prendre dans mes bras ». Qu'elle lui manque. Est-ce qu'elle peut venir le voir à la Maison-Blanche le lendemain ? Non, c'est impossible, lui explique-t-elle : elle doit aller au mariage de cette amie à Hawaii et son billet n'est pas remboursable.

Il oriente la conversation vers le sexe. Il veut que ce soit elle qui parle, alors elle adopte sa voix à la Marilyn et elle commence. Au bout d'un moment, elle perçoit un drôle de bruit à l'autre bout de la ligne. Elle pense au début qu'il halète de plaisir mais non, ce n'est pas ce son-là. Elle écoute encore. Il est en train de ronfler.

Elle part aux noces de son amie, prend des couleurs superbes à Hawaii puis se rend à Portland, pour voir Andy Bleiler. Lequel arrive à s'échapper de chez lui. Ils passent toute une journée dans une chambre de motel. Andy lui annonce qu'il trompe Kate avec une autre fille depuis plus d'un an.

Comme elle craignait d'avoir mal pendant un rapport sexuel à cause de son avortement deux mois plus tôt, elle a voulu réessayer d'abord avec un amant de longue date. Son huis clos au motel avec Andy ayant prouvé qu'elle est bien guérie, elle retourne à Washington.

Dans l'avion, elle réfléchit à son aventure avec le président des Etats-Unis. Interrompue à chaque fois par des appels, ou des secrétaires, ou des coups frappés à la porte. Il n'a pas pu lui faire ce qu'il voulait parce qu'elle avait ses règles. Elle n'a pas pu le voir parce qu'il était en campagne, ou parce que Hillary était là. Ou parce que Eleanor Mondale était par là. Ou parce qu'elle ne pouvait pas changer son billet pour Hawaii. Et puis son mal de dos, et puis sa grippe intestinale, et puis il s'était cassé la jambe et avait dû se balader en béquilles, et puis toujours quelqu'un à l'attendre dehors, Lloyd Bentsen, Arafat le gros c..., et elle n'avait même pas pu faire goûter ses Altoids à Willard, elle était arrivée en mâchant ses pastilles de menthe fétiches, et ils s'étaient embrassés, mais il n'avait pas le temps, il y avait ce dîner avec le président Zedillo...

Tu parles d'une aventure, pense-t-elle. Touche-pipi sans se mouiller. Zombie. Tête de Nœud. Elle se rappelle le tee-shirt qu'il avait laissé à Gennifer, en guise de compagnie pour la nuit, pendant qu'il rentrait retrouver Hillary en courant. Monica n'a même pas ça, même pas un tee-shirt. Elle n'a que sa photo sur sa table de nuit.

Elle est déprimée, beaucoup, mais la perspective de retrouver la nouvelle amie qu'elle s'est faite au Pentagone la soutient. Elle est persuadée que c'est une amitié pour la vie, celle-ci. Persuadée de l'affection sincère que lui porte cette femme. Linda Tripp, elle s'appelle.

13

Monica a mal pour lui

MONICA : J'aurais attendu ça de n'importe quel président. N'importe lequel.

LINDA TRIPP : Pas de George Bush, en tout cas. Lui, on aurait dit un... un grand-père.

MONICA : Et il avait une copine.

LINDA TRIPP : C'est faux !

MONICA : Si, lui aussi !

LINDA TRIPP : Oh, je ne peux pas y croire ! Il était tellement, comment dire, tellement... vieux machin.

Celle qui avait été First Lady n'était plus là. Il vivait seul dans la grande maison qu'ils avaient achetée ensemble, près de New York. Il se sentait sur la fin. Un vieillard qui pissait trente fois par jour et qui parfois contemplait la neige tomber derrière la vitre du salon, avec Monica pour seule compagnie. Qui aurait pensé qu'à son âge il aurait passé le plus clair de son temps avec elle, une fille si jeune, encore une étudiante qui essayait de décrocher son doctorat de politique étrangère. Elle pouvait même lui faire un topo récapitulatif sur les talk-shows télévisés du dimanche matin.

Monica n'habitait pas chez lui — il avait eu son compte de scandales, merci — mais tout près, de sorte qu'elle venait tout le temps le voir. Et lui était allé chez elle, une seule fois, et ils s'étaient assis ensemble devant son piano, Monica et l'ancien président des Etats-Unis, et ils avaient chanté *Happy Days Are Here Again*, les jours heureux sont revenus...

Souvent, ils se contentaient de bavarder. Il s'asseyait dans son bureau, les jambes étendues sur sa liseuse, un verre de jus de pamplemousse ou de raisin à portée de la main, brandissant ses lunettes vers elle ou les faisant virevolter entre ses doigts, mordillant son stylo ou soulignant un argument d'un mouvement du poing, employant des formules qu'elle devait trouver dépassées, il le savait, des trucs comme « Sacrément juste ! » ou « Pas ma tasse de thé »...

Il parlait énormément de sa mère. « Elle sacrifiait tout pour nous, confiait-il à Monica. Elle s'échinait au travail, sans jamais s'épargner. » Parfois, il lui offrait un verre, des boissons exotiques comme du maï taï chinois, ce « Martini asiatique » qu'il avait jadis découvert à Singapour et qu'il disait « tellement fort qu'il peut être mortel ».

— Quoi, vous me servez quelque chose qui peut me tuer ? avait relevé Monica avec un petit rire.

— Vous êtes jeune, vous. Vous pouvez tenir le coup.

Elle savait à quel point leur différence d'âge le tourmentait. Une fois, il lui avait dit : « J'ai l'air d'un vieux débris, n'est-ce pas ? Quand je vous vois si fraîche, je... Eh bien, je regarde les gens de mon âge et c'est affreux. » Ou bien : « Vous avez toute votre vie devant vous, tandis que la mienne est derrière, loin derrière. »

En une autre occasion : « Il faut que vous ayez un but dans la vie, Monica. Tout le monde est fait ainsi. Les nations, les gens. Et l'important, c'est de conserver sa jeunesse d'esprit. Ce n'est pas toujours simple

mais suivez mon conseil, Monica : il faut la garder !
Autrement, le temps finit par vous user et vous transformer en vaincu. »

Quand il broyait du noir à ce sujet, elle arrivait
parfois à le dérider, et même à lui tirer un vrai rire.

— Je suis plutôt en forme, avait-il reconnu un jour
devant elle. Je ne bois pas. Je ne fume pas. Je ne joue
plus aux cartes. Qu'est-ce que je fais, d'ailleurs ?

Et Monica :

— Rien de très marrant.

Pendant un voyage en avion, il lui avait tendu le
bonbon surprise qu'on avait posé sur sa tablette, lui
avait demandé de l'ouvrir et de lui lire sa chance.
« Esprit alerte, grande capacité d'analyse », avait-elle
déchiffré. Il avait souri.

Mais elle savait qu'il vivait dans une solitude
complète quand elle n'était pas avec lui, qu'il ouvrait
des haricots en boîte pour le dîner, grignotait ses
galettes au sésame, faisait chauffer des hot-dogs dont
l'odeur le transportait au stade tandis qu'il regardait
le match à la télé. Quand elle partageait le chili con
carne avec lui, il sortait sa plus belle vaisselle et dressait la table lui-même.

La plupart du temps, il était plongé dans la rédaction de ses livres. Il se demandait sans cesse si le
scandale ne l'avait pas discrédité à jamais, si ses
concitoyens conservaient au moins un peu de gratitude envers lui. « Des tribunes libres, je peux en écrire
jusqu'à plus soif », constatait-il devant elle.

A chaque fois qu'il était disponible, elle l'aidait. Il
prêtait une oreille toujours attentive à ses idées. Et il
lisait beaucoup, des ouvrages de philosophie plutôt
que de politique car « c'est plein de saleté et de
cynisme, la politique, qu'on le veuille ou non ».

« Je ne retrouve pas mon livre ! s'était-il plaint à
elle un jour. Qu'est-ce que je vais devenir sans mon

Nietzsche ? » Mais une autre fois il avait reconnu « ne rien piger à ce truc, la plupart du temps ».

Il lui faisait partager ses réflexions philosophiques, par exemple : « Je crois que l'homme est à la fois bon et mauvais, plein de lumière et de ténèbres. Mais le Mal arrive à triompher du Bien dans certains contextes car malgré ses ressources de bonté l'être humain a tendance à se laisser dominer par sa méchanceté intrinsèque. » Ou : « Je pense que nous devons attendre d'être morts pour connaître les vraies réponses. J'en suis persuadé. La paix vient dans la mort. » Elle n'aimait pas quand il lui parlait de ça, la vieillesse, l'au-delà. « Il y a encore tant de livres à lire... Mais mon temps est compté. Vous, vous en avez plein devant vous, pas moi. » Elle préférait l'entendre évoquer la vie réelle des philosophes, avec des glous-sements dans la voix : Rousseau et sa ribambelle d'en-fants bâtards, ou Marx l'ivrogne qui se cassait la figure dans les caniveaux. Plus il vieillissait, remar-quait Monica, plus il voulait se détacher de ses sem-blables, lui qui avait su les manipuler avec une telle aisance... « Pourquoi s'enquiquiner avec les gens ? C'est du temps perdu pour la lecture des grandes œuvres. »

Elle adorait voyager avec lui. L'observer de son coin en discussion avec les dirigeants de pays jeunes, être logée dans des maisons d'hôtes ou des suites d'hôtel luxueuses mises à leur disposition par les autorités qui les avaient invités, elle au bout du cou-loir mais toujours prête à répondre à son appel, même en pleine nuit. Lors de ces déplacements à l'étranger, quand elle le rejoignait dans ses quartiers, il levait toujours l'index vers le plafond et plaquait un doigt sur ses lèvres pour l'enjoindre à la prudence, la mettre en garde sur la présence probable de micros ou de caméras.

Il y avait parfois des cahots, sur cette route de pres-tigieuses invitations. Le nouveau président d'Israël, ainsi, avait demandé après avoir jaugé Monica d'un regard méfiant : « On peut lui faire confiance ? » Ou bien, lorsque le président de Lettonie avait posé un lapin à *son* ex-président, elle avait eu un aperçu de ses accès d'humeur jadis légendaires : « Je n'ai pas fait pas tout ce chemin pour poireauter ou traiter avec des sous-fifres, sacrénom ! s'était-il exclamé devant elle. Je ne resterai pas une minute de plus ! Allez, on s'en va ! Tout de suite ! »

Mais il gardait aussi son côté romantique, délicat. Une nuit qu'ils se promenaient ensemble à Anchorage, il s'était arrêté et lui avait dit : « Regardez comme elles scintillent, toutes ces lumières ! Ah, ces couleurs, c'est... spectaculaire. Que du vert ou du bleu. Je sais bien que les gens ne jurent que par New York, mais en voyant ça on se demande pourquoi on devrait y retourner, dans cette fichue ville... » A Moscou, il s'était baissé pour ramasser de la neige et il avait jeté facétieusement la boule en direction de Monica. Et puis il l'avait laissée décider s'ils continueraient sur Prague, ou Budapest. Elle avait choisi Prague : « Oh, c'est une ville magique, vous allez être conquise. » A Saint-Pétersbourg, le maire s'étant étonné qu'elle ne porte pas d'écharpe avec le froid qui régnait, l'ancien président des Etats-Unis avait répondu pour elle : « Elle, elle est du genre indestructible, vous savez ! » Au marché de Guangzhou, en Chine, il lui avait donné une petite tape sur le nez et lui avait chuchoté : « Méfiez-vous des gens qui s'approchent de vous en essayant de vous vendre leurs trucs. Il n'y a pas que des saints, par ici. » Et à Tokyo : « Vous ne devez jamais vous lasser de tous ces endroits, Monica, même si vous y retournez deux mille fois. C'est votre premier séjour ici, donc tout vous paraît nouveau, passionnant. Mais quand vous revenez, il faut regarder les choses avec les mêmes yeux que la première fois. »

Il y avait eu un moment à Pékin que Monica ne pourrait jamais oublier. Dès qu'ils l'avaient aperçu dans la rue, les gens s'étaient rués sur lui, une foule qui se bousculait autour de lui, le touchait de ses doigts tendus, le vénérait... En le voyant goûter l'instant, rayonner, s'immerger dans ce qu'il avait appelé ensuite un « bain d'humanité », Monica s'était dit que cette expérience, le simple fait de vérifier qu'il y avait quelque part dans le monde tout ce respect pour lui, avait valeur de justification, de reconnaissance gratifiante. Lorsqu'ils avaient quitté la cohue pour le calme d'une maison de thé, il s'était balancé en rythme sur la musique. Remarquant un tambourin près de la scène, il l'avait saisi et s'était mis à taper dessus. L'ancien président des Etats-Unis, déchu à cause de ses mensonges... Et après toutes ces années il était là, adulé par la foule, avec Monica à ses côtés, avec Monica pour partager cette... révélation.

Parfois, pendant ces voyages, il semblait avoir simplement besoin de la voir, de sentir sa présence. Une fois, dans un hôtel, il l'avait appelée à minuit. Elle l'avait trouvé en pyjama et peignoir, sa chambre plongée dans l'obscurité à l'exception d'une petite lampe de bureau encore allumée. « Ah, bonjour, vous ! lui avait-il lancé. Je n'arrivais pas à dormir. » Dans un avion, de retour en Amérique, il avait chuchoté :

— Monica ?

— Oui ? Qu'est-ce qui ne va pas ?

— Oh, rien. Vous vous étiez assoupie ?

Lorsqu'elle n'avait pas pu l'accompagner à Moscou à cause de ses examens de fin d'année, il l'avait bombardée de coups de téléphone, jusqu'à deux fois par jour. « Monica ? avait-il commencé d'une voix ravie. Je ne peux pas y croire ! J'ai réussi à vous avoir ! J'ai composé votre numéro en priant pour que ça marche ! Bon, il est cinq heures du matin ici, mais je fais de l'insomnie, alors je me suis dit que j'allais vous appeler et vous raconter un peu... » Une autre fois : « Je sais à quel point vous l'aimez, cette ville. Quel dommage, que vous ayez été retenue par vos études ! Et l'escale à Londres a été un délice, également. Magnifique ! Le printemps est plus avancé chez eux que chez nous, il fallait voir ces crocus, ces forsythias, une explosion de fleurs ! » Et quand il était tombé après avoir glissé sur un trottoir moscovite, il l'avait mise aussitôt au courant : « Je me suis écorché un genou et j'ai pris un coup dans les côtes. J'ai mal quand je respire. Je ne comprends pas comment c'est arrivé. J'ai perdu l'équilibre, d'une manière ou d'une autre, et j'ai glissé... Il faut croire que ma bonne étoile ne me surveillait pas, à ce moment ! »

Elle était avec lui à Halloween, sa fête préférée. Elle l'avait regardé sortir dans le jardin de sa vaste maison, distribuer des sucreries et parler aux gamins du quartier qui l'attendaient dans leur déguisement. Soudain, un père qui portait un masque à l'effigie de l'ancien président avait surgi devant lui. Il avait ri et lui avait lancé : « Eh bien, monsieur le président, content de vous voir ! » Le fils de la réplique présidentielle était plié de rire. Monica s'était dit qu'il était aussi heureux et détendu que ces enfants avec leurs farces et attrapes.

Pour le spectacle traditionnel de Noël, Monica l'avait accompagné au Radio City Music Hall. Elle l'avait observé à la dérobée tandis qu'il suivait la reconstitution de la naissance du Christ. Le narrateur disait que Jésus avait péri sous les coups de Ses ennemis mais que l'existence de toute l'humanité avait été changée par cette « vie unique et solitaire ». Et là, sous ses yeux, l'homme qui avait eu tant d'ennemis lui-même et dont les actes avaient modifié l'histoire de millions d'individus était en train de pleurer.

Trois semaines avant sa mort, il avait passé une journée à New York en compagnie de sa fille qu'il aimait tant. Partout, les gens lui avaient demandé des autographes, avaient cherché à lui serrer la main. Mais le plus important pour lui, avait-il ensuite confié à Monica, c'était que sa fille ait assisté à tous ces témoignages d'admiration.

— C'était... plaisant, de savoir qu'elle était là, qu'elle voyait tout ça et...

— ... qu'elle partageait ce moment avec vous, avait complété Monica.

— Ça signifiait beaucoup, oui, avait confié Richard Nixon, octogénaire, à son assistante de politique étrangère âgée de vingt-trois ans, Monica Crowley.

14

Kathleen et la Ratte

MONICA : J'ai dit quelque chose à propos de Marsha Scott[1] et lui, tout de suite : « Ouais, je suis sorti avec elle en 68, par là »... Ou un truc dans ce genre, totalement débile, quoi.

LINDA TRIPP : Oui, qu'il l'a baisée au bord du canal, etc.

MONICA : Ouais.

LINDA TRIPP : Quelle honte !

Sur scène, il y avait déjà Monica, et Paula Jones, et Gennifer. Et puis, soudain, ce n'est pas une petite gourgandine de Beverly Hills ni une hétaïre de province qui surgit des coulisses, mais une femme du monde pleine de charme, de classe et d'intelligence : voici Kathleen Willey dans son monologue à fendre le cœur à propos de nouveaux attouchements déplacés qui se seraient produits dans cette antichambre de

---

1. Fille d'une ancienne Miss Arkansas et d'un footballeur professionnel, l'ex-petite amie de Bill Clinton occupait un poste élevé au sein de l'équipe présidentielle. La rumeur disait qu'elle avait rendu visite à Vince Foster la veille du suicide de ce dernier. Quant au canal, il s'agit de celui de Washington, dont les berges sont un haut lieu du jogging citadin. (*NdT*)

lupanar que paraît être devenu le fameux couloir du
Bureau ovale.

Il est là, le « nouveau coup de massue » que les
commentateurs prédisaient avec gourmandise ! En
quelques semaines, cependant, la complainte de Willey se révèle une interprétation tendancieuse de la réalité, le fruit d'une mémoire plus que sélective. La
« victime » reprend ses traits d'ancienne hôtesse de
l'air et intrigante de haut vol qui a tenté d'arrondir ses
fins de mois en offrant son corps bien conservé à Bill
Clinton, lequel dédaigne rarement ce genre de proposition. Et qui est derrière le rideau, aiguisant ses
griffes et sifflant ses conseils ? La nouvelle et « grande » amie de Monica au Pentagone, Linda Tripp.

Kathleen Willey, habituée des pistes de la station
chic de Vail et des plages des Bermudes, a rencontré
Bill Clinton en 1991 avec Ed, son mari, un riche avocat spécialisé en transactions immobilières. Ce sont
eux qui ont mis sur pied son premier état-major de
campagne en Virginie. Lorsque le candidat Clinton
vient participer à un débat contradictoire avec George
Bush et Ross Perot à Richmond, Kathleen Willey est
parmi le groupe de cadres démocrates qui l'accueillent
à l'aéroport. Nancy Hernreich, qui est alors sa secrétaire de direction à Little Rock, la prend à part pour
lui dire que Clinton voudrait son numéro de téléphone. Elle le lui donne volontiers. Quelques instants
plus tôt, les caméras des télés ont filmé la scène où
Willey donne l'accolade au candidat, qui se retourne
vers un assistant et lui demande qui est cette femme.

Bill Clinton l'appelle dans l'après-midi. Il tient un
sale rhume.

— Ça b'a fait braiment blaisir de vous voir,
commence-t-il.

— Ouh, on dirait que vous auriez besoin d'un bol
de bouillon de poule !

— Vous b'en apporteriez, vous ?

— Eh bien, je ne sais pas trop, ça...

Comme des collaborateurs sont entrés dans sa chambre d'hôtel, il met fin à l'échange :

— Il va falloir que je vous rappelle. A six heures.

Lors de ce deuxième coup de fil, Willey a une amie chez elle, Julie Hiatt Steele. Elle lui demande d'écouter la conversation. Elle dit à Clinton qu'elle ne peut pas lui apporter son bol de bouillon mais qu'elle le verra à la réception qui doit avoir lieu après le débat.

Le soir des élections, Kathleen et Ed se rendent à Little Rock en avion afin de fêter la victoire de Bill Clinton. Quelques mois plus tard, en avril 1993, Willey entre en tant que bénévole au Service des affaires sociales de la Maison-Blanche, faisant l'aller-retour entre Washington et Richmond trois fois par semaine. Elle organise des visites guidées de la Maison-Blanche, choisit des orchestres étudiants pour y donner des concerts, participe à l'organisation du Festival de jazz de la présidence.

A ce stade, Kathleen Willey a des vues très précises sur Bill Clinton, regrettant sans doute de ne pas lui avoir servi le fameux bouillon de poule. Comme Monica plus tard, elle lui envoie une cravate. De même que Monica, elle lui offre un livre, au titre aussi chargé de sous-entendus que *Vox*, cette histoire de sexe par téléphone que Monica choisira pour lui : le sien s'appelle *Honor Among Thieves*[1]. Et comme Monica par la suite, elle lui téléphone pour lui souhaiter un joyeux anniversaire. Elle lui envoie même une lettre manuscrite l'invitant à venir passer ses vacances d'hiver à Vail, en précisant qu'elle y sera à la mi-décembre et en lui proposant de l'aider sur les détails pratiques de son voyage. Son mari n'est pas mentionné une seule fois.

Mais derrière ces appels et ces mots et ces petits

---

1. *L'Honneur des brigands* de Jeffrey Archer, publié en 1993 par cet auteur auquel ce sujet doit tenir à cœur puisqu'il a aussi écrit *Une question d'honneur* et *Le Onzième Commandement*. (NdT)

cadeaux, il y a un cauchemar personnel dans lequel Kathleen Willey a brusquement plongé : Ed est accusé d'avoir détourné trois cent quarante mille dollars. Les victimes de son forfait et la justice sont à ses basques. Elle qui aime tant la grande vie est au bord de la banqueroute.

A ce point, la Ratte a commencé à la surveiller de près.

La Ratte connaît maintenant les sentiments qu'elle porte à Bill Clinton.

La Ratte est devenue son amie.

A quarante-trois ans, Linda Tripp est « bouche-trou » au sein du staff de secrétaires de la Maison-Blanche. Elle a travaillé pour George Bush et elle est restée là, avec les meubles, quand Bill Clinton est arrivé. Elle a été mariée à un militaire de carrière, un lieutenant-colonel qui l'a plaquée en la laissant avec deux enfants adolescents. Grâce à son ex-mari, elle a participé aux activités les plus discrètes du Pentagone, travaillant même un moment pour la branche antiterroriste, l'ultra-clandestine « Force Delta ». Elle a été mise dans le coup d'opérations non officielles et dispose de l'accréditation top secret. Elle n'ignore plus rien de l'espionnage sous toutes ses formes.

Et soudain elle se retrouve dans la Maison-Blanche de Bill Clinton, au milieu de gens qu'elle vomit, d'individus qui s'expriment, s'habillent et se comportent comme s'ils étaient encore sur un campus. La voici espionne basse sur pattes et confite dans son conservatisme au milieu de ces jeunes hédonistes qui ont pris le pouvoir. Est-ce à cause de la cruauté avec laquelle son époux l'a abandonnée ? En tout cas, elle paraît vouer une haine particulière à Bill Clinton, le leader de ce happening permanent : elle n'ignore rien au sujet de toutes ces jeunes femmes qui pullulent dans l'équipe présidentielle, ces « lauréates » qui s'enferment avec lui dans son bureau et lui font des choses qui ne lui seront jamais demandées, à elle.

Et donc Linda Tripp a entrepris de courtiser et de se rapprocher de Kathleen Willey, cette bénévole qui semble avoir une relation privilégiée avec le président. L'ancienne poseuse de micros du Pentagone a juste eu la chance de se trouver à la bonne place au bon moment, avec Kathleen qu'elle côtoie dans son travail comme auparavant avec Vince Foster, dont le bureau était juste derrière le sien et qu'elle a été la dernière à voir vivant, avant qu'il n'aille se tirer une balle dans ce parc. Ce qui lui permettra plus tard de certifier qu'elle a vu les feuilles de comptabilité de la société juridique d'Hillary dans les dossiers de Foster.

Elle accable Willey de flatteries, de compliments sur sa coiffure, ses tenues et même sa voix grave. Elle partage avec elle son savoir d'espionne au rabais, lui nommant les « lauréates » qui ont le privilège de satisfaire les besoins de Bill Clinton parmi le pool de secrétaires et d'assistantes. Elle lui raconte l'affront qu'elle a dû supporter lorsqu'on l'a envoyée prendre au McDonald's un cheeseburger destiné au président — effrayante image, quand on connaît la suite : la Ratte rapportant à cet homme qu'elle déteste son en-cas bourré de cholestérol. Et elle ne cesse de répéter à Willy que Bill Clinton a un faible pour elle : « Mais regardez-le, Kathleen ! Dès qu'il vous aperçoit, c'est simple, il n'y a plus personne d'autre dans la pièce. »

Au même moment, Kathleen Willey voit son univers s'écrouler. La situation financière du couple est de plus en plus précaire. Elle n'est que volontaire à la Maison-Blanche et là, elle a absolument besoin d'un salaire. Le 29 novembre 1993, elle obtient un rendez-vous avec Bill Clinton au Bureau ovale. Elle s'assoit en face de lui.

— Il y a quelque chose dont je devais vous parler, commence-t-elle.

Il lui demande si elle voudrait un café et il la

conduit... dans le couloir, puis dans son bureau privé. Il lui sert une tasse Starbucks, lui fait les honneurs des lieux, lui montre sa collection de badges politiques — ce qu'il fera plus tard avec Monica, également. Mais elle doit à nouveau tenter sa chance :

— J'ai un très grave problème. Il faut que je vous parle. Il m'arrive quelque chose... quelque chose de terrible. Voilà, Ed s'est mis tout seul dans un pétrin financier et... je suis désespérée. J'ai besoin de trouver un travail, tout de suite, et...

Elle a fondu en larmes. Honteuse, soudain, elle quitte la pièce, se retrouve devant la porte du couloir qui mène au Bureau ovale, qui est fermée. Elle a toujours son gobelet dans la main. Quand il lui caresse les cheveux, elle a peur de renverser du café.

— Tu ne peux pas savoir comme je voulais que tu me l'apportes, ce bol de bouillon...

Elle murmure :

— Avec tous ces gens autour, vous ne craignez pas que... Et si quelqu'un vient ?

Il consulte sa montre, au poignet, qu'il tient au-dessus de la tête de la jeune femme.

— J'ai une réunion, ouais. Mais je peux être en retard. (Il lui retire la tasse, la pose sur une étagère.) J'ai envie de ça depuis la première fois que je t'ai vue.

Il l'embrasse à nouveau, tâte ses seins, son dos, glisse une main sous sa jupe. Il attire celles de KW sur son Frangin. Willard est dressé, la figure de Bill écarlate.

Et puis son pire cauchemar, une fois encore — mais pourquoi ça lui arrive tout le temps ? ! —, un abruti fini se met à frapper à la porte tel un dément :

— Monsieur le président ! Monsieur le président !

— Il faut que je m'en aille, chuchote KW. Vous avez votre réunion.

Elle reprend le gobelet, traverse le Bureau ovale et disparaît.

Elle se rend tout droit au poste de travail de Linda Tripp.

— Où est passé votre rouge à lèvres ? s'étonne cette dernière.

Elles sortent dans le parc de la Maison-Blanche, s'installent à une table de pique-nique et Willey lui raconte la scène qu'elle vient de vivre.

— Je le savais depuis toujours ! s'exclame Tripp.

De retour à Richmond, KW se confie à son amie Julie Hiatt Steele. Mais elle a d'autres soucis, bien plus sérieux : Ed n'est pas à la maison, ni à son bureau. Elle part à sa recherche avec Julie, sans résultat. Le lendemain matin, la police découvre son corps. Il s'est suicidé. Kathleen Willey est dans un tel état que son amie doit la faire hospitaliser.

Lorsqu'elle en ressort, financièrement aux abois, elle obtient un emploi de secrétaire au service juridique de la Maison-Blanche, où elle se retrouve travaillant au coude à coude avec... Linda Tripp. Et elle recommence à envoyer d'affectueux petits mots à Bill Clinton. Elle n'est pourtant pas sortie d'affaire car une nouvelle menace survient, qui affecte aussi son « amie » : le remplaçant de Vince Foster va prendre ses fonctions, ce qui entraînera forcément un remaniement du personnel. La Ratte et Willey demandent à voir ensemble leur nouveau supérieur, Lloyd Cutler. C'est le plus chevronné des cadres washingtoniens et cependant c'est elles qui lui proposent de l'aider à manœuvrer parmi les écueils politiques et bureaucratiques de la Maison-Blanche !

Quand Cutler arrive à son poste, il annonce qu'il garde temporairement Willey dans son staff mais que Tripp est libre. La Ratte manque d'en faire une hémorragie ! Cette mondaine inepte, cette femme entretenue qui sait à peine se servir d'un ordinateur va rester en place ! Et reprendre sa place à elle, même ! Mais pourquoi ? Parce que le président des Etats-Unis trouve que Willey est bandante et Tripp non ? Toujours les mêmes critères à la Clinton : une belle paire de nibs et un joli petit cul valent toute l'expérience professionnelle que quiconque puisse aligner... L'expérience de quelqu'un qui a travaillé au sein de la Force Delta !

— Parce que vous croyez une minute que j'ignore ce qui se trame ici ? hurle-t-elle à la « mondaine », objet de toute sa haine désormais. Comme si je ne savais pas pourquoi on me vide et vous, vous me piquez mon job !

— Mais... Mais qu'est-ce que vous racontez, enfin ?

— Ils vous veulent ici parce que le président tient à vous avoir sous la main, c'est tout !

En abandonnant sa table le dernier jour, elle apostrophe Willey assez fort pour que tous les autres puissent entendre :

— Je vous aurai, même si ce doit être ma fin !

Congédiée de la Maison-Blanche, coincée dans un placard du Pentagone où elle organise des visites de bases militaires pour le beau linge, la Ratte garde son museau pointé sur la Willey. Elle apprend bientôt que celle-ci a été transférée au Département d'Etat et qu'elle sillonne le monde entier, se rendant à des destinations aussi chic que Djakarta ou Copenhague, tout cela aux frais du contribuable. Le Département d'Etat, excusez du peu ! Une ex-hôtesse de l'air qui se chargeait des visites guidées de la Maison-Blanche il y a encore deux ans ! Qui n'y connaît que couic en informatique ! Ah oui, mais par contre elle a laissé le président des Etats-Unis fourrer sa main entre ses cuisses et elle s'est bien gardée d'en parler...

En août 1997, l'épisode du couloir commence à sortir dans les journaux. Ce n'est pas Kathleen Willey qui est à l'origine de la fuite, mais l'un des avocats de Paula Jones. Au départ, elle fuit les spots de l'ac-

tualité. Mais quand elle réalise l'interview à
60 Minutes, ce nouveau psychodrame national dans
lequel elle raconte l'incident en des termes peu percu-
tants, à sa manière de femme du monde légèrement
snob, la Maison-Blanche n'a aucun mal à torpiller son
témoignage en rendant publics ces petits mots si gen-
tils qu'elle a adressés à Bill Clinton avant la rencontre
en question... mais aussi *après*.

Quelqu'un d'autre est là pour ruiner sa crédibilité :
la Ratte, qui n'a pas oublié sa promesse de la détruire
et qui dit maintenant à la presse que oui, en effet,
Willey est venue la trouver dès qu'elle a quitté le
Bureau ovale, mais qu'elle n'était pas scandalisée,
ni écœurée, oh, pas du tout. « Surexcitée », voilà
comment elle lui est apparue. Et pour une raison
simple : elle cherchait Bill Clinton depuis l'instant où
elle est entrée à la Maison-Blanche. Elle avait ce but,
cette « mission » : quand elles en ont parlé à la table
de pique-nique, Willey voulait simplement avoir son
avis quant à « l'étape suivante » à mettre en place
dans sa « relation » si prometteuse avec le président.
On était donc très loin du cas de harcèlement sexuel
patenté que d'aucuns auraient voulu voir. Et que ce
soit Linda Tripp qui certifie tout cela, elle qui admettait ouvertement son antipathie envers Bill Clinton,
signifiait l'enterrement final de la version donnée par
Kathleen Willey.

Ce que tout le monde ignore, à l'époque, c'est que
l'avocat de Paula Jones a obtenu toute cette histoire à
la faveur d'un coup de fil anonyme. La mystérieuse
correspondante, dont la voix était celle d'une femme
mûre, a narré par le menu la scène du couloir en donnant le nom de l'intéressée, et l'avocat a refilé l'info
à un journaliste.

Même si personne ne peut l'établir formellement,
Linda Tripp vient de réaliser une opération d'intox
digne de ce que la Force Delta fait de meilleur — ou
de pire, c'est selon... Par un simple coup de téléphone,

elle a humilié publiquement Bill Clinton, d'autant plus efficacement que sa vulgarité machiste était rapportée par une femme en plein désarroi au moment des faits. Mais elle a aussi sali l'accusatrice, faisant comprendre qu'elle était prête à vendre son corps pour un salaire. Et pour couronner le tout elle s'est forgé une image de témoin impartial, qui déteste le président mais ne tolère pas qu'on l'accuse en vain.

Au moment où les micros se tendent vers elle au sujet de Kathleen Willey, cependant, la Ratte a déjà trouvé à ronger un os plus succulent encore, bien fétide. Toujours « à la bonne place, au bon moment », n'est-ce pas ? Il y a eu Vince Foster, puis KW, et maintenant cette fille dont elle a fait la connaissance au Pentagone. Tout à fait le type de Bill Clinton, la petite. Et ex-stagiaire à la Maison-Blanche, voyez-vous ça ! En l'explorant de ses dents, elle a compris qu'il venait de sa partie la plus vulnérable, cet os, quelque part dans la masse blanche et tendre du bas-ventre... La Ratte hume l'air et sent l'odeur du cochon qui grille.

15

Nixon dans la bouche de Monica

« Et ça recommence avec la différence d'âge qu'il
y a entre nous ! J'aurais dû lui dire que j'ai
besoin d'un appareil auditif, moi aussi. » (MONICA
À LINDA TRIPP)

La Monica (Crowley) de Nixon ne se mettait pas à
genoux devant lui, non. Elle prenait des notes et
elle courait retrouver son journal intime dès qu'elle le
quittait. Mais ce faisant, en nous décrivant les crises
d'insomnie où la Créature de la Nuit bouillait dans le
jus de sa seigneuriale crypte du New Jersey, elle lui
procurait au moins autant d'intense satisfaction que
l'autre Monica à Bill Clinton.

Tout content de la servir — ou de la cuisiner — au
reste du monde, il y avait William Safire, jadis auteur
des discours nixoniens et maintenant drapé de l'habit
sacerdotal du *New York Times*, qui l'encourageait à
tout nous révéler de ce que Nixon avait pu lui dire
pour la transformer en sa dernière et consentante rou-
blardise. Charmée, Monica l'avait remercié pour « ses
conseils avisés et ses encouragements ». Elle avait
tout gobé, et Nixon tout déballé.

Mais, mais... Qui aurait pu imaginer un aveu aussi

révélateur que celui de la Créature de la Nuit reconnaissant devant *sa* Monica une préférence décidée pour Halloween, entre toutes les fêtes ? Les chiens hurlent à la mort, les crocs luisent dans la lumière crépusculaire du New Jersey à la veille de la Toussaint et voici que l'Etre nocturne confie à Elvira... pardon, Monica, qu'il se trouve « l'air d'un fantôme » quand il passe à la télé, que selon lui George Bush est un fils de bonne famille « sans une goutte de sang dans les veines » et que Janet Reno est une « sorcière » de la polarisation politique du pays.

En 1992, à la veille du scrutin qui devait départager Bush, Clinton et Perot, le venin de la Créature sortait en geysers d'amertume corrosive et tout le monde en prenait pour son grade. George Bush ? « Ça, un leader ? Mais il se perd dans les balivernes, bon sang, il en est bouffé ! Qu'est-ce qu'il fabrique dans le New Hampshire, à faire guili-guili aux vaches et à déblatérer sur Dieu sait quoi ? C'est un pleurnichard, un mou ! Je n'arrive pas à croire que ce soit vrai qu'il ait dit : "On va botter le train à Saddam." On parle comme ça ? Vous imaginez Gorbatchev ? "On va leur botter le train, à ces Occidentaux démocrates" ? (...) J'ai fortement l'impression que ceux qui l'entourent sont des drogués (...). L'autre jour, je l'ai entendu sortir : "Ils y sont pas allés mollo, sur le tabasco !" C'est une façon de parler, peut-être ? Moi, de mon temps, ils disaient : "Minute, papillon", et je les reprenais : "Quoi, quel papillon ? Vous allez où, là ?" Il s'échine à faire populaire, à avaler de la couenne de porc et tout ça, mais c'est artificiel (...). Et pendant toute la guerre du Vietnam, il a été d'un timoré ! » A Monica tout ouïe, il déclarait que Ross Perot était « un démagogue et un narcissique. Incapable de tenir parole, incapable de dire ce qu'il pense ». Jesse Jackson ? « Quel calculateur ! Il n'aime rien de plus que de susciter ou d'entretenir des polémiques. L'ancien secrétaire d'Etat James Baker ? « Un âne bâté. » Le

journaliste Bob Woodward, l'un de ceux par qui le
scandale du Watergate avait explosé ? « Bête comme
ses pieds. » Gerald Ford ? « Le malheureux Gerry.
Son pardon, c'était un cadeau empoisonné. » Lyndon
Johnson ? « Il faisait entrer les journalistes dans ses
toilettes. » David Gergen, conseiller en stratégie du
Parti républicain, ne voyait « rien de mal à se prostituer, parce qu'il est sans foi ni loi ». Le futur secrétaire au Commerce Ron Brown et le congressiste Dan
Rostenkowski ? « Corrompus jusqu'à la moelle. »

Quand il évoquait le sénateur du Massachusetts
John Kerry, là son poing partait en l'air et il beuglait
« Vlam ! » : « Comment, voilà un type qui manifestait
devant la Maison-Blanche et... Il a jeté sa médaille
par-dessus la grille, le fils de garce ! Moi je m'échine
à conclure cette fichue guerre de manière qu'il n'y
soit pas allé pour rien et lui, il me renvoie sa médaille
à la figure ! » Et « Vlam ! » encore dès qu'il pensait
au chef de cabinet de Bush, John Sununu — « Mais
c'est quoi, Sununu, c'est quoi ? » — et à ses
comparses républicains : « Il n'y en a que très peu de
valables, parmi nous ! Et personne n'ose remettre les
salauds à leur place ! Ils n'ont rien dans le ventre,
rien ! »

La Créature de la Nuit gardait toute son amertume
à propos des « gauchos », des « petits trous du cul qui
fourmillent dans les médias », de « la curée à propos
de ces idioties du Watergate ». Il s'exclamait : « Regardez comment la presse m'a traité, les caricatures
de ce Herblock [1], tout le reste (...). Les mensonges, ils
les mettent dans les gros titres mais la vérité ils la
gardent pour le bas de la dernière page, à côté des
pubs pour les gaines amincissantes (...). 78 % des
médias ont voté McGovern ! » Quand il évoquait le

---

1. Nom d'artiste de Herbert Lawrence Block, dont les dessins étaient
publiés notamment dans le *Washington Post*. Prix Pulitzer en 1942 et 1954.
(*NdT*)

Watergate, c'était « cette connerie du Watergate...
Cette folie, cette aberration... Pour moi, ils aiment se
vautrer dans ce caca jusqu'à se noyer... Qui s'en sou-
cie encore, du Watergate ? Ça peut éventuellement
intéresser une chaîne éducative mais pas une télé
digne de ce nom ! ». Sa paranoïa était restée aussi
virulente que dans les années 60, visiblement : « Ceux
qui m'ont cherché avec le Watergate voulaient ma
peau depuis longtemps, très longtemps. C'était un
prétexte. Le vrai grief qu'ils avaient contre moi,
c'était le Vietnam. D'accord, je leur ai donné l'occasion qu'ils attendaient mais c'était juste une excuse,
le Watergate (...). L'un des grands drames de cette
histoire aberrante, c'est que je n'ai pas eu le temps de
constituer une nouvelle majorité conservatrice. Parce
que j'allais me les payer, tous ces journalistes ! J'allais placer des bons conservateurs là-dedans pour leur
damer le pion ! Et c'est pour ça qu'ils ont absolument
dû me coincer en 1972. Parce qu'ils savaient que je
les avais dans le collimateur et que je finirais par les
avoir ! »

Assise dans la pénombre fétide de son bureau, en
veste d'intérieur bordeaux, la Créature de la Nuit tis-
sait de fumeuses toiles d'araignée en guise d'explication de ses actes passés. Les honteuses dix-huit
minutes et demie de blanc sur la bande fatale du
Watergate étaient son œuvre démoniaque, admettons,
mais c'était JFK et LBJ qui avaient eux-mêmes mani-
gancé toute l'affaire ! « Je n'ai jamais accepté la règle
du deux poids deux mesures dans notre vie politique,
clamait-il. Les Démocrates en vivent et les Républicains doivent en crever ! Kennedy était loin d'être
propre... Sacrénom, il en a fait des saletés là-bas !
Mais il était protégé. Et Johnson idem, quoique à un
moindre degré parce que ce n'était pas un Kennedy,
lui. Et moi j'ai commis l'erreur de penser... Ou non,
peut-être même pas de penser, c'est resté sans doute

de l'ordre de l'inconscient... de croire que je pourrais faire comme eux. »

Sa mort politique ? Le pieu sinistre planté dans son cœur ? Broutilles ! La Créature de la Nuit se savait encore capable de diriger la nation : « Tout véritable dirigeant est forcé d'être un salopard. Pour arriver à des résultats, il faut inspirer la crainte de Dieu à vos administrés (...). Pour être crédible, il faut être capable de faire pleuvoir des bombes ici ou là ! Mais la guerre doit être présentée en termes d'idéal, autrement les gens ne marchent pas. En Corée, nous luttions contre les Bolchos. Au Vietnam... Bon, le message avait plus de mal à passer. La guerre du Golfe a été bien menée mais elle a été trop brève, je le crains, et franchement, même si un seul soldat tué est déjà trop, là il y a eu... trop peu de pertes ! (...) On ne voit pas de grands desseins à l'œuvre, là, une pensée à long terme. Il nous faut plus d'objectifs élevés, plus de défis. (...) On devrait envoyer la CIA mettre Saddam hors de combat. Ces histoires d'"exporter la démocratie", je n'y crois pas deux minutes. Tout le monde n'est pas fait pour la démocratie ! Il y a des sociétés, des cultures auxquelles ça ne convient pas. »

Mais il connaissait les tritons et les rats de marécage qui pouvaient reconstruire l'Amérique, lui : Newt Gingrich — « Un tueur, on a besoin de lui » —, Dan Quayle — « Tellement propre sur lui » —, son ancien nègre Safire — « Un brave type » — et l'autre rédacteur de ses discours, Pat Buchanan : « Un vrai bulldog ! Il ne les lâchera pas. » Alors que de son temps le Bureau ovale résonnait d'épithètes racistes et antisémites, la Créature de la Nuit tenait à défendre le bulldog : « Il s'inquiète parce qu'il a été étiqueté antisémite, Buchanan, mais c'est totalement injuste et infondé. Il n'est pas comme ça. » Enfin, il gardait une passion particulièrement visqueuse, et à l'évidence réciproque, pour Bob Dole : « Fichtrement impressionnant... C'est la dernière vraie chance de ce siècle pour le Parti. »

Il n'arrêtait pas de le couvrir d'éloges. Dole par-ci, Dole par là : « C'est un type en or, simple, droit (...). Le seul capable de diriger. Il est de loin l'homme politique — et le Républicain — le plus intelligent, aujourd'hui (...). C'est quelqu'un qui a des principes mais en pleine année d'élections il ne sera pas idiot au point de maintenir ce à quoi il croyait si cela doit affaiblir ses positions. »

Et Dole se fiait aux avis de la Créature de la Nuit, au point que selon Monica, Nixon était devenu « son principal conseiller, même si occulte ». « Restez jeune ! » l'exhortait ainsi Nixon en citant des leaders qui avaient excellé alors qu'ils étaient déjà septuagénaires : de Gaulle, Adenauer, Chou En-lai... Pour le scrutin de 1992, Nixon était allé jusqu'à écrire un guide de neuf pages, intitulé « La stratégie de Dole ». Il fallait faire du « tempérament » le thème essentiel de la campagne. « C'est une question qui va énormément l'aider contre son adversaire, confiait-il à Monica, parce que le problème de base de Clinton, c'est qu'il n'a pas, ou si peu, de tempérament. » Bien qu'il ait passé le plus clair du conflit à jouer au poker, Nixon considérait comme un frère d'armes ce petit gars du Kansas distingué pour ses faits de guerre. « Il n'y a que Dole ! » glapissait-il devant Monica. Et en une autre occasion : « Le seul qui en ait, dans toute cette bande, c'est Dole ! »

Pour une fois, Nixon se retrouvait d'accord avec Barry Goldwater, qui avait estimé que « Dole est le premier que nous ayons eu depuis longtemps à être capable d'attraper ses ennemis par les cheveux et de les traîner jusqu'en bas ! ». Ah oui, c'était typiquement ça, Dole ! A un collègue qui préconisait de couper les allocations alimentaires aux pauvres, il avait répliqué : « Oui, et vous avez prévu une enveloppe frais d'obsèques pour ceux qui vont crever de faim ? » Et la Créature de la Nuit avait l'impression qu'Elizabeth, l'épouse de Dole, était elle aussi douée d'une bonne dose de causticité.

Ils avaient plein de points communs, ces deux petits gars de province, l'un venu de Yorba Linda en Californie, l'autre de Russell, Kansas. Nixon appréciait beaucoup le goût qu'avait Dole pour les associations historiques les plus surprenantes. Ce dernier aimait par exemple souligner qu'il avait été blessé au combat « quatre-vingts ans jour pour jour après que Lincoln eut reçu *sa* balle ! ». Et il avait mis Nixon au comble du ravissement en lui racontant que le train transportant la dépouille de Warren Harding, le président honni, était passé par sa petite ville le jour même de sa naissance.

Nixon avait sauvé Dole de l'échec électoral au Kansas en se démenant pendant sa campagne, et plus tard Dole était monté au créneau pour le défendre après le Watergate, déclarant que « le vrai scandale politique, c'est l'effronterie avec laquelle le *Washington Post* s'est mis en ménage avec l'équipe McGovern sans faire consacrer cette union (...). Nous avons ici la plus incroyable opération de sauvetage journalistique de l'histoire américaine ! ». Et il avait poursuivi en dénonçant « les affinités sociales et culturelles entre les McGoverniens et les gros bonnets du *Post* », qui « appartiennent à la même élite, vivent côte à côte dans les mêmes quartiers chic et se tapent mutuellement sur le ventre dans les soirées de Georgetown ». Si ce n'était pas de la loyauté, ça ! Repousser le Watergate en bloc, dépeindre Nixon en victime de « tous ces gauchos, là », pour reprendre l'expression favorite de ce dernier... Il « en avait », oui, et il le montrait, et il révélait aussi les effets qu'avait sur lui tout le DDT qu'il avait respiré dans son enfance au milieu des champs du Kansas.

Bien plus tard, c'est le « frère d'armes » qui allait prononcer le discours funèbre aux obsèques de la Créature de la Nuit, tout comme il l'avait fait à celles de Pat la Pâlotte. « Pouvait-on être plus américain ? devait-il s'exclamer à propos de Nixon. Le petit garçon qui entend le train siffler dans la nuit et rêve à toutes ces destinations lointaines là-bas, au bout de la voie ferrée... Le fils de l'épicier qui s'en sort en travaillant plus dur et plus longtemps que tous les autres. » Puis : « Bientôt, on appellera la deuxième moitié du XXᵉ siècle "l'ère Nixon". » Et là, il avait éclaté en sanglots.

Plus l'élection de 1992 approchait, plus la Créature de la Nuit déversait une bile non diluée sur Bill Clinton : « Il est mou comme un caca (...). Un satané menteur ! (...) Un joli cœur qui n'a pas vraiment toute sa tête, un esprit fumeux, un opportuniste. (...) Un drôle de pistolet, je vous le dis ! (...) Pas de tempérament, ou si peu (...). Quel fichu prétentieux ! (...) Ah, il est malin, le bougre ! (...) C'est de la camelote avariée, ce type ! Regardez qui il a autour de lui : l'ancienne bande à McGovern ! (...) Il se dope aux médias alors que les gars de Bush ne sont que des boy-scouts ! » Et cette remarque définitive : « Nous avons tous nos petites faiblesses, c'est humain. Nous succombons tous à quelque chose : des fois le pouvoir, des fois l'argent, des fois les femmes, des fois la bibine ou la drogue. Dans le cas de Clinton, c'est tout ça en même temps. »

Il ne pouvait qu'être sa bête noire, en réalité, parce qu'il personnifiait et symbolisait la génération qui l'avait éjecté de la Maison-Blanche. Et Nixon le reconnaissait sans détour : « Si Bush est battu, il aura effacé ma victoire de 1972 car elle constituait un vrai référendum sur le Vietnam. La victoire de Clinton ruinerait tout cela. Ce serait la confirmation qu'il fallait être anti-guerre, à l'époque (...). Si Clinton l'emporte, ce sera le retour de tous ceux qui auront été disqualifiés, et ce jusqu'en 1998 avec Gary Hart. Certes, il a beaucoup d'admirateurs au sein de la presse. Ils étaient dans le même camp que lui au sujet du Vietnam, ils ont eu toutes ces expériences avec la drogue, la sexualité débridée (...). Clinton n'attend que l'occasion de reconnaître la légitimité de l'Etat vietnamien. C'est son grand, grand rêve, d'aller à Hanoi et d'être accueilli par des millions de Vietnamiens. Imaginez un peu ! L'ex-déserteur qui reconnaît le Vietnam ! Inimaginable ! (...) Ce n'est pas tant le fait qu'il ait été contre la guerre : presque tout le monde l'était, à son âge. Non, c'est qu'il le soit encore aujourd'hui. Il reste persuadé que la cause nord-vietnamienne était la bonne (...). Je sais pourquoi il s'est dérobé à l'appel : il n'avait pas envie de se prendre une balle dans le croupion. Alors pendant que moi je m'esquintais à trouver une fin correcte à ce fichu conflit, il intriguait, il faisait jouer le piston pour être réformé et il manifestait, en plus ! Un enfant gâté, et un égoïste. Non seulement il me compliquait la tâche mais il laissait Dieu sait combien de garçons partir à la mort à sa place ! Je vais vous dire une bonne chose : s'il est élu président, je devrai conclure que ce pays est définitivement perdu. »

Quelques semaines avant le scrutin, les sondages donnaient une confortable avance à Bill Clinton, et la Créature de la Nuit, architecte de tant de stratagèmes infernaux, avait compris que l'enfer s'ouvrait maintenant au bout de la course. « La seule chose sur laquelle il pourrait encore sauter, expliquait-il à Monica, ce serait une révélation explosive sur son compte. Une lettre où il aurait renié sa citoyenneté américaine pendant le Vietnam, par exemple, ou un enfant naturel quelque part... »

Mais tandis qu'elle supputait le miracle d'un bâtard surgissant à point nommé, la Créature de la Nuit constatait aussi, non sans étonnement, que ses sentiments envers Hillary étaient nettement plus nuancés. Il aurait dû la détester cordialement, elle qui avait participé à la commission à l'origine de sa disgrâce, et à certains égards c'était bien le cas : « Elle est effrayante. Avec les idées qu'elle a ! (...) Non, mais je n'arrive toujours pas y croire ! Avoir trempé dans cette maudite commission ! C'est une extrémiste ! (...) Si elle arrive à ses fins, attention, attachez vos ceintures ! (...) Des yeux d'un froid à vous glacer ! Et elle croit dur comme fer à toutes ces fadaises libérales ! (...) Elle n'est entourée que par des gauchistes, ce sera sa perte. » Mais à d'autres moments elle lui inspirait du respect et même, oui, de l'admiration : « Comment peut-elle rester près de lui à *60 Minutes* alors qu'elle connaît pertinemment toutes ses frasques ? Quelle humiliation ! Mais elle voit plus loin, elle. Tout ce qu'elle veut, c'est gagner ces fichues élections ! Avaler une petite couleuvre maintenant et rafler le pouvoir après (...). C'est une manipulatrice hors pair (...). Elle est en acier, cette femme ! Même quand elle applaudit, elle calcule ses gestes ! »

Lorsque Bill Clinton est devenu le quarante-deuxième président des Etats-Unis, le trente-septième de la lignée allait déclarer à sa Monica que sa victoire signifiait « un quitus donné à tous ces pacifistes drogués des années 60. La plupart de cette génération était vicieuse, vraiment pourrie. En réaction à la décadence morale, nous avons eu la "Majorité silencieuse", mais maintenant, qui va résister ? Les Clinton vont nous servir de référence éthique pendant quatre ans, peut-être huit. Si c'est quatre, il y a encore des chances d'en guérir. Mais huit, les ravages seront irrémédiables ! ».

Il voyait ses pires appréhensions se réaliser : l'Amérique était perdue, précipitée en enfer. Le lendemain de l'élection, il en parlait à Monica lorsqu'un

oiseau était venu se cogner à la fenêtre, juste au-dessus de sa tête.

— Mon Dieu ! Qu'est-ce que c'est ? s'était écriée
la Créature de la Nuit en protégeant d'une main sa
tête chenue.

— Un oiseau qui n'a pas vu la vitre, monsieur le
président.

— Ah ! Est-ce qu'il est tombé ?

— Non, avait répondu Monica. Il est resté étourdi
un moment et puis il est reparti.

— Ah, très bien, avait soupiré la Créature tout en
cherchant dans les grottes spongieuses de son esprit
de quel présage démoniaque cet incident pouvait être
porteur.

Peu après l'investiture, il s'attelait à la rédaction
d'une lettre destinée au président Clinton. Après
l'avoir félicité de sa victoire, il était allé jusqu'à soutenir qu'il avait « le tempérament d'un vrai dirigeant
américain » : oiseau ou pas, c'était très, très loin de
ses notations antérieures, « mou comme un caca » par
exemple. Décortiquant sa missive pour l'édification
de Monica, il avait reconnu avoir « poussé le bouchon
un peu loin, notamment avec cette histoire de "tempérament", mais avec l'ego énorme qu'il a, le bonhomme, on est obligé de le flatter à mort si on veut
obtenir quoi que ce soit ».

Dès qu'il avait reçu la lettre ou presque, Bill Clinton avait appelé Nixon et lui avait parlé... quarante
minutes ! Il lui avait demandé *son* avis à propos de la
Russie, il l'avait invité à venir discuter avec lui à la
Maison-Blanche ! « Il s'est montré plein de déférence,
mais en évitant de baratiner lamentablement, allait
raconter Nixon à sa Monica. En douze ans, ni Reagan
ni Bush ne m'ont mis une seule fois au programme
de la Maison-Blanche. Ni Kennedy ni Johnson ne
nous ont conviés à la Maison-Blanche, Mme Nixon et
moi... Clinton m'a confié des choses qu'il ne veut en
aucun cas voir passer dans le domaine public. Je me

demande si son système d'écoutes marche bien (...).
Il n'a pas fait allusion à Hillary, pas une seule fois.
Pourtant je lui ai tendu plusieurs perches mais il n'en
a pris aucune. C'est bizarre... » Quelques jours après
cette consultation téléphonique, il avait dîné avec son
vieux pote texan Bob Strauss, lequel lui avait rapporté
une confidence du président Clinton qu'il tenait de
première main : ce dernier lui avait dit que son
échange avec Richard Nixon avait été « la meilleure
conversation » qu'il ait eue depuis son entrée en
fonction.

De retour à la Maison-Blanche pour son entretien,
la Créature de la Nuit s'était assise avec Bill Clinton.
Ils avaient bu du Coca light, le président à la canette,
l'ancien président dans un verre. Clinton avait
remarqué qu'il avait pris du poids à cause des soucis
que lui donnaient les accusations de Gennifer. En sa
compagnie, il adoptait un vocabulaire nixonien, « salaud », « fils de garce », « bougre ». Puis il l'avait
conduit à la résidence afin que son visiteur rencontre
Hillary et Chelsea. Compte rendu de Nixon à
Monica : « La petite a couru se jeter dans ses bras
mais elle n'a pas regardé sa mère une seule fois. J'ai
bien vu qu'elle se sent très proche de son père mais
qu'elle paraît presque avoir peur d'Hillary (...). Quel
phénomène, cette Hillary ! Très respectueuse avec
moi, disant tout ce qu'il fallait dire... Elle m'a déclaré
que nous avions accompli "de grandes choses en politique intérieure", mais je ne sais pas trop comment
prendre les compliments, quand ils viennent d'elle. »

Il avait peut-être toujours un pieu dans le cœur et
cependant il s'était senti tout ragaillardi après cette
incursion à la Maison-Blanche. Il n'arrêtait plus d'en
parler : « Clinton connaît son affaire, oh oui (...). Sans
doute ma plus agréable visite à Washington depuis
que j'ai quitté la présidence (...). Et la meilleure
conversation que j'aie eu avec un président. Un vrai
dialogue, pour une fois. Mieux qu'avec Bush. Avec

Reagan, il n'y en avait même pas, alors ! (...) Clinton sait écouter, il apprend vite et il n'a pas honte d'avoir recours au savoir des autres. Ma seule inquiétude, c'est qu'il se laisse griser par le succès et qu'il ne soit plus aussi disposé à m'écouter que maintenant. » Et cette perle : « Tant qu'il me consultera, tout ira bien pour lui. » Et Bill Clinton avait continué à prendre son avis, en effet, l'appelant très, très souvent.

Parallèlement, l'admiration de la Créature de la Nuit pour Hillary était parvenue au stade de la quasi-adulation. « Hillary est devenue une sainte ! Lui, il n'inspire peur à personne mais elle, elle terrorise ! » Devant David Gergen, le nouveau conseiller de Bill Clinton, il s'extasie : « Elle est toujours là, elle travaille avec lui ou sans lui, elle le pousse en avant, elle *se* pousse en avant ! Personne ne peut l'arrêter ! » Il lui avait même donné quelques conseils en vue d'améliorer l'image d'Hillary : « Il faudrait brider ses côtés les plus revêches. Qu'elle arrête de ressembler à ces femmes assises près de la guillotine pendant la Révolution française, et vas-y que je tricote, que je tricote... » Et il avait offert à Gergen une imitation de la sanguinaire Mme Defarge, pour le cas où il n'aurait pas compris.

Après l'avoir vue présenter son projet de refonte de la médecine publique devant le Congrès, il était enthousiaste : « Sacrénom ! Comment elle vous les a... hypnotisés ! Elle les a mis KO sans même qu'ils s'en rendent compte ! Et eux tout contents, et ils l'applaudissent, debout encore ! Elle les a sonnés, oui, mais avec toute cette douceur de mijaurée... » Etonnant que Monica n'ait pas bronché devant les monceaux de fleurs dont il couvrait Hillary : « Quelle intelligence ! Quand des pépins se produisent, elle n'est plus là, elle est invisible (...). Une femme forte,

238 *American Rhapsody*

décidée. Excellente, quoi (...). C'est une forteresse de volonté et de réflexion qu'ils ont, avec elle. »

Mais si une romance entre la Créature de la Nuit et la First Lady était en train de naître, elle allait rester sans avenir car sa vieille compagne Pat la Pâlotte, son épouse dévouée, poussa son dernier soupir. Le président des Etats-Unis ne s'était pas montré à ses obsèques. Hillary non plus ! Ni aucun membre du gouvernement. Pour se faire représenter, Bill Clinton n'avait trouvé qu'un... Noir. Vernon Jordan, celui qui se chargerait quelques années plus tard de trouver un travail à Monica Lewinsky. Insultée, blessée, horrifiée, la Créature de la Nuit ne trouvait plus de mots pour dire sa colère : « Vernon Jordan ? Les Clinton envoient Vernon Jordan ? Ah ! C'est Hillary qui aurait dû être là ! Il vient me consulter pour se tirer d'affaire et il ne peut même pas dire à un officiel important d'aller aux funérailles de Mme Nixon ? »

« Eh bien qu'ils aillent se faire ! » avait-il résolu et il s'était à nouveau plongé dans sa marmite de bile en ébullition. Soudain, il s'intéressait avec force mouvements de sourcils indignés à l'affaire Whitewater : « Hillary est dedans jusqu'au cou. Ils sont coupables tous les deux (...). C'est encore pire que le Watergate. Nous, au moins, nous n'avions pas d'appropriation de biens, et puis il n'y avait pas de cadavre ! Tandis que Clinton et Hillary ont détruit des preuves, entravé la marche de la justice, et peut-être plus encore. Il faut que nos gens s'en saisissent, qu'ils aident à faire toute la lumière ! Watergate, c'était mal ; Whitewater, c'est mal. Moi j'ai payé et eux aussi il faut qu'ils paient, maintenant ! (...) Il fait semblant d'ignorer tout le foin que ça fait. Oui, moi aussi j'ai essayé, évidemment, mais ça ne marche pas (...). Comment, il ose se plaindre du rôle de la presse ? Mais ils le traitent avec des gants, enfin ! Comme disait Johnson, il devrait leur baiser les fesses dans une vitrine du Macy's, oui ! (...) Quand je pense comment Hillary s'est démenée contre moi pendant le Watergate... Et ils répètent exactement les mêmes erreurs que nous ! Hillary qui remuait ciel et terre pour ces dix-huit minutes et demie d'enregistrement disparues, et maintenant elle aussi elle fait marcher les ciseaux, là-bas, à Little Rock... »

Devant la retransmission télévisée de la visite papale à la Maison-Blanche, il ironisait : « Ah, ce n'est pas joli, ça ? Le Pape et les Clinton réunis ! Le Saint et le Pécheur ! Quelle paire ils font ! Et Hillary à côté ! Je rêve ! » L'affront des obsèques ne passait pas, décidément. Dans sa furie, il était même allé jusqu'à téléphoner à Bob Dole pour lui demander de « nommer quelqu'un de costaud » à la commission d'enquête sénatoriale sur Whitewater, parce qu'« on ne va pas laisser une bande d'ahuris poser les questions ! ».

Fondamentalement, pourtant, son état approchait de la dépression. Un politicien aussi matois que lui avait compris que le scandale de Whitewater ne suffirait pas à terrasser Bill Clinton, pas plus que ses histoires de jupon. « Peut-être que tout le monde s'en fiche, désormais, constatait-il d'un ton morne devant Monica. Regardez autour de vous, il n'y a plus que le sexe, la drogue, la violence. Et tout cela a commencé quand ? Dans les années 60, 70. "Contre-culture", ils appelaient ça. La morale au panier ! Ne plus se soucier de son prochain, ne penser qu'à soi. Cela vous permet de comprendre que les gens ont élu Clinton parce qu'ils baignent dans l'immoralisme. Ils sont arrivés à un point où plus rien ne les indigne. Donc ils restent tranquilles, ils l'écoutent patiemment déblatérer sur la médecine publique et expliquer pourquoi il faut protéger le hibou tacheté, mais quand il s'agit de son tempérament ils deviennent sourds comme des pots. »

Et de savoir qu'il était mal placé pour pourfendre le relâchement moral ne faisait qu'ajouter à son abattement : « Le Watergate m'a enlevé la dernière chance d'être crédible sur ce terrain, j'avoue. Je les entends déjà s'esclaffer, nos ennemis : "Qui est-il pour parler de ça, Nixon ? Il a participé à tout ça ! Le Watergate, c'est lui ! Et le Vietnam ! Il a démissionné dans l'infamie !" »

Toutes ses réflexions le ramenaient à chaque fois au point de cassure dans son existence, et ce n'était pas le Watergate, non, c'était nos manifestations de rue dans les années 60 et 70. « Une affreuse époque, une saleté d'époque, martelait-il à Monica. C'était moi qui devais tenir tête à ces voyous hippies de pacifistes. Ces fichus manifestants de mes deux ! Ce n'est pas seulement que j'étais d'une autre génération qu'eux : on aurait cru que je venais d'une autre planète, sacrénom ! Johnson avait été cassé par l'effort de guerre au Vietnam mais moi je n'étais pas prêt à céder, oh non ! Johnson était un homme brisé, quand il est parti. Moi, en tant que président, j'ai toujours su que la direction du pays demandait un sens des responsabilités contre lequel de petits manifestants à la gomme ne pourraient rien. Qu'ils détruisent nos valeurs morales et notre culture, je ne pouvais pas les en empêcher. Mais qu'ils racontent que nous n'étions pas dignes de gouverner, là-dessus j'étais capable de leur fermer le bec ! » La Créature de la Nuit reconnaissait que la mort de quatre étudiants contestataires à l'université du Kent en 1970 n'était « pas une chose bien », mais pour ajouter aussitôt : « C'était quand même des communistes, ceux-là ! »

Comment ? Mais d'où avait-il sorti cette nouvelle crapulerie ? « Communistes » ? Ces quatre-là ? En découvrant cette énormité, j'ai été horrifié par la vilenie de ce mensonge, même si c'était en mentant de la sorte qu'il avait construit toute sa carrière. Au tout début, en Californie, il avait également traité de communistes Jerry Voorhis et Helen Gahagan Dou-

glas, face auxquels il se présentait devant les électeurs. Et maintenant les quatre jeunes tués sur le
campus du Kent par d'autres jeunes de la Garde nationale shootés à la rhétorique haineuse de Nixon se
retrouvaient communistes, eux aussi. Bill Schroeder,
un aspirant à la bouille ronde d'Américain typique !
Allison Krause, la fille d'un cadre supérieur de West-
inghouse ! Sandy Sheuer, d'autant plus éprise de paix
que l'un de ses parents était un survivant de l'Holocauste ! Jeff Miller, qui avait peint de fleurs tous les
murs de son appartement !

C'était une atteinte à la mémoire de disparus qu'il
avait lui-même conduits à la tombe. Un sacrilège. Le
seul qualificatif approprié était celui que le congressiste Dan Burton lançait maintenant à Bill Clinton en
pleine crise de l'impeachment : « Sac à merde ! »

Et quand j'ai vu que sa Monica — non, son Elvira,
la Maîtresse des Ténèbres, la Diva d'Halloween ! —
ne l'avait pas repris, n'avait même pas tenté un
« Communistes, monsieur le président ? Vous êtes
sûr ? », j'ai aussitôt effacé de mon esprit toutes ses
mièvreries sur leurs batailles de boules de neige mos-
covites ou sur les petites lumières d'Anchorage. Sa
Monica s'était laissé utiliser par lui de la même
manière que l'autre Monica par Bill Clinton : Richard
Nixon lui avait fourré ses mots dans la bouche, une
semence destinée à faire renaître la haine dans le cerveau des générations à venir.

Le péché de Monica Crowley, en suis-je venu à
conclure, était autrement plus mortel que celui de
Monica Lewinsky. Et ce que chacun d'eux avait mis
dans la bouche de sa Monica respective illustrait parfaitement la différence entre un Bill Clinton et un
Richard Nixon, entre progressistes et conservateurs.
Entre *nous* et *eux*.

Acte II

MYSTERY TRAIN [1]

« Batraciens, créatures rampant dans la fange et la
boue, poisons,
Terre stérile, hommes de Mal, hideuse lave de la
putréfaction...

Entendez-vous ces rires, ces moqueries ?
Entendez-vous l'ironie renvoyer ses échos ? »

Walt WHITMAN,
Feuilles d'herbe

---

1. Cet album d'Elvis enregistré pour Sun Records en 1955 a inspiré à
Jim Jarmusch un film du même nom en 1990. (*NdT*)

I

La Trimardeuse de la Crassouille

« C'est juste qu'il avait la trouille. Ça m'a plu, ça.
Je suis pas dégoûtante, comme fille ? J'ai adoré
ça ! J'en buvais du petit lait. Qu'il ait une trouille
pareille. Rien qu'à sa voix, je le sentais. »
(MONICA À LINDA TRIPP)

Tout en se gobergeant de la chair juteuse de
Monica, en la dépouillant jusqu'à l'os au téléphone ou en direct, la Ratte a trouvé une alliée de
taille. Une sexagénaire à la voix cassée par le whisky
et les cigarettes, qui s'est improvisée agent littéraire
d'auteurs aussi douteux que Mark Fuhrman, le privé
auquel ses apartés racistes ont valu une brève notoriété à la faveur du procès d'OJ Simpson, ou que Gary
Aldrich, ex-FBI ayant commis un libelle aussi men-
songer que malveillant contre Clinton, *Accès illimité*.

Lucianne Goldberg est faite pour se lier d'amitié
avec Linda Tripp. Déjà chargée de la promotion du
récit salace que Dolly Kyle a consacré à ses joutes
érotiques avec le jeune Bill Clinton, elle a elle-même
écrit plusieurs romans dans le genre porno soft, avec
des titres tels que *Les Filles de Madame Cleo*. Elle
est également à tu et à toi avec des réactionnaires

convaincus, notamment l'éditeur Al Regnery et Tony Snow, jadis rédacteur des discours de George Bush et devenu l'une des éminences grises de Rupert Murdoch.

Dans son métier, Goldberg est surtout connue pour avoir représenté les intérêts de Judy Chavez, une belle de nuit spécialiste de la domination féminine dont la sulfureuse réputation a été établie lorsqu'elle a révélé que le transfuge soviétique Arkady Chevtchenko lui avait versé dix mille dollars mensuels pour passer cinq nuits en sa compagnie, et ce sur les fonds qu'il recevait de la CIA. Après avoir vendu à une maison d'édition ses histoires de menottes et de fouets, Goldberg devait ensuite commenter : « La dernière fois que j'ai vu Judy, elle était en python de la tête aux pieds. Combien de serpents il avait fallu pour l'habiller, chaussures à talons de quinze centimètres y compris, je ne sais pas, mais il ne lui manquait plus que le martinet. Avec sa peau très blanche, splendide, et ses cheveux noirs, le message qu'elle envoie c'est une promesse de souffrance extrêmement subtile : "Je vais te faire très mal, je vais te fouetter avec ma langue et avec mes mains, et tu vas souffrir"... »

A Washington, ceux qui connaissent l'étroite relation entre Tripp et Goldberg ne sont en rien étonnés. Elles appartiennent toutes deux à la même photo un rien crade : la Ratte qui ronge son os dans une tanière tapissée de fanions et, s'empiffrant à côté d'elle, la nocive Trimardeuse de la Crassouille, une éternelle cigarette pendouillant de ses lèvres rouge sang.

C'est après avoir été écartée des services du conseil juridique de la Maison-Blanche que Linda Tripp est allée chercher « conseils et protection » auprès de Lucianne Goldberg. Encore sous le coup de la rage et du dépit, elle est résolue à écrire un témoignage ultra-documenté sur les intrigues sexuelles à la présidence, qui inclura bien entendu sa version de la rencontre entre la fée Kathleen Willey et l'Ogre du couloir. Elle a rappelé Tony Snow, qu'elle a connu dans la Maison-Blanche de George Bush et qui surnommera plus tard Bill Clinton « le Caligula de la Prairie », et c'est lui qui va l'aiguiller sur la Trimardeuse.

Comme il fallait s'y attendre, Goldberg a été emballée par le projet : avec cette rencontre du sexe et de la politique, ses deux principaux centres d'intérêt, il y a peut-être de quoi faire encore mieux que l'une de ses propres œuvres, *Rentre tes griffes, chérie*. Elle a déjà un titre pour ce document, *Derrière la porte fermée*, et un nom de plume pour Tripp, Joan Dean, exquis et venimeux clin d'œil à John Dean, l'homme dont les révélations avaient mis à bas le règne de Nixon. Tripp allait renverser Clinton et « Joan Dean » serait la revanche destinée aux initiés. Goldberg l'a donc recommandée à un directeur de collection chez Regnery, une maison spécialisée depuis longtemps dans l'exécution publique de personnalités libérales et/ou démocrates.

Au dernier moment, cependant, Tripp s'est dégonflée. Elle a eu peur de perdre son emploi au Pentagone en publiant ces révélations. Lucianne Goldberg ne lui a-t-elle pas dit : « Si tu fous à poil le grand Bwana, tu ne vas certainement pas rester dans l'administration, Boubalé » ? Exit Joan Dean.

Quelques années plus tard, pendant qu'elle s'affaire sur le corps charnu de Monica, la Ratte est à deux doigts de se trahir en affirmant à sa protégée qu'elle pourrait écrire un « grand déballage » si elle quitte l'administration. Monica se contente de hausser les épaules, sans savoir que sa nouvelle amie si attentionnée est déjà au travail, à la recherche d'un éditeur pour ce livre. Tony Snow a déjà alerté la Trimardeuse et elle rappelle Linda Tripp, laquelle ignore que Goldberg, qui n'est pas tombée de la dernière pluie washingtonienne, enregistre leur conversation.

Ensemble, elles étudient la meilleure manière de tirer profit des informations que détient la Ratte.

Celle-ci peut signer un contrat d'édition tout de suite, d'accord, mais il serait bien plus rentable de commencer par des fuites dans la presse, et même des bribes de fuites. Laisser à ces mini-tentacules le temps de se déployer à travers les airs cathodiques et puis débarquer dans le bureau de l'éditeur avec l'histoire intégrale, et décrocher un million de dollars ! « Titiller » le public, d'abord. Pour ce faire, elles choisissent un journaliste de *Newsweek*, Michael Isikoff, mais elles évoquent aussi la possibilité de refiler une partie de la visqueuse camelote aux avocats de Paula Jones : les aventures de la stagiaire et du président vont vite courir les prétoires !

Linda Tripp pare sa cupidité d'une bonne couche de moralisme outragé, proclamant qu'elle est « atterrée » par la conduite de Bill Clinton. « C'est écœurant ! tonne la Ratte. Il n'aura que ce qu'il mérite ! » Elle se pose aussi en protectrice dévouée de la jeune femme qu'elle est en train de bouffer de l'intérieur :

— Suffit, maintenant ! Personnellement, je trouve qu'il est temps pour elle de passer à l'action. En ce moment, elle traverse une passe terrible, sur le plan sentimental. Un enfer. Je serais très, très contente qu'elle plaque tout ça et qu'elle reprenne sa vie en main.

— Bon ! Et lâcher le morceau, tu en as parlé avec elle ? demande Goldberg.

— Elle refuse catégoriquement.

— Mais alors, qu'est-ce que tu peux faire ?

Tripp lui explique qu'elle a tout noté, les dates et les détails de leurs rencontres, les coups de téléphone, les cadeaux échangés entre la stagiaire et Bill Clinton, et...

— Ouais, soupire Goldberg. Mais tu te rends bien compte que les journaleux vont la bousiller sur place, hein ? Moi, tu sais que je trouve l'idée géniale et que je serais prête à foncer à l'instant. Mais toi, est-ce que

tu veux être la cause de... Est-ce que tu es prête à ce
que cette gosse soit...

— Ce n'est pas une gosse ! Elle vient d'un milieu
hyper-privilégié, Beverly Hills et tout le toutim.
Enfin, je veux dire qu'elle est pleine de ressources,
qu'elle n'a jamais été une... victime. Au début, elle a
joué le jeu à fond !

— Bon, mais alors tu dois accepter l'idée de la
perdre, en tant qu'amie.

— Ah, ça ? lance Tripp d'un ton hautain. J'ai déjà
pris ma décision, là-dessus.

Une semaine plus tard, deuxième échange téléphonique — non enregistré, selon les affirmations de
l'une et de l'autre. Goldberg enjoint à Tripp de brancher un magnéto à chaque fois qu'elle appelle sa jeune
amie, l'ex-stagiaire de la Maison-Blanche.

— Tu as besoin de traces. Tu as besoin de preuves.
Tu as besoin de bandes.

Tripp prend peur, fait valoir que ce ne serait pas
« sympa » vis-à-vis de Monica. Réponse de la Trimardeuse :

— Si tu es vraiment après le grand Bwana, tu as
intérêt à ne pas le rater, Boubalé.

Et donc Tripp se met à enregistrer ses échanges
avec Monica, en tenant Goldberg régulièrement au
courant de ce qu'elle a glané. Monica pense que Bill
doit se droguer parce qu'il n'arrête pas de « partir »
quand elle est avec lui. Monica note la date et l'heure
où ils font touche-pipi sans se mouiller au téléphone.
Monica a remarqué des marques sur le visage de Bill
qui, selon l'analyse ultérieure de Goldberg, semble-
raient révéler un herpès chronique.

Elles continuent à calculer ce que pourraient leur
rapporter les amorces jetées à la presse. Et puis Tripp
est soudain invitée à passer un week-end à la mer, à
Greenwich, par Norma Asness, une amie bien nantie

d'Hillary Clinton. Elle a déjà été conviée à une soirée de Hanouka dans sa maison de Georgetown et elle lui a organisé une visite privée du Pentagone, mais cette fois l'ancienne collaboratrice de la Force Delta renifle un coup monté de la Maison-Blanche. Elle appelle Goldberg, qui confirme ses craintes :

— C'est un traquenard, pas de doute.

— Tu ne penses quand même pas qu'ils vont empoisonner mon assiette ?

— Non, non... Ils vont t'emballer, t'absorber. Te montrer que c'est la vie que tu peux avoir si tu restes dans leur clan, si tu t'écrases.

— Ah bon ! Dans ce cas, pas de soucis. Moi je commençais à me dire qu'ils allaient me zigouiller là-bas, ou je ne sais quoi...

— Non, ils ne vont pas te tuer, ça c'est sûr.

Elles mijotent ensemble dans leur philtre de sorcières, en cachette, sans se fier à quiconque même si Goldberg enregistre Tripp à son insu, qui enregistre Monica sans qu'elle le sache... D'un commun accord, elles décident que Tripp ne doit plus se fier à son avocat, sous prétexte qu'il lui arrive de jouer au golf avec un obscur avoué de la Maison-Blanche, et elle s'en débarrasse. Idem avec Michael Isikoff, le reporter de *Newsweek* qu'elles avaient repéré : elles redoutent qu'il sorte lui-même un livre à partir des quelques pistes qu'elles lui auraient données en pâture.

Pour finir, elles se résolvent à s'adresser au seul être qu'elles pensent pouvoir faire vibrer avec leur version de l'épisode Monica-Bill, à celui qui éprouve la même haine envers Bill Clinton : Kenneth W. Starr. Oui, elles vont se servir du procureur-prédicateur pour glaner ces millions tant attendus. Dès que Tripp lui aura fait ses confidences, il va les bouffer tout cru et les recracher en gros titres !

Miam ! Lucianne Goldberg ne se sent plus. Elle n'a jamais autant kiffé depuis le bon vieux temps, en 1972, où elle se faisait mille dollars par semaine en tant qu'infiltrée sur l'avion électoral de George Mc-Govern, rédigeant ses rapports qui partaient tout droit à la Maison-Blanche, sous pli fermé à l'attention de Richard Nixon, celui qui lui avait donné ce job d'espionne... La Trimardeuse de la Crassouille ne l'a pas oublié, son ange gardien aux ailes maculées de suie.

Grâce à ces deux intrigantes chargées à la nicotine, la non-fumeuse Créature de la Nuit est de retour sur terre, à nouveau sortie de sa tombe, dents et griffes dehors, assoiffée de sang. Résolue à faire payer Bill Clinton pour avoir envoyé Vernon Jordan aux obsèques de Pat, son épouse ravagée par le cancer, et pour les années soixante, et pour les manifs, et pour le Watergate, et pour sa chute, et pour sa honte.

2

David Geffen pique une colère

LINDA TRIPP : J'ai lu qu'il a passé la nuit chez l'associé de Steven Spielberg, Castlebaum ou Castleman ou un truc comme ça.
MONICA : Ah oui ?
LINDA TRIPP : A LA.
MONICA : Ouais ?
LINDA TRIPP : Je ne sais pas. Je ne vois pas qui c'est, ce type. Aucune info...

Quand je suis arrivé à sa propriété de Malibu, David Geffen était seul dans son bureau, en train de regarder la retransmission des travaux de la commission d'enquête parlementaire en vue de la procédure d'impeachment. Non, regarder n'est pas le terme approprié : il était en train d'insulter, de menacer, de maudire le petit écran. Il y avait vraiment du meurtre dans ses yeux. « C'est pas incroyable ce que ces enfoirés sont en train de faire ! s'est-il exclamé. Non, mais ils croient vraiment qu'ils vont s'en tirer comme ça, les enfoirés ? »

Quelques soirs plus tard, sur *Late Night*, le programme de NBC, l'acteur Alec Baldwin appelait à l'assassinat du président de ladite commission, Henry

Hyde, et de toute sa famille. Hollywood, j'en avais
bien peur, était en train de disjoncter. Tout comme
Baldwin, apparemment.

C'était d'autant plus étrange que Bill Clinton
n'avait jamais été le favori local. Dans le Bureau
ovale, Hollywood avait d'abord imaginé Bob Kerrey,
héros militaire et libéral cent pour cent américain,
qui partageait sa résidence officielle de Lincoln
(Nebraska) avec la très hollywoodienne Debra Winger. Et puis il y avait eu Bill Bradley : lorsque la
candidature de l'ancien basketteur vedette avait été
envisagée en 1992, Sydney Pollack et Robert Redford
s'étaient aussitôt proposés de l'aider de leurs conseils
afin que Bradley se montre moins lourdingue et barbant devant la presse.

Il a fallu que Michael Ovitz invite Bill Clinton —
déjà président — dans sa forteresse conçue par l'architecte Ieoh Ming Pei, au milieu d'une galerie de
portraits résumant près d'un siècle de cinéma, pour
que Hollywood lui donne sa bénédiction. En signe
de gratitude, Clinton allait transformer la chambre à
coucher d'Abraham Lincoln à la Maison-Blanche en
point de chute obligé des stars et des magnats hollywoodiens à Washington. Alors que ses prédécesseurs
avaient jalousement gardé les clés de ce sanctuaire,
ne l'ouvrant que pour le tsar d'Universal, Lew Wasserman — invité et par JFK et par Reagan ! —, de
simples réalisateurs et même des comiques passés de
mode comme Chevy Chase étaient désormais autorisés à des galipettes historiques avec leur épouse dans
ce lieu sacré. Chevy, rendu célèbre par ses imitations
de Gerald Ford, passant la nuit à la Maison-Blanche
grâce à Bill Clinton : encore un de ces paradoxes hila-
rants dont la vie politique américaine a le secret.

A Hollywood, tout le monde savait que l'un des
plus proches conseillers de Clinton était le producteur
de télévision Harry Thomason, qui disposait de son
propre bureau à la Maison-Blanche. Mais ceux qui

comptaient vraiment savaient que Harry n'était pas très crédible, du moins dans La Mecque du cinéma : c'était un homme de télé, et si l'argent venu du petit écran faisait toujours plaisir, cette activité était considérée comme de second rang, un secteur où il était acceptable de travailler quand on n'avait pas encore percé sur le grand écran, ou quand on en avait été éjecté.

Hollywood s'enorgueillissait d'une solide tradition libérale. Jack Valenti, le patron de la MPAA — l'Association du cinéma américain, lobby officiel de l'industrie cinématographique à Washington —, avait été un proche assistant de LBJ à la Maison-Blanche. Si proche, même, qu'il avait débuté sa carrière en briefant chaque matin ce plouc de LBJ pendant que ce dernier était sur le trône, et en lui tendant le papier hygiénique présidentiel. Norman Lear, auteur de feuilletons connus, avait fondé une organisation destinée à utiliser le vecteur de la télévision pour promouvoir la cause libérale, *People for the American Way*, qui comptait deux cent cinquante mille adhérents. Warren Beatty, Barbra Streisand et Marlon Brando, pour ne citer qu'eux, avaient consacré leur temps, leur argent et leur éloquence d'acteurs à soutenir des candidats ou des idées progressistes. Des réalisateurs chevronnés et estimés tels que John Frankenheimer ou Norman Jewison avaient aidé Bobby Kennedy dans sa campagne tragiquement conclue. La majorité des patrons de studio et de leurs vice-présidents étaient d'anciens soixante-huitards qui gardaient des convictions libérales.

Ainsi, je n'avais pas eu de mal à caser un scénario à propos d'un groupe de néo-nazis dans l'Amérique profonde, *Betrayed*[1], et la production avait été ravie lorsque Pat Buchanan avait décrété le film « anti-américain » : notre raisonnement était que si Buchanan

---

1. *La Main droite du diable* de Costa-Gavras, sorti en 1988. (*NdT*)

réagissait de cette manière, c'est que nous avions tapé dans le mille. Pour le réaliser, le studio avait choisi Costa-Gavras, qui n'avait jamais mis les pieds dans le Midwest mais qui était devenu un héros progressiste dans le monde entier grâce à son électrisant chef-d'œuvre, *Z*.

Notre attachement à la liberté d'expression était pour beaucoup le ciment de ce choix politique. Tous les Nixon et les Gingrich qui poussaient des cris d'orfraie à propos des conséquences de la violence cinématographique sur la société poursuivaient d'autres buts, nous en étions persuadés : d'abord, ils essayaient d'amener le public à boycotter ou à bouder notre travail parce qu'ils réprouvaient notre engagement ; ensuite, ils savaient pertinemment que la violence et le crime étaient le produit de flingues bien réels et non de revolvers en technicolor, mais ils brandissaient ce prétexte pour continuer à toucher en sous-main l'argent du puissant lobby des armes. Lorsque j'ai donné au quotidien *Variety* un billet où je soulignais des passages ultra-violents et explicites dans un roman écrit par Newt Gingrich en personne, j'ai reçu un tas de lettres de félicitations adressées par divers producteurs hollywoodiens...

Nous partagions également un même rejet de l'obscurantisme répressif. Richard Dreyfuss, par exemple, essayait toujours d'adapter au cinéma le pavé antifasciste de Sinclair Lewis[1], *It Can't Happen Here*, après toutes ces années... Les conservateurs étaient rares, dans le coin : David Horowitz, ex-« nouvelle gauche » reconverti en idéologue de la réaction, le scénariste Lionel Chetwynd (*The Hanoi Hilton*), la star déchue Tom Selleck, le hérault des porte-flingues Charlton Heston, et Arnold Schwarzenegger, qui ne comptait pas vraiment puisque c'était un Kennedy...

---

1. L'auteur de *Babbitt*, premier Américain à avoir reçu le prix Nobel de littérature. (*NdT*)

Et s'ils pouvaient s'élever de temps à autre contre « la propagande libérale sur les écrans » ils n'avaient rien d'autre à faire qu'à s'incliner : c'était déjà assez difficile pour eux de trouver du travail à Hollywood. Ils n'avaient pas complètement tort, d'ailleurs. La réalisatrice Betty Thomas m'a donné ainsi une définition lapidaire des comédies hollywoodiennes des années quatre-vingt-dix : « De l'amusement avec plein de spots progressistes au milieu. »

En fait, Hollywood restait raccordée par un cordon ombilical au « Mouvement » des années 60 et 70, son « sport extrême ». Lorsque les Weatherpeople étaient passés dans la clandestinité, l'acteur John Voight leur avait apporté son soutien. Le producteur Burt Schneider et le réalisateur Bob Rafelson avaient payé au Black Panther Huey Newton un appartement grand standing à Oakland. Et alors que les « Weather » se planquaient, le réalisateur Emile De Antonio et le cinéaste aux Oscars Haskell Wexler leur avaient consacré un documentaire dithyrambique, sans se soucier visiblement qu'ils aient dédié leur dernier livre à Sirhan Sirhan, l'assassin présumé de Robert Kennedy, ni que Bernardine Dohm ait été très occupée à rallier son armée à la cause de Charles Manson, en s'extasiant : « Génial ! D'abord ils zigouillent ces salauds, ensuite ils dînent à côté d'eux, ils vont même jusqu'à planter une fourchette dans le bide d'une des victimes ! Balèze ! » La fascination d'Hollywood pour les commandos de Bernardine était d'ailleurs réciproque : la *Horde sauvage* de Sam Peckinpah était leur film-culte, dont ils se repassaient sans cesse les scènes de violence tournées au ralenti, puisant leur inspiration dans ces geysers de sang sortis d'une imagination en état second.

Mais aucune célébrité d'Hollywood n'était plus liée aux sixties que Jane Fonda, et ce avant même qu'elle ne croise la route de Tom Hayden, le penseur gauchisant du Midwest. Je l'avais rencontrée pour la première fois quand elle s'était fait gauler à Cleveland après avoir traversé la frontière canadienne avec une quantité infime de ganja : la photo réglementaire que les flics avaient prise d'elle avait vite couvert les murs du QG de la police, Payne Avenue... Quand elle a lu et aimé mon livre sur la tuerie à l'université du Kent, nous n'avons pu que devenir amis. Et lorsque je me suis lancé dans l'écriture de scénarios nous avons essayé ensemble — sans succès — de vendre à la MGM un projet de film sur Karen Silkwood, la militante anti-nucléaire. J'appréciais son intelligence, sa soif de justice sociale, et son style de jeu à l'écran, d'une force subtile. Mais elle n'était plus toute jeune, et sa beauté toujours renversante ne suffisait plus à convaincre le petit monde d'Hollywood, allergique aux actrices dès qu'elles approchaient de la quarantaine. « Des restes de tournedos Rossini », c'était la galante image qu'avait employée un producteur devant moi...

A l'époque, j'avais en tête la trame de ce qui allait devenir *Music Box*. J'ai proposé à Jane le rôle principal. Je savais qu'elle ne recevait plus autant de scénarios qu'avant. Elle a accepté l'offre avant que je n'écrive le script, et elle a été emballée quand elle l'a lu, trouvant que c'était « un rôle magnifique » et que le film promettait d'être excellent. Le réalisateur, Costa-Gavras, était un grand ami à elle, qui habitait même chez Jane pendant ses séjours à LA. Après avoir lu le scénario, pourtant, Costa a jugé qu'elle était trop âgée pour tenir ce rôle. Avec Irwin Winkler, le producteur, j'ai tenté de le faire changer d'avis mais il est resté intraitable. Jane est alors partie en campagne pour le convaincre : avec une nouvelle coiffure et une de ses robes les plus sexys, elle a tourné un bout d'essai. Elle, une star pareille, acceptant de passer une audition telle une débutante ! Winkler et moi l'avons trouvée excellente sur cette cassette, mais Costa n'a pas bougé. Il voulait Jessica Lange.

Jane était effondrée. Comme elle avait déjà signé son contrat, le studio a dû débourser plus d'un million de dollars pour *ne pas* l'avoir dans le film ! Peu de temps après, elle a décidé de quitter Hollywood. Je n'ai pas critiqué son choix. On était en 1987... Très loin des sixties. Elle m'a envoyé un mot de remerciement pour mon soutien pendant l'incident *Music Box*. Il se concluait par : « Le Pouvoir au Peuple ! »

La ferveur progressiste d'Hollywood avait encore un autre ressort : la culpabilité locale, soigneusement entretenue par la presse, que continuait à provoquer la « liste noire », cette sombre page de l'histoire du cinéma qui remontait à quarante ans. Horriblement injuste, l'interdiction de travailler signifiée aux artistes suspectés de sympathies communistes prenait maintenant, dans le contexte des années quatre-vingt-dix, les proportions d'un Holocauste californien. Alors que les raisons de réaffirmer le droit à la liberté de création ne manquaient pas, la Société des auteurs paraissait trouver plus noble — et moins risqué — de s'intéresser à la « liste noire » que de défendre ses adhérents face aux directions des studios. Une pléiade de séminaires et de tables rondes étaient consacrés aux martyrs de jadis.

Quand Elia Kazan, qui contrairement aux sus-mentionnés martyrs avait accepté de témoigner devant la Commission d'enquête sur les « activités anti-américaines » et de servir d'informateur, a enfin obtenu l'Oscar qu'il méritait depuis si longtemps, il a reçu un accueil aussi glacial que si l'assistance avait vu monter sur scène Leni Riefenstahl, la cinéaste de la propagande hitlérienne. Et l'intéressant, c'est que cette réprobation ne venait pas seulement des professionnels qui étaient ses contemporains mais aussi de jeunes acteurs comme Ed Harris, qui portaient leur conscience sociale boutonnée au revers de leur smoking.

Il y avait même à Hollywood quelques numéros si radicalement à gauche qu'ils avaient souri lorsque Reagan s'était fait tirer dessus par un cinglé, John Hinckley. Celui-ci était devenu obsédé par Jodie Foster depuis qu'il avait vu *Taxi Driver*, dont le scénario, écrit par Paul Schrader, s'inspirait du Journal d'Arthur Bremer, autre cinglé qui avait tiré sur George Wallace... « D'une pierre deux coups ! » exultaient ces fanatiques hollywoodiens : Reagan et Wallace, droitiers patentés, atteints par Bremer et son avatar cinématographique.

Il y avait aussi les progressistes professionnels, toujours prêts à entonner les rengaines politiques que les directeurs de studios et nombre de critiques, fidèles à leurs anciennes convictions socialisantes, adoraient entendre. Oliver Stone était le plus lancé d'entre eux. Personnalité excessive qui paraissait souvent plus « stone » que nature — je l'ai vu un jour attraper une femme par les cheveux et l'entraîner hors d'un bar —, il avait commencé par écrire des mélodrames dont la violence tournait parfois à la farce (*Midnight Express, Scarface, The Hand*) avant de gagner son auréole de saint libéral avec ses deux impressionnantes évocations du Vietnam, *Platoon* et *Né un 4 juillet* : deux œuvres marquées par le credo anti-guerre, qui à plus de vingt ans de distance faisaient exploser sur le grand écran nos émotions de manifestants.

Mais il allait forcer la note avec *JFK* et *Nixon*, l'un et l'autre profondément mensongers et mystificateurs. Et le pire, c'est que ces films prétendaient montrer la vérité aux plus jeunes générations ! Stone ne s'assumait pas en simple propagandiste de la gauche bien-pensante, pourtant : il disait être « un cinéaste qui décrit une réalité avérée ». Deux studios différents avaient choisi de les sortir en sachant très bien qu'il s'agissait de deux énormes bobards qui risquaient de brouiller la cervelle des électeurs de demain. Mais ce n'est pas parce que ces studios étaient dirigés par d'ex-gauchos prêts à gober les mensonges de Stone, j'en étais convaincu : ils l'avaient laissé faire parce qu'ils calculaient que ce baratinage pourrait rapporter de l'argent. Ce qui a été le cas pour *JFK*, non pour *Nixon*.

L'expérience m'avait aussi prouvé qu'en cas de collision frontale entre les idéaux progressistes proclamés et les intérêts financiers, c'était toujours l'argent qui gagnait à Hollywood. En 1998, tandis que le petit monde libéral du cinéma serrait les rangs autour de Bill Clinton, j'ai écrit un scénario pour la Paramount dont le sujet était la résurgence des milices d'extrême droite dans le pays. Le studio espérait que Mel Gibson incarnerait le chef de bande que j'avais imaginé, un individu plein de charisme, fascinant en apparence, mais qui cachait sous cette enveloppe un monstre raciste et antisémite. Gibson ayant renvoyé le script en déclarant qu'il ne voulait pas jouer « un aussi sale type », le studio m'a demandé de réécrire le rôle de sorte qu'il paraisse moins « sale type ». « Mais ce *sont* des sales types, ces mecs ! me suis-je défendu. Des types atroces ! Je ne vais quand même pas faire une apologie des milices ! » Réponse : « Oui, mais on voudrait vraiment que Mel soit dedans... » Résultat, j'ai refusé de reprendre le texte et il a fini dans un placard de la Paramount.

J'avais vécu une expérience similaire dix ans plus tôt, avec *Music Box*. A la fin du scénario, on découvrait qu'un vieux papy tout gentillet était en réalité un criminel de guerre nazi. Chez Universal, on s'était déclaré tout prêt à faire le film, à condition que... je change la chute, le papy restant aussi gentillet qu'il le semblait, et lavé de tout soupçon quant à son passé. « Ça deviendrait un plaidoyer pour tous les criminels de guerre qui sont jugés en ce moment dans le monde entier, avais-je objecté, une attaque contre les organi-

sations et les Etats qui traquent et jugent ces gens-
là ! » Réponse : « Oui, mais autrement on aura des
salles vides. » Heureusement, Winkler, Costa-Gavras
et moi avons fini par trouver un studio qui accepte le
scénario tel quel. Et nous avons eu des salles vides,
en effet...

Et puis il y avait ceux qui échappaient aux radars
politiques et se maintenaient à cette altitude tant qu'ils
avaient du succès. Qui se souciait ainsi que le méga-
producteur Andy Vajna ait gagné assez d'argent pour
débarquer à Hollywood en vendant des perruques
fabriquées à Hong-Kong avec les cheveux des dissidents, rachetés aux autorités de la Chine communiste ? Qui s'inquiétait que Mel Gibson se soit permis
les commentaires les plus offensants à l'encontre des
homosexuels jusqu'à que ses attachés de presse lui
ferment la bouche ? Qui s'offusquait que le réalisateur
d'un film de chez Walt Disney ait un casier judiciaire
de pédophile ? Qui bronchait quand Marlon Brando
sortait des remarques antisémites sur le plateau de
Larry King : c'était Marlon Brando, tout de même, et
Larry King, qui était juif, l'avait embrassé, alors ? Qui
protestait en entendant Bruce Willis déclarer : « Si
j'étais noir, je serais avec Louis Farrakhan, moi aussi », ou « Roosevelt était au courant que Pearl Harbor
allait être attaqué, mais il a laissé faire » ? Il était au
firmament du box-office, n'est-ce pas ? Tout le
contraire de Charlton Heston, mort, enterré et momifié
en tant qu'acteur mais devenu, tiens-tiens, le chef de
file de la National Rifle Association, le groupe de
pression des amateurs de flingues dans ce pays...

L'attachement d'Hollywood aux droits civiques et
même au respect de la vie privée pouvait également
avoir des défaillances temporaires. En 1983, alors que
j'écrivais *Jagged Edge*, j'avais pour producteur un
redoutable vieux routier de la profession, Martin Ransohoff, aussi coriace que malin et qu'il ne fallait surtout pas chercher. Le responsable du projet pour le

studio était Craig Baumgarten, qui avait entre autres
produit — et tenu un rôle dedans — un film porno au
cours des années 60-70. Un désaccord étant survenu
entre les deux hommes, Ransohoff avait estimé que
Baumgarten ne lui accordait pas tout le respect qui
lui était dû. Il m'avait donc demandé d'intervenir, en
prévenant Baumgarten qu'il connaissait l'existence de
ce porno. Je m'étais exécuté mais ce dernier, fort de
sa jeunesse, avait ignoré l'avertissement. Peu après,
une copie du film en question arrivait sur la table de
l'un des membres du conseil directorial de Columbia
Pictures. Jeté à la rue quelques jours plus tard, Baumgarten sanglotait sans arriver à croire à ce cataclysme.

Le studio qui l'avait limogé appartenait alors à
Coca-Cola, dont la présence récurrente dans trois des
principaux scandales de l'Amérique moderne n'a sans
doute pas échappé aux observateurs : primo, il a été
dit que Fatty Arbuckle s'était servi d'une bouteille de
cette marque pour violenter sa jeune victime[1] ;
secundo, le juge Clarence Thomas, selon les accusations d'Anita Hill, l'avait offensée en affirmant avoir
trouvé des poils pubiens sur sa canette de Coca ; tertio, Bill Clinton expliquait habituellement à sa secrétaire le fait qu'il disparaisse avec Monica dans son
bureau privé en annonçant qu'il allait « lui donner un
Coca light ». Coca-Cola, ainsi que les historiens l'ont
noté, a aussi été un allié traditionnel des Démocrates
alors que Pepsi se rangeait en général derrière les
Républicains et tout particulièrement Richard Nixon :
lequel, fidèle à sa coutumière duplicité, buvait du
Coca light en privé.

---

1. Roscoe « Fatty » Arbuckle (1887-1933), célèbre acteur et réalisateur
du cinéma muet, avait été accusé d'avoir violé à mort une starlette de vingt-
cinq ans, Virginia Rappe, lors d'une bringue de trois jours dans un hôtel de
San Francisco en 1921. Il avait été acquitté lors de son troisième procès.
(*NdT*)

En dépit de rares excès outrageusement peu cool dans le genre du limogeage de Baumgarten, Hollywood avait suivi l'exemple d'Hillary en s'imprégnant à fond du bric-à-brac psycho-planant du New Age. Le gourou personnel d'Hillary, Michael Lerner, avait même été invité aux séminaires de certains studios. On voyait régulièrement des « psycho-communicateurs » officier dans les sessions d'été des grosses boîtes du cinéma, où ils invoquaient l'énergie positive comme d'autres font venir la pluie.

Arnold Rifkin, l'agent des super-stars, traînait avec le médium Tony Robbins, celui-qui-marchait-sur-des-charbons-ardents. En annonçant la rupture de leur association, les producteurs Jon Peters et Peter Guber faisaient savoir qu'ils allaient être suivis par le *même* conseiller matrimonial. A l'époque j'étais en pleine procédure de divorce, moi aussi : « Va consulter avec ton ex, m'avait dit Jon, ça ne servira à rien mais elle se dira que tu te soucies d'elle. Ça va t'économiser au moins un million de dollars ! »

La spiritualité nunuche allait bientôt envahir les écrans. *Forrest Gump* [1] ayant fait un malheur, tous les studios étaient soudain en quête de sujets « mystiques » ou « religieux ». Sylvester Stallone s'était pavané tout un après-midi dans mon salon en essayant de me convaincre d'écrire « quelque chose de vachement mystique » pour lui. Il avait rêvé pendant des années de tirer d'un livre un film dans lequel il tiendrait le rôle du Christ, mais maintenant il avait une meilleure idée encore : il voulait incarner un télé-évangéliste, un guérisseur moderne qui accomplissait des miracles. Nous avons fini par avoir une réunion à ce sujet avec toute une brochette de dirigeants d'Universal. Comme « Sly » Stallone arpentait la pièce en agitant les bras, gestuelle qu'il pensait convenir à

---

1. Film de Robert Zemeckis, avec Tom Hanks et Sally Field (1993). (*NdT*)

celui qui prêche la parole du Seigneur, l'un des grands chefs était intervenu : « Ecoutez, les gars ! Toi, Sly, tu es une star de la muscu. Et toi, Joe, tu viens de faire *Showgirls*. Alors vous ne trouvez pas que la transition risque d'être un peu raide, pour l'un et pour l'autre ? »

Et pendant que de plus en plus d'hommes cultivaient leur « capacité d'écoute » à l'écran, de plus en plus d'hommes dans la vie de bureau d'Hollywood devenaient la cible de procès pour harcèlement sexuel. Riches et puissants étaient réduits soit à comparaître devant le tribunal, soit à chercher de hâtifs et coûteux arrangements à l'amiable. Mais d'autres en perdaient carrément leur emploi, y compris parmi les cadres d'assez haut niveau. Un producteur que je connaissais avait été non seulement mis à la porte mais également soumis à un chantage au scandale jusqu'à ce qu'il renonce à son pourcentage sur les films en préparation.

La parade rapidement trouvée par la plupart des hétérosexuels de la profession était aussi simple que radicale : ne plus embaucher que des collaborateurs masculins. Une directrice de studio mariée à un cinéaste avait vu tellement de plaintes pour harcèlement sexuel se produire autour d'elle qu'elle avait interdit à son époux de prendre la moindre femme dans son équipe, et cette tactique était en train de se répandre dans toute la ville. Au même moment, des féministes connues débarquaient à Hollywood pour commander des scénarios ou conclure des contrats. J'ai ainsi passé une agréable soirée chez moi en compagnie de Gloria Steinem, à évoquer un projet de film consacré à la jeunesse de Marilyn Monroe.

Pendant que David Geffen piquait une colère devant son poste, une rumeur commençait à ébranler le sol des restaurants branchés d'Hollywood : Warren

Beatty, le sabreur d'entre les sabreurs, envisageait de se porter candidat à la présidence.

La nouvelle avait de quoi donner le tournis. D'un côté, nous avions Clinton, à deux doigts de la destitution alors que techniquement il n'y avait même pas eu coït, et de l'autre surgissait Warren, la légendaire bête de sexe qui lorgnait de son lent regard la table maculée de taches suspectes dans le Bureau ovale ! On disait aussi que Gary Hart — « Alléluia, alléluia ! » — lui dispensait déjà ses conseils de fine politique. Et que Pat Cadell avait abandonné ses prétentions de scénariste pour revenir dans le business électoral.

J'imaginais déjà la rencontre au sommet dans la salle de projection privée de Robert Evans, avec un grand feu dans la cheminée et des polaroïds de femmes nues jonchant la table. Warren qui se rengorge, Gary qui est aigri, Evans qui délire sous sa casquette de base-ball, Pat qui grisonne... et la rouquine avec le cigare dans le fion qui leur sert des Perrier tandis qu'ils envisagent toutes les entreprises de séduction du corps électoral.

Peu après que je l'ai vu tempêter, David Geffen annonçait à des journalistes qu'il faisait du Républicain James Rogan, membre californien de la commission d'enquête parlementaire et ardent défenseur de l'impeachment, sa « cible numéro un » dans les élections de l'an 2000. David, qui avait plus d'argent que Dieu et plus de tours dans son sac que Satan... Je me suis dit que Rogan serait bien avisé d'implorer son pardon au plus vite. Et à genoux, encore !

3

Le trip de Ross Perot

MONICA : Et moi je lui dis, genre : « Mentalement, je fais un blocage complet sur qui vous êtes en réalité. »

LINDA TRIPP : Oui. En fait tu n'as jamais vraiment réalisé à qui était la queue que tu suçais.

MONICA : Non. Je sais.

Les appels à la destitution de Bill Clinton n'arrêtaient pas, les Gorgones du Scandale et de la Ruine se déchaînaient mais Ross Perot, qui était déjà venu par deux fois à son aide et lui avait permis de gouverner en minorité, est à nouveau arrivé à la rescousse avec son excès de zèle. Perot, le Soldat de plomb de l'Amérique, accuse le président des Etats-Unis de se droguer en pleine Maison-Blanche !

L'accusation va entraîner toutes les autres charges qui pèsent sur le président dans les limbes de l'absurde. Le cigare était déjà assez surréaliste, et l'orgie télévisée de turlutes en continu suffisamment bizarre, mais... de la came à la Maison-Blanche ? Le chef de l'Etat avec le nez sur un plateau en argent tapissé de cocaïne ? N'empêche, Ross Perot soutient que c'est la seule explication plausible à la conduite erratique,

irresponsable, aberrante de Bill Clinton. La voix de
Carry Nation s'élève à nouveau, dans le style pipelette
plutôt que stentor, certes. Le démon de l'alcool cède
la place à celui des drogues.

Nous avons bien rigolé en écoutant le Soldat de
plomb développer son argumentation, c'est vrai. Mais
ceux d'entre nous qui avaient une expérience réellement « intime » des sixties savaient, dans le secret de
leur cœur, que le comique avait sans doute effleuré
une vérité. Une vérité sans conséquence, avons-nous
aussitôt ajouté. Car l'herbe ou la coke, nos paradis
artificiels de prédilection, n'ont pas pour effet connu
de vous faire mentir à un pays entier ou débraguetter
dans un bâtiment officiel en disant « Embrasse ! » —
même si l'une comme l'autre rendent certainement
cette dernière phase encore plus agréable. Et quand
Perot a exigé que le président rende public son dossier
médical, ce que certains de ses prédécesseurs ont fait,
nous avons tout de suite compris la raison de son
refus : après toutes ces années, plein d'entre nous se
retrouvaient avec les cloisons nasales en piteux état.
D'accord, nous connaissions l'histoire selon laquelle,
au temps où il briguait le poste de gouverneur de l'Arkansas, il aurait atterri aux urgences en pleine nuit
après un abus de blanche. Mais pourquoi s'exposer à
l'embarras — George Bush, on s'en serait douté, avait
des hémorroïdes — en mettant son histoire médicale
sur la place publique ? Ou à pire encore : JFK traité
pour une blennorragie mais affligé à vie d'une urétrite
aiguë, une inflammation particulièrement douloureuse
pendant l'élimination urinaire ?

Nous savions que Bill Clinton avait fait les mêmes
choses que nous. Etudiant à Oxford, il avait traîné
dans des soirées enfumées, avec des coussins par
terre, à siroter du thé et du sherry en compagnie de
petites minettes, à passer le joint en essayant d'apprendre, ainsi que l'une de ces petites allait le raconter, à « avaler ». En 1983, déjà gouverneur, il propose

à sa vieille copine Sally Perdue des pétards alignés dans un paquet à cigarettes, de la coke dans un sac en plastique. Gennifer le décrira lui offrant de la blanche avant de se rouler avec elle sur les draps en satin noir de son king-size. Pendant une soirée réunissant son équipe politique de Little Rock, on fait circuler de l'herbe, du hash, de la coke, des oiseaux et des seringues. Une existence que nombre d'entre nous n'avaient que trop bien connue : chandelles, encens, draps en satin noir, tentures zébrées, ganja, speed et sexe.

Au début des années quatre-vingt, comme tant d'entre nous encore, Bubba est sur les nerfs. Il écume les bars de Little Rock, reste jusqu'à la fermeture, mate les filles qui dansent sur le comptoir, sans Hillary mais très souvent avec Roger, son demi-frère cadet. Qui à cette époque sniffe quatre grammes par jour, à raison de seize rails quotidiens.

Roger, c'est le genre de garçon à se mettre un briquet devant les fesses quand il lâche un pet. Sa mère lui a appris à lire sur ses bulletins de paris au champ de courses. C'est un glandeur ronchon qui n'a jamais rien fait d'autre que de gratouiller sa guitare, de regarder ses cheveux pousser dans la glace, environné de posters psychédéliques, et de chanter *Red Roses for a Blue Lady* à sa maman. Il adore aussi celui qu'il appelle toujours Big Brother, son grand frère. Sur une vidéo amateur, on le voit s'envoyer de la coke et déclarer : « Il a été comme un père, pour moi, toute ma vie. C'est pour ça qu'on est si proches, tous les deux. » Et donc au début des années quatre-vingt, ils font les bars ensemble, alors que Big Brother est gouverneur et que Roger crèche dans la « cabane à bringues », la maison d'hôte de la résidence officielle, avec des incursions nocturnes dans les cuisines de son gouverneur de frère lorsqu'il a les crocs.

On les voit souvent faire la fête de concert. Une serveuse du Bistro, un night-club local, déclarera plus tard à un jury d'accusation avoir vendu de la cocaïne à Roger, qui l'a aussitôt remise à Big Brother. Elle parlera aussi du soir où le gouverneur de l'Arkansas était tellement parti qu'il s'est laissé glisser le long d'un mur pour finir appuyé contre... une poubelle. La gérante d'un immeuble où Roger avait loué peu de temps un appartement affirmera les avoir entendus discuter bruyamment de la qualité de la poudre qu'ils étaient en train de goûter. Une nuit, une caméra cachée surprend Roger négociant un achat de coke. « Faut que j'en trouve un bon tas à mon frérot, dit-il. Il a le nez comme un aspirateur, ce mec ! »

Mais quatre grammes par jour c'est beaucoup, c'est énorme, et Roger en vient à prendre de gros risques pour satisfaire ses habitudes. Il se met à dealer au moment où, coïncidence étrange, les amis de Bill Clinton s'étonnent de voir ce dernier agité, inexplicablement irritable jusqu'à en devenir asocial, passant tout son temps libre dans le sous-sol de la résidence à jouer sur son flipper.

Roger fait des voyages à New York avec des sacs de coke scotchés au corps, en une occasion accompagné par un Big Brother officiellement dans l'ignorance de ce que transporte son frère. Roger remue de la came pour le compte de gros caïds. Un soir, il se fait piquer son cabriolet avec tout un nouveau chargement de coke. Ses fournisseurs lui réclament vingt patates fissa et menacent de le refroidir.

Une enquête ultérieure du FBI montrera que Big Brother est allé trouver une relation d'affaires — individu qui sera plus tard lui-même condamné pour trafic de stupéfiants... —, et lui a demandé de planquer un moment Roger dans sa ferme de Floride. Mais les fédéraux sont déjà sur sa piste : Roger récolte deux ans de prison au Texas. Le procureur est un nommé Asa Hutchison qui, bien des années plus tard, sera... l'un des membres de la commission d'enquête parlementaire les plus acharnés à réclamer l'impeachment de Big Brother.

Le grand frère est dans la salle quand le jugement est prononcé. Il a le nez rouge, un peu coulant. Sur les marches du tribunal, après la sentence, il est encore sous le coup de l'émotion quand il déclare : « Je me sens plus que jamais décidé, fermement décidé, à faire tout ce qui est en mon pouvoir pour combattre les substances illégales dans notre Etat. »

Bon, okay, et alors ? Quoi de si terrible ? Il ne tournait pas à l'héro, quand même ? Il ne se piquait pas, que l'on sache ? Il n'est pas tombé dans les pommes au milieu de quelque sordide repaire de camés, si ? Encore que cette histoire de s'affaler contre un mur pour embrasser une poubelle, ça avait quelque chose d'un peu... dérangeant.

A l'époque, la cocaïne dont il faisait si généreusement usage n'était pas encore la dope du tout-venant. C'était une drogue des milieux aisés, qui gardait un certain chic, la came des branchés et des élites hollywoodiennes, passée dans la légende grâce à Sigmund Freud et Sherlock Holmes. C'était notre drogue à nous, la génération du baby-boom. (Après, pour ceux de la « bof génération », il y aurait l'ecstasy qui allait d'ailleurs envoyer certains d'entre nous à l'hosto : on a l'âge de ses artères, n'est-ce pas ?)

D'écouter Ross Perot continuer dans son trip loufoque m'a remis en mémoire mon propre flirt avec la Fée blanche dans les années 60-70, durant ma période *Rolling Stone*, journal qui était aussi une ruche trépidante d'activité et d'énergie cocaïnomane. A chaque fois que les dealers de la ville appréciaient un article, et notamment les enquêtes où je dénonçais la corruption de tel ou tel agent des stups, ils témoignaient de leur satisfaction en envoyant quelques grammes à la rédaction.

J'aimais l'ivresse libératrice qu'elle procurait, l'insouciance, l'éloquence désordonnée. Et puis c'était le seul aphrodisiaque efficace, parmi tous ceux que j'avais essayés. On a attribué le priapisme de JFK à la cortisone qui lui avait été administrée pour combattre la maladie d'Addison — et Bill Clinton en a pris aussi, pour ses sinus et ses genoux —, mais pour moi, en tout cas, la cocaïne était le plus grand bienfait accordé aux hommes depuis l'invention du préservatif. La plupart de mes partenaires sexuelles étaient de cet avis : un feu d'artifice où les bouquets d'orgasme se succédaient huit heures durant.

J'ai vite découvert qu'elle ne produisait pas le même effet sur tout le monde, cependant. Hunter Thompson, dont le petit déjeuner consistait alors en deux bloody-mary, quatre lignes de coke et un demi-paquet de clopes, m'a expliqué qu'elle lui donnait envie d'écrire, Jann Werner qu'elle le rendait capable de mettre en forme la prose que Hunter lui donnait pour le canard... J'en ai conclu que sa constante était sans doute de nous remplir d'énergie pour accomplir ce que nous aimions le plus faire : David Felton, par exemple, lui aussi de *Rolling Stone*, adorait parler et donc... Hunter adorait écrire, Jann adorait son boulot d'éditeur, et moi j'adorais baiser.

Qu'elle soit dangereuse, il n'y avait aucun doute : elle était capable de vraiment vous niquer la tête. Dans un bar, un soir, j'ai regardé Grover Lewis, un autre journaliste de chez nous, s'escrimer pendant un quart d'heure à tirer des cigarettes... d'un juke-box. Ou bien, en tête à tête avec une des mignonnes de la rédaction dans une chambre de motel, je me suis brusquement rendu compte que je ne pouvais plus articuler un seul mot. J'arrivais à réfléchir, à m'activer sexuellement, mais je suis resté muet pendant près de dix heures. Par la suite, un médecin m'a appris que j'avais tout simplement été victime, à vingt-huit ans, d'une micro-crise cardiaque...

Les années passant, nous avons pour la plupart cessé de recourir à la coke. Dans mon cas, c'est la mini-attaque qui m'a décidé. Dans d'autres, ce sont les ravages quotidiens du vieillissement qui ont emporté le morceau. Mais la principale raison, c'était nos enfants : nous ne voulions pas que nos gosses jouent avec leur santé et leur vie comme nous l'avions fait. Certains, parmi notre génération, ont carrément adopté le leitmotiv de Nancy Reagan : « Il suffit de dire non ! » D'autres, peut-être plus réalistes, plus résignés à l'idée du « tel père, tel fils », ont préféré partager avec leurs enfants adolescents le bénéfice de l'expérience : l'herbe, ça va, il suffit de vérifier qu'ils n'ont pas mis de la poudre d'ange dedans ; la coke vous mettra le nez en chou-fleur ; l'héro est un boulet que vous traînerez jusqu'à la tombe ; le crack pareil, vous finirez dans le trou ou au trou ; les amphètes tuent ; l'ecstasy peut vous flanquer un arrêt cardiaque ; une seule tablette d'acide a de quoi vous lobotomiser à vie...

Et maintenant Ross Perot nous racontait que le président des Etats-Unis, qui avait en effet le nez en mauvais état, était affligé d'un problème de came ! En plus de tous les autres ! Mais j'étais convaincu que Clinton était aussi clean que moi, désormais. Et j'étais plus propre qu'un sou neuf, sur ce plan. A part la nicotine, comme Bill Clinton...

Et puis, en remarquant comment le Soldat de plomb ne cessait de le harceler en lui rappelant qu'il était « le commandant en chef de nos armées », j'ai cru comprendre ce qui lui travaillait *réellement* la caboche, à Perot : ni la came, ni les pipes, ni le cigare, ni les bobards, mais cette fichue histoire de mobilisation. Encore ! Oui, Bill Clinton — et moi itou — avait réussi à échapper en loucedé à l'appel. Et pour le Soldat de plomb, c'était un crime pendable.

4

Bubba et les crevures

LINDA TRIPP : Je crois me rappeler qu'il porte
« deux » appareils auditifs. C'est très, très
étrange, parce que ne plus pouvoir capter les
hautes fréquences, en général, on entend dire ça
des soldats qui ont beaucoup été à la canonnade
ou soumis à la DCA...
MONICA : Ouais, eh bien lui il a beaucoup été aux
concerts et aux meetings. Rock and roll, quoi !

Ce que Ross Perot ne comprenait pas, c'est que la
majorité des hommes de ma génération ont
échappé à la conscription, ou en tout cas ont essayé
de l'esquiver. Nous ne pensions pas qu'il était cool
de se faire parachuter dans ces rizières infestées de
moustiques. Nous ne saisissions pas — ni alors ni
jamais — les raisons de cette guerre.
Lutter « contre les communistes » ? Mais quel sens
y avait-il à combattre les Rouges de seconde division
qu'étaient les Vietnamiens quand au même moment
l'Amérique faisait des mamours aux équipes de
Coupe du Monde qui jouaient à Moscou et à Pékin ?
Quant à y aller tout simplement parce qu'on nous
l'avait dit, parce que c'était un ordre, parce que le

péquenot ou le cynique qui servait de commandant en chef en avait décidé ainsi... Non, ça ne nous emballait pas du tout.

Nous n'accordions ni confiance ni respect à Lyndon Johnson, et encore moins à Richard Nixon. Nous ne voulions pas porter les armes, mais le shilom. Nous ne voulions pas nous faire tuer, juste nous faire plaisir.

Et maintenant ils prétendaient nous arracher à nos disques des Beatles piratés, à nos paddocks parfumés à l'encens, nous couper les cheveux, nous jeter aux griffes de crevures abruties qui se chargeraient de nous avoir entièrement décervelés à la fin des classes ? Et ensuite ils allaient nous refiler un flingue en nous ordonnant de « casser du Viet » ? Ces Vietnamiens avec lesquels nous sympathisions, avec lesquels nous nous sentions partager le sort commun de marginaux houspillés par les crevures planétaires ? Que non, mon colon ! On n'y va pas !

Les uns se sont fait sauter un petit doigt du pied ou de la main. D'autres ont prolongé le plus possible leurs études, ajustant leurs projets de vie professionnelle à un cursus universitaire interminable. D'autres ont bouffé des pâtes dix fois par jour dans l'espoir que leur ventre de gargouille leur vaudrait la réforme. D'autres, au contraire, ont arrêté de manger dans l'espoir que leur allure d'épouvantail leur épargnerait le service. D'autres ont parcouru leur rectum de divers objets insolites dans l'espoir que les lésions produites attirent les soupçons des médecins militaires et qu'ils soient éjectés du centre de recrutement en tant que sodomites. D'autres sont devenus sodomites pour de bon. D'autres sont partis au Canada.

Les crevures du monde entier pouvaient toujours brandir la honte de la désertion ou du dossier de réforme fabriqué. Pour nous, ni honte ni déshonneur. A nos yeux, l'une et l'autre étaient de leur côté, du côté de ces automates, de ces nazis de base qui prenaient leurs ordres de crevures plus galonnées et qui

déshonoraient, oui, la nouvelle, la pacifique, la belle
Amérique à laquelle nous aspirions.

Nous pensions que ne pas tout essayer pour rester
loin de cette guerre insensée et injuste était une preuve
de bêtise, ou de faiblesse, ou... de couardise, précisément. Et nous étions formels : ceux qui soutenaient
cette agression obscène ne pouvaient qu'avoir été
contaminés en écoutant Sinatra, Sammy Davis Junior,
Eddy Arnold ou Anita Bryant[1]...

Lorsque Bill Clinton, l'étudiant d'Oxford, le titu-
laire d'une bourse Rhodes, reçoit la feuille lui enjoi-
gnant de se présenter à l'incorporation le 3 mai 1969,
il court — littéralement — chercher réconfort auprès
d'un ami. Paniqué, affolé, suffoqué, il frappe à sa
porte mais n'obtient pas de réponse. Il finit par
s'écrouler au sol, secoué de sanglots.

A cette époque, il a déjà résolu de faire carrière
dans la politique. Et il sait que les Américains n'éli-
ront jamais quelqu'un qui a fui l'appel sous les drapeaux en se réfugiant au Canada, ou en s'amputant
d'un doigt, ou en se triturant le rectum. Ses marges
de manœuvre sont limitées par ses ambitions, et par
sa compréhension instinctive de la realpolitik américaine : pour longtemps encore, ce seront les crevures
qui choisiront ceux qu'elles veulent à *leur* service
public. Jusqu'à ce que notre génération soit en âge
d'inculquer nos valeurs à nos jeunes et de faire naître
une autre Amérique dans les urnes.

Bill Clinton déteste cette guerre autant que la
grande majorité d'entre nous. Il lui faut un moyen
d'annuler l'ordre d'incorporation, mais quel moyen ?
Il appelle sa mère et son beau-père en leur demandant

---

1. Ancienne reine de beauté et chanteuse de Miami, Anita Bryant était
à la tête d'un mouvement hostile à l'égalité des droits pour les gays et les
lesbiennes : « Save our Children » (Sauvons nos enfants), très actif dans les
années soixante-dix. (*NdT*)

s'ils connaissent une quelconque protection à faire jouer. Il prie son beau-père d'essayer de le caser dans la Garde nationale ou dans une unité d'aspirants de réserve, les ROTC (Reserve Officers' Training Corps).

Désespéré, il quitte l'Angleterre pour aller voir à Washington l'homme le plus influent qu'il connaisse, James William Fulbright, le président de la commission des Affaires étrangères du Sénat. Le sénateur de l'Arkansas, qui a déjà commencé à critiquer publiquement l'intervention au Vietnam, est un ami pour lequel il a travaillé, d'abord pendant sa campagne électorale — le jeune Bill l'ayant conduit à tombeau ouvert sur les routes de l'Arkansas — puis à son bureau de Washington. Il lui explique sa situation, le supplie de l'aider. Fulbright promet de passer des coups de fil.

A cours de ressources, le dos au mur, Bill Clinton fonce à Little Rock pour consulter une autre de ses connaissances, un collaborateur du président exécutif du Parti républicain en Arkansas. Voici donc un jeune et très progressiste Démocrate cherchant secours auprès d'une formation qui déjà alors sert les intérêts de la ségrégation sociale et raciale ! Mais enfin, grâce à cet ami, le président du Parti va trouver le responsable du service de mobilisation pour l'Arkansas, lequel prend langue avec le chef du programme de recrutement des ROTC au niveau de l'Etat, le colonel Eugene Holmes.

Avant de se présenter devant cet ancien prisonnier de guerre de la seconde guerre mondiale et survivant de la « marche de la mort » à travers la péninsule de Bataan, Bill Clinton se coupe les cheveux et la barbe. Le pacifiste baba-cool face au héros bardé de décorations, dont les deux fils sont déjà au Vietnam... La rencontre dure deux heures, pendant lesquelles il tente de convaincre le colonel qu'il ne doit pas être incorporé, qu'il est idéalement taillé pour devenir aspirantofficier, lui qui abomine tout ce que les crevures portent aux nues. Il jure ses grands dieux qu'il n'a rien contre l'action américaine en Indochine. Le colonel dit qu'il va réfléchir, et dès le lendemain il est bombardé d'appels de politiciens de tous niveaux qui le pressent de prendre Bill Clinton dans les ROTC. « Le message que je recevais, en gros, expliquera-t-il par la suite, c'était que le sénateur Fulbright mettait la pression sur eux et qu'ils avaient besoin de mon aide. »

Et il la leur donne : quelques jours avant la date fatidique, le colonel Holmes casse l'ordre d'incorporation et admet le jeune Clinton dans le cadre des aspirants de l'université de l'Arkansas. Mais il fait encore plus que cela : il le met définitivement à l'abri de la guerre, décidant de lui permettre d'achever son année à Oxford et de suivre encore deux ans en faculté de droit avant d'avoir à se présenter de nouveau au recrutement. Or, comme tout le monde le sait très bien, ce conflit impopulaire sera forcément terminé d'ici trois ans...

Dès son retour à Oxford, Bill Clinton participe à sa première manifestation contre une guerre à laquelle il vient d'échapper. Devient l'un des dirigeants de la mobilisation sur le campus. Marche sur l'ambassade américaine à Grosvenor Square en compagnie de cinq cents autres opposants, brassard de deuil au biceps, armé d'une pancarte sur laquelle il a inscrit au feutre le nom d'un soldat tombé au Vietnam. Conduit un service religieux anti-guerre dans une église du quartier. Retourne devant l'ambassade américaine, cette fois avec une grande croix de bois dans les bras, qu'il dépose symboliquement contre la grille de l'entrée.

Entre-temps, les journaux ont annoncé que Richard Nixon retirait trente-cinq mille hommes du théâtre d'opération. Des informations font état d'une refonte complète du système de conscription : la mobilisation va être suspendue brièvement et quand elle reprendra elle ne concernera que les appelés âgés de dix-neuf ans, ainsi que « ceux qui se sont portés volontaires pour servir au Vietnam ». Selon d'autres sources, Nixon préconise pour sa part un système de tirage au sort, selon la date de naissance des futurs appelés : à la sortie des numéros, de un à trois cent soixante-cinq, on devient plus ou moins susceptible d'être enrôlé, mais ce pendant un an seulement. Quand on a un mauvais numéro, il y a un risque temporaire de partir ; quand on en obtient un bon, le danger est totalement écarté.

Au premier tirage, qui a lieu peu après, la date de naissance de Bill Clinton est en trois cent onzième position sur trois cent soixante-cinq et... s'il n'appartenait pas au programme ROTC, il serait à jamais délivré des obligations militaires. Le colonel Holmes et ces histoires d'aspirant ont été indispensables pour échapper à l'incorporation mais désormais qu'il n'a plus aucune chance d'être appelé c'est une contrainte inutile qui pèse sur lui.

Alors, il écrit au colonel en demandant à être reclassé « 1-A », c'est-à-dire bon pour incorporation immédiate, quand il sait pertinemment que le numéro qu'il vient de décrocher à la loterie exclut cette éventualité. Mais voilà, cette initiative pourra produire un joli effet dans sa biographie lorsqu'il postulera à un poste public. D'aucuns y verront une admirable manifestation de patriotisme : un jeune qui renonce à son exemption et assume — en apparence, sur le papier — le risque de partir au front ! Les crevures vont adorer ça...

Désormais tiré d'affaire, il tombe sur le colonel à feu roulant, comme s'il n'arrivait plus à se contenir. Dans une seconde lettre, il lui annonce, avec délectation presque, qu'il lui a menti au cours de leur rencontre. Que le « respect n'aurait peut-être pas été réciproque si vous aviez un peu plus connu mes convictions politiques et mes activités ». Il se décrit

« œuvrant jour après jour contre une guerre que j'ai rejetée et détestée avec une intensité que je réservais seulement au racisme en Amérique, avant le Vietnam (...). Par mes écrits, mes paroles et mes actes, je me suis opposé à ce conflit ». Et puis il lui annonce n'avoir « aucun intérêt pour le cours des aspirants-officiers en lui-même », sa démarche antérieure n'ayant servi qu'à le mettre « à l'abri de dommages corporels ».

Bill Clinton remercie la super-crevure de l'avoir « sauvé de la conscription » ! Et il explicite sa position : « Aucun gouvernement réellement attaché à une démocratie régulée par les représentants élus de la société ne devrait disposer du pouvoir d'obliger ses citoyens à combattre, à tuer et à mourir dans une guerre qu'ils sont en droit de ne pas accepter, une guerre qui peut même s'avérer infondée, une guerre, enfin, dont ne dépendent en aucun cas la paix et la liberté de la nation. La conscription était entièrement justifiée au cours de la seconde guerre mondiale, quand la vie des citoyens était individuellement et collectivement menacée. Les individus devaient se battre pour la survie de leurs concitoyens et du pays en tant qu'entité. Le Vietnam n'a aucun rapport avec cette situation. »

A bien des égards, sa missive résumait éloquemment ce que nombre d'entre nous pensaient de la guerre. Et la manière dont il avait monté tout le tour de passe-passe avait un panache rock and roll que bien d'autres exemptés volontaires ne pouvaient qu'admirer. Regardez plutôt : il déteste la guerre mais il est quand même appelé sous les drapeaux ; il échappe à l'incorporation en roulant dans la farine un médaillé qu'il a pris à la gorge grâce à son entregent politique ; et puis il descend dans la rue contester un conflit auquel il a déjà échappé ; ensuite il se tire des réserves, où il s'était mis lui-même afin de se tirer de la conscription ; et il en profite pour expliquer en détail au médaillé comment il l'a bien eu ; enfin il termine en dissertant sur la guerre pour l'enseignement... d'un héros militaire !

Six ans plus tard, cependant, le boomerang manque de lui revenir à la figure lorsqu'il se présente en Arkansas contre un Républicain ancien combattant de la seconde guerre mondiale, qui n'arrête pas de lui demander comment il a pu échapper à la mobilisation. Là, Bill Clinton comprend que sa flamboyante lettre au colonel peut le mettre dans l'embarras, et sérieusement encore. Il doit la récupérer au plus vite.

La première fois, il a fait caner le colonel grâce à son ami le sénateur. La seconde, ce sera avec l'aide d'alliés bien placés au conseil d'administration de l'université de l'Arkansas. Alors le héros ordonne à l'un de ses secrétaires de « sortir cette lettre des archives ». Le secrétaire la lui apporte, le colonel la renvoie à son auteur. Terminé.

Terminé ? Seize ans plus tard, en 1991, ce secrétaire, Ed Howard, commence à être assailli de questions à propos d'une lettre que Bill Clinton aurait jadis écrite au colonel Holmes. Un jour qu'il croise le futur président à Little Rock, Ed Howard le met au courant de cette soudaine curiosité des journalistes.

— Vous en faites pas pour ça, répond Clinton. Je lui ai déjà tordu le cou, à cette histoire.

Personne ne sait encore qu'il existe une copie de la missive, initiative attribuée à un autre collaborateur du colonel. Elle se fraie un chemin dans les rédactions en 1992, au beau milieu des primaires dans le New Hampshire. Pendant quelques jours, Bill Clinton et ses proches ne ferment plus l'œil. D'aucuns y voient la vengeance magnifiquement planifiée d'un vétéran qu'on a roulé dans la farine : qu'est-ce que l'Amérique va penser d'un candidat à la présidence qui a

reconnu noir sur blanc avoir berné les sergents recru-
teurs, qui s'en est flatté, même ?

Il s'avère qu'elle n'en pense pas grand-chose,
l'Amérique. Comme prévu, notre génération a pris de
l'âge, nous avons transmis nos valeurs à nos enfants,
les crevures sont mortes, ou mourantes, ou complètement déphasées, comme Ross Perot. Dans l'Amérique
que nous avons créée, elles ne font plus le poids. Et
le fait d'avoir esquivé l'appel n'est en rien une raison
de ne plus mériter les voix de ses concitoyens... Pas
plus qu'une turlute ou un cigare rendu encore plus
parfumé. Dans les deux cas, Bill Clinton a cru qu'il
n'y avait aucune preuve contre lui et il a tout nié.
L'un de ses mensonges a été dénoncé par la photoco-
pie d'une vieille lettre. L'autre le sera par une petite
robe bleue.

5

Mark Fuhrman
et la robe bleu marine

LINDA TRIPP : Je peux te poser une question ? J'ai
une peur terrible. Et toi ? Franchement, je suis
morte de peur !

MONICA : Tu veux que je sois très franche ? Tu veux
que je te dise la vérité vraie ? J'ai peur d'une
chose, oui : que tu parles trop.

C'était une robe bleu marine non décolletée mais
à haut boutonné, vendue $ 49,95 chez Gap. Pas
du tout la « robe du soir » que l'un des procureurs de
Kenneth Starr avait cru voir, mais simplement une
tenue dont la couleur et la coupe faisaient paraître plus
mince Monica, qui frisait toujours la paranoïa quand
il s'agissait de son tour de taille.

Elle allait devenir l'une des robes les plus célèbres
de l'histoire américaine. Plus connue encore que celle
de Scarlett dans *Autant en emporte le vent*, et d'un
effet sur la direction du pays presque aussi dévastateur
que celui du tailleur rose maculé de sang que portait
Jackie Kennedy tandis que LBJ prêtait serment à bord
d'Air Force One.

Cette toute simple « robe de bureau », comme l'appelait Monica, allait aussi passer pour l'un des symboles les plus chargés d'érotisme de la culture populaire récente. Plus sexy que l'ensemble pratiquement transparent de Barbra Streisand à la remise des Oscars, que le fourreau scintillant de Marilyn, que l'assemblage d'épingles à nourrice avec lequel Elizabeth Hurley avait décroché un contrat de top-model. Et en tout cas le plus spectaculaire apport de Gap à la mode féminine depuis que Sharon Stone, une autre amie de Beau Gosse, était venue recevoir son Oscar en col roulé noir de la même marque.

Le 28 février 1997, cela fait onze mois que Monica Lewinsky n'a pas revu Bill Clinton, même s'ils se sont échauffés mutuellement au téléphone une demi-douzaine de fois pendant qu'il parcourait le pays en tous sens pour sa campagne électorale face à Bob Dole et au Soldat de plomb. Mais la veille Betty Currie l'a invitée à la déclaration radiophonique hebdomadaire du président.

Avec six autres privilégiés, Monica le contemple prononcer son discours. Puis elle se fait à nouveau photographier avec l'homme dont elle ne partage l'intimité qu'au téléphone depuis près d'un an. C'est un couple en bleu : il porte un blazer et une chemise en jean, elle sa robe marine qui sort du teinturier et dans laquelle elle se plaît assez. Après la pause photo — « Qu'est-ce que j'étais nerveuse ! » se souviendra Monica —, Bill Clinton lui demande de se rendre dans le bureau de Betty Currie, parce qu'il veut lui donner quelque chose.

Elle bavarde avec Betty pendant que le président s'attarde avec les autres invités. Lorsqu'il arrive, la secrétaire particulière leur ouvre le Bureau ovale, puis le bureau privé, et les laisse en tête à tête.

— Et maintenant, souffle Monica, embrassez-moi, vite...

— Attends, attends. Un peu de patience.

Il lui tend un petit boîtier constellé d'étoiles dorées. Elle l'ouvre. Il y a une broche en verre de la même couleur que sa robe. Tandis qu'elle s'extasie, il glisse un objet dans son sac à main, avec un air presque gêné, et annonce à voix basse :

— C'est pour toi.

Monica découvre un livre superbement relié de cuir. *Feuilles d'herbe*, le recueil de poèmes de Walt Whitman. De tous ses cadeaux, elle se dit que celui-ci est le plus chargé de sens, « le plus beau ». Elle a l'impression qu'il a voulu lui dire, avec les mots de Whitman, la profondeur de l'affection qu'il lui porte.

Il lui dit qu'il a bien vu le message de Saint-Valentin qu'elle lui a adressé dans les petites annonces du *Washington Post*, une citation du *Roméo et Juliette* de Shakespeare dédiée à « Beau Gosse » : « Avec les ailes légères d'Amour ô comme j'ai survolé ces murs / Car des barrières de pierre Amour se rit / Et ce qu'Amour accomplit est encore, à ce qu'Amour osait, un défi. » Il lui dit qu'il adore *Roméo et Juliette*, et il l'embrasse, et ils vont dans le couloir si cher à la mémoire de Monica. Elle entreprend de déboutonner sa chemise.

— Ecoute, c'est important ce que je dois te dire. Il faut que nous fassions attention, très attention...

Mais il l'embrasse à nouveau, ouvre l'encolure de sa robe. Ils accomplissent leur ancien rituel, puis elle se met à genoux. Soudain, il se fige. Il a cru entendre du bruit dans le Bureau ovale.

Ils passent dans le cabinet de toilette. Elle s'agenouille une nouvelle fois. Au bout d'un moment, comme il recommence à la repousser, elle se lève, l'enlace et lui murmure à l'oreille :

— Vous comptez tellement pour moi... Je ne comprends pas pourquoi vous ne me laissez pas vous faire jouir. Parce que... Parce que ça compte beaucoup, pour moi ! Je veux dire, autrement c'est... à moitié, vous comprenez ? Ce n'est pas comme ça qu'on doit se sentir.

En retour, il chuchote :

— Je ne veux pas en arriver à ne plus pouvoir me passer de toi. Et je ne veux pas que tu en viennes là, non plus. (Ils se dévisagent un instant, en silence.) Je ne veux pas te décevoir.

Elle reprend sa position, cependant, et pour la première fois elle sent Willard se libérer dans sa bouche.

« J'en étais malade, après », affirmera-t-il plus tard mais pour l'heure il lui dit :

— Il faut que tu aies l'air présentable, maintenant.

Alors elle rajuste sa robe, se remet du rouge à lèvres et, comme par magie, Betty Currie est soudain là, frappant discrètement à la porte des quartiers privés de Bill Clinton. Ils retournent tous les trois dans le Bureau ovale, puis la secrétaire reconduit Monica dehors.

Malgré ce départ quelque peu abrupt, la jeune femme est au septième ciel. Elle a obtenu sa confiance, enfin. Il l'a laissée terminer ce qu'il avait toujours refusé jusqu'ici. Ils n'ont toujours pas fait l'amour mais là, au moins, c'est une vraie fellation qui a eu lieu. Oui, ils sont passés du fellatus interruptus à l'acte dans sa plénitude et elle espère que la prochaine étape sera celle du coïtus, quand bien même interruptus... Un grand jour, décide Monica : il lui a donné *Feuilles d'herbe* et la semence, qu'elle accueille avec la même reconnaissance.

Elle rejoint directement des amis qui l'attendent à dîner dans un restaurant, puis elle rentre chez elle et abandonne la robe bleue dans sa penderie.

Des semaines plus tard, en se préparant pour aller à une soirée, elle la remarque parmi ses affaires, l'enfile, mais comme elle a un peu grossi elle n'est pas satisfaite du résultat. Elle découvre deux « toutes petites taches » sur le tissu, au niveau de la poitrine et de la hanche. Aussitôt, elle se demande s'il pourrait s'agir de traces présidentielles. Mais elle se dit que le fautif est peut-être aussi le guacamole ou les épinards qu'elle a consommés au dîner ce fameux jour, chez McCormick and Schmidt's, le restaurant où elle a dîné avec ses amis... Elle abandonne la robe en tas. Mais elle en parle à deux de ses copines, en remarquant facétieusement que ce devrait être à Bill Clinton de « payer la note du pressing ». Et la Ratte se retrouve également dans la confidence.

Sur les conseils et avec l'aide de Monica, Linda Tripp a entrepris une cure d'amaigrissement. En guise d'encouragement, Monica lui a proposé de venir choisir des habits qu'elle ne met plus. Lorsqu'elle ouvre la penderie, ses yeux tombent sur la robe bleu marine, elle lui raconte l'histoire et lui montre les taches. Du coup, la Ratte ne se sent plus. Sitôt revenue chez elle, elle appelle Michael Isikoff, le journaliste de *Newsweek*.

— Qu'est-ce que je fais ? Je la lui prends, cette robe ?

— Pour en faire quoi ?

— Vous la donner, tiens !

— Ah oui, et pourquoi donc ?

— Pour que vous la fassiez examiner.

— Mais... Mais qu'est-ce que vous racontez, bon sang ? s'exclame Isikoff.

— Une analyse. D'ADN.

— Hein ? Et un échantillon d'ADN du président, je le trouve où, bordel ? s'indigne le journaliste, qui rapidement coupe court à la conversation.

Vraie question. Mais quand Tripp reprend son téléphone pour joindre Lucianne Goldberg, celle-ci détient la réponse. Sous son toit, de passage à New York et descendu chez elle — « à la bonne place et au bon moment », encore une fois —, il y a quelqu'un qui en connaît long sur les taches et sur l'ADN. Tout droit sorti des égouts du retentissant procès d'OJ Simpson, un obscur ex-flic propulsé au rang de célébrité sous le nom de « Führer Man » va devenir le complice d'une machination qui ne poursuit rien de moins que la perte du président des Etats-Unis.

Le casting est d'une horrible justesse : l'ex-inspecteur de police de Los Angeles Mark Fuhrman en trio avec une ex-poseuse de micros de la Force Delta et une ex-espionne de Nixon qui trimarde de la crassouille. Ancien Marine, fétichiste d'insignes nazis et maintenant auteur d'un livre, Führer Man a été accusé de fabriquer des fausses preuves au procès de la vedette sportive noire. A un psychiatre de la police, il a déclaré un jour qu'il en avait eu assez des Marines parce qu'« une bande de Mexicos et de nègres voulaient me donner des ordres ». Un témoin l'a entendu grommeler qu'il fallait « cramer tous les négros ». Il s'est installé dans une petite ville de l'Idaho, non loin du QG de l'organisation néo-nazie La Nation aryenne, un endroit qui pullule de flics de LA retraités ou mis hors service.

Et Führer Man sait ce dont la Ratte et la Trimardeuse ont besoin : juste un coton-tige, un sac en plastique et un peu de solution stérile. Mais il faut qu'elles se débrouillent pour récupérer la robe.

Avec un test d'ADN prouvant qu'il s'agit de son sperme, Bill Clinton ne pourra plus suivre la ligne de conduite qu'il avait suggérée un jour à Gennifer : « nier, nier et encore nier ». Les marabouts de la Maison-Blanche ne pourront plus se réfugier derrière le discours « elle a dit que mais il dit que ». Et refuser d'admettre devant un tribunal ses batifolages avec Monica Lewinsky risque de le conduire en prison. Mais il faut la robe.

Un jour, quand elles sont seules dans le bureau du Pentagone Linda Tripp explique à Monica qu'elle est fauchée. Tellement aux abois, en fait, qu'elle est en train de vendre toute sa garde-robe. Et ce matin, une collègue a voulu lui acheter le tailleur qu'elle porte. Là, tout de suite, elle est prête à le payer ! Alors est-ce qu'elle pourrait aller chez Monica, là, tout de suite, lui emprunter une nippe quelconque et revenir conclure l'affaire du tailleur ? Monica accepte. Elle va la conduire à son appartement, dit-elle. Mais non, proteste la Ratte, pas besoin de tout ce dérangement : il suffit qu'elle lui prête ses clés et voilà... Monica reste songeuse un instant, puis avoue qu'elle n'aime pas l'idée de laisser quelqu'un, n'importe qui, chez elle quand elle n'y est pas. L'écume aux lèvres, la Ratte l'accuse de refuser sa confiance à une grande amie comme elle.

Puisqu'elles n'arrivent pas à mettre directement la main dessus, il faut au moins s'assurer que Monica ne va la porter chez le teinturier. Elles décident de lui flanquer un peu la trouille pour l'en dissuader.

— Je voudrais que tu réfléchisses à ça, lui déclare Tripp. Et que tu ne prennes pas le contrepied de ce que je dis, comme toujours.

— Je ne prends pas toujours le contrepied de ce que tu me dis !

— Tu es têtue, si. Très têtue. (Elle soupire.) Bon, la robe bleu marine. Tout ce que je veux te dire, c'est que je sais ce que tu ressens aujourd'hui, et je sais pourquoi, mais que tu as toute ta vie devant toi et j'ignore ce que te réserve le lendemain. Et toi aussi, tu l'ignores. Moi je ne sais rien et *toi* tu ne sais rien, là-dessus. L'avenir, c'est une feuille blanche, d'accord ? On ne sait pas ce qui peut arriver. Et donc, moi, à ta place, je préférerais avoir encore cette robe si j'en avais besoin d'ici des années. Voilà, c'est ce que je pense.

— Tu penses que je peux garder pendant dix ou quinze ans une robe avec des taches de sperme de...

— Attends, attends ! Ecoute, j'ai un cousin qui est

spécialiste de ces machins-trucs, là, d'analyse génétique... (C'est un mensonge. Le cousin en question
n'est autre que l'hôte de la Trimardeuse, Führer Man.)
Et pendant l'affaire OJ Simpson j'ai dit que je ne
croyais pas à toutes ces histoires d'ADN, et tu sais ce
qu'il m'a répondu ? Ah, je n'oublierai jamais ça ! Et
il a un doctorat, et tout et tout ! Alors il m'a dit que
sur la victime d'un viol, maintenant... Parce qu'il y a
encore même cinq ans ils n'auraient pas pu, tu
comprends ? Donc, maintenant, si la fille a gardé une
infime croûte de sperme séché, même à dix ans de
distance, et qu'elle passe un coton-tige mouillé dessus, avec cet échantillon pas plus gros qu'une tête
d'épingle, ils sont capables de retrouver l'ADN avec
une certitude absolue... presque absolue.

— Bon, et pourquoi ne pas la gratter et la mettre
dans un sac en plastique, cette croûte ?

— Non, tu ne peux pas faire ça ! Il faudrait utiliser
un coton-tige et... Ecoute, c'est comme si je parlais à
ma propre fille, là. Ce que je dis, je le dirais à ma
propre fille, s'il fallait. Pour ta sécurité totale, et j'espère bien que tu n'en auras pas besoin. Il ne faut pas
que tu la touches ! A ma propre fille, je le dirais, et
elle m'enverrait chier mais il n'empêche...

— Bon, je vais y réfléchir, concède Monica.

— Crois-moi, je comprends ce que tu ressens.
Simplement, je ne veux pas que tu te prives de toutes
tes chances, au cas où tu serais absolument obligée de
le faire. Et crois-moi, je sais mieux que n'importe qui,
à part ta mère sans doute, je sais mieux que quiconque
que tu ne te serviras jamais de cette robe sauf nécessité absolue. Jamais. J'en suis convaincue, con-vain-
cue ! Mais je ne fais pas confiance aux gus qui sont
autour de *lui*, par contre, et donc je veux que tu te la
gardes pour toi, rien que pour toi. Mets-la dans un
sac, mets-la dans une housse, et range-la parmi tes
petits trésors... A toi de voir où. Dans ton coin secret.

— Mais pourquoi, quand même ? Qu'est-ce que tu...

— Je ne sais pas, Monica, chuchote Tripp tout en préparant soigneusement ces mots effrayants, je ne sais pas mais il y a cette idée affreuse qui n'arrête pas de me revenir dans la tête, qui n'arrête pas.

— Et si je ne l'avais pas, cette robe ?

— Je pense que c'est une chance que tu l'aies. Une grande, grande chance, qui peut aussi être ton assurance tous risques pour l'avenir. Ou peut-être que tu n'en auras jamais besoin et que tu pourras la mettre à la poubelle ! Mais ce que je ne veux pas, pour rien au monde, c'est lire un jour dans le canard que tu es en pleine dépression parce que ça a pris à quelqu'un de dire que tu l'as « harcelé » ou je ne sais quoi. Avec tout ce qui se passe maintenant, je... je ne fais plus confiance à personne, voilà. Je suis peut-être parano ? Si c'est le cas, pardonne-moi. Et je ne dis pas que tu *dois* le faire si tu ne veux pas. Je dis que ce serait intelligent de le faire. Et puis de la ranger dans un endroit que tu es la seule à connaître.

Et pendant qu'elle évoque son inquiétude, l'instinct maternel qui l'anime à parler ainsi, elle enregistre Monica ! Et elle délibère tous les jours avec la Trimardeuse, la protectrice de Führer Man ! Fétide conspiration, mais efficace aussi : au cours d'une conversation téléphonique ultérieure, Monica dit qu'elle ne trahira pas son Beau Gosse et la Maison-Blanche parce que « j'ai trop peur de fâcher ces... ces gens. Peur pour ma vie ». Et elle suit à la lettre les conseils de la Ratte : elle glisse la robe dans une housse avec ses autres « trésors » (les enregistrements des messages qu'il lui a laissés sur son répondeur) et cache le tout dans la penderie de sa mère, à New York.

Linda Tripp lâchera le morceau en appelant l'adjoint de Kenneth Starr, Jackie Bennett. Quand les procureurs apprennent l'existence de la robe bleue, que Monica n'aurait jamais évoquée d'elle-même, ils comprennent qu'ils tiennent à la fois Clinton et Monica : si Clinton nie sous serment avoir eu des relations sexuelles avec elle, les taches seront une preuve patente de faux témoignage ; et si Monica clame qu'elle n'a plus cette robe ou qu'elle l'a fait nettoyer, elle sera coupable de destruction ou de dissimulation de preuves. Et ils ont même un témoin, la Ratte, qui non seulement a vu les traces mais en a parlé au téléphone avec Monica, ainsi que l'établissent les enregistrements qui sont maintenant en leur possession.

Lorsque Monica parvient enfin à négocier l'immunité, les hommes de Starr lui réclament immédiatement la robe. C'est ça ou la prison : la Ratte l'a privée de tout autre choix. Etiquetée « Q3243 », la preuve bleu marine est envoyée à un labo du FBI. Le président des Etats-Unis est contraint de fournir un échantillon sanguin. Le résultat de l'analyse est sans appel : ces taches ne sont ni du guacamole ni du jus d'épinards.

6

Jay Leno et le cigare

LINDA TRIPP : Oh, je commence à penser que c'est
un crétin fini ! Enfin, à mon humble avis.
MONICA : Et moi, je commence à penser que c'est
un connard plus qu'un crétin.
LINDA TRIPP : Pourquoi pas la complète ? Un crétin
et un connard ?

Il avait joué du saxo à la télé, pratiquement montré
son slip sur MTV, et maintenant que toutes ces
rumeurs sordides inondaient l'Amérique il aurait bien
voulu se montrer « dans le coup » encore une fois.
Alors il a joué son va-tout : « Je n'ai pas fait ça. Personne ne m'a vu le faire. Vous ne pouvez rien prouver. » Mais ça n'a pas marché. De plus en plus
d'éditorialistes ont demandé sa démission.

Ressortie des morgues journalistiques, la vieille
formule du Démocrate Bob Kerrey réapparaît partout : « Clinton est incroyablement bon comme menteur. Incroyablement. Vous comprenez ça ? » Un
commentaire du *Washington Times* évoque « un
pécore qui ment et qui vole en mocassins Allen
Edmonds ». Un ancien collaborateur de Reagan, Lyn
Nofziger, dit de lui qu'il « est aussi chargé qu'une

bombe artisanale et risque d'exploser en plein Bureau ovale », ajoutant méchamment qu'« avec ses frais d'avocats il ne va plus pouvoir continuer à se payer des coupes de cheveux à deux cents dollars ». Selon le président du Parti républicain dans l'Ohio, Bill Clinton serait affligé d'« une inversion céphalo-rectale ». Un chroniqueur pose la question : « Ça vous plaît vraiment de savoir que la CIA doit rendre compte à un type qui ne pense qu'à découvrir les secrets de Victoria ? » — référence au célèbre catalogue de lingerie féminine américaine, *Victoria's Secret*. Et un autre camarade démocrate, le sénateur Fritz Hollings, affirme à propos de sa circonscription : « En Caroline du Sud, Bill Clinton est aussi populaire que le sida. »

Même l'autel à sa dévotion dont il avait ordonné la création au Pentagone n'est plus épargné : ce couloir du troisième étage, surnommé le « corridor du commandant en chef », aux murs couverts de grandes photographies de Bill Clinton en compagnie du gratin de l'armée américaine, n'a jamais été apprécié par les gradés du Pentagone, qui ne lui pardonnent pas de s'être fait porter pâle pour le Vietnam. Et maintenant un employé doit nettoyer chaque jour les verres, maculés des crachats de ceux qui empruntent ce passage...

Mais les ravages les plus incendiaires provoqués à la présidence, estime-t-on dans l'entourage de Bill Clinton, viennent de l'exécution symbolique qui se reproduit chaque nuit devant soixante-dix millions de téléspectateurs. Conscience cynique de l'Amérique des années quatre-vingt-dix, Jay Leno le soumet au mitraillage de ses plaisanteries, lesquelles sont nettement plus cruelles que celles qu'il avait réservées à un Bob Packwood ou à un Bob Dole.

Les blagues infligées chaque soir — et répétées le lendemain par la quasi-totalité de l'Amérique — blessent d'autant plus Bill Clinton qu'il se sent amoindri, affublé de l'image du « plouc débile » et du « Caligula de la Prairie » que nombre de commentateurs veulent lui coller. « Nous avons appris aujourd'hui que Clinton a essayé une fois le sexe au téléphone avec Hillary, mais qu'elle a répondu : "Pas ce soir, j'ai mal à l'oreille". » Ou bien : « Al Gore n'est plus qu'à un orgasme de la présidence. » Ou encore : « Selon nos informations, Monica envisage de lui réclamer un million en justice pour préjudice moral, atteinte à la vie privée et note de 2,50 dollars au pressing. » D'après une confidence faite à un ami, une remarque de Jay Leno l'a particulièrement blessé : « L'ancien président Carter a dû être hospitalisé à cause de démangeaisons persistantes. Son état est satisfaisant, et d'ailleurs si un président démocrate a un *vrai* problème de démangeaison, à mon avis, c'est Clinton. »

Ses bons mots vont inspirer des milliers d'émules sur Internet, les nouvelles plaisanteries s'échangeant par mail entre tous les bureaux du continent. « Pourquoi Clinton porte un caleçon ? Pour avoir les chevilles au chaud. » « Quel métier voulait faire Clinton quand il était petit ? Pompier. » « Quelle est la définition des rapports sexuels sans risque, pour Clinton ? C'est quand Hillary n'est pas à Washington. » « Quelle est la différence entre Clinton et la paie à la fin du mois ? Aucune, à chaque fois la stagiaire se fait baiser. » « Quelles sont les deux pires choses chez Bill Clinton ? Sa parole. » « Quel est l'instrument préféré de Clinton ? Pas le saxo, la clarinette ! » « Pour Clinton, faire la cour à une femme, c'est comment ? "Tiens, mate un peu ça, salope !" »

Mais les blagues les plus humiliantes pour lui sont encore celles qui prennent Hillary pour cible : « Si Hillary se fait descendre, qu'est-ce qui se passe ? Bill Clinton devient automatiquement président » ; « Hillary est la seule femme qui puisse se coucher avec Clinton. Les autres doivent se mettre à genoux » ; « Comment Hillary et Bill se sont rencontrés ? Ils draguaient la même fille au lycée » ; « Quand est-ce qu'il y aura une femme à la Maison-Blanche ? Dès qu'Hillary sera partie » ; « Qu'est-ce qui est arrivé à Clinton lorsqu'on a lui a injecté des hormones mâles ? Il s'est transformé en Hillary » ; « Pourquoi est-ce que les employées femmes de la Maison-Blanche ont la haine contre Hillary ? Parce qu'elle ne relève jamais la planche aux toilettes » ; « Pourquoi Hillary est toujours en col roulé ? Pour qu'on ne voie pas sa pomme d'Adam bouger quand Clinton parle » ; « Quelle est la différence entre Hillary et un vieux puits de pétrole ? Lui, on revient le forer de temps à autre ».

Et comme si cette invasion de pollen malveillant ne suffisait pas, on a retouvé des graffitis jusque dans les toilettes de l'immeuble administratif à la Maison-Blanche : « Ken Starr garde son slip, lui », « Pipes et cigares, c'est trop ! », « Cherche, Buddy, cherche ! » ...Quant aux autocollants, c'est une marée qui déferle sur l'Amérique : « D'abord Hillary, ensuite Gennifer, maintenant NOUS ! », « Assez rigolé, ramenez-nous Bush ! », « Si elle a avalé, il faut l'acquitter », « Hillary, essuie et tais-toi », « Avortez Clinton ! », « J'ai voté Bush aux dernières élections », « Lee Harvey Oswald, reviens vite ! », « J'aime tes gencives, tu sais ? », « Et bien juteux, le cigare ! ».

Son cigare ! Ses chers cigares ! Il en est privé, désormais. Hillary ne l'a déjà guère arrangé avec sa mise au point assez malheureuse, quand elle a rappelé que la Maison-Blanche est une zone non fumeur. Et voilà que Dick Morris lui répète maintenant : « Qu'on ne vous voie plus jamais avec un cigare, jamais ! Ni dans la main, ni dans la bouche ! » Et il comprend très bien, il sait que Dick Morris a raison, comme toujours, mais il les aime tellement, et ils ont pris un tel plaisir, avec Monica, rien qu'à... parler cigares. Elle lui a même offert un porte-cigare en argent, une pièce d'antiquité. Dans son bureau personnel, il a deux ouvrages sur la question, *Le Grand Livre du cigare* de Richard Carlton Hacker et *Cigare, le meilleur ami de l'homme* d'Anwar Bati et Simon Chase, juste à côté de celui que Monica lui a offert (*Oï vovoï !*, une anthologie d'humour ashkénaze) et de ce classique du « positive thinking » qu'est le *Little Engine That Could* de Walter Piper [1].

Finis, les cigares. Partis avec Monica. En satisfaisant son plaisir oral, elle lui a dérobé le sien. Il a l'impression d'être l'un des sujets de ce sultan moyenâgeux qui n'hésite pas à faire couper le nez à ceux qu'on surprend en train de fumer. Le cigare, « ce compagnon dans la solitude, cet ami du célibataire, rassasie l'affamé, réconforte l'affligé, calme l'insomniaque et réchauffe l'homme transi ». On n'oublie jamais « ni son premier amour, ni son premier cigare ».

Est-ce que celui qu'il a goûté avec Monica a été le meilleur de sa vie ? Eh bien d'une certaine façon oui, peut-être. Et le pire ? Eh bien, en fait, peut-être aussi... Mais ce qui est rageant, c'est de savoir qu'il ne peut plus en toucher un seul. JFK s'offrait souvent ce luxe, lui. Et Churchill ? En quatre-vingt-onze ans, il s'en est envoyé des dizaines de milliers !

Tout cet émoi collectif autour d'un Davidoff humide et mâchonné, mais pas un de ces grands historiens qui aiment pontifier sur les plateaux télés n'a simplement remarqué que le cigare appartient au patrimoine national, qu'il est aussi substantifiquement américain que la tarte aux pommes ! Comment Benjamin Franklin a-t-il pu financer son Congrès continental ? En obtenant un prêt sur le marché à terme du tabac. La Révolution américaine a eu lieu grâce à

---

1. L'histoire d'un train chargé de jouets qui doit affronter une redoutable montagne, épreuve dont s'avouent incapables les grosses turbines tandis que « le petit moteur » décide vaillamment de tenter l'escalade. Signé par Walter Piper ainsi que George et Doris Hauman, c'est un livre pour enfants qui a accompagné des générations de jeunes Américains. (*NdT*)

l'argent de la « plante divine » qui constitue les cigares, ni plus ni moins. Et c'est grâce à trois cigares que l'Union a remporté la Guerre civile : ceux que deux soldats avaient découverts emballés dans des feuilles de papier, lesquelles, après vérification, allaient s'avérer être les plans de bataille de Robert E. Lee, le chef militaire sécessionniste !

Non, c'est trop injuste, se disait Bill Clinton en pensant à tous ces abrutis en train de ricaner à ses dépens, à tous ces bouffons qui se moquaient de lui, à tous ces fichus autocollants et à ces petits malins qui se déguisaient en cigare dans les rues, comme si le pays entier se payait un Halloween de plus dans le calendrier ! Et il ne pouvait même pas savourer un cigare pour se changer les idées. Solitaire dans la pénombre, assis sur le canapé de Nancy Hernreich, il revoyait avec les yeux de la nostalgie un de ces cylindres de pure délectation, dense et souple à la fois, lisse, chargé de fécondes saveurs, et les soigneuses, les tendres manipulations préliminaires...

Dans cette confortable rêverie, et au milieu d'un pays transformé en gigantesque plaisanterie, il a soudain repensé à une blague que Monica lui avait racontée : « Pourquoi les juifs aiment bien regarder une cassette porno en mode rembobinage ? Parce que ça leur permet de voir la pute rendre l'argent. » Et du coup lui est revenue celle qu'il avait sortie à Monica : « Si on accouple une fille de bonne famille juive et un Apple, ça donne quoi ? Un ordinateur qui ne voudra jamais faire de pipes. »

Comme ils avaient ri, alors ! Et quelle douce tristesse lui apportait ce souvenir ! Il a fermé les yeux, prêt à prolonger ces quelques moments de répit dans la pièce silencieuse, loin de tout ce vacarme, et sa main s'est posée sur son...

7

C'est pas sa faute, à Billy

MONICA : J'ai emmené ma mère et ma tante à cette
cérémonie, là, et après le Grand Zombie me dit :
« Je les ai vues. Elles sont mimis. » Et moi : « La
ferme ! Pas si mimis que ça, et pas autant que
moi ! »

LINDA TRIPP : Je me demande ce qu'il avait en tête.

MONICA : Comment il pourrait se les taper, elles
aussi.

Dans une Amérique toujours plus en quête de souvenirs refoulés, de traumatismes originels et
d'enfances molestées, il y avait une autre ligne de
défense possible : le commandant en chef devenu victime en chef, avec pour coupable ce croque-mitaine
décrépit qui avait été un alibi-béton pendant les
années 60, « la Société ». Ou, plus spécifiquement
dans ce cas, la famille. Ou, encore plus précisément,
le « déficit d'équilibre familial » subi par le jeune Bill
Clinton.

Des équipes de psys pro-Clinton ont bientôt envahi
les talk-shows pour mettre le caca dans lequel le président s'était fourré sur le compte de sa mère, de son
père, de son beau-père et de ses grands-parents. Ce

n'était pas sans rappeler d'autres applications de la politique de la terre brûlée, car tandis que Bill s'abstenait de tout commentaire les spécialistes ont résolu — sous couvert d'euphémismes, bien entendu — que maman avait été une salope, papa un soûlot, beau-papa une salope, un soûlot et un mari abusif, mamy une salope et une épouse abusive, et le pauvre papy roué de coups par sa femme un simple soûlot de la vieille école. Dans le genre horreur familiale, même Erskine Caldwell[1] n'aurait pas pu faire mieux.

Après ce lourd passé d'enfance malheureuse et d'isolement affectif, Bill Clinton, nous ont expliqué les psys, avait encore subi tout récemment la perte de trois « références structurantes ». Sa mère Virginia, qu'il avait malgré tout adorée, était morte en 1994. Le Premier ministre israélien Yitzhak Rabin, qui lui avait donné une importante « image paternelle », avait été assassiné en 1995. Et son très proche ami Ron Brown, le secrétaire au Commerce, avait disparu tragiquement l'année suivante. Sur ce dernier choc émotionnel, nos analystes ont omis de préciser que deux jours après le décès de Brown Bill Clinton avait attiré Monica dans le Bureau ovale pour qu'elle lui fasse une turlute, ni que sur la vidéo tournée pendant qu'il se rendait aux obsèques on pouvait le voir rire et plaisanter avec un ami.

Ils ont été par contre très volubiles pour affirmer que l'accident d'avion qui avait coûté la vie à Brown avait sans doute réveillé sa blessure initiale : l'accident de voiture dans lequel son père avait péri quand le petit Bill se trouvait encore dans le ventre de sa mère. Ils ont souligné que le président avait failli fondre en larmes aux funérailles de Rabin, sans mentionner que cet étalage d'affliction lui avait sans doute valu quelques millions de voix juives aux élections

---

1. Ecrivain « réaliste » (1903-1987), il est l'auteur des célèbres *Route au tabac* et du *Petit Arpent du Bon Dieu*. (*NdT*)

de 1996. Une incidente : lorsque Hillary se préparait quelques années plus tard à briguer le poste de sénateur de New York, elle a brusquement découvert des « ancêtres juifs » dans l'épais feuillage méthodiste de son arbre généalogique.

Mais enfin, on nous a répété que tous les problèmes de Bill Clinton avaient commencé avec son père, Bill Blythe, le buveur invétéré qui s'était tué sur la route, et avec sa mère, que les psys présentaient comme une femme excentrique, tapageuse, provocante, une m'as-tu-vu qui portait un bandeau en sconse dans ses cheveux noirs, des tonnes de maquillage et d'énormes faux cils. Quant à Bill Blythe, il avait paraît-il été un « coureur de jupons » qui « avait passé sa vie à mentir ».

Alors que Bill Clinton avait à peine un an, Virginia l'avait confié à ses parents, on l'a vu. Telle fille, telle mère : Edith, la mamy, était une pile électrique, une faiseuse d'histoires restée toujours très « par-ici-jeune-homme ». Avec des faux cils, elle aussi, et un bandeau en sconse dans la même chevelure sombre. Elle avait des accès de rage pendant lesquels elle faisait voler les ustensiles de cuisine et battait son mari comme plâtre. Celui-ci, du coup, s'éloignait de moins en moins de sa bouteille.

Edith, que le petit garçon appelait « Mamaw », était d'après les psys autant accro aux scènes de ménage que « Papaw » à la bibine. Cercle vicieux classique : plus elle criait, plus il buvait, et réciproquement. Les spécialistes ont aussi noté que la mère et la grand-mère présentaient d'indéniables ressemblances physiques avec une Monica sans bandeau en sconse. Et tandis qu'il regardait Mamaw casser la figure au malheureux Papaw, nous ont-ils expliqué, le petit Billy en est venu à « refouler sa peur des femmes » au plus profond de son subconscient.

Le retour de Virginia quand il avait trois ans, contrairement à ce que le commun des mortels aurait pu croire, n'a pas du tout été un facteur positif. Au

contraire, les psys y ont vu le point de cristallisation
des problèmes de Billy. Il était adoré par la mère et
la grand-mère : mauvais, très mauvais, parce que cela
signifiait qu'il devenait l'objet d'une rivalité « extrêmement traumatisante » entre deux séductrices à faux
cils.

Certains analystes soupçonnaient Mamaw, affligée
d'un ivrogne de mari qui comptait pour du beurre,
d'avoir été amoureuse du petit Billy. Pas fou, ce dernier avait vite compris que ces deux femmes ultra-
maquillées et « débordantes de sexualité » se disputaient son attention. Avec elles, il avait appris à être
« manipulateur », ce qui expliquait la remarque qu'il
ferait bien plus tard à un ami dans sa résidence de
gouverneur de Little Rock : « Qu'est-ce que j'y peux,
moi, si toutes ces nanas se jettent sur moi ? »

Bien qu'il n'ait existé aucune preuve de contraintes
sexuelles ou de relations incestueuses, les psys
jugeaient l'atmosphère dans laquelle il avait grandi
« très chargée érotiquement », déterminée par deux
femmes « à fortes tendances exhibitionnistes ». De
quoi conclure à la présence d'une « tendance incestueuse latente » dans son enfance. Même si cela restait
au niveau affectif et non sexuel, ces deux femelles
pleines de sensualité étaient dans une « logique de
séduction déplacée » vis-à-vis du petit bonhomme.

Bref, rien de concret ne s'était passé mais pour nos
analystes le pire s'était produit avec l'adoration que
lui vouaient la mère et la grand-mère. Ce n'était pas
un de ces garçonnets outrageusement gâtés par l'élément féminin du foyer mais un être « traumatisé ». Le
viol était d'autant plus destructeur qu'il n'était que
mental. Le pauvre petit Billy était la victime d'un...
inceste virtuel. Pédophiles sans le savoir, Maman et
Mamaw avaient, par leur comportement, conduit le
pauvret à « une perception de l'excitation sexuelle très
prématurée » pour son âge, dont on allait voir les
résultats quelques décennies plus tard, lorsqu'il avait

été sur le point de culbuter une groupie de rockers au milieu d'un couloir d'hôtel. Rien de sexuel n'était arrivé au pauvre petit Billy dans son enfance, et pourtant l'équilibre sexuel de toute une vie avait déjà été dangereusement ébranlé.

Un an plus tard entrait en scène le beau-père, Roger Clinton. « Coureur de jupons » comme Blythe, et tout aussi frimeur, grande gueule et buveur que le père décédé. Pas un hasard, ont remarqué les psys : le type d'homme recherché par Virginia était la version masculine de sa personnalité, et elle était elle-même « dans la séduction » — entendez « une salope », selon la terminologie non psychomachin.

Roger vendait des Buicks et battait sa femme, parce qu'il la soupçonnait de le tromper ou bien parce qu'il la trompait et se disait donc qu'elle devait faire pareil de son côté. La synthèse du couple grand-paternel en un seul individu, d'après les psys : et les crises de rage, et l'alcool. Virginia, qui encaissait ses coups et ses cuites, reproduisait en fait la logique infernale à l'œuvre entre ses parents. Elle n'avait pas quitté Roger parce qu'à force de voir sa mère cogner son père la violence était devenue la « normalité » d'un foyer. Et le petit Billy non plus, il n'était pas choqué que sa mère prenne des torgnoles puisque sa grand-mère en flanquait sans cesse à son grand-père et que Virginia et Edith n'arrêtaient pas de se hurler dessus. A propos de lui, bien sûr.

Et puis Roger Clinton avait décidé d'emmener sa petite famille à Hot Springs. Là, les psys ne se sentaient plus : voilà un soûlot qui trompe sa salope de femme, laquelle le lui rend bien, et ce ménage débarque dans ce lieu de perdition, ce Las Vegas des hauts plateaux, où ils se mettent à jouer comme des fous, en plus du reste ! Il y avait au moins trois aspects très, très négatifs pour le petit Billy dans cette transplantation à Hot Springs, la ville-lupanar. Tout d'abord, il y régnait une odeur de sexe que le garçon

ne pouvait qu'inhaler à pleins poumons, et qui allait
imprégner ses tissus olfactifs pour le restant de sa vie.
Secundo, c'était un bastion de l'hypocrisie permanente, où chacun niait avec véhémence ses fariboles
et où le pauvre petit bonhomme avait donc appris à
mentir et à dissimuler sans cesse. Tertio, le champ
de courses et les casinos formant le chœur de la cité
pécheresse, le subconscient de Billy allait recevoir, en
premier lieu de ses parents, une sérieuse dose de
fièvre du jeu. Le goût du risque, l'excitation de la
surenchère, le plaisir de gagner contre toutes les
chances — celles d'être découvert, dans son cas —
allaient structurer à jamais sa personnalité.

D'autres spécialistes analysaient les « tendances
lourdes » de son univers familial. Virginia, Mamaw et
Roger Clinton étaient tous trois « à la recherche de
sensations fortes », ce qui ne pouvait que déteindre
sur le petit, mais son « substrat neurologique » lui
venait de Bill Blythe, de Virginia et de Mamaw, le
vendeur de Buicks n'y contribuant qu'indirectement...
L'éternelle question de la dialectique nature/culture
était ainsi noyée dans un élégant salmigondis.

La vie à Hot Springs constituait sans aucun doute
un regain de tension pour le petit Billy. Désormais
Virginia et Roger se prenaient le bec non-stop,
buvaient plus que jamais, se trompaient mutuellement
avec encore plus d'énergie. Au reste du monde, pourtant, le garçon soutenait que tout allait très bien à la
maison. Il avait appris non seulement la technique du
mensonge mais aussi sa « nécessité », en vue de
défendre la réputation de sa famille.

Il mentait « pour eux », dans l'intérêt de ses
parents, et on avait ici l'explication à double fond des
raisons qui le conduiraient plus tard à nous pointer du
doigt à la télé et à nous raconter d'énormes bobards :
là encore, il allait mentir afin de préserver la respectabilité de son foyer, d'Hillary et de Chelsea, et de protéger *notre* réputation, celle de l'Amérique parmi le

concert des nations. Oui, déjà à ce moment, à Hot Springs, dans les cris de ses parents, il apprenait à « mentir pour nous » ! Même à ce stade initial, il était déjà un... héroïque menteur.

Tandis que l'éthylisme de Roger ne cesse de s'aggraver — il ira jusqu'à tirer sur sa femme en présence du garçon —, Billy essaie de compenser la violence subie par sa mère en déniant celle qui lui est imposée et en cherchant à contenter Virginia. Celle-ci le couvre de louanges, lui affirme qu'il a tant de possibilités que la vie lui sera facile. Désireux de la satisfaire, d'être à la hauteur des rêves qu'elle forme pour lui, il devient ambitieux, travailleur. « Pas bon ! » tempêtent les psys. Ce n'est pas l'encouragement maternel qu'un enfant normal est en droit d'attendre, mais une forme de viol psychique, à nouveau : il veut être le « héros » de Virginia, il est trop exigeant envers lui-même. « Je suis à part », se répète-t-il sans cesse afin de pouvoir répondre aux ambitions démesurées de sa mère. Mieux aurait valu pour lui qu'il soit un médiocre, un perdant. Ainsi, il aurait reconnu modestement son appartenance au commun des mortels et il ne se serait pas imposé la tension permanente de vouloir se surpasser. En cherchant à plaire à Virginia, en mettant la barre aussi haut, il accepte une nouvelle fois de se faire violenter par sa mère.

Lorsque Billy a seize ans, soit après douze années de hurlements, de murges, d'adultères et de pertes au jeu, Virginia décide de divorcer. Billy va même témoigner contre son beau-père devant le juge, contre celui qu'il appelait « Papa » et dont il a repris officiellement le nom. Et puis, quand tout est consommé, quand il a rassemblé tout son courage pour dire du mal de son beau-père en public, Virginia choisit... de se remarier avec Roger.

Reviens, Sigmund ! Tu as entendu, Carl ? Oh, Art Janov, toi dont l'âme de psy erre en peine dans les collines de Malibu ! Si ce n'est pas la porte ouverte à toutes les névroses, ça... Voilà, Billy a pris sa défense mais elle lui a tourné le dos pour revenir à son fêtard et bon à rien de mari, sous les yeux de l'adolescent ! On tient ici la raison essentielle des « problèmes » de Clinton avec les femmes : cette « hostilité cachée » qui va le conduire à les traiter comme des trous à pénétrer ou des objets à observer pendant qu'elles seraient à genoux devant lui. Vengeance symbolique induite par la trahison maternelle.

Après ce remariage, l'impotent Roger, dont le foie a maintenant la taille d'un melon, s'enfonce encore plus dans les sombres marais de l'alcoolisme. Il reste enfermé dans sa chambre, une bouteille entre les jambes. Alors, le jeune Billy, un adulte presque, reprend symboliquement son rôle d'époux de la séductrice aux faux cils, de la traîtresse, de l'incestueuse virtuelle. Mari de la femme qui est sa mère... Et pour le remercier de l'aimer ainsi, de lui avoir pardonné son coup de poignard dans le dos, Virginia édifie un autel à Bill avec tous les diplômes et les prix qu'il rafle au lycée. Et lorsque le jeune homme entame sa poursuite effrénée de proies féminines, nous disent les psys, c'est tout simplement parce qu'il essaie de « renouer » avec sa mère. Il est alors un époux en quête de la femme infidèle, qui ne sait pas vraiment comment il va réagir quand il la retrouvera : aura-t-il envie de l'aimer, ou de la tuer ? De la caresser tendrement ou de la sodomiser ? De se montrer plein d'égards ou de l'humilier ? De la cajoler ou de la violer ?

Les analystes ont fait le tour de la question et tout est clair : Bill Clinton est devenu érotomane à cause de sa mère et de Mamaw. Il a entrepris cette relation — sexuelle ou pas — avec Monica parce qu'elle ressemblait aux deux femmes de son enfance. C'est l'inceste virtuel qui l'a rendu insatiable. Il ment sans cesse depuis qu'il a grandi à Hot Springs l'hypocrite et qu'il a été contraint de protéger ses parents. Il aime les parties à trois parce que sa mère et sa grand-mère se sont disputées son amour. Il est d'une ambition folle parce qu'il voulait satisfaire l'orgueil maternel. Il a des crises de colère parce qu'il a vu son beau-père battre sa mère. Il laisse Hillary le cogner parce qu'il a vu Mamaw frapper Papaw.

Président moderne, Bill Clinton synthétise tous les maux en vogue, les grandes causes des bien-pensants des années quatre-vingt-dix. Un punching-ball humain sur lequel « la société » a défoulé ses pires instincts. La personnification de toute la violence que les libéraux estiment refoulée, réprimée dans l'inconscient collectif de l'Amérique. La victime de toutes les horreurs que nous voulons tant épargner à nos enfants et petits-enfants.

Et donc, si l'on suivait les psys, Bill Clinton n'était pas responsable de ses actes. Rien de plus qu'une jolie scène sur laquelle deux salopes et deux ivrognes ont joué un psychodrame créé à Hope, parti en tournée à Hot Springs et devenu un succès international à la Maison-Blanche. Une victime ? Un martyr, même ! Mais si les psys disaient vrai, cela signifiait aussi que nous avions un type atrocement bousillé avec le doigt sur le bouton nucléaire.

Alors, quand la victime en chef s'est présentée à la télé pour demander pardon d'une faute qu'elle ne reconnaissait pas avoir commise, comment ne pas verser des larmes de sympathie sur cet éternel abandonné ? Bill Blythe l'avait laissé tomber en mourant, sa mère en partant travailler ailleurs, ses grands-parents en cassant leur pipe, Virginia en prenant encore deux autres beaux-pères lorsque Roger Clinton avait fini par passer l'arme à gauche, Gennifer en préférant écrire un livre sur lui, comme Dolly Kyle, et comme Stephanopoulos, et comme Dick Morris, et comme Monica, et comme Ken Starr, et Barbra en épousant un acteur de télévision, et sa mère, Vince Foster, Ron Brown, Yitzhak Rabin, en partant dans l'autre monde... Hillary et Chelsea restant entre deux eaux, le bilan de Billy était maigre : il n'avait plus que Buddy. Harry Truman l'avait déjà bien dit : « Si vous voulez avoir un ami à Washington, prenez-vous un chien ! »

Buddy représentait sans conteste un net progrès par rapport à Zeke, l'épagneul fou-dingue de Chelsea qui avait fini écrasé devant la résidence de Little Rock alors qu'il poursuivait une voiture. Zeke aboyait sans arrêt, démolissait les portes avec ses griffes et avait même provoqué un scandale politique en violant systématiquement le règlement municipal de Little Rock, qui exigeait que les chiens soient tenus en laisse dans la rue. Les psychiatres canins n'avaient rien pu faire pour le calmer. Il avait fallu une bagnole.

Si Buddy ne semblait pas aussi doué pour les relations publiques que Fala, le toutou de Roosevelt, ou Yuki, celui de LBJ, il ne se serait certainement pas permis d'aller pisser contre la Muraille de Chine comme C. Fred, le clebs de George Bush. Certes, il n'était pas d'une propreté absolue à la maison, ce qui limitait les opportunités de séances photos. Et puis il était allé droit à Monica un jour qu'elle était assise dans le bureau personnel du président et son premier geste avait été de fourrer son museau entre les cuisses de la jeune femme, s'attirant ce compliment : « Eh bien, Buddy, pour ça tu es plus doué que ton papa ! »

Et tandis que les spécialistes psychanalysaient Bill Clinton en direct à la télé, les magiciens des relations publiques à la Maison-Blanche commençaient à redouter qu'un gentil psy bien progressiste se mette à dire que bon, à en juger par son comportement, Buddy devait être traumatisé, lui aussi. Tout comme son maître.

8

Le popaul de Dole

Qui aurait pu savoir ? Hein ? Personne ! En pleine campagne. Contre Clinton. Pour décrocher la timbale. J'avais un message à faire passer : du tempérament, du tempérament et encore du tempérament ! Et pendant tout ce temps... Il se faisait sucer le popaul ! Par notre voisine de palier. Saperlipopette ! Cette fille, là. Levrinsky, Kuzinsky... Un truc comme ça.

Bob Dole n'était pas au courant, Elizabeth Dole non plus. Nous savions qu'elle était notre voisine. Nous l'avions croisée dans l'ascenseur. Mais nous ignorions qu'elle connaissait son popaul à lui.

Rigolo, non ? Les surprises qu'on a, dans la vie. Oui, juste là, au Watergate. Nous trois. Bob Dole, Elizabeth Dole et Monica Levrinsky. Et puis, paf, notre voisine devient une plus grosse histoire que le Watergate ! Dorothy avait eu le mot juste là-dessus, non ? Dans ce film sur le Kansas : « On n'est plus au Kansas, hé, Tonto ! »

J'allais les remporter, ces élections. « Il y a les gagneurs et il y a les branleurs », comme disait mon père. La troisième fois est la bonne. Comme disait l'autre. 80, 88, et là ça faisait trois. Suffisait de rester bien concentré sur le message, le message, le message. Leur sortir quelques vannes — « Dans le Kansas, elles sont tellement balèzes, les sauterelles, qu'elles vous bouffent le groin des porcs ! » « Les feuilles de chou ? Ça nous fait des toiles de tente, à nous autres ! » « Les tiges de maïs ? On construit des ponts, avec ! » — et puis revenir au message : du tempérament, du tempérament et encore du tempérament !

Pas besoin de mentionner la guerre. L'épaule. La boîte à cigare. Le stylo dans ma main droite. Bob Dole s'est fait amocher mais il garde bon pied ! Tout le monde le savait, ça. Pas comme dans le Kansas, là-bas. Obligé d'en passer par ces spots télé, une photo de ma tronche, une photo de mon épaule, ou de là où elle avait été. Non, inutile de causer de ça. Tout le monde est au jus. De ça, et de comment il avait déserté, lui. Ouais, c'était ça, le grand thème de la campagne. Sans avoir à le dire. La Grande Guerre contre le Vietnam. Mes années à l'hosto contre ses années à Oxford. Ma décoration contre sa dispense. La Nasa contre les Spoutniks. La NFL contre le FLN. Le Kansas contre Hollywood. Plutôt morts que rouges ! A prendre contre à laisser. Plombé contre Sans plomb.

L'autre gros sujet à part « la guerre pour en finir avec toutes les guerres »... C'est pas Eisenhower qui a dit ça ? L'autre enjeu de la campagne, ç'a été son popaul. Nous, on appelait ça un problème de tempérament. Tout le monde était au courant, pour lui et son popaul. Bob et Elizabeth Dole forment un couple idéal. Tout le monde savait ça, aussi. C'était lié à cette histoire de guerre. Bob Dole a physiquement souffert, il n'a pas de popaul, point final ! Mon tempérament contre son absence de. Tarte aux pommes contre clafoutis. Le boulot contre le saxo. Doubles foyers contre lunettes de soleil. Mon épaule contre son popaul. Bob Dole parle vrai ! Bob Dole aime l'Amérique !

Entraînés sur ce terrain on savait qu'on avait un tout petit, un minus point faible, nous aussi. A propos de popauls. Mon divorce. Et un peu de fiesta avec mes gars. Avec la femme de George Will, etc. Mais c'était des siècles avant, ça ! 72 ! Des siècles ! Non, ça devait bien se passer pour Bob Dole.

Et Reagan, il a pas divorcé ? Et puis Phyllis, mon ex, était revenue avec nous. En 88, elle vendait des badges « Dole président ! ». Et notre fille Robin, une petite qui a dans la quarantaine maintenant : elle n'a pas raté une seule campagne.

Donc il a rétabli les ponts, Bob Dole. Blindé le front domestique. Et en plus, mes gars étaient tous sûrs que la présence d'Elizabeth allait nous tirer d'affaire. Toujours radieuse sur le podium, elle avait un bras autour de Bob, un autre autour de Robin Dole. Les électeurs en oubliaient que Phyllis était encore de ce monde.

Et comment qu'on a démarré, saperlipopette ! Grandiose. Le message de Bob Dole : tempérament, etc. ! Mais voilà que l'affaire du popaul éclate en pleine convention des Démocrates. On aurait dit une grenade lancée au milieu de leur raout. Plein d'épaules esquintées. Et ça continue : Philip Morris, ou Dick Morris, cette lopette, attrapé en flagrant délit avec une professionnelle. Le mac de Clinton coincé en train de payer une fille deux cents dollars de l'heure pour pouvoir lui suçoter les pieds. A quatre pattes, nu comme un ver, à aboyer tel le clebs... Ah, il se bidonnait, Bob Dole ! Trop beau pour être vrai.

Moi ? Je rigole. Morris qui raconte même à la fille qu'il a envie de se farcir Hillary. Et qu'il y a des bactéries sur Mars, mais que ça, c'est top secret. Et il la laisse écouter pendant qu'il parle au bigophone avec Clinton... et qu'elle lui fait ce que notre voisine faisait à l'autre ! Ils ne pouvaient qu'accepter sa démission, tu parles. Mais il a continué à travailler pour Trent, égal. Et quelqu'un de la Maison-Blanche a dit qu'il était

« accessoire » : excellent, celle-là ! Accessoire comme celui qu'on a entre les jambes ! Du tempérament, j'ai dit ! Et quand l'« autre » scandale éclate, l'accessoire de Morris rappelle forcément aux électeurs celui de Clinton. Message, j'ai dit ! Tout est dans le message.

Bob Dole n'a pas pipé là-dessus, évidemment. Bob Dole ne s'abaisse pas. Il n'a pas oublié le conseil que le président Nixon lui a donné en 72. Au moment de son divorce. Il est allé trouver le Vieux pour lui annoncer qu'il renonçait à diriger le Conseil national du Parti républicain. Carrément. Mais le Vieux a répondu qu'un homme politique doit être jugé à sa conduite publique, pas à sa vie privée. Et il m'a offert un livre que Bob Dole a lu jusqu'à la dernière ligne. Ça parlait d'Israeli, le Premier ministre anglais bien connu. Une tête, cet Israeli. Plus balèze que Churchill, plus balèze que Thatcher. La pointure de Sam Ray-burn, ce grand politique américain. Ou de George « Babe » Ruth, ce mythe du base-ball. Et marié une demi-douzaine de fois, l'Israeli, d'après ce que prétendait le bouquin. Il sautait sur ces lits nuptiaux comme sur des trampolines, ou quoi ? Et bon, Bob Dole a décidé de ne faire aucun commentaire sur la lopette avec la langue sur le tapis. Mais les électeurs, eux, ils ont parfaitement entendu ce que Bob Dole ne disait pas.

Quel début ! Un démarrage en beauté, un départ gagnant ! Et après... je me ramasse. Dans le Kansas. En Californie. Vous avez probablement vu les images de ça. Rien à faire. Bob Dole parle vrai ! Bob Dole aime son pays ! Je ne suis pas jeune, je ne suis pas vieux, je suis mûr. Et j'essaie de rester sur mon message mais eux, ils envoient leurs gaz mortels. Les gauchos, comme disaient le Vieux. Ils voulaient nous faire payer pour Morris, la lopette qui suce les panards des filles !

Et c'est moi qu'ils accusent d'être un sans-foi-ni-loi, saperlipopette ! Ils racontent que j'ai écrit à la mère d'un adversaire électoral dans le Kansas pour la prévenir que son fils était un alcoolique. On me cherche des poux parce que j'aurais traité un autre concurrent de faiseur d'anges ! Et que j'aurais déclaré que la gestion démocrate a coûté un million huit cent mille soldats à l'Amérique au cours de la seconde guerre mondiale ! Et que je me serais servi de mon épaule manquante pour me faire élire ! Et que j'aboierais comme un chien méchant ! Et maintenant c'est eux qui me cherchent !

Ils racontent que j'ai choisi un colistier homosexuel. Jack Kemp. Et qui a échappé à la conscription, lui aussi. Mais attention, ils ne le disent pas ouvertement, ils vont jusqu'à démentir qu'ils l'ont dit. Pour donner plus de poids à l'histoire. Pour que les électeurs oublient la lopette sur le tapis. Et telle la lopette qu'il est, l'intéressé nie lui aussi. Il soutient que l'équipe présidentielle n'a jamais exploité ces rumeurs selon lesquelles Jack était homosexuel, et qu'il a été réformé à cause d'une blessure de quand il était footballeur professionnel.

Bob Dole sait d'où vient l'ordure. Diffamation d'un homme exceptionnel, décent, vétéran de la cohorte des demis de mêlée. Plaquage vicieux. Tentative d'assassinat sur l'épaule manquante de Bob Dole. Et la lopette nie ! Laissant les deux popauls se livrer dans l'ombre à leurs activités anti-américaines : le sien et celui de Kennedy... de Clinton, je veux dire. Mais Bob Dole parle vrai ! Bob Dole aime son pays ! Ce qu'ils font est mal, mal, très mal !

La balle suivante a sifflé encore plus près de moi. Roger Stone. L'un de mes conseillers de campagne. Un type bien. Excellent Républicain, grand patriote, proche collaborateur de Ronald Reagan. Resté en contact avec le Vieux jusqu'à ses dernières heures, allant lui chuchoter les derniers potins politiques dans sa retraite du New Jersey. Et maintenant les salopiots publient des photos de lui. A moitié nu, avec un masque. Et sa bourgeoise sur un lit, sans grand-chose dessus. Des clichés pour des annonces que Roger avait passées dans des journaux de rencontres. Cherchant des partenaires. Et on les voit tous les deux dans un club spécialisé. Dans une partouze. Le texte d'une des annonces, rédigée par sa femme, parle d'une... chienne en chaleur... qui cherche des vrais mecs...

Bob Dole n'en croit pas un mot. Je me fiche de ce qu'il y a, sur ces photos ! Ils voulaient la peau de Roger à cause de Reagan, à cause du Vieux, à cause de Bob Dole. Parce qu'il était notre meilleur spécialiste en publicité hostile. Parce que l'obsédé sexuel contre lequel je me présentais avait essayé d'emballer la femme de Roger. Oui, et aux obsèques du Vieux, encore ! Celle qui avait sa photo dans ces annonces. Qui précisait même ses mensurations...

Non, mais imaginez un peu ! Le président Nixon vient à peine d'être porté en terre. Je prononce l'éloge funèbre (Bob Dole a pleuré, oui). Et l'actuel président des Etats-Unis, devant la tombe de l'un des plus grands dirigeants de l'histoire, ne pense qu'à son popaul ! Ils voulaient la peau de Roger, et ils l'ont eue. Je répète que je n'ai pas cru un mot de tout ça. Mais je lui ai quand même demandé de démissionner.

Et puis ils ont eu Arthur Finkelstein. D'une balle dans le dos. Arthur, le maître à penser de Roger, un des plus fins consultants pour nous. Un peu à droite. Actif dans les trucs anti-homos. Plein de ses gars travaillaient pour Bob Dole, maintenant : Jesse Helms et compagnie. Et là, comme par hasard, après Morris, après Roger, on apprend qu'Arthur est... homo ! Aaaargh ! Qu'il s'est mis en ménage avec un mari homo. Ou une épouse ? Je n'y connais rien, moi, à ces machins ! Dans le Kansas, nous n'avons pas de choses pareilles. Et ils élèvent deux garçons. Hiiirk ! C'est ça que j'ai dit. Arthur est un homo, payé par des types qui n'aiment pas ça. Et lui et son ou sa moitié jouent les parents avec deux gosses.

Je leur réplique, à ces salauds. Jamais on ne dira que Bob Dole n'a pas répondu au feu ennemi. Un coup de casque quand on le cherche, Bob Dole. « On peut jamais pas rien faire », comme disait M'man. Je les ai attaqués sur leur logistique, les enfoirés. Le ravitaillement. Le nerf de la guerre. Hollywood. Bod Dole leur a déclaré qu'ils faisaient de l'argent avec de la musique qui était une apologie « du viol, de la torture et de la mutilation des femmes », avec des films qui représentaient « des cauchemars de dépravation ». J'y suis allé pour de bon. Le Vieux aurait été fier de moi. Dans la veine de mes discours du bon vieux temps, à propos de la vermine à cheveux longs qui se pavanait dans nos rues. Et Bob a été écouté, oui ! A la mitrailleuse lourde, il y allait, Bob Dole. La femme de George Will et mes autres gars pensaient que les balles ricochaient toutes sur Clinton.

J'ai tenté de recontinuer sur mon message : tempérament, tempérament et encore tempérament ! Mais personne n'était plus convaincu, dans mon équipe. Il était peut-être à double tranchant, ce message ? Un nuage de sauterelles dans le Kansas. Un jeu de roulette russe. J'avais l'impression qu'on avançait sous les balles. Bob Dole à nouveau dans le Dixième bataillon de chasseurs. Au Pra del Bianco, ou n'importe où ailleurs.

Les troupes — Roger, Arthur... — subissaient des pertes. Je m'inquiétais. Mais si je pouvais patauger dans la boue encore un peu, juste un peu, je finirais par planter la bannière étoilée, le jour des élections, au sommet de cette montagne d'immondices. Le Super Bowl pour moi ! Je ne m'intéressais pas aux sondages. C'est des tirs de sniper, les sondages. Un coup en vache de l'arbitre. Je m'en tape, des sondages ! Je continue à foncer dans la bise de Green Bay,

éclats d'obus, snipers. Marquer pour les USA ! FDR !
Ike ! Les Dodgers de Brooklyn ! Ou autres.

Et ç'a été presque, presque. Le drapeau. La victoire
au championnat. Presque. La balle qui m'était destinée
m'a atteint à la mi-octobre, quelques jours avant le
scrutin. Le divorce. Phyllis. Phyllis et Robin !
D'abord, les fouille-merde ont raconté que je l'avais
connue à l'hôpital, Phyllis. En convalescence après la
guerre. Que c'est elle qui m'a aidé à remarcher.
Qu'elle me coupait mon steak. Qu'elle m'a encouragé
à faire des études. Qu'elle prenait les cours pour moi.
Que j'ai eu mon diplôme d'avocat grâce à elle. Qu'elle
faisait toujours la sténo pour moi. Qu'elle reprisait
mes habits, et ceux de mes gars. Que pendant la dernière année de notre mariage je dormais au sous-sol,
seul... Que je ne dînais avec elle et Robin que deux
fois, pour Noël et pour le réveillon. Qu'après vingt-
trois ans de mariage je l'ai balancée sans autre forme
de procès que d'annoncer : « J'en ai assez. »
Ça me donnait aussi sale mine qu'à Gingrich, ça.
Qui avait demandé le divorce alors que sa femme était
sur un lit d'hôpital, avec un cancer confirmé. Mauvais,
mauvais ! Une femme qui l'aide à remarcher, qui lui
coupe sa bidoche ! La jeter comme ça. Je n'ai pas nié.
Parce que Bob Dole parle vrai ! Bob Dole aime son
pays !
En fait, elle m'a seulement effleurée, cette première
balle. Ils ont cité Phyllis disant que j'étais une bête de
travail. Que c'était ça qui nous avait séparés : je bos-
sais trop dur pour l'Amérique, tout le temps. Comme
raison pour lâcher une femme qui vous a réappris à
marcher, l'Amérique, c'est pas trop mal, non ? En plus,
il n'y avait pas de contentieux : elle s'était fait pas mal
d'argent en vendant ses badges Bob Dole, non ? Et
Robin était salariée de la campagne « Dole président ! », non ? Alors rien de tragique.

Et puis... bam, en plein dans mon épaule manquante. Pas une balle, non, un éclat d'obus gros comme un énorme mensonge. Blessé en action pendant la campagne d'Europe, et maintenant en pleine campagne contre Clinton. Même pas certain que Phyllis ait été au courant, pour ce truc. « Bête de travail », hein ? Ouais, bon... Une semaine avant le jour J, avec tout ce message que j'avais envoyé, avec mon discours d'Hollywood sur les valeurs morales, ils chopent Bob Dole et sur son tempérament et sur son popaul ! Incapable de le garder dans son ben. Bob Dole et le maniaque sexuel qu'il veut défaire, même combat !

Ça remontait à des lustres. Début des années 60-70. A l'époque, je savais que ça passerait sans problème : tout le pays s'était transformé en lapinière. Mais je savais aussi que ça resterait à me guetter. Bob Dole, c'était Bob Dole. Bob Dole était décoré ! Bob Dole avait une épaule en moins. Bob Dole n'était pas censé avoir un popaul.

Meredith Roberts, elle s'appelait. Trente-cinq ans, au moment des faits, moi dix de plus. Elle secrétaire à l'université George Washington, moi sénateur. Et les fouille-merde l'ont retrouvée. A soixante-trois piges, toujours célibataire, vivant au milieu de ses chats, et toujours en pétard contre moi. Elle a raconté qu'elle l'appelait Bobby D. Que tout le monde croyait que c'était un saint, Bob Dole, mais qu'elle en connaissait long sur ses petites faiblesses. Qu'on était « fous amoureux », soi-disant.

Saperlipopette ! Je n'étais pas surpris qu'elle m'en veuille encore. Elle avait cru que je la laissais tomber pour Phyllis. Que je retournais à ma femme. Faux, faux, faux ! Je suis allé avec Phyllis, oui, mais pas mon épouse : Phyllis Wells ! Un mannequin. Du tempérament, du tempérament et encore du tempérament ! Et maintenant Bob Dole était devenu Bobby D.

Mais Bob Dole parle vrai ! Bob Dole aime son pays ! Et Bob Dole voulait être président ! Alors on a essayé de stopper l'hémorragie à cette blessure. Pas facile, pas du tout. Un, il lâche la femme qui l'a aidé à se tenir sur ses cannes pour satisfaire son popaul, deux il trahit celle qui s'occupait de son popaul toujours pour la même raison. Parce que le mannequin s'occupait « mieux » de son popaul.

J'ai parlé aux électeurs. Ne lisez pas ces trucs, leur ai-je dit. Ne regardez pas la télé. Décidez par vous-mêmes. Ne les laissez pas vous bourrer le crâne. On a essayé de convaincre la presse sérieuse de laisser tomber. Certains de mes gars qui travaillaient avec Finkelstein sont allés trouver le *Washington Post*. J'ai demandé à Elizabeth d'en causer avec le rédacteur en chef. Bizarre, comme impression : ma femme demandant qu'on oublie une histoire qui concernait mon ex...

Certains journaux ont écrasé, d'autres non. Mais à ce moment je saignais à mort, déjà. Bob Dole était vieux, d'un coup. Bob Dole était tombé. Bob Dole n'avait eu qu'une chose pour convaincre les électeurs, son tempérament, tempérament et encore tempérament, et voilà que son tempérament s'était retourné et lui avait mordu le popaul.

L'épaule, par contre, oubliée ! Et c'est lui la cible des blagues, maintenant : « Bob Dole, candidat à l'abattoir ! » ou « Pour paraître plus crédible comme président, il s'est mis à fumer des joints et à ramasser les putes ! ».

Je suis mort dans la boue. Empalé sur la hampe de mon drapeau. Willy le Poisseux bat Bobby D. aux poings ! J'ai perdu d'une longueur de popaul. Ma main droite n'arrivait plus à le retenir. Ce sont des choses qui arrivent dans n'importe quelle guerre. Ou dans n'importe quel championnat. Il suffit de regarder *Le Soldat Ryan*.

Et c'est seulement après, quand tout a été consommé, que j'ai fait la découverte : Levrinsky, cette fille, était notre voisine de palier ! Bill Clinton et Bob

Dole, deux anciens combattants de la même campagne. Il avait Hillary, et Gennifer, et Levrinsky. Moi Phyllis, et Meredith, et l'autre Phyllis.

Et puis, paf, encore une prune ! Même à six pieds sous terre, politiquement parlant, ça fait encore mal. Un médecin dans le Kansas raconte que je lui ai amenée une jeune femme. Pour un avortement. En 1972. Un de mes anciens collaborateurs confirme. Mais c'est faux ! Bob Dole parle vrai ! Bob Dole réprouve l'interruption de grossesse ! Il trouve ça mal, mal, mal. Bob Dole n'est pas Bobby D. ! Bob Dole n'est pas Bill Clinton !

Bob Dole aime son pays, non son popaul. Bien qu'il en ait un, évidemment. Comme tout le monde. Non, pas tout le monde, faut croire. Rien que les hommes. Je ne voudrais pas paraître sexiste. Bob Dole n'est pas sexiste. Le sexisme, c'est mal. Mal, mal, mal. Hein ? Comment ? Et ça fait quoi ? Sérieux ? Saperlipopette ! Et comment ça s'appelle, ce truc ? Vous dites ? Niagara ? Viagara ?

9

Billy aime ça

« Oh, j'ai été une vraie petite cochonne, hier ! Mais
je n'ai pas pu résister. Egon Schiele... Bon, c'est
un de mes peintres préférés. Plein de femmes
nues, ce genre. Très érotique, très. Alors j'ai
choisi une carte et c'était, bon, une nana à poil,
mais alors complètement à poil. Plus à poil,
impossible ! Et je la lui ai envoyée. » (MONICA À
LINDA TRIPP)

Ce qui dérangeait certains plus que tout le reste,
apparemment, des gens comme le révérend
Donald Wildmon, le président de la Société de la
famille américaine, ou James Dobson, le leader de
Priorité à la famille, c'était que le président des Etats-
Unis se tripote. « Est-ce que cet homme que l'on voit
se masturber à la Maison-Blanche dans le rapport
Starr doit encore être toléré à la présidence pendant
vingt-huit mois ? » tempêtait ainsi l'éditorialiste
conservateur George Will, dont la femme Mari avait
écrit les discours du jadis impuissant Bob Dole.

On aurait cru qu'ils brandissaient déjà ce vieux
tome constellé de taches jaunies qui promet des
paumes couvertes de poils et de pustules aux vilains

garçons : *Onania ou le Hideux Péché de Pollution et Toutes ses Effrayantes Conséquences, accompagné de Conseils Spirituels et Pratiques à Ceux qui ont Déjà Affecté leur Intégrité par cette Abomination, et Complété de la Lettre d'une Dame à l'Auteur A Propos de Comment il Convient d'User et non d'Abuser du Lit Nuptial, Suivie de la Réponse de l'Auteur* (quatrième édition, Londres, 1726).

Le congressiste Bob Barr évoquait « les flammes de l'hédonisme, et celles du narcissisme, et celles de la morale de l'égoïsme », discours qui n'était pas sans rappeler la remarque du sénateur Orrin Hatch à propos du juge de la Cour suprême Clarence Thomas : « Qu'on puisse être pervers à ce point... Je sais qu'il existe des gens pareils, mais en général ils sont dans les asiles d'aliénés. »

« Flammes de l'hédonisme », « asiles d'aliénés »... Dans une autre contribution, le même George Will prenait à partie un psychologue qui avait osé soutenir que « la masturbation ne présente aucun risque et peut procurer une relaxation », dénonçant une pratique à laquelle, disait l'objet de son courroux, 99 % des Américains sacrifiaient mais seulement 1 % le reconnaissaient.

La masturbation continuait donc à être le péché qui mettait l'imprécation aux lèvres des délirants de toujours, une fourche dans leur main droite et une torche dans la gauche. C'était toujours le « péché originel » dont nous ne descendions pas physiquement mais dont découlait notre condition de pécheurs. Lorsque Joycelyn Elders, la responsable de la médecine publique dans le gouvernement Clinton, allait déclarer que « la masturbation est partie intégrante de la sexualité, à mon avis, et appartient à quelque chose qui pourrait sans doute être enseigné », le « lynchage high-tech » évoqué par Clarence Thomas a eu lieu. Elders a été contrainte à la démission. Avant que le rapport Starr ne révèle les tendances onanistes du président, Jay Leno s'était cru malin de lancer : « Si Clinton avait suivi le conseil de Joycelyn Elders, il ne serait pas dans ces sales draps, maintenant. »

Mais désormais qu'il l'était, et pour de bon, il ne pouvait nier sur ce terrain aussi. C'était une constante, chez lui, de jouer avec Willard : il l'avait fait devant Gennifer, et à deux reprises avec Monica. Michael Isikoff, le journaliste de *Newsweek*, avait même reçu l'appel anonyme d'une femme — et ce *avant* la publication du brûlot de Kenneth Starr — qu'il avait pelotée dans son bureau personnel et qui avait ensuite dû regarder le président sortir son Frangin et « se terminer tout seul ».

Les marabouts de la Maison-Blanche n'ont pas voulu aborder de front ce délicat dossier, même si certains théologiens du clintonisme rappelaient la recommandation christique d'« aimer ton prochain comme toi-même ». Le chef de file du mouvement autosexuel américain, Harold Litten, a quant à lui posé carrément la question : « Est-ce que Jésus se masturbait ou avait-Il des émissions nocturnes ? Bon, si vous suivez la Bible sur le fait qu'il était humain de bout en bout, c'est ou l'un ou l'autre... » D'autres docteurs de la foi invoquaient sainte Thérèse d'Avila et saint Jean de la Croix en exemple d'un onanisme sanctifié — bien que saint Jean ait eu aussi recours à la flagellation, ce dont jusqu'alors personne n'avait accusé Bill Clinton... On citait aussi saint Bernard, selon qui « une fois qu'on a reçu le baiser immanent de la bouche du Christ, on se languit de le sentir à nouveau ».

Pendant ce temps, les savants laïques appelaient à la rescousse des virtuoses de l'astiquage de pompon tels que Tolstoï, Nietzsche, Maupassant, Wagner, Jack London et Shakespeare, allant même piocher dans les sonnets du barde d'Avon le passage suivant : « Le péché d'amour de moi possède mes yeux / Mon âme et chaque parcelle de mon corps / Et il serait impossible d'y remédier / Tant il est inscrit en mots dans mon cœur. »

Il a même été envisagé un moment à la Maison-Blanche de « resituer » l'onanisme présidentiel dans un contexte politique global. Dans un monde surpeuplé, guetté par la famine, l'habitude de Bill Clinton n'était-elle pas dans l'intérêt de tous ? Et à l'antenne Howard Stern allait proposer ce qui pouvait passer pour une apologie multiraciale de la masturbation : « Le plus proche de faire l'amour avec une femme noire que j'aie jamais été, c'était de me masturber devant l'image de Tante Jemima sur une boîte de pâte à crêpes. » Toute une génération de garçons blancs qui avaient grandi en épluchant consciencieusement le *National Geographic* à la recherche des reportages sur les tribus africaines ont immédiatement compris où il voulait en venir.

En fin de compte, les marabouts présidentiels n'ont formulé aucune défense : même à la faveur du plus sommaire examen, il s'avérait que Bill Clinton était tout bonnement, et très typiquement, un amateur de branlettes. Exemples ? Pour des raisons évidentes, les masturbateurs sont friands de jacuzzi, et Bill Clinton s'était empressé d'en faire installer un dès son arrivée à la Maison-Blanche. Ils aiment courir, aussi, sentir leur engin raidi ballotter contre eux, et Bill Clinton pratiquait le jogging depuis toujours.

Certains observateurs ont également été intrigués par sa figure rougeaude. Pourquoi avait-il si souvent le sang au visage ? Qu'est-ce qu'il venait de faire ? Son amour pour Willard, personne ne pouvait le contester. Une application contemporaine des recommandations de Léonard de Vinci : « Souvent le pénis dispose d'une existence et d'une intelligence distinctes de celles de l'homme, de sorte qu'il est dans l'erreur, celui qui a honte de lui donner un nom ou de l'exhiber, qui cherche à dissimuler ce qu'il devait au contraire parer et présenter en grande cérémonie, tel un officier de cour. » Bill Clinton n'en avait pas honte, lui. Il lui avait réservé un nom, le montrait volontiers, l'avait présenté à Gennifer, Monica et bien d'autres. Et sa cérémonie particulière se déroulait sur le canapé de Nancy Hernreich ou au-dessus du lavabo.

Dans sa relation avec Monica, il correspondait point par point à la définition de l'onaniste offert par le respectable Dr. Karl Menninger : « Il n'est pas hasardeux de spéculer que ce type d'individu, extrêmement fier de ses organes génitaux, préfère en réalité la masturbation à l'acte sexuel en soi. Et quand il se livre à ce dernier, c'est fréquemment sous la forme d'une masturbation intravaginale. » Ou, dans le cas de Monica, intra-orale. La première fois que la jeune fille avait pris Willard dans sa bouche, il ne savait même pas comment elle s'appelait. Entre parenthèses, son empressement à exhiber son Frangin paraissait apporter un net démenti à la théorie de la conservatrice Ann Coulter, cet auteur ayant soutenu que Willard était affecté de la maladie de Peyronie, ou incurvation du pénis, bientôt rebaptisée par les cercles politiques de Washington « maladie d'Ann Coulter ».

Désireux d'affirmer les droits de cette vaste, silencieuse et négligée majorité, les militants onanistes ont aussitôt proclamé que Bill Clinton était des leurs. Ils espéraient à l'évidence que celui-ci allait faire pour eux ce que Martin Luther King Jr. avait accompli pour les Noirs, Harvey Milk pour les gays, Cesar Chavez pour la communauté hispanique et Gloria Steinem-Lorena Bobbitt pour les femmes. Seul Pee-Wee Herman, ce petit héros années 60 devenu jouet parlant, aurait pu remplir ce rôle de porte-parole des oubliés, mais hélas il avait préféré allait se terrer comme s'il regrettait d'avoir été surpris dans cette salle de cinéma en train de faire ce que la plupart d'entre nous avaient expérimenté aussi.

« Oui, je me masturbe comme presque vous tous et comme presque vous tous j'aime ça ! » : par cette simple proclamation, Bill Clinton aurait libéré des millions d'hommes et de femmes du poids de tenaces préjugés et des railleries. L'homosexualité avait déjà gagné pignon sur rue dans les feuilletons télévisés les plus « grand public ». Pourquoi le président ne pouvait-il pas agir de même envers les autosexuels ? Lincoln avait libéré quelques centaines de milliers d'esclaves noirs, mais qu'était-ce comparé à la libération de millions d'êtres noirs, blancs, bruns, jaunes, rouges, albinos, etc. ? Il avait la chance de devenir un combiné de Mandela, de Walesa, de Gandhi et de Eltsine.

Quelle déception, alors, pour ces activistes prêts à se la fourrer dans le premier melon, avocat ou pot d'échappement de voiture venus ! Parce que Bill Clinton est resté égal à lui-même. Tout comme il avait soutenu ne pas avoir avalé la fumée, ne pas avoir évité la conscription, ne pas avoir eu commerce avec Gennifer et Monica, et jusque ne pas avoir « fumé » de cigares... Pour le citer : « Je reconnais en avoir pris un lorsqu'on a retrouvé le capitaine Scott O'Grady sain et sauf en Bosnie, parce que j'étais tellement content. C'était une façon de fêter la bonne nouvelle. »

Alors il s'est mis à dos même les militants onanistes. Comment, un autosexuel accro aux nénés qui occupe la position idéale pour leur venir en aide — le Bureau ovale, rien que ça ! — et il ne lève pas le petit doigt ! Lui qui lâche sa purée dans toute la Maison-Blanche, y compris dans le nouveau jacuzzi, certainement, y compris sur la piste de jogging, qui doit sans doute se servir de plumeaux, de Vicks VapoRub, de vases, de suspensoirs, de ronds de serviette, de vibromasseurs... Et il tergiverse, il se défile, il prie pour que les Américains oublient ça au lieu de les mettre au pilori de leur hypocrisie ! Alors qu'il a certainement essayé le vibro Sears : Gennifer nous en a parlé, non ? C'était l'occasion d'opérer une percée comparable à celle de Nixon avec la Chine, de Reagan avec l'Empire du Mal gorbatchévien, de Carter avec *Playboy*. Mais non.

Et pourtant, comme tous les mecs de sa génération, Bill Clinton avait joyeusement participé aux concours d'éjaculation des ados, s'était branlé en contemplant des strip-teaseuses, ou dans sa poche à l'école, ou en feuilletant les catalogues de lingerie, ou devant les épopées bibliques de Cecil B. DeMille, ou en écoutant la voix de Claudine Longet[1]. Branlette permanente — DeSalvo, l'Etrangleur de Boston, se pignolait jusqu'à huit fois par jour — et là, il se déculotte. Pas les couilles de dire à l'Amérique que ça lui plaisait de se les tripoter.

Alors que c'était un expert en la matière. Il avait même inventé une nouvelle technique de sexe au téléphone, Monica à genoux devant lui pendant qu'il s'occupait des affaires du pays en ligne avec un magnat du sucre, ou avec un congressiste à propos de la Bosnie, ou avec Dick Morris.

Les conversations avec ce dernier atteignaient même la dimension d'une orgie téléphonique, une partie carrée d'intimité virtuelle : d'un côté Bill Clinton avec le combiné et Monica avec Willard à la Maison-Blanche, de l'autre Morris en ligne avec lui et une call-girl sur *son* Willard au Jefferson Hotel.

Mais le mieux, le meilleur, restait avec Monica. Celle qu'il avait transformée en sa « pute de bigophone » personnelle, ainsi que les opératrices du télé-

---

1. Remarquée dans une revue de Las Vegas, cette brune d'origine française à la voix douce et mutine est devenue une actrice et chanteuse culte des années 60-70, surtout depuis la note sulfureuse ajoutée à sa biographie lorsqu'elle a été accusée en 1976 d'avoir tué son petit ami, le champion de ski Vladimir « Spider » Sabich. (*NdT*)

phone rose se surnomment elles-mêmes. Monica qui pouvait prendre les intonations troublantes de Marilyn, avec cette vraie voix de fille de la Vallée que les professionnelles essaient en vain d'imiter. Monica, à qui il pouvait demander « n'importe quoi ». Après avoir pris son cigare en elle et avoir reçu le recueil de Whitman de lui, elle lui avait écrit que « c'est un tel délice, cette poésie, qu'on devrait la lire comme on goûte un bon cigare... Le toucher, le rouler entre ses lèvres, le savourer ». Monica qui, devant Vernon Jordan, avait décrit leurs échanges téléphoniques en ces termes : « Il fait son boulot de son côté et moi du mien. » Monica, fantastique pute de bigophone au contraire de Gennifer, qui n'avait jamais aimé ça et le laisse entrevoir dans sa description de l'un de leurs exercices qu'elle donne dans son livre : « Bill n'aurait jamais demandé carrément : "Viens, on parle cul." En général ça se passait comme ça : on discute gentiment et puis d'un coup il se met à chuchoter et je sais ce qu'il a en tête. "Là, tu portes quoi ? — Rien, à part le teddy noir que tu m'as offert." Et je continuais : "Là, j'ai posé ma main sur les filles [ses seins, dans leur code amoureux, *NdA*] et je vais les caresser tout doucement... — Ah, tu sais ce que j'aimerais ?" murmurait-il. "Non, quoi ? — Qu'est-ce que j'aimerais que tu sois là et que tu fasses la même chose aux garçons [ses testicules] !" Et on continuait sur ce ton un moment, jusqu'à ce que Bill jouisse. »

Il adorait faire l'amour avec Monica au téléphone. Ils l'ont fait quinze fois, en tout, contre seulement dix « en réalité ». A chaque fois, il se chargeait de commencer. En plein milieu d'une conversation, il baissait la voix et murmurait : « Je voudrais qu'on parle d'autre chose. »

Monica connaissait son affaire, autant que les « Tiffany », les « Vanessa », les « Porsche » et autres « Mercedes » qui gagnent leur vie en gémissant et en criant au téléphone. Comme les meilleures « putes de bigophone », elle savait produire des bruits évocateurs avec ses lèvres, sa langue, son doigt frotté sur ses dents, sa salive. Et utiliser avec imagination les gros mots les plus basiques. Avec elle, le sexe au téléphone était « presque aussi bon qu'en vrai ».

Alors pourquoi tant d'histoires à cause de ces appels un peu chauds ? Deux cent cinquante mille Américains utilisaient chaque soir le téléphone rose, à l'époque. Et Bill Clinton ne composait pas l'un de ces numéros avec le préfixe 900 : il savait que cela n'aurait pas été convenable, pour un président des Etats-Unis. Il avait à son service exclusif une fille consciencieuse, douée, et fascinée. Il n'appartenait pas à cette armée honteuse d'anonymes qui appellent les putes de bigophone pour leur dire des choses telles que « Ah, ça te plaît, salope ? », « Vas-y, gueule encore ! », « Je te baise comme la chienne que tu es ! », « Griffe-moi plus fort ! »... Et aucune femme n'aurait pu remarquer à son propos ce que l'une des professionnelles du 900 disait de ses clients : « Ils détestent les nanas tout en les désirant, alors ils ont besoin de les insulter, de les abaisser pour prendre leur pied. Elles ne sont que des corps sans visage, pour eux. Ils vouent un culte à leur bite et n'arrêtent pas d'en parler. » Grâce à Monica, aucune d'elles n'avait eu à se plaindre de lui en disant qu'il commençait par « me traiter de tous les noms, d'entrée de jeu. Ça leur permet non seulement de prendre leur pied mais aussi de libérer le désir refoulé qu'ils ont de dégrader les femmes, de les agresser en paroles ».

Alors que la masturbation et le sexe au téléphone avaient ravi la vedette aux turlutes et aux cigares dans le débat national, personne n'a eu l'estomac, visiblement, et pas même Kenneth Starr, de s'arrêter sur la révélation sexuelle la plus osée de tout le fameux rapport. Quelques mots, en fait, perdus dans la note 209 :

« Lewinsky, dépos. 26/8/98 à 20 heures. Ils ont également pratiqué un contact oral-anal. »

Suçage d'anneau dans le Bureau ovale ? Ce que les ouvrages de référence définissent comme « le fait d'embrasser ou de lécher son partenaire dans la zone anale » ? « Certains individus présentent une préférence parfois exclusive pour ce genre de pratiques, qu'elles soient actives ou passives », remarque un livre d'éducation sexuelle ; « d'autres apprécient les deux, alternativement ou en prenant une position qui permet l'administration simultanée (...). De toutes les formes de stimulation anale, celle-ci est la plus susceptible de provoquer la réticence, voire le dégoût, puisque nous avons pour la plupart appris dès notre plus jeune âge à éviter de mettre en contact ou près de notre bouche ce qui est sale, ou considéré comme tel (...). Ceux qui tiennent à expérimenter cette pratique choisissent généralement de le faire après une douche ou un bain. Ainsi, le risque est moins grand d'être dérangé(e) par les odeurs spécifiques à cette zone corporelle, et de rencontrer des matières fécales ». La majorité des médecins recommandent d'utiliser une protection buccale en latex si l'on tient à explorer les plaisirs de l'« anilingus ».

Celui qui a eu le Bureau ovale pour cadre, en tout cas, est demeuré la plus grande énigme du rapport Starr. Aucun journal ne l'a mentionné, aucun expert du stade anal n'a été convié aux multiples débats télévisés, même Jay Leno s'est abstenu de toute plaisanterie à ce sujet. Les chères têtes blondes, auxquelles on avait à peu près tout infligé, se sont vues pour une fois épargnées.

Même Starr et sa meute de procureurs n'ont pas pressé de questions Monica, comme par exemple « qui a sucé l'anneau à l'autre ? ». Les observateurs omniscients de la scène washingtonienne ont soutenu que Bill Clinton était « l'autre », mais ce n'était qu'une hypothèse. Ou bien était-ce la solution sur laquelle il s'était rabattu en constatant qu'il ne pouvait pas la satisfaire ainsi qu'il l'avait voulu à cause de ses règles ? Rien n'indiquait dans le rapport qu'une protection buccale avait été employée, ni qu'ils avaient pris une douche juste avant. Alors, les risques d'infection ? Le président des Etats-Unis avait-il mis en péril l'intérêt national en s'y exposant... si c'était bien lui l'élément actif dans cet échange, évidemment.

Quoi qu'il en soit, le débat sur les branlettes présidentielles a eu au moins une saine conséquence sur le corps électoral, à savoir reléguer les turlutes du Bureau ovale au second plan. A la faveur de nouvelles révélations, il est apparu que plein de gens, à part Monica, approuvaient la position de Bill Clinton selon laquelle un pompier ne constitue pas une relation sexuelle. Un des membres de la sécurité du gouverneur de l'Arkansas a raconté que Clinton, au temps où il occupait ce poste, lui avait affirmé un jour que la Bible était formelle sur ce point. Un gouverneur d'un autre Etat qui avait participé à une conférence avec lui l'avait entendu soutenir la même chose. Et nombre d'officiels américains, ainsi qu'on devait l'apprendre, opéraient une distinction similaire. Par exemple le chef de file républicain Newt Gingrich, qui vingt ans plus tôt avait laissé une employée de son équipe électorale le sucer mais non le chevaucher, ce qui lui permettait d'affirmer : « Je n'ai jamais couché avec vous. » Ou le sénateur de Virginie Chuck Robb, fixant à ses nombreuses maîtresses des limites érotiques qui l'autoriseraient à publier une déclaration dans laquelle il soutenait « ne rien avoir fait que je considère être une infidélité conjugale ». Même Sammy Davis Junior s'était aventuré dans la bouche de Linda Lovelace, mais non ailleurs.

En 1994, le film *Clerks* avait pour héroïne une fille qui comptait trois amants à son actif mais qui avait sucé trente-sept hommes : « Ce n'est pas vraiment du sexe, ça », précisait-elle. Deux ans plus tard, une enquête menée par *Playboy* sur douze campus du pays établissait que près de la moitié des étudiants des deux sexes interrogés étaient de cet avis, et que les trois quarts n'avaient pas inclus dans leur liste de partenaires ceux ou celles avec lesquels ils s'étaient contentés d'attouchements oraux. Parmi la jeunesse branchée, la turlute et le cunnilingus étaient apparemment devenus une manifestation d'amitié à peine plus poussée qu'une bise sur la joue ou une poignée de main, comme une très affectueuse... manucure. Des chanteuses telles que Liz Phair ou Alanis Morissette fredonnaient avec entrain « Je veux être ta reine de la pompe » ou « Est-ce qu'elle te sucerait dans une salle de ciné ? ».

Et l'enquête de *Playboy* apportait encore un autre démenti aux pères-la-morale à la George Will ou Bob Barr : près de 50 % des sondés s'étaient déjà masturbés devant leur partenaire, plus des deux tiers avaient essayé le sexe au téléphone, quatre filles sur dix avaient fait l'amour en public et l'immense majorité avait regardé des cassettes pornos avec leur amant(e).

Oui, tandis que les prédicateurs et leurs ouailles fulminaient contre la masturbation, les Américains avaient dépensé, rien qu'en 1996, pas moins de huit milliards de dollars en vidéos hardcore, en cabarets de sexe et en accessoires érotiques. Les supporters de l'équipe de base-ball des Cincinnati Reds avaient ovationné en plein stade le directeur du musée de la ville en apprenant son acquittement au procès pour outrage à la pudeur qui lui avait été intenté après une exposition de photographies de Robert Mapplethorpe. Howard Stern continuait ses causeries à la radio, ne se contentant pas de proclamer son rêve de faire l'amour avec telle actrice mais recevant aussi devant le micro un invité qui avait fourré son Willard dans un piège à souris, et un autre qui arrivait à jouer du piano avec.

Et, à Los Angeles, Hugh Hefner revendiquait maintenant Bill Clinton. Après avoir été « le premier président rock and roll » (dixit Jann Wenner), « le premier
président noir » (Toni Morrison), le caïd de la presse
de charme le proclamait « premier président *Playboy* ». Comme tant d'hommes de sa génération à LA,
Hefner avait découvert les vertus miraculeuses du
Viagra, avait divorcé et, selon son journal, « rétabli la
réputation de haut lieu de la fiesta » dont jouissait son
manoir. Moins chanceux, un célèbre producteur de
cinéma avait subi deux crises cardiaques après avoir
essayé la pilule magique. Mais le Viagra, pour citer
encore *Playboy*, « permet un retour au sexe centré sur
le phallus, au Dieu Braquemard » !

Certains fondamentalistes, qui brandissaient leur
crucifix comme des balais destinés à « nettoyer
l'Amérique », ont failli s'étrangler : le Dieu Braquemard maintenant... Mais devant le déballage des
frasques clintoniennes la plupart des Américains ont
haussé les épaules, peut-être souri un peu, et sont
repartis acheter ou louer leurs cassettes X. Le président de la commission d'enquête, Henry Hyde, paraissait effrayé : « Quand cette guerre entre deux cultures
sera terminée, soupirait-il, je me demande si une
Amérique digne d'être défendue de toutes ses forces
aura survécu. »
Paul Weyrich, le bouillant président de la très
conservatrice Fondation pour un Congrès libre, avait
déjà jeté l'éponge : « Il n'y a plus de "majorité
morale", à mon avis. Je ne crois pas qu'une majorité
d'Américains partage les valeurs que nous prônons.
La culture dans laquelle nous baignons est un égout
encore plus putride qu'avant. En vérité, je pense que
nous subissons un effondrement culturel d'ampleur
historique, si énorme qu'il dépasse les moyens de la
politique traditionnelle. »

Alors comment reprocher au président des Etats-Unis s'il lui venait de temps en temps devant les autres, même dans la tempête qu'il traversait, même alors que nous approchions tous l'Apocalypse tant promise, un de ces sourires d'autosexuel rougeaud en extase d'avoir été embrassé par le Christ, et peut-être même fier de tout ça ?

10

Arrimage à Eleanor

MONICA : Je ne sais pas, tu sais ? Je peux comprendre que ce soit important, la vérité, dans cette
histoire. Nous sommes tous les enfants du bon
Dieu et Dieu, c'est synonyme de bonté, de vérité,
de gentillesse, et ainsi de suite...

LINDA TRIPP : Bon, tout ça, ce n'est pas mon problème, pour l'instant.

Une semaine avant que Monica et lui goûtent à
son cigare, Bill Clinton et Hillary sont les invités
d'honneur du Dîner de la presse audiovisuelle. Les
traits figés, il fusille du regard Don Imus, l'archétype
du méchant flingueur de western, en train de plaisanter le donjuanisme du président. « Vous vous souvenez du tapis imitation pelouse à l'arrière du pickup ? »
lance celui-ci en le fixant droit dans les yeux.

Lorsque Bill et Hillary regagnent la Maison-Blanche,
quelqu'un est là pour les réconforter : Jean Houston,
la gourou de la First Lady, spirite autoproclamée et
réincarnation d'Athéna sur terre. Tandis que le président s'esquive pour aller voir un match des Razorbacks de l'Arkansas à la télé, elle reste remonter le
moral à Hillary, qui l'estime et lui fait confiance. Jean

Houston ne lui a-t-elle pas organisé des discussions avec le Mahatma Gandhi et Jésus-Christ, mais surtout avec son grand idéal féminin, Eleanor Roosevelt, dont le portrait à l'huile trône dans son bureau personnel ?

Sa relation avec la voyante est en fait l'avatar d'un rêve de jeunesse, ce pèlerinage aux lieux saints de l'Inde qu'elle avait projeté à la fin de ses études. Elle a toujours eu des tendances mystiques, comme le prouve son goût pour la poésie de Rod McKuen et *Jonathan Livingstone le Goéland* de Richard Bach. Pendant un moment elle a même porté une bague en pierre de lune et elle a eu sur sa table de nuit l'éclairage magique d'une « lampe de lave[1] ». Elle a été tentée par le trip yoga des années 60, une mode lancée par les Beatles : un peu d'acide ou d'herbe, un petit plongeon dans les eaux sacrées du Gange, un brin d'émouvante sympathie pour les mendiants et la révélation divine sur une terre où abondent les dieux, les temples et les moustiques.

En allant travailler avec un avocat Black Panther à Berkeley, Hillary avait finalement choisi une autre voie mais elle restait dans cette fascination, comme tant d'entre nous au cours des sixties, comme ceux qui se réunissaient en des lieux « chargés de forces » tel qu'Esalen dans les montagnes californiennes, et se barbouillaient la figure de jus du poulet rôti qu'ils mangeaient afin de mieux « communiquer » avec le volatile. Et puis, le temps passant, notre spiritualité a trouvé des formes d'expression plus pratiques que de parcourir la moitié du monde en stop pour revenir avec une dysenterie carabinée. Nous avons commencé à porter des morceaux de cristal enchâssés dans du plaqué argent, à nous entourer de baguettes magiques,

---

1. Très prisée dans le monde anglo-saxon, cette lampe dont la couleur change à la chaleur a été inventée par l'Anglais David George Smith, qui avait utilisé un mélange d'eau, d'huile, de paraffine, de cire et de teintures. D'aucuns trouvent qu'elle dégage une odeur de station-service quand on l'allume. (*NdT*)

nous avons effectué des pèlerinages moins risqués pour la santé, des endroits comme le Tourbillon sur l'île Kauai, avec un McDonald's tout près. Tony Robbins, Marianne Williamson et Jean Houston — cette dernière étant la fille d'un auteur de gags pour Hollywood — sont devenus nos gourous séculiers, nos théologiens modernes, les télé-évangélistes de la gauche New Age et post-hippie.

Hillary a connu Jean Houston grâce à son bref flirt avec Michael Lerner, auteur d'une *Politique du sens* et rédacteur en chef de la revue *Tikkun*, une de ces publications confidentielles que la First Lady, collectionneuse assidue des articles de Carl Oglesby à son époque étudiante, aimait découvrir. Ce que Lerner avait à dire, surtout dans le contexte de sa vie avec son président de mari, ne pouvait que lui aller droit au cœur : « Si notre monde a besoin d'être guéri, il le sera par des gens qui ont eux-mêmes été blessés, qui sont eux-mêmes en demande de guérison. Une fois cette idée acceptée, nous aurons entièrement le droit d'exiger des médias qu'ils cessent de se préoccuper des travers personnels des responsables politiques et se concentrent plutôt sur leur programme, leurs propositions (...). L'exigence typiquement américaine d'une plus grande moralité de la part de nos dirigeants que des autres n'a pas rendu la politique plus morale, au contraire : elle a conduit nos leaders à devenir des menteurs, puisqu'ils sont obligés de feindre d'avoir comme par magie échappé aux séductions et aux mirages qui contribuent à l'imperfection morale du reste d'entre nous. »

Même la Créature de la Nuit, aussi imparfaite eut-elle été, avait reniflé quelque chose d'important dans la passade d'Hillary pour Lerner. Tout en pestant contre ce « baratin à la gomme », « le sentimentalisme sirupeux d'Hillary » et « cette tocade qu'elle a pour les conneries de Michael Lerner, la politique du sens ou je ne sais quelle fichtraise », Nixon avait reconnu :

« Elle touche un vrai point du doigt, Hillary. Il y a un vide spirituel, dans ce pays. »

Oui, l'évocation de ces guérisseurs « blessés » a dû attirer son attention, et non seulement à cause de son mari mais aussi d'elle-même : blessée dans sa croisade pour la médecine publique, où elle avait essuyé une défaite si cruelle, blessée par les sondages qui la mettaient au plus bas de sa cote de popularité — c'était avant Monica —, blessée par Whitewater et toutes ces histoires en gigogne dans lesquelles elle tenait le rôle du filou, blessée par ces allégations continuelles selon lesquelles son mari la trompait avec tout ce qui bouge depuis le temps de leurs fiançailles. Si Bill Clinton était un guérisseur blessé, elle l'était tout autant. Alors elle a cherché de l'aide auprès de l'Inspirée qui se spécialisait justement dans le soulagement des blessures : Jean Houston, à laquelle Hollywood avait proposé un contrat d'actrice valable sept ans, dans sa jeunesse. Et qu'y avait-il de mal à cela ? Est-ce qu'on pouvait dire avec certitude que Jimmy Swaggart, par exemple, n'avait pas d'effet ?

Ce n'était d'ailleurs pas la première fois qu'une First Lady avait recours à un gourou. « Mommy », ainsi que Ronald Reagan appelait Nancy, était allée consulter l'astrologue Joan Quigley, parvenue à la gloire grâce au *Merv Griffin Show*. Pour les Républicains de la génération précédente, qui s'étaient servis du prédicateur Billy Graham comme conseiller en promotion, ce choix était aussi sensé que celui d'un gourou séculier pour les Américains post-hippies. Merv Griffin avait présenté Mommy à Joan Quigley, et celle-ci allait diriger la vie de Ronald Reagan pendant sept ans. Parce que si Mommy était le président de Ronnie, Quigley était celui de Mommy. « Quand Ronnie allait quelque part, se rappellera-t-elle par la suite, je devais vérifier plein de cartes astrales, celles du pays qu'il visitait, celle du chef de l'Etat de là, et celles de Ronnie, évidemment. Je lui faisais son relevé astral plus de cinquante ou soixante fois par an. Je n'étais pas seulement en avance sur mon époque en sachant *quand* il prendrait telle ou telle décision : c'est moi qui fixais le moment de ces prises de décision, en réalité. Et j'avais accès à tout, ou presque. Je pouvais faire ce que je voulais. »

Après avoir analysé le thème astral de Gorbatchev, Quigley avait confié à Mommy que Reagan et lui « allaient partager un idéal ». Elle prévenait Mommy quand il devait s'abstenir de discours en public ou de bains de foule. C'était elle qui choisissait la date de ses débats avec les autres candidats à la présidence, au point qu'elle allait revendiquer son élection, ni plus ni moins : « Si Carter a perdu, c'est grâce à moi. Parce que j'ai repéré un moment où il serait déconcentré et où sa langue fourcherait. » Elle avait conçu ses voyages à Bitburg et à Bergen-Belsen, s'assurant que ce dernier soit « le plus important ». Elle avait décidé que Reagan ne devait pas se lancer dans une tournée d'explication au moment du scandale Iran-Contra. « J'ai donné beaucoup, beaucoup d'avis sur les relations entre les deux super-puissances », allait-elle affirmer. C'était également à elle que Ronald Reagan devait la vie sauve : « L'assassinat était lié à la conjonction de Jupiter. Un phénomène qu'on appelle "la grande mutation". Au moment de l'élection de Reagan, ça rencontrait la constellation de la Balance et quand j'ai senti le danger... je me suis dit que je pourrais y arriver. Qu'en me concentrant vraiment fort, j'arriverais à lui éviter le pire. »

Mommy avait consulté Joan Quigley pour une autre raison encore. Le même problème que celui qui allait conduire Hillary à demander secours à la déesse Athéna redescendue sur terre : son image n'était pas bonne, elle tombait dans les sondages. « Je connaissais la réponse, devait expliquer Quigley. Depuis Jackie, Nancy était la femme la plus séduisante à occuper la place de First Lady. Elle aurait voulu qu'on la considère comme un exemple du chic absolu, de même que Jackie. Mais la situation dans le pays avait beaucoup changé depuis l'époque des Kennedy. En ce temps, les gens voulaient des symboles majestueux à leur tête, mais quand les Reagan sont arrivés à la Maison-Blanche nous avions une inflation à deux chiffres... Alors ces histoires de prendre de la porcelaine en plus, même si cette vaisselle était un don personnel, ça paraissait de l'extravagance. Et puis toutes ses relations mondaines, et sa manière de les étaler, ça ne plaisait pas au citoyen lambda. Et puis jouer les gravures de mode, dans ce contexte, ce n'était pas très bon non plus. Alors j'ai dit à Nancy : "Finis les journaux de mode. Vous pouvez aller à des soirées si vous voulez, mais tout ce dont on doit parler, c'est de manifestations officielles. Si vous voulez vous rendre plus sympathique, il faut jouer la carte des enfants à problèmes, des petites gens." »

Tiens, tiens. A des années de distance, on aurait cru qu'Hillary avait entendu ce dernier conseil. Détail révélateur, quoique non officiel : le livre qu'elle a intitulé *It Takes A Village*[1] a été coécrit avec son égérie spirituelle, Jean Houston.

Jean Houston revendique pour ancêtres Samuel Houston — le héros de la guerre de libération du Texas —, Robert E. Lee, Thomas Jefferson et les Todados de Sicile. A sa naissance à LA, son père l'amuseur professionnel testait une de ses nouvelles blagues dans le couloir de la maternité : « Qu'est-ce qu'il y a de plus beau qu'un bébé ? Des jumeaux ! »

---

1. Plaidoyer pour l'éducation et la médecine publiques. Le titre est tiré d'un proverbe africain très employé aux Etats-Unis : « Il faut tout un village pour élever un enfant. » (*NdT*)

Elle a reçu le prénom de l'actrice préférée du prêtre qui l'avait baptisée, Janet Gaynor, mais ses parents ont préféré Jeanie. Son père écrivait des gags pour des humoristes comme Ed Wynn, Eddie Cantor, Henny Youngman, Jack Benny ou George Burns.

Petite, elle est traumatisée par un acteur qui est devenu tellement fou du chien de la fillette, Chickie, qu'il propose de l'acheter quatre cent cinquante dollars. Toujours fauché, le papa ne demande qu'à recevoir une somme aussi importante pour l'époque en échange d'un animal mais la mère s'oppose à la transaction et met le méchant monsieur à la porte. Cet acteur s'appelle... Ronald Reagan. Pas étonnant que Jeanie et Hillary deviennent amies, par la suite.

C'est à huit ans que Jeanie aura la révélation du surnaturel, sous la forme de la marionnette en bois Charlie McCarthy. Jeanie accompagne son père, qui doit apporter un nouveau stock de blagues au ventriloque Edgar Bergen[1]. Lorsqu'ils pénètrent dans la pièce, Edgar, qui leur tourne le dos, est en pleine conversation avec Charlie, comme s'il parlait à un être de chair et de sang. Et Charlie lui répond ! A cette vue, elle est prise de frissons, elle a l'impression qu'une « main électrique » l'a touchée. Elle comprend soudain que les humains « contiennent en eux bien plus qu'on ne croit ».

Très mauvaise élève, elle finit le lycée avec des notes désastreuses. Un de ses professeurs a noté qu'elle « n'est pas équipée pour le travail intellectuel ». Pourtant, elle arrive malgré tout à entrer à l'université de Columbia. Là, cette grande jeune fille aux cheveux de jais attire à juste titre beaucoup de regards et elle se retrouve vite dans la section théâ-

---

1. On notera que le plus célèbre ventriloque de l'histoire américaine s'est vraiment imposé en 1956 avec sa participation à une très populaire émission qui s'appelait *Faites-vous confiance à votre femme ?*, et qu'il comptait parmi ses sponsors, outre les shampooings Richard Hudnut et le café Chase & Sandborn... la firme Coca-Cola. (*NdT*)

trale. Actrice douée, elle donne la réplique à Peter
Falk dans une pièce, reçoit plusieurs prix d'interprétation Off-Broadway. Un studio hollywoodien lui
demande une audition pour un rôle dans *Jane Eyre*.

Après avoir miraculeusement échappé à la
typhoïde, elle se met à étudier la religion. Elle fait la
connaissance de psychiatres travaillant sur les effets
du LSD, qui lui demandent de les aider dans leurs
recherches. Elle devient un cas rarissime à New
York : quelqu'un que l'on fournit tout à fait légalement en drogue ! Mais elle n'en prend qu'à trois
reprises, préférant se transformer en « guide psyché-
délique » pour trois cents accros à l'acide : « J'ouvrais
la porte de la splendide cathédrale avec un poivron,
ou bien j'entourais mes sujets d'une abondance de
fruits et de légumes, et je leur demandais de nouer
des relations amicales avec eux. Ou encore j'enlevais
lentement les feuilles protégeant un épi de maïs, une
par une, et mes sujets comprenaient qu'ils étaient les
témoins d'un mystère. »

Ayant fait le tour de l'acide, elle passe à des expérimentations singulières telles qu'un séjour en caisson
d'isolement sensoriel, un autre dans une « chambre de
saturation audiovisuelle », ou un machin surnommé
« le manche à balai de sorcière », une sorte de balan-
çoire métallique sur laquelle le sujet doit se tenir
aveuglé par des lunettes opaques. Grâce à un penden-
tif que lui a donné sa mère et dont elle ne se sépare
jamais, elle se rend compte qu'Athéna est son « archétype » et visite donc plusieurs fois l'Acropole.
« Comme Athéna, écrit-elle, j'aspire à retisser le
monde, à assembler la technologie, la culture, le
savoir et la spiritualité dans un plus bel ensemble et
une société plus visible. Je vole toujours au secours
des exclus, des déviants, des dissidents, de ceux qui
ont été blessés, de ceux qu'on ignore. » Elle se voit
comme un « hiérophante de l'intime » qui « voyage
dans des espaces reculés ».

Si Jeanie se réclame d'Athéna, certains la dotent de pouvoirs carrément christiques. Elle reconnaît elle-même avoir accompli plusieurs miracles, par exemple s'être débarrassée en quatre jours d'une tumeur au sein grosse comme une orange ou « offrir » des enfants à ceux qui ne pouvaient pas en avoir. Elle s'est aussi sauvée de la gangrène qui s'étendait après avoir été piquée par une méduse. « Il semble que j'apparaisse en rêve à plein de gens », note-t-elle aussi. Elle évoque souvent la fois où un groupe de garçons qui l'avaient aperçue dans un temple indien, avec ses longs cheveux défaits, s'étaient mis à crier en la montrant du doigt : « Jésus, Jésus ! » Pour la citer encore, « j'ai l'impression de pouvoir absorber et donc aider à corriger la souffrance d'autrui. Parce que j'ai travaillé à réduire mon ego, je pense que je suis capable de percevoir non seulement la douleur qu'ils ressentent mais aussi leur vérité intérieure la plus profonde, la valeur intrinsèque de leur existence ». Ce qui n'est pas sans rappeler le « Je ressens votre peine » de Bill Clinton ou le « Lève-toi et marche » de Jésus de Nazareth.

Quand elle évoque sa mère, on croirait qu'il s'agit d'un être venu d'une autre planète : « Elle a toujours été une fée, celle qui habite plusieurs mondes et parle aux anges. Elle voit l'avenir, elle a une vraie intuition et peut fonctionner sur plusieurs niveaux à la fois. » Ses « Nuits de l'Offrande » font nettement penser au Christ miraculeux : elle bénit cent quatre-vingts personnes en une seule soirée : tous marchent vers elle et lui tendent leur main, puis tandis que se forme un « cercle de communion » avec du Bach à plein régime en fond sonore, Jean Houston « offre » à chacun ce qu'il voulait.

Et les gens claquent un argent fou pour ses offrandes, ses livres et ses cassettes, puisque à part ces recettes la religion séculière est une vocation à but désintéressé. Ils l'écoutent avec ravissement leur raconter que « la plupart des soirs où je suis chez moi, je branche mon ordinateur, mon modem et je me mets en phase avec l'univers. Par le canal de l'Internet et de divers autres réseaux, par la musique des fréquences, je me connecte à l'esprit planétaire ». La déesse Athéna devant un clavier ? La faiseuse de miracles qui devait porter le nom de Janet Gaynor et qui a été traumatisée par Ronald Reagan, surfant sur le Net ?

Ou bien : « Tous les systèmes, qu'ils soient personnels ou à l'échelle d'une société, restent transitoires. Dès que l'énergie psychologique ne se cimente plus en forces sociales, beaucoup d'individus et d'institutions se lancent à la recherche du monde fertile du dedans afin d'aider à replanter la terre en friche du dehors. » Le « monde fertile du dedans » ? Mais n'y en a-t-il pas un au-dehors aussi, et dans lequel Jeanie puise avidement ?

Ou : « Les constantes du climat, les retours de la bourrasque, le rythme conjuré par un tambour africain, les rites qu'observent les reines, les chamans et les participants à la célébration de la nouvelle année, la cérémonie d'amour des paons et des chiens de prairie, les paysages de la nature et les présages des rêves, tout cela est l'expression de phénomènes fissionnels. »

Euh, pardon ? « Fissionnels » ? La « cérémonie d'amour des chiens de prairie et des paons » ? Mais de quoi elle cause, là ? De Donald et de Bill Clinton ? Qu'est-ce que l'intelligent-stupide pantin en bois Charlie McCarthy a bien pu lui faire quand elle avait huit ans ? « Je peux aborder les sujets de réflexion les plus ardus en faisant passer plein de swing comme dans un prêche en plein air. » Et son père décédé lui est apparu aussi. Selon ses propres termes, le vieux cabotin lui a conseillé d'aller voir quelques bonnes comédies, « histoire de te tirer du Grand Guignol dans lequel tu vis ».

A sa première rencontre avec Hillary, Jean Houston était en compagnie de concurrents spirites tels que Tony Robbins, « celui-qui-marche-sur-les-braises », et Marianne Williamson, « la prêtresse de l'amour des stars hollywoodiennes ». C'était une réunion style Camp David.

Jeanie la Génie lui déclare alors qu'en tant que femme Hillary est à l'avant-garde du combat pour les droits de ses sœurs. Et elle se laisse peut-être emporter une seconde par son enthousiasme, un centimètre trop loin par son génie théâtral, car elle lui affirme qu'elle est à la fois Jeanne d'Arc, un Mozart aux mains coupées et un Christ féminin crucifié.

Comme Hillary apprécie sa pertinence, Jeanie lui explique sa théorie de « la blessure en devenir », une théorie qui répond avec un à-propos incroyable, vraiment incroyable, aux persécutions médiatiques dont la First Lady se juge victime : « La blessure en devenir que nous subissons peut provoquer une déperdition de substance, un assèchement de nos réserves de courage. Ou bien il nous appartient d'y voir les flèches et les traits avec lesquels le sort veut nous transpercer jusqu'à ce que nous puissions encore atteindre à la sainteté. » Elle a encore une autre façon d'exprimer cette idée : « Je n'arrête pas de plaisanter sur le fait que Jésus était forcé de l'avoir, sa crucifixion. Autrement, la résurrection, tintin ! » Et pour définitivement montrer à Hillary qu'elle est tombée sur du sérieux, sur une guérisseuse qui a été elle-même « blessée » et qui sait de quoi elle parle, elle ajoute : « Lorsqu'ils traversent les ténèbres spirituelles qui précèdent la transmutation, je me surprends à accomplir le même périple qu'eux, à ressentir leur douleur et leur peine comme si elles étaient miennes. Mon hyper-sensibilité, ma disponibilité à l'égard de la souffrance d'autrui entretiennent la continuité d'une souffrance intérieure qui dément l'apparence allègre que je présente au reste du monde. »

Elles ont plus d'un point en commun, toutes les deux. Etudiante, Hillary a entretenu une relation platonique de trois années avec un homme ; dans son jeune temps, Jean Houston a fait de même avec un homme « à la vie sentimentale compliquée », et cette liaison a duré neuf ans. Comme Hillary, elle a été la reine autoproclamée de son lycée, s'emparant de la présidence de tous les clubs auxquels elle pouvait adhérer et devenant « la fille unanimement détestée par sa classe ». Et puis elles partagent une admiration éperdue envers Eleanor Roosevelt, la pionnière de la lutte pour les droits des enfants et le progrès social, la première First Lady bisexuelle de l'histoire américaine. Jeune fille, Jean Houston l'a même rencontrée grâce à son amuseur public de père : déguisé en serveur dans le restaurant préféré de Mme Roosevelt, celui-ci l'a aspergée de crème glacée dans le cadre d'un canular publicitaire, et par la suite il a composé des bons mots destinés à truffer les discours du président. Quant à Hillary, elle a même reconnu publiquement peu après l'élection de Bill Clinton « parler et demander son aide » à Eleanor, tout comme d'autres femmes avant elle s'adressaient à Thérèse d'Avila, à la Petite Fleur de Lisieux ou à la Sainte Mère.

Dès leur rencontre suivante, donc, elles parlent d'Eleanor Roosevelt. Persuadée que celle-ci est le « modèle » d'Hillary, Jean Houston lui explique sa technique, qu'elle appelle « l'arrimage avec son ange personnel » : une sorte d'exercice d'art dramatique où l'acteur improvise les deux voix d'un dialogue afin de mieux communiquer avec son « personnage », en l'occurrence son âme sœur, son « ange ». C'est ainsi qu'elle lui propose d'engager une relation avec la First Lady depuis longtemps disparue.

Dans ce but, elles s'installent dans le solarium perché tout en haut de la Maison-Blanche. Certaines collaboratrices d'Hillary se joignent à elles. Quelqu'un fait monter du pop-corn, des bretzels et des fruits.

Assez vite, grâce aux conseils et aux encouragements de Jean Houston, Hillary « s'arrime ». Elle demande à Eleanor comment elle a surmonté ses propres blessures, elle lui dépeint la solitude dans laquelle elle se sent. Puis elle devient Eleanor elle-même, et se parle avec la voix de la défunte : « Tu dois agir comme tu penses qu'il le faut », édicte Hillary-Eleanor.

Jeanie la Génie explique à sa protégée la nécessité de se rappeler que son « modèle » a été cruellement blessée, elle aussi, mais qu'elle a réussi à trouver la rémission. Il faut continuer les « arrimages » jusqu'à ce qu'elle soit en mesure de convoquer la force d'Eleanor afin de dépasser elle-même son épreuve.

Ensuite, elle lui propose de s'entretenir avec Gandhi, et Hillary s'exécute, confiant au petit bonhomme toute l'admiration qu'elle lui voue. Ensuite, pourquoi pas Jésus ? Tandis que l'assistance continue à mâchouiller du pop-corn, Hillary hésite. Elle est épuisée par ses échanges avec Eleanor et Gandhi, et elle a des scrupules à aborder un sujet aussi personnel avec le Christ. Et puis Chelsea a mal au ventre, ce jour-là, et elle doit aller prendre de ses nouvelles.

Au cours des séances suivantes, Jean Houston lui remontre que « tout comme la création d'un bébé est le produit du déchirement de l'ovule par le spermatozoïde, la création de l'âme passe par le déchirement du psychisme ». Elle lui décrit le régime alimentaire qui peut favoriser sa guérison : les noix de Macadam, « si pleines de macadamité » ; les tomates séchées au soleil, « la rencontre de la mémoire et du désir, nées de la terre et sublimées par l'astre solaire » ; le caviar, « qu'on ne mâche pas, non, qu'on presse sur son palais comme un nom consacré », et les truffes, « plus

qu'une simple extase, l'amour au-delà de l'entendement humain ».

Alors que Jeanie travaille sur le livre qu'elle avait
initialement suggéré à Hillary d'écrire, elle remarque
que Bill Clinton paraît tendu quand elle est présente.
Elle interroge Hillary à ce sujet, qui lui répond :
« Mon mari est quelqu'un de très conservateur. » Eh
bien oui, sans doute : quand il est question de s'arri-
mer à des modèles et de chercher l'amour au-delà de
l'entendement humain dans les truffes, Bill Clinton ne
se montre pas d'un esprit très ouvert. Il doit préférer
regarder les Razorbacks se prendre la pâtée en dévo-
rant un hamburger et en pestant contre les insanités
que vient de sortir cet allumé d'Imus plutôt que de
supporter les excentricités planantes de Jean Houston.
Ou bien tout simplement : ce n'est pas à un vieux
singe qu'on apprend à faire des grimaces.

Mais qu'il ait un bon Davidoff en main et Bill Clinton prouve qu'il est capable d'une inventivité si radicale, si peu conservatrice, que même un hiérophante
n'oserait le prendre pour modèle. Et s'il est question
de ses propres blessures, ces égratignures et ces bleus
qui marquent parfois sa figure après quelque sévère
engueulade dans les appartements privés de la Maison-Blanche, il sait bien qu'il pourra toujours trouver
des seins blancs et soyeux qui, passionnément pressés
contre son beau visage meurtri, suffiront à le soigner.

11

Si vous saviez, Bubba...

De : Joe
A : Bubba
Sujet : Vive Hollywood !

Cher Bubba,
Rob Fried, le producteur, m'a raconté qu'un jour, dans la limousine qui vous reconduisait à la Maison-Blanche après une partie de golf que vous aviez disputée ensemble à Burning Tree, vous vous êtes mis à râler contre Paula Jones, dont la plainte en justice venait juste d'être déclarée recevable. « Bon Dieu ! vous êtes-vous écrié, un de ces jours on va m'accuser d'avoir sauté une vache ! » C'était avant Monica.
A ce moment, Rob vous a dit : « Joe Eszterhas a déjà écrit un scénario là-dessus, Monsieur le président ! » Il faisait allusion à un projet de film que j'ai en effet concocté en 1989 et intitulé *Vaches sacrées* : l'histoire d'un chef d'Etat fictif qui, sous l'emprise de la nostalgie pour sa jeunesse de garçon de ferme, en vient précisément à ce que vous évoquiez. Revenu en Californie, Rob vous a envoyé ce texte mais il n'a jamais reçu le moindre accusé de réception.
L'unique réponse à me parvenir est arrivée indirectement, par le truchement de Steven Spielberg. Alors qu'il se préparait à produire *Vaches sacrées*, il s'est

brusquement retiré du projet en déclarant devant tout un aréopage de responsables d'United Artists qu'il ne se sentait plus « à l'aise » en raison de la nouvelle « amitié » qui le liait à vous.

Eh bien, sans rancune, Bubba. J'ai perdu Spielberg à cause de vous, certes, mais je crois deviner pourquoi. Après tout, ce n'est qu'un film, pas vrai ? Et il y a eu *Basic Instinct, Showgirls, Sliver, Jade, Flashdance, Jagged Edge*, et tous ceux-là, je *sais* que vous les avez vus. Vous êtes un fan, et je ne le tiens pas seulement de ce que Dick Morris a pu dire à propos de *Basic* mais aussi de ce que Gennifer a raconté là-dessus. Si je dispose d'un public captif pour ces films, je sais que vous, ils vous ont attrapé par ce que je pense, Bubba.

Pour citer Gennifer, donc : « Un soir, Bill m'a demandé de mettre une mini-jupe sans rien dessous, de m'asseoir sur une chaise et de croiser et décroiser les jambes pendant qu'il regardait. C'est incroyable, l'effet que ça a produit sur lui. Il a dit qu'il avait lu quelque chose sur ce truc dans un journal bien avant que Sharon Stone tétanise les spectateurs avec dans *Basic Instinct*. Et son fantasme était de reproduire cette scène dans la vie réelle. »

Evidemment que vous l'avez aimé, ce film. Parce que c'est à propos de Gennifer et vous, n'est-ce pas, Bubba ? Et il y a même des hommages directs à votre histoire avec elle. Par exemple, vous l'aviez ligotée aux montants du lit avec des foulards en soie, et c'est la première scène du film. Ou quand Gennifer se rappelle que « Bill aimait qu'on lui dise des mots sales » : même chose pour Michael Douglas dans *Basic Instinct*. Tiens, à y repenser on pourrait croire que Monica parlait de son personnage quand elle donnait cette description de vous : « Cette intensité sexuelle que j'ai vue quelquefois chez vous, en regardant votre bouche sur mon sein ou en contemplant vos yeux quand vous exploriez les profondeurs de mon sexe. » Et le coup des glaçons sur Gennifer, ça vous est venu après l'avoir vue utiliser un pic à glace. Et encore ce besoin fou de la prendre dans tous les lieux possibles et imaginables, une cabine téléphonique, des toilettes hommes, sur un bureau ou sur un lit dans une vitrine de magasin de meubles, cette pulsion de « baiser comme des tarés », qui est l'énergie à la base de l'ensemble de l'intrigue, dans *Basic Instinct*.

Lorsqu'elle décrit votre aventure avec elle, Gennifer est en plein dans le substrat non seulement de ce film mais aussi de *Sliver* et de *Jade* : « Nos jeux érotiques... Je ne pouvais penser à rien d'autre. A ce que nous nous étions faits l'un l'autre la nuit d'avant et à ce que nous pourrions essayer la suivante. Je passais mes journées dans un état second : en apparence, je travaillais et je me comportais normalement mais je ne cessais de penser à ce qui se passait entre nous. Avec le recul, je me dis que nous étions devenus dépendants du désir sexuel, pratiquement comme d'une drogue. Et plus la dépendance s'intensifiait, plus nous recherchions des expériences d'une intensité décuplée. »

Il faudrait que vous veniez vous installer ici, Bubba. Fondamentalement, vous ne cadrez ni avec Washington ni avec Little Rock ou Chappaquiddick. Hollywood, Bubba, Hollywood ! « Dépendants du désir sexuel » : mais ce coin exsude le sexe par tous ses pores de celluloïd !

Ici, toutes les femmes ont des pastilles à la menthe dans leur sac Chanel ou Prada. Le petit monde du show-business dispose de tous les accessoires les plus excitants, jusqu'aux préservatifs Fiesta à l'effet fluorescent si amusant dans la pénombre... Et ces filles, Bubba, ces filles ! « De la crème sur talons hauts », pour citer Billy Wilder.

Une ville entière de barjotes et de nymphos prêtes à tout, de starlettes qui rêvent d'être stars tout court et de connaître bien plus que l'orgasme à la papa, à la Al Gore. D'accros aux crush-videos et à l'aérobic facial. De nanas avec tout ce qu'il faut de salive et d'anatomie ultra-sculptée.

Elles sont prêtes à tout, absolument tout, pour garder la taille mannequin. Elles avalent des ténias, se rendent au Costa Rica dans le seul but de siffler l'eau du robinet et de s'attraper le dernier virus intestinal dans le coup. Elles se gavent de dexédrine, de jus de citron assaisonné au piment de cayenne, et pour le petit déjeuner de coton à démaquiller imbibé d'orange pressée. Femmes-fruits, mûres à point de partout... « D'après moi, toute cette obsession des gros seins est une forme de perversion », s'est indignée un jour Jane Fonda. Et puis elle est allée se faire gonfler les siens.

Il n'y a pas de place pour les thons à Hollywood, Bubba. Et pas besoin d'avoir un Willard Jurassic Park pour percer : ici, n'importe qui sait apprécier un frérot malin et bien informé sans qu'il soit d'une taille aberrante, surtout à une époque où les petits branchés se les percent avec des anneaux. Vous pourriez devenir un paranomètre humain ici, Bubba : un appareil à mesurer la fermeté des parois vaginales.

Vous vous souvenez de cette carte que Monica vous avait envoyée ? Celle où elle disait : « Rien ne me comblerait plus que de vous revoir, si ce n'est de vous voir tout nu, avec un billet de loterie dans une main et un tube de crème fouettée dans l'autre » ? Elle, c'est désormais exclu, mais il y a encore Hollywood. Si vous débarquez ici, la vie sera exactement ça : à poil avec un billet de loterie et un tube de crème fouettée.

Je sais que vous avez passé toute votre vie dans le circuit politique et non dans celui du show-biz, mais prenez Ronald Reagan : il n'est devenu président qu'après avoir appris à tirer les ficelles ici. Il s'est fait la main à Hollywood pour décrocher Washington et vous, vous vous serez fait la main à Washington pour conquérir Hollywood. Vous verrez qu'il n'y a guère de différence entre les deux. Et peut-être que j'arriverai à vous convaincre de venir recommencer ici. Si je vous emmène dans les coulisses, qui sait... Alors voyons.

On commence par le harcèlement sexuel ? C'est devenu une des vieilles blagues d'Hollywood : « Tu as entendu parler de cette starlette polonaise qui a couché avec le scénariste pour essayer de décrocher le rôle ? » Cette histoire, tous les journaux du pays l'ont sortie en première page quand j'ai vendu le scénario de *Basic Instinct* pour une somme record. A Hollywood, on ne parlait de rien d'autre. Et puis, une fois le contrat signé, j'ai remarqué quelque chose d'étrange : à chaque fois que je descendais à LA, le portier de l'hôtel me remettait toute une pile d'enveloppes, chacune avec de somptueuses photos de starlettes locales. Qui n'oubliaient jamais de noter leur numéro de téléphone personnel, et qui parfois y joignaient un mot manuscrit et parfumé.

Je suis sûr que Monica parfumait ses lettres.

Certaines ne portaient rien en haut, d'autres ni en haut ni en bas. Une fois, l'enveloppe contenait également une petite culotte en satin noir parfumée à la framboise. Gennifer ?

Et pensez, Bubba : je ne suis qu'un pauvre schmoque avec une vieille machine à écrire, moi, alors imaginez ce qui pourrait arriver à l'ancien président des Etats-Unis ?

Une autre histoire bien dans la veine hollywoodienne, maintenant. A propos d'identification à une œuvre.

A l'époque où je réécrivais le scénario original de Tom Hedley pour *Flashdance*, le réalisateur, Adrian Lyne, avait le *Dernier Tango à Paris* plein la bouche.

Comme il ne cessait de répéter que c'était l'un de ses
films préférés et qu'il voulait donner une tonalité *Dernier Tango* à *Flashdance,* j'ai fini par lui objecter : « Le
problème, Adrian, c'est que le film qu'on est censé
faire est un conte de fées bien guimauve, avec une danseuse débutante et une bande d'ados qui essaient de
percer. » Ce que je voulais lui dire, en bref, c'est qu'il
n'y avait pas de place pour le morceau de beurre là-
dedans.

Gennifer raconte que vous adorez le beurre.

Mais bon, Adrian ne démordait pas de son idée et
peu avant le début du tournage il a organisé une réunion de travail rien moins qu'au Caesar's Palace de
Las Vegas, car la session de triturage de cerveaux
créatifs devait s'accompagner d'une audition générale
pour le casting du film. **Vous auriez adoré ça aussi,
Bubba...** En l'occurrence, il s'agissait d'auditionner
des centaines de petites danseuses plus canons les
unes que les autres à Vegas.

Quand je suis entré pour la première fois dans ma
chambre, je me suis retrouvé en plein lupanar fin de
siècle. Tout était rouge, même le plafond, même le
néon allumé derrière les vitres. Don Simpson, l'un des
procureurs, avait une suite avec un jacuzzi au beau
milieu du salon — **Plus fort que Camp David,
non ?** —, et c'est là que la « créativité » s'est surtout
exprimée : Simpson dans le jacuzzi, un cigare à la
bouche, une bouteille de gin à portée de la main et
un plateau avec des lignes de poudre blanche posé à
proximité. Nous autres, nous étions tout bêtement
assis sur des chaises.

Après une journée de sélection intensive, il a résolu
d'offrir une soirée aux danseuses que nous venions
d'auditionner. Nous nous sommes donc retrouvés dans
sa suite, une centaine de femmes splendides et quatre
bonshommes : Don, Jerry Bruckheimer — son coproducteur —, Adrian et moi. **Là vous bichez, pas vrai ?** La
fête s'est poursuivie tard, et nous étions tous crevés. A

un moment, j'ai décidé de prendre congé de notre hôte. « Il est là-dedans », m'a informé Jerry en montrant la chambre à coucher. J'ai ouvert la porte. En tenue d'Adam, Simpson tenait une fille serrée contre le mur. Il était en elle. Quand je lui ai lancé « Bonne nuit, Don ! », il m'a fait un signe de la main sans s'interrompre une seconde ni même se retourner, puis : « Huit heures et demie tout à l'heure, hein ? » Je suis content que Betty Currie n'ait jamais vu un truc pareil...

Le matin, à l'heure dite, Don avait repris place dans son jacuzzi et notre séance de travail a commencé, et c'est ce moment qu'a choisi Adrian pour remettre le couvert avec son *Dernier Tango*. « Je tiens l'idée, maintenant ! nous a-t-il annoncé en sortant quelques notes griffonnées au crayon. Voilà ce qu'on va faire... » Un temps d'arrêt afin de ménager son effet : « Donc, à huit ans, notre héroïne, Alex, est violée par son père ! »

Avec son flegme consommé, Jerry Bruckheimer a gardé le silence. Au milieu de ses bulles, Simpson m'a lancé un coup d'œil, son visage grisâtre plissé par une grimace sardonique. Et moi, j'ai explosé : « Tu as perdu la boule, Adrian ? T'es plus éclairé à tous les étages ? Notre fille, là, *violée* ? Et par son père ? Dans ce petit film tout gentil ? C'est ça, le beurre que tu veux à tout prix caser ? Moi, en tout cas, j'en ai marre ! Je me casse ! »

Je suis parti en claquant la porte, j'ai jeté mes affaires dans un sac et je suis rentré chez moi.

Lorsqu'il est parti à ma recherche et qu'il s'est rendu compte que j'avais rendu ma clé, Adrian est revenu dans la suite de Don, au bord de l'apoplexie : « Il s'est barré ! Vous vous rendez compte que ce triple salaud s'est tiré ? » Mais il a fini par réfléchir. A la sortie de *Flashdance*, il n'y avait pas trace de beurre dedans, ni d'inceste ni de viol.

J'ai été témoin d'un autre cas de fixation artistique comparable avec le réalisateur Billy Friedkin quand nous travaillions sur *Jade*. Lui, c'était *Belle de Jour*.

Je n'arrêtais pas de lui répéter : « Ça, c'est pas *Belle de Jour*, Billy. » Et lui, à chaque fois : « T'as raison, t'as raison... » Il n'empêche qu'en visionnant les rushes je suis tombé sur une longue scène érotique, par la suite abrégée, dans le genre bizarre — **Je vous enverrai la cassette, Bubba** —, avec une femme en talons aiguilles et masque de dominatrice qui, de l'avis (erroné) de certains, ressemblait beaucoup à l'épouse de Billy, la chef de studio Sherry Lansing. **Pas de masques comme ça pour Hillary, hein ?** Enfin, elle n'avait jamais été dans le scénario, cette scène, et donc je m'en suis étonné devant Billy : « Ça rime à quoi ? Qu'est-ce qu'elle fait là ? Qu'est-ce que ça nous apporte ? » Et Billy, avec un sourire : « Juste un petit peu de *Belle de Jour*... »

Ce film dont je parle, vous l'avez vu combien de fois ?

Un jour, mes agents m'annoncent que Richard Gere a un plan à me proposer. Je le rencontre en milieu d'après-midi dans sa suite au Château Marmont. Après m'avoir chaleureusement accueilli et fait asseoir, il s'installe dans un fauteuil en face de moi. Il est en jean et chemise en denim bleu. **Tout à fait votre style, Bubba.**

Il a une idée, m'apprend-il. Un film sur le milieu du blues à Chicago dans les années cinquante : Muddy Waters, Howlin' Wolf...

— Jimmy Reed.

— Quoi, vous connaissez, alors ? s'exclame-t-il.

Je commence à lui parler de Memphis Minnie et de Mance Lipscomb, puis on évoque longuement la figure de Robert Johnson quand il s'interrompt brutalement :

— Pardon, mais j'ai une séance photos, là. Ça ne vous dérange pas si je me change ?

— Bien sûr que non.

Il disparaît dans une chambre et je reste seul, à penser à ce projet de film sur le blues. Ça pourrait être fun.

Richard réapparaît, avec sur le bras exactement la même tenue que celle qu'il porte, à la seule différence que la nouvelle sort de chez le teinturier. Je poursuis sur ma lancée :

— Memphis Slim... Il m'a toujours fasciné. J'aime beaucoup cette sonorité boogie-woogie qu'il a, et puis paf, il s'exile et vit à Paris comme un roi pendant vingt ans...

Pareil pour vous ici si vous vouliez, Bubba.

— Oui, mais il n'a rien à voir avec Chicago, remarque Richard, planté à cinq mètres de moi.

Et là, il commence à se déshabiller.

— Non, c'est vrai.

Il a déjà enlevé sa chemise. Il ouvre sa ceinture, baisse sa braguette.

— Tandis que Big Bill Broonzy... Un vrai gars de là-bas, lui.

Son jean est par terre. Il ne porte pas de sous-vêtement.

Ouais, les caleçons... Oubliez ça, franchement.

Je risque un :

— Et Big Joe Turner ?

— Kansas City.

Il se glisse dans son jean propre, plutôt ajusté.

— Big Mama Thornton, alors ?

— Possible, oui. Je sais qu'elle a fait des trucs là-bas.

Il boucle son ceinturon, enfile sa chemise. Sa braguette reste ouverte. **Ça vous rappelle des choses, Bubba.**

— Moi, ce qui me plairait, c'est d'abord de faire le travail de recherche. Passer quelques mois à Chicago pour bosser là-dessus.

— Ouais, ça me paraît grand. J'ai l'impression que ça pourrait faire un film d'enfer, pas vous ?

Il remonte la fermeture éclair.

— Fun.

— Ouais. Très fun.

Il me propose de descendre avec lui au parking. Arrivé en bas, il me serre la main :

— Ces séances photos, quelle plaie... Bon, je vous appelle la semaine prochaine et on met le truc au point.

Je le remercie. Après de grands sourires réciproques, il monte dans une petite Porsche bien frime et démarre en trombe.

Je n'ai plus jamais eu de nouvelles de lui.

Vous n'auriez pas aimé ne plus en avoir de Paula Jones, vous ?

Et maintenant, le Massacre du samedi soir.

A ma première rencontre avec Gina Gershon, sur le plateau de *Showgirls* tout près d'une Elizabeth Berkley nue et en nage — **Doucement, Bubba ! Vous allez finir par vous flanquer un hygroma à la main !** —, elle m'a dit tout le bien qu'elle pensait de mon scénario : « J'ai compris tout de suite que tu t'étais inspiré de l'histoire de Zeus et d'Aphrodite. C'est un de mes thèmes préférés, ça. »

Pour être très franc, je n'étais moi-même pas au courant de cette « inspiration », mais j'ai bien aimé son jeu dans le film. Comme j'avais un scénario intitulé *Original Sin (Péché originel)* à Morgan Creek Productions, j'ai persuadé Jim Robinson, son directeur, de regarder les interventions de Gina dans *Showgirls*. **C'est le gars qui aime ça, Robinson. Toujours capable d'apprécier ce genre de prouesses.**

Il a été impressionné par ce qu'il a vu mais il a estimé qu'elle n'était « pas une star, juste une starlette ». Moi, je lui ai répondu qu'elle pourrait sans doute le devenir si on lui donnait le rôle adéquat. **Elle vous plairait beaucoup, Gina !** Bien qu'il ait continué à émettre des réserves, j'ai fini par le convaincre de la signer pour le rôle principal dans *Original Sin*. Je savais qu'elle n'avait pas de propositions de ce niveau. « J'adore ce scénar' ! m'a-t-elle déclaré peu après. Il est... idéal. » Elle m'a confié qu'elle avait eu une histoire d'amour dans une vie antérieure, tout comme l'héroïne qu'elle devait incarner.

Et vous ? Avec Cléopâtre ?

Et elle a dit : « Merci, merci, merci. »

Il nous fallait un réalisateur. Comme j'admirais énormément les documentaires du cinéaste britannique Nick Broomfield, j'ai demandé à le voir et je lui ai posé la question : est-ce qu'il serait tenté de réaliser une fiction, cette fois ? Il a dit que oui et je lui ai donné le scénario, qu'il a « beaucoup » aimé, d'après lui, précisant en forme de réserve qu'il avait des « idées » dessus. Nous avons passé tout un après-midi à en parler, de ses « idées ». Elles m'ont tellement plu que j'ai annoncé à Jim Robinson que j'avais trouvé le type « idéal » pour ce film. Il n'a pas eu l'air vraiment enthousiasmé : « Il fait des docus, bon Dieu ! Et en plus, c'est un British alors que toute cette histoire se passe en plein Sud profond ! Qu'est-ce qu'il peut connaître au Sud, bordel ? » **Il a parfois ce côté-là, Robinson.** J'ai réussi à les faire se rencontrer et j'ai repris mon script en y intégrant les « idées » de Nick. Robinson a été emballé et par Nick et par le nouveau scénario. Ils ont conclu le marché et nous avons eu le feu vert.

Un mois plus tard, Robinson m'appelle : « Qu'est-ce que c'est, ce merdier ? » Il m'annonce que Broomfield n'a pas fait un seul repérage, pas une seule audition, pas un seul pas dans la mise en place d'une équipe de tournage.

Moi : « Il fait quoi, alors ?

Robinson : Il travaille sur ce foutu scénar'.

Moi : Quouaaaaa ?

Moi, une fois calmé : Mais je croyais qu'il vous plaisait, le scénario ?

Robinson : A moi, oui. C'est à Broomfield qu'il ne plaît pas. Et à Gina Gershon non plus.

Moi : Quouaaaaa ?

Moi, après avoir retrouvé mon sang-froid : Gina Gershon a la chance d'être dans ce film, Broomfield a la chance de le réaliser. C'est moi qui vous ai persuadé de les prendre, tous les deux.

Si Al Gore vous cassait par-derrière, ça vous ferait quoi ?

Robinson, en rigolant : Exact. Alors voyez avec eux. »

J'appelle Gina. Elle a un problème avec le scénario, d'après ce que j'ai entendu dire ?

— Pas vraiment, non. Je l'adore. Il est... idéal. Mais on a pas mal parlé, Nick et moi. C'est simplement que je me demande comment je peux fonctionner dans certaines scènes. Il y a des trucs que je suis censée faire et je ne comprends pas pourquoi. Nick et moi, on a des idées sur les moments où je peux agir autrement.

J'appelle Broomfield.

— Gina s'est vraiment mise dans la peau de son personnage. Elle est en train de *devenir* son personnage, voilà. Elle a développé des approches dont on devrait tenir compte.

— Ah bon, elle *devient* son personnage ? Le hic, c'est que ce n'est pas elle qui l'a créé, mais moi ! Si elle veut vraiment le faire, il lui suffit de faire ce qu'il y a dans le scénario.

Est-ce qu'il improvise, Al Gore ? Tu parles que non !

— Je comprends votre point de vue, me rappelle Broomfield. Mais je pense qu'on devrait en parler.

Moi non. Je pense qu'il n'y a rien à en dire. Ils ont décroché un job grâce à mon script et à moi, l'un comme l'autre, et maintenant ils complotent dans mon dos pour modifier ce que j'ai écrit ?

A ce moment très délicat, précisément, Jon Bon

Jovi, qui était très séduit par le projet et voulait tenir un rôle important dedans, traverse tout le pays pour venir en parler. Une réunion est organisée chez moi, à Malibu. Robinson et lui arrivent puis, peu après, Nick et Gina débarquent ensemble.

Au fil de la conversation, il devient évident pour le producteur et moi que Bon Jovi est bien plus emballé par le scénario que Nick et Gina. Et alors que nous le trouvons idéal pour jouer dans le film, Jim et moi, les deux autres le prennent de haut.

— Oui, il est possible que j'aie un instant pour faire un essai avec vous demain, condescend Broomfield de son ton le plus british.

Blumenthal apprécierait, lui.

— Vous avez pris des leçons d'art dramatique ? sort Gina à Bon Jovi.

T'as raison, Gina : l'école Harry Thomason, c'est mieux que l'école de Stanislavski !

Puis ils s'excusent tous les deux, nous laissant broyer du noir en trio.

— Ce mec est un connard ! s'exclame Robinson à propos de Broomfield. A mon avis, il a tout simplement les foies de passer à l'acte. C'est pour ça qu'il ne s'occupe pas de monter une équipe et un casting, qu'il se contente de chipoter sur le script. Il a la trouille de se lancer à l'eau !

Il est visible que Jim a été froissé par la manière dont l'un et l'autre ont traité Jon, qui tenait énormément à cette rencontre. Puis il se tourne vers moi :

— C'est vous qui m'avez dit de le prendre, ce type.

— Eh bien, saquez-le.

Le lendemain matin, quand Broomfield arrive à la production pour tourner le fameux bout d'essai avec Jon, celui-ci n'est pas là. Il y a par contre des vigiles de la compagnie qui, sur les instructions de Jim Robinson, raccompagnent le cinéaste à la porte des installations. Par la suite, un arrangement à l'amiable sera trouvé avec lui, puis avec Gina un peu plus tard.

Elle vous plairait quand même beaucoup, Bubba.

Un exemple de sensibilité hollywoodienne ? Quelques années après le succès remporté par *Jagged Edge*, Richard Marquand, le réalisateur, est emporté par une crise cardiaque à l'âge de quarante-huit ans en Angleterre, laissant derrière lui sa femme et deux jeunes enfants.

C'était un grand ami. Effondré, j'entreprends de mettre au courant tous ceux qui ont travaillé avec lui sur cette production. Quand je joins Glenn Close à New York, je suis encore sous le choc. Elle ne souffle pas mot pendant que je lui donne les détails, que je lui raconte qu'il était apparemment en excellente santé, qu'il venait de passer des vacances en Grèce avec son épouse, etc. A la fin, le silence s'installe sur la ligne.

— Glenn ?

— Oui, oui, je suis là.

Un autre blanc, puis elle me dit :

— Bon, le truc, c'est qu'il n'a rien fait du tout pour moi, dans ce film. J'ai l'air d'avoir un cul énorme, là-dedans.

La politique, c'est pas de la rigolade non plus, pas vrai ?

Hollywood, disions-nous ? Frank Price était à la tête de la Columbia quand j'ai écrit *Jagged Edge*. Ancien scénariste télé, il avait une réputation de bon manager. Il a détesté la fin de mon script : il voulait que le film se termine sur Jeff Bridges innocenté et tombant dans les bras de Glenn Close. Je lui ai répondu que c'était une conclusion digne d'un feuilleton TV à la noix. Il m'a répliqué qu'il avait produit *McCloud* et *Columbo*.

— Je connais vos références, Frank, et une bonne partie du problème est là, lui ai-je dit.

Martin Ransohoff, ce vétéran de la production cinématographique qui assurait celle du film, m'approuvait entièrement mais nous ne savions pas comment nous dépêtrer de cette situation peu commune : le directeur du studio m'avait explicitement donné l'ordre de modifier ma fin, et j'avais refusé. Par un appel à son ami Herbert Allen, qui siégeait au conseil d'administration de la Columbia — **Vous n'aurez jamais le pouvoir qu'il a, Bubba...** —, Ransohoff a découvert que Price était assis sur un siège éjectable.

Nous avons décidé de patienter jusqu'à son éviction. Toutes les semaines, environ, Price demandait où en était la nouvelle chute du film et Ransohoff lui répondait invariablement : « Joe travaille toujours dessus. » Nous avons tenu ainsi pendant trois mois. Jusqu'à ce que Frank Price soit débarqué.

Trois jours plus tard, j'ai présenté la mouture rectifiée, qui était exactement la même qu'avant. Le nouveau directeur a beaucoup apprécié cette nouvelle fin qui n'avait rien de nouveau, et c'est sous cette forme que le film a été tourné. Qu'il ait été mon ancien agent n'a pas été un handicap, évidemment.

Pas plus que d'avoir Janet Reno pour procureur général des Etats-Unis, non ?

Intéressons-nous un peu à la publicité négative, maintenant. Vous vous souvenez de Ryan O'Neal, Bubba ? Bien sûr que oui. Il incarnait Al Gore dans *Love Story*, puisque Al dit toujours que c'est son histoire avec Tipper, ce film. A croire que cette femme exceptionnelle est ressuscitée des morts, d'une manière ou d'une autre...

Il y a quelques années, j'ai écrit un scénario que j'avais appelé *An Alan Smithee Film : Burn Hollywood Burn* (*Brûle, Hollywood ! Une production Alan*

Smithee), basé sur le personnage de James Edmunds, un producteur hollywoodien aussi cynique que retors. **Vous le connaissez : il a passé trois fois la nuit dans la chambre de Lincoln à la Maison-Blanche.** Nous avions le plus grand mal à trouver un acteur pour ce rôle quand ma femme a eu l'idée de Ryan O'Neal. Après avoir été une grande star, il ne se voyait plus rien proposer d'important et il apparaissait moins à l'écran que dans les colonnes du magazine *People*, à la faveur d'articles surtout consacrés à sa fille Tatum ou à son éternel amour, Farrah Fawcett. Plus sa cote professionnelle rétrécissait, plus son volume physique augmentait : ses bourrelets commençaient à prendre la taille de ceux d'Alec Baldwin, c'est dire...

Euh, à propos, comment va Kim ?

J'ai trouvé la proposition lumineuse. Qui, dans une satire d'Hollywood, pouvait mieux incarner un tel personnage qu'un spécimen du coin dont l'étoile avait terni ? J'ai envoyé le scénario à ses agents et dès le lendemain il acceptait le rôle. Une semaine plus tard, il déjeunait chez moi et proclamait fort bruyamment que c'était le meilleur projet qu'il ait jamais lu. A la fin de la rencontre, il m'a donné l'accolade puis il a demandé que mon épouse s'y joigne, en une étreinte un peu trop expansive à mon goût, comme à celui de l'intéressée d'ailleurs. **Le genre de celles que vous aimez, Bubba.**

Après le début du tournage, nous avons décidé d'inviter Ryan et Farrah à dîner à la maison, mais la veille de la date convenue j'ai demandé à mon assistant de les décommander : une semaine de pluies torrentielles avait provoqué des glissements de terrain qui rendaient l'accès à Malibu très difficile. Le soir en question, on sonne à la porte. Notre domestique nous informe que Ryan et Farrah sont là. En tenue d'intérieur, environnés de boîtes en plastique du traiteur chinois qui jonchent le sol détrempé en raison d'une fenêtre qui ferme mal, nous ne nous sentons pas la force de jouer les amphytrions, Naomi et moi, et nous préférons donc leur faire répondre que nous sommes absents. Je téléphone à mon assistant, qui avoue avoir oublié de prévenir de l'annulation. Le lendemain, j'appelle Ryan pour lui présenter mes excuses et j'envoie des fleurs à Farrah, qui les refuse catégoriquement. Non, surtout pas ! Suivez mon conseil : ne vous approchez pas de Farrah !

Au fur et à mesure que le tournage avance, il devient de plus en plus clair à ceux d'entre nous qui passent du temps sur le plateau que Ryan a noué une liaison avec notre actrice principale Leslie Stephenson, une jeunette au regard torride qui joue le rôle d'une prostituée. Et puis, un jour, il m'annonce qu'ils se sont installés ensemble quelque part à Malibu et qu'il a quitté Farrah. « Et tout ça grâce à toi, précise-t-il. Parce que si tu n'avais pas écrit ce scénario, je n'aurais jamais rencontré Leslie. Et aussi parce que depuis le soir où tu nous as plantés avec ce dîner, mes rapports avec Farrah n'ont plus jamais été les mêmes. Elle est devenue dingue, tu sais : elle se pomponne pendant deux heures au moins, on fait tout ce chemin sous des trombes d'eau et vous, vous n'êtes pas là ! »

Il avait l'air heureux, très amoureux, mais il restait égal à lui-même. Alors que nous partagions une limousine pour nous rendre à un lieu de tournage, il n'a pas arrêté de parler de Leslie mais pas arrêté non plus de laisser sa main se poser sur la jambe nue de ma femme, jusqu'à ce que j'en arrive à lui dire : « Ecoute, Ryan, si tu la touches encore une fois je te casse le bras. » Vous, vous n'avez jamais sorti une chose pareille à Vince, pas vrai ? Quand nous sommes arrivés sur place, il a rasé les murs pour éviter la foule des curieux et pourtant, d'après ce que j'en ai vu, personne n'est venu lui demander le moindre autographe.

Peu avant la sortie du film, le studio a monté une journée de presse au Four Seasons Hotel. La présence de Ryan coulait de source mais la veille au soir j'ai appris qu'il ne viendrait pas, qu'il détestait ce genre de corvées, paraît-il, qu'il en avait trop subies pendant toutes ces années... J'ai pris aussitôt mon téléphone pour contacter ses agents et je leur ai déclaré, en gros : « Vous arrêtez, là ? Ce type était littéralement inemployable, j'ai dû m'échiner à convaincre le réalisateur de lui donner le rôle, alors qu'est-ce que c'est ces histoires qu'il ne viendra pas ? » Peu après, Ryan m'a appelé en m'expliquant qu'il y avait eu un malentendu et qu'il comptait bien être présent... évidemment.

A mon arrivée à l'hôtel le lendemain matin, une attachée de presse du studio m'a informé qu'il était déjà dans la suite réservée pour lui et qu'il se préparait à sa série d'interviews. Tout paraissait donc sur les rails, désormais, jusqu'au moment où un producteur est venu m'annoncer qu'il sortait des quartiers de Ryan et que la piaule empestait le cannabis. Puis il est réapparu en me disant qu'il venait d'assister à sa première interview et qu'il l'avait entendu déclarer qu'il n'aimait « pas vraiment » le film, qu'il ne voulait même pas en parler, en fait. Par contre, il était prêt à répondre à toutes les questions sur un film d'auteur dans lequel il avait occupé récemment un rôle mineur.

Genre : laissez tomber la réforme de la santé concoctée par Hillary, causons plutôt des espèces animales en danger !

Quand j'ai prévenu son agent, celui-ci s'est mis à hurler à l'autre bout de la ligne : « Sortez-le de là-bas tout de suite ! Immédiatement ! Il faut que vous le viriez de là dans la minute ! » Quelques instants plus tard, Ryan quittait l'hôtel en laissant un message pour moi. Il était désolé mais il ne se sentait pas bien. La grippe, sans doute. Il avait donc dû regagner ses pénates d'urgence.

Ah, ce que vous pourriez faire à Hollywood, vous aussi, Bubba !

La politique du spectacle ? C'est par exemple quand les studios et les producteurs ont du mal à se faire une idée d'un scénario, et parfois encore plus à l'exprimer.

Un jour, je réécris un scénario intitulé *Other Men's Wives* (*Femmes des autres*), des histoires d'adultère au féminin. C'est vrai, quoi, pourquoi on ne parlerait toujours que de nous ? La directrice du studio était Sherry Lansing — Elle vous plairait, elle aussi —, les producteurs Wendy Finerman (*Forrest Gump*) — Trop maigre pour vous — et Mario Kassar, le jadis légendaire patron de Carolco.

Un vendredi après-midi, je leur envoie le texte par porteur à tous les trois. Le dimanche matin, Sherry m'appelle : « Bon, je n'ai pas vraiment aimé mais inutile de répercuter ma réaction à Wendy et à Mario, pour l'instant. Je voudrais d'abord connaître la leur. Et puis y réfléchir encore. Je pourrais me tromper, après tout. »

Le dimanche soir, Wendy me téléphone : « Je n'ai pas vraiment aimé, pour tout dire. Et Sherry ou Mario, ils ont déjà dit quelque chose ? (Je réponds que je ne suis pas au courant.) Bon, je pourrais me tromper, en fait. Je voudrais le relire et réfléchir encore. Inutile de parler à Sherry ou à Mario de ma réaction. Je le ferai, moi, directement. »

Le lundi, Mario n'a toujours pas donné son avis et ni Wendy ni Sherry ne rappellent.

Finalement, il me contacte le mardi, en milieu de journée. Il semble pas mal chiffonné au bout de la ligne :

« Ecoute, Joe, on est amis depuis longtemps, alors je veux que tu sois très franc : est-ce que Sherry t'a dit ce qu'elle en pensait ?

Moi : Une minute, Mario ! Dis-moi d'abord ce que tu en penses toi-même.

Mario : Ce que j'en pense n'a pas d'importance, Joe. Je n'ai plus de studio, moi. Je suis rien qu'un producteur. Donc je veux être en phase avec ce que Sherry en pense. »

Il faut que vous emmeniez Dick Morris avec vous, quand vous allez venir vous installer ici.

Je lui réponds qu'elle n'a pas aimé. Il me rappelle deux heures plus tard, ulcéré :

« Comment tu peux me raconter qu'elle n'a pas aimé alors que c'est tout le contraire ?

Moi : Ça lui plaît, alors ?

Mario : Il y a des trucs dedans qu'elle n'a pas aimés, mais globalement si !

Moi : Tu es sûr ?

Lui : Bon, la communication était pas géniale... Elle est en route pour un séminaire aux Bahamas, là, mais...

Moi : Tu devrais peut-être réessayer.

Lui : Non. J'ai une meilleure idée que ça : je vais passer quelques coups de fil à la Paramount, à Goldwyn, Manning, quelques autres, histoire de voir ce que Sherry leur a raconté.

Moi : Tu veux dire qu'elle aurait pu leur donner un son de cloche différent ?

Lui : C'est ce qu'on va élucider. »

Il me retéléphone le lendemain et m'annonce que la tonalité de ses conversations avec John Goldwyn et Michelle Manning, deux pontes du studio, lui laisse croire que Sherry n'a pas aimé, non.

Moi : « Et eux, ils ont aimé, Goldwyn et Manning ?

Lui : Ils ont dit qu'ils devaient encore y penser. »

Ensuite, Wendy m'appelle afin d'organiser une rencontre avec Mario et moi.

Moi : « Et on va parler de quoi ?

Elle : Il faut absolument qu'on mette à plat ce qu'il nous inspire, ce scénario.

Moi : Euh, dans mon cas, il me plaît bien, à moi.

Elle : Mais toi tu ne comptes pas, puisque c'est toi qui l'as écrit !

Moi : Alors dans ce cas, pourquoi ne pas vous retrouver simplement à deux, Mario et toi ?

Elle : Mais tu as raison ! Très bonne idée, oui. »

Vous n'aviez pas Hillary avec vous pendant la plupart des réunions de cabinet, exact ?

Détruire l'ennemi ? C'est aussi une règle locale. En voici quelques exemples.

1) En apprenant que Robert Lawrence, un responsable de la Columbia, avait dit pis que pendre d'un de mes scénarios à une star, je lui ai téléphoné aussi sec : « Demain je débarque là-bas et je vous démolis le portrait ! » Ce jour-là, je suis en effet allé au siège de la Columbia pour une tout autre raison. Lawrence avait appelé son bureau pour dire qu'il était malade. **En...lé de Milosevic !**

2) Des années plus tard, le même Lawrence est apparu dans la direction d'United Artists, studio avec lequel je venais de signer un contrat pour trois films. Comme j'avais prévenu Jerry Weintraub, le patron, qu'il était hors de question que je travaille avec lui, il l'a convoqué et lui a déclaré tout de go : « Si jamais vous déconnez avec Joe, je vous fous par cette putain de fenêtre. » Lawrence a hoché la tête avec un sourire et il est reparti. **En...lé de Saddam !**

3) Dans une cabine téléphonique d'aéroport, le procureur Marty Ransohoff est informé que Jane Fonda n'a pas du tout aimé mon scénario de *Jagged Edge*. « Quelle triple conne ! hurle-t-il dans le combiné. Qu'est-ce qu'elle y connaît, d'abord ? Une nana qui a sucé les Viets ! » **La maman de Ransohoff était dans l'équipe de Barry Goldwater...**

4) Robert Evans apprend qu'une des clauses du contrat de Sharon Stone pour *Sliver* stipule qu'il ne doit en aucun cas être présent sur le lieu de tournage lorsqu'elle s'y trouve. Sharon avait une copine qui affirmait alors qu'Evans l'avait enfermée chez lui et gardée prisonnière pendant des mois, nue et avec une

laisse. Réplique d'Evans : « Stone est une connasse et une menteuse qui a totalement pété les boulons. Je ne la baiserais pas pour tout l'argent que j'ai claqué dans ma vie. Je n'ai jamais tenu une fille au bout d'une laisse, moi. » **Je n'ai jamais eu de relations sexuelles avec cette femme, Miss...**

5) Lorsque j'ai publiquement protesté contre les « arrestations citoyennes » opérées par le producteur de *Basic* Alan Marshall sur des contestataires gays pendant le tournage du film à San Francisco, le patron de Carolco, Mario Kassar, a téléphoné à mon agent, Guy McElwaine. Il était fou de rage.

Mario : « Mais qu'est-ce qui lui prend, à Joe ? Il est en train de nous faire passer pour des taches !

Guy : Que vous vous chargiez d'appréhender des manifestants, ça ne lui plaît pas.

Mario (à tue-tête) : Je vais l'attaquer en justice, oui !

Guy : Si vous faites ça, vous aurez tous les gays de San Francisco à Paris devant les salles quand le film va sortir.

Mario (encore plus fort) : Merde pour lui ! Je vais le faire buter, alors ! »

Le chat mort de Kathleen Willey ?

6) Encore Guy McElwaine, alors qu'il soupçonnait le producteur Irwin Winkler d'avoir divulgué l'idée de l'un de mes scénarios avant qu'il ne soit prêt à le vendre : « Si vous marchez dans la rue et que vous me voyez passer en voiture : courez, parce que je vous expédie dans une vitrine ! Si vous êtes dans un restau et que vous me voyez entrer : dégagez, ou sinon je vous sors par la peau du cou ! Si vous êtes en train de pisser aux chiottes et que je vous découvre : faites vos prières, parce que je vous mets la tête dans la cuvette ! » **En...lée de Linda Tripp !**

7) J'ai su que l'agent de Jean-Claude Van Damme, Jack Gilardi, avait intrigué dans mon dos pendant que je tentais de persuader l'acteur de suivre mon script.

Je l'appelle : « Je vais te dire ce que je vais faire, Jack. Je vais débarquer avec une batte de base-ball et je vais t'exploser les genoux, comme ça tu ne pourras plus marcher. Ensuite, je t'explose les côtes, comme ça tu ne pourras plus respirer. Ensuite les oreilles, et tu ne pourras plus entendre. Je t'exploserais bien le crâne, mais comme tu es infoutu de penser, ça ne sert à rien. Donc je vais t'écrabouiller les roustons et comme ça tu ne pourras plus tirer. » **Ici vous serez chez vous, je vous l'ai dit !**

Environ un an plus tard, je le croise au bord d'une piscine sur l'île Maui, avec sa femme et un groupe d'amis. Je m'approche, je lui présente mes excuses, on se serre la main. Et lui : « Enfin, c'était une sacrée tirade quand même ! Je m'en souviens pratiquement mot pour mot. Tu devrais en caser une de ce genre dans un film de Jean-Claude. » **Les accords de Camp David ?**

Fiction, réalité ? Retour à *Jagged Edge*. Le personnage central du film, Jack Forester, est le rédacteur en chef connu d'un journal de San Francisco qui assassine sa femme et s'en sort sans problème. **N'y pensez même pas, vous !**

Ce qui le sauve en grande partie, c'est que les gens n'arrivent pas à croire qu'un homme aussi respecté et un si bon mari puisse liquider son épouse dans des circonstances particulièrement abominables. **Vous, par contre, ils vous soupçonneraient tout de suite.** Et l'élément capital de sa défense, c'est qu'on ne retrouvera jamais l'arme du crime, un couteau à la lame ébréchée. **Les livres de compte du cabinet de Little Rock ?**

A l'été 1993, Naomi et moi avons passé un après-midi à la piscine du Ritz-Carlton de Maui en compagnie d'OJ Simpson et de sa femme, Nicole. OJ nous a confié qu'il aurait adoré apparaître dans un de mes

films ; qu'il raffolait de *Basic Instinct* et plus encore
de *Jagged Edge*.

Un an plus tard, en apprenant le meurtre épouvantable de Nicole Simpson et de Ron Goldman, nous
avons repensé à ces agréables moments au Ritz,
Naomi et moi. Nous étions d'ailleurs indirectement
liés à cette affaire puisque quelques jours avant de
rejoindre la défense d'OJ, l'avocat Bob Shapiro
m'avait représenté à mon procès en divorce.

Plus le procès d'OJ avançait, plus j'étais frappé par la
manière dont il se rapprochait de l'intrigue de *Jagged
Edge*. Une célébrité accusée d'avoir tué sa femme, un
bon père de famille qui aimait son épouse, selon ses
défenseurs, et qui n'aurait donc jamais pu la liquider
dans des circonstances aussi abominables... Et l'arme du
crime : un couteau, comme dans le film, et comme dans
le film disparu à jamais. Et même cette coïncidence à
donner le frisson d'un couteau similaire présenté à l'audience.

« On se croirait dans *Jagged Edge* », ai-je noté sur
le ton de la plaisanterie devant Bob Shapiro.

Il m'a regardé droit dans les yeux : « Vous n'avez
pas idée à quel point. »

Comme je ne l'avais pas revu depuis longtemps —
le film date de 1985 —, j'ai repris la cassette. A un
moment, j'ai stoppé brusquement, je suis revenu en
arrière et j'ai repris le défilement. J'ai eu un frisson
dans le dos.

La date des deux meurtres était la même : la nuit
du 12 juin, dans la fiction comme dans la réalité.

Plus tard, j'ai demandé à Shapiro ce que ça lui rapportait, d'être connu dans le monde entier. Réponse :
« Ça me rapporte de pouvoir me faire faire une pipe
dans n'importe quel coin de la planète. » **Saquez Bob
Bennett, engagez Bob Shapiro !**

Une anecdote qui n'est pas sans rappeler l'intervention de Vernon Jordan en *sa* faveur, pour finir.

Charles Evans, frère de Robert et producteur exécutif sur *Showgirls*, appelle le réalisateur, Paul Verhoeven, et lui annonce qu'il vient d'auditionner la fille
parfaite pour tenir le premier rôle... dans sa chambre
d'hôtel à New York. Je vous avais bien dit que vous
adoreriez ça, le show-business !

Ce coup de téléphone bénin déclenche la fureur de
Verhoeven : « Vous n'auditionnez rien du tout ! C'est
moi qui auditionne ! Non, mais vous êtes cinglé ?
Recevoir des meufs dans votre chambre ? Vous voulez qu'on se retrouve avec un procès avant d'avoir
même commencé à impressionner de la pellicule ? »
Non, ne vous inquiétez pas. Tout le monde fait pareil.

Charlie lui explique posément que cette fille est
vraiment douée, et remarquablement belle.

— Je vous en prie. Demandez-lui juste un bout
d'essai.

— Pas question ! Je ne veux même pas savoir son
nom !

Et Paul continue à chercher des actrices à LA. Un
jour, il auditionne une jeune starlette télé peu connue,
Elizabeth Berkley. Ceux qui ont assisté à l'essai
raconteront qu'elle était très « décomplexée », et que
la taille et la forme de ses seins nus ont visiblement
impressionné Paul. Et si vous deveniez réalisateur ?
Dès que le travail a commencé, tous deux ont entamé
une liaison torride et très commentée, ce qui n'a rien
d'exceptionnel pour un cinéaste au cours d'un tournage.

Tenez, vous auriez beaucoup aimé celui de *Basic*,
que nous avions fait avant celui-ci. Paul dépasse de loin
la plupart des réalisateurs, qui considèrent un plateau
comme vous le couloir sans fenêtre du Bureau ovale.
Une fois, il m'a raconté que sa meilleure expérience
érotique avait été avec une femme qui déféquait sur le
lit quand elle jouissait. Non, pas Farrah. Ces rabelai-

siennes prédispositions étaient idéales pour *Basic*, dont le plateau faisait penser à une barrique de libido et de testostérone comprimée dans une boîte à sardines.

En préparation du tournage, Michael Douglas était descendu perdre un peu de poids au Mexique et prendre un peu de soleil « pour avoir une belle gueule ». Tout de suite après le début, il a eu une aventure avec Jeanne Tripplehorn, puis une crise avec Sharon qui s'est terminée par cette sorte de duel où chacun attend que l'autre soit le premier à se rapprocher dans une scène de baiser.

Et puis Paul et Sharon ont commencé à s'obséder mutuellement. Vous la connaissez, Sharon : « Le temps de dire ouf, je suis nue », a-t-elle confié une fois à *People Magazine*. Mais elle tenait à ce que Paul écarte sa femme des alentours avant d'aller jusqu'au bout de cette obsession, ce à quoi il s'est refusé. Ensuite, Paul s'est pété un vaisseau dans le nez : résultat d'un coup de poing de Michael ou pas, c'est une question que je n'ai jamais réussi à clarifier. Les différentes versions offertes à différents stades étaient aussi prudemment pesées que votre témoignage devant le grand jury.

Mais bon, pour en revenir à *Showgirls*, jusqu'à la fin du tournage, Elizabeth a poursuivi ses extravagances « décomplexées ». « J'essaie de l'aider jusqu'à la fin d'une scène, devait me confier Gina Gershon, et pendant ce temps, elle me raconte ce qu'elle va faire avec la queue de Paul ce soir. » C'est la fille rêvée pour vous, Elizabeth ! Sonnez le tam-tam ! Appelez-la ! Envoyez-lui *Feuilles d'herbe* ! Tout de suite !

Ce n'est qu'une fois le film mis en boîte que Charlie Evans a raconté à Paul que la fille de l'audition dans sa chambre d'hôtel new-yorkais était, tout simplement, Elizabeth Berkley.

J'espère vous avoir convaincu, Bubba. Et merci d'être un fan. OJ en est un aussi : dès qu'il a été acquitté, son premier geste a été de visionner *Show-girls* et *Jade* à la file.

Je partage votre douleur,

PS : Steven n'est qu'un trouillard : vous seriez génial dans *Vaches sacrées*, également.

12

La gâterie du président

Malheur ! Parlez-moi de la Jewish American Princess dans toute sa splendeur ! Me faire du chantage à cause de cette histoire de boulot de merde ! D'ailleurs qu'est-ce qu'il y a ? Où est le mal de bosser au Pentagone, franchement ? Elle aurait eu l'occasion de voyager, vrai ou faux ? Londres, Hong-Kong, Bruxelles... Bon, d'accord, peut-être qu'elle n'aurait pas pu encaisser ce fichu Bruxelles.

Après, je me débrouille pour qu'elle parte à l'ONU et qu'elle vive à New York, et non, ça ne va pas non plus ! Tout est pratiquement conclu quand elle décide, ou plutôt elle et sa maman Beverly Hills, qu'il y a trop... d'Arabes à New York ! C'est la capitale juive de l'Amérique mais la miss estime qu'il y en a encore trop ! Bon, je ne voudrais pas être lourd, mais : et Beverly Hills, alors ? Ce sont les Arabes qui tiennent tout, là-bas. Mais là-bas ils ne la dérangent pas, donc ?

Bon sang, j'aurais dû me faire vérifier les méninges rien que pour l'avoir laissée démarrer tout ça. Il faut dire que la première fois que je l'ai vue, elle avait ce côté emballeur qui ne trompe pas. Me montrer sa petite culotte juste pour que je lui mate la fente du cul. Parce que histoire d'emballage... oh mama ! Une belle salope, oui. Ces gros nibars blancs comme la neige qui lui sortent sous sa robe. Ce popotin qui se trémoussait devant moi à chaque fois qu'elle passait dans le coin, comme s'il avait ses petites idées à lui. OK, il était peut-être un peu... balèze, mais moi, ça ne me gêne pas plus que ça.

Qu'est-ce que j'étais censé faire ? Non mais, franchement ? Elle le servait là comme une sucrerie tout juste sortie du four et moi j'avais faim. C'est simple, j'ai toujours faim. Alors ? J'aurais dû dire non, peut-être, et me refuser même cette petite récompense ?

Parce que bon, moi, je me crevais à la tâche : debout jusqu'à trois heures du mat', quatre plombes de sommeil maxi, tout le temps dans les avions, en jet-lag permanent. Et mes sinus qui me rendent dingue, et mon dos qui me torture, et mon genou qui me tue... Alors une mini-gâterie, non ? Un peu de sucre pour me recharger les batteries. Et je ne la lui ai même pas mise ! Même pas.

Tout ce que j'ai fait, franchement, à part deux-trois fois à la fin, c'est de la laisser mettre sa bouche dessus. Mais elle voulait plus, elle. Toujours plus. A peine je l'avais embrassée la première fois qu'elle se cramponnait à cet abruti de Willard ! Et elle connaissait le jeu : tout de suite, elle m'a raconté qu'elle était sortie avec un mec marié, ce type, là... A quoi elle s'attendait ? A ce que je laisse tomber Hillary pour une... gâterie ?

Quelle erreur ça a été, mon Dieu ! Mais quelle erreur ! Je savais que ça sentait le mauvais plan depuis le début. Elle devait être un peu déjantée pour me suivre comme ça, débarquer partout où j'étais, même sur ce trottoir à New York pendant que ma caisse passait par là... Et cette façon de jacter, de jacter sans cesse et tout le temps... La pipelette, quoi. Tous ses « oh », tous ses « ah ». D'accord, je l'ai embrassée dès qu'on s'est croisés, mais c'était juste pour la lui faire fermer. Pour essayer d'arrêter le moulin à paroles avant qu'il se lance. Malheur, mais elle a donc pas compris ? Ce qu'on attendait d'elle, c'est qu'elle mette

sa bouche par là, pas qu'elle l'ouvre en permanence !
Qu'elle se déboutonne, mais au propre, pas au figuré,
pas en me confiant son point de vue sur le système
éducatif américain ! Et même quand elle ne parlait pas,
le potin qu'elle faisait ! Quand j'avais mes doigts là où
je pense, à quels bruits de dauphin on a eu droit ! Elle
peut pas gémir discrètement, non ? J'avais peur que
les gus des services secrets enfoncent la porte, en
croyant que j'avais eu un malaise cardiaque. J'ai posé
ma main sur sa bouche et après elle était pleine de
bave : franchement, elle était lancée sur ses rails
comme la loco à vapeur que je voyais souvent passer
dans le temps, à Hot Springs.

Et puis elle a commencé à me faire ses petits
drames, à me parler de la débilité du bouquin sur
Pavarotti de sa mère, des coups en douce de son
père, qui avait fini par épouser son assistante... J'étais
censé faire quoi, là ? M'intéresser ? Et pourquoi elle a
cru que ça allait m'intéresser ? La première fois, je
ne connaissais même pas son nom. Et elle le savait
pertinemment : elle m'a même blagué à ce sujet.

Mais non, la voilà qui me parle de ce raté, machin,
Andy, en train de mettre des cornes à sa légitime dans
je ne sais quel bled de l'Oregon. Moi, le président des
Etats-Unis d'Amérique, il faut que j'écoute quand on
me cause d'un... « Andy » ? J'ai la tête pleine de bud-
gets, et de lois, et de plans de bataille, et je devrais
l'écouter me raconter les misères que cet Andy lui a
faites ? Mais elle me prenait pour qui, là ? Son pote ?
Son petit copain ? Son paternel ? Son psy ? Pourquoi
elle s'est mis dans la caboche que je n'en avais *pas*
rien à cirer ? Comment elle n'a pas compris qu'elle
était une gâterie, rien de plus ? Elle est stupide... à ce
point ? Enfin, le pays entier, non, le monde entier
connaît le faible que j'ai sur ce point. On a écrit des
livres et des livres là-dessus, bon sang ! Elle *devait*
savoir où elle mettait les pieds. Sans ça, pour quelle
raison me montrer un bout de petite culotte ?

Alors pourquoi commencer à se comporter comme si elle était... « quelqu'un », brusquement ? Elle ne savait pas que je suis un homme occupé, tout le temps ? En tout cas je le lui ai fait comprendre, moi ! J'étais au téléphone à m'occuper des affaires de l'Amérique même pendant qu'elle se mettait à genoux devant ce que je pense. Et je te parle de la Bosnie, et je te parle de l'industrie sucrière... Elle avait les oreilles aussi ouvertes que la bouche, à ces moments. Ou alors elle est quoi ? Idiote et sourde, en plus ?

Et quelle cabotine ! Toutes ces larmes de crocodile quand elle a perdu son job à la Maison-Blanche ! Une année d'élection, nom d'un chien ! Des histoires à la Gennifer, c'était la dernière chose dont j'avais besoin. Ça non plus, elle comprenait pas ? On causait. Nancy, Marsha, Debbie, Cathy, elles étaient toutes à la mater comme des vautours ! Dès que je m'accorde une gâterie, elles le savent. Elles me connaissent trop bien. Elles deviennent jalouses. Elles tolèrent pas une nouvelle gâterie dans les parages. Et elles me l'enlèvent.

Parce que les gens causent, c'est comme ça. Les appariteurs, les secrétaires, les gardiens, les mecs du FBI, tout ce monde fait marcher sa langue. Et puis ces satanées espionnes d'Hillary sont partout, toujours aux aguets. Elle a perdu son emploi, oui, mais pour que je ne paume pas la présidence. Pour que Nancy, Marsha, Debbie ou Cathy n'aient pas à entrer en compétition avec elle. Mais même ça, elle n'a pas compris ! Elle n'a pas trouvé juste de se retrouver dehors pour *ma* cause. Sa priorité, ce n'était pas la présidence, l'avenir du pays. C'était elle et son petit boulot à la gomme.

Du coup c'était comme si elle avait parlé sérieusement, quand elle m'avait sorti qu'elle voulait être secrétaire aux turlutes. Dans sa tête, son placard à la Maison-Blanche a pris je ne sais comment les proportions d'un poste stratégique. Et elle s'attendait vraiment à ce que j'intervienne en sa faveur. Quoi, nombriliste à ce point ? Croire que le président des Etats-Unis allait se mouiller personnellement pour la réintégrer dans son équipe ? Après tout ce que les gens disaient déjà sur ses allées et venues dans le Bureau ovale ?

Je voyais très bien le scandale péter en pleine campagne électorale. Ça aurait suffi à rendre la Maison-Blanche aux enfoirés avec qui je me suis battu pour l'arracher toute ma vie. Mais elle ne voyait rien de tout ça, elle. Ce qui l'intéressait, c'était de récupérer son job de merde, et de répéter à quel point c'était injuste qu'elle l'ait perdu à cause de moi. Hein ? Cette petite siphonée qui essaie de me faire sentir coupable, moi ?

Même quand je l'appelais de la caravane électorale à la fin d'une dure journée... Willard dans une main, le bigophone dans l'autre, je ne désirais qu'un moment de paix. Ses nénés me revenaient en flash dans la tête, mais non, elle ne voulait encore parler que de ça, son job. Incroyable, putain ! Alors qu'elle savait très bien comme j'aimais qu'elle me dise des trucs cochons ! Toute la sainte journée à cavaler, ou bien là-haut sur l'estrade avec Hillary, et faire du son, et faire de l'image, et je retrouve enfin le calme de ma chambre d'hôtel, je lui téléphone et elle se met à me fatiguer à propos de son boulot à la Maison-Blanche.

Je lui passe de la pommade, à la doudou. Je l'expédie à des gens de mon staff, y compris Marsha qui lui en passe aussi. Et du coup c'est un nouveau drame : elle m'en veut de l'avoir adressée à Marsha. Elle sait que Marsha et moi, on a... Et maintenant elle raconte que l'autre ne va jamais l'aider parce qu'elle est trop jalouse. Elle dit que c'est pas juste : Nancy et Marsha et Debbie et Cathy, elles peuvent me voir quand elles veulent ou presque, et elle non... Non mais, attends ! Je suis avec Willard dans la main à la fin d'une journée atroce et je devrais écouter *ça* ?

Je commençais à avoir un peu la trouille d'elle, aussi. Je ne pouvais pas me permettre de la mettre trop en pétard, jusqu'à ce qu'elle tente une scène, un scandale. Qu'elle commence à raconter tout ça, une petite stagiaire et cet animal de Willard en plein Bureau ovale, et c'était tout bonnement... la fin du monde, malheur ! Pas question de la braquer, mais pas question non plus de la faire revenir à la Maison-Blanche.

J'étais piégé encore sur un autre plan : je ne voulais pas la revoir — et c'est ce qui s'est passé pendant toute la campagne électorale — et pourtant j'aurais voulu voir sa bouche sur ce que je pense, et ses lolos jaillissant de son soutien-gorge, si blancs dans ce couloir mal éclairé. J'avais peur de la rencontrer à nouveau, en fait, parce que je savais que mon besoin de gâterie me forcerait encore à l'entraîner dans le couloir, justement, ou aux toilettes.

Aux pires moments de parano, je me demandais si cette cruche était capable de m'avoir tendu un guet-apens. Elle était forcément au courant de mon problème. C'est pour ça qu'elle m'avait montré sa fichue culotte, et qu'elle m'avait suivi partout, et qu'elle s'était mise au travail sur Willard alors que je ne connaissais même pas son nom. Elle cherchait à me compromettre, elle le voulait ! Son but, c'était de tenir le président des Etats-Unis d'Amérique par son Frangin.

Elle continuait à geindre au téléphone, à me dire que son job au Pentagone était une horreur, et que je lui manquais, au point qu'un soir j'ai fini par lui dire : « Je ne veux pas parler de ton travail, là, mais d'autre chose. » Elle m'a reçu cinq sur cinq, elle s'est mise en mode sexy, ce qui l'a conduite au thème qu'elle avait tellement, tellement envie de coucher avec moi. Et ça a déclenché une autre crise de larmes, jusqu'à ce que je lui demande si elle préférait que je ne l'appelle plus, et elle a dit non.

Elle a recommencé à se pointer à mes apparitions publiques. Une fois, je m'approche du cordon pour serrer la pogne de quelqu'un et elle, elle tend le bras et elle serre Willard dans ses doigts ! Les foies que j'ai eues ! J'ai cru qu'elle avait perdu la boule. Attraper Willard en public, comme ça ! Il s'est tout ratatiné, lui.

Quand j'ai vu son message de Saint-Valentin dans le *Washington Post*, j'ai flippé encore plus. Dans quoi je m'étais mis ? Comment j'en étais arrivé là ? Me laisser prendre en otage par une gâterie... On était dans *Liaison fatale* ou quoi ? Je me chiais vivant, là. Et donc j'ai accepté de la voir. Seul à seul. Ça faisait dix mois. Presque un an et elle ne me lâchait toujours pas la grappe ! Je pouvais faire quoi ? Si je la jetais, elle risquait de causer. Alors encore de la pommade. Quelques cadeaux pour Noël, puis je l'emmène dans le couloir et pour la première fois je la laisse satisfaire Willard. Pour quel motif je lui permets ça, je ne sais pas vraiment : mon besoin de sucreries, ou bien ça faisait partie de ma stratégie d'apaisement pour l'empêcher de péter les boulons ou de trop parler, ou bien les deux ensemble ? Ou bien c'était seulement cet animal de Willard qui n'écoutait que lui ?

Et puis j'apprends par Marsha que la crétine a raconté notre « amitié » à sa mère. Laquelle a tout répété à Walter Kaye, ce vieux richard qui n'arrête pas de m'offrir des chemises, lequel l'a dit à Marsha. Pire que dans mes pires cauchemars. A qui encore elle a balancé le truc ? A qui d'autre sa concierge de mère en a parlé ? Ou ce lèche-cul de Walter ? Je me maudis. Comment j'ai été assez bête pour croire que la pipelette allait se taire ? Il faut mettre fin à ça tout de suite, avec autant de délicatesse et de diplomatie que possible, pour ne pas la braquer contre moi et qu'elle me concocte allez savoir quoi. Elle m'a trahi.

Donc je la convoque au Bureau ovale. Je lui explique que j'essaie d'être fidèle à Hillary mais je lui dis aussi qu'elle me plaît beaucoup, elle. Que c'est quelqu'un de formidable. Et pas grosse vache du tout. Qu'on doit rester amis. Que je peux faire plein, plein de choses pour elle. Elle se met à chialer, je la prends dans mes bras, je lui donne un baiser d'adieu. Je fais jouer mes mâchoires deux-trois fois, j'autorise mes yeux à se troubler. J'entends presque les violons.

Et après je prie pour que cette absurdité ne me revienne pas dans la poire. Mais quelques jours après la Cour suprême décide que la plainte pour harcèlement sexuel de Paula Jones contre moi est recevable, et là je supplie le Seigneur d'empêcher que ses avocats n'apprennent l'existence de l'autre...

Qui se met à me téléphoner. Je ne prends pas ses appels. Elle essaie toujours de récupérer son job à la Maison-Blanche, elle voit Marsha, elle voit Bob Nash, elle a l'impression que je tente de l'aider en sous-main. Tu parles. Elle à la Maison-Blanche ? Sous aucun prétexte. Je ne veux plus rien savoir d'elle. Ni des yeux ni des lèvres. Furieuse que je ne lui parle pas au téléphone, elle m'écrit une lettre : « Ne me traitez pas de cette manière, je vous en supplie. Je me sens abusée, manipulée, négligeable. Je comprends que vous avez les mains liées mais je veux pouvoir vous parler, envisager des alternatives. » C'est ça ! J'ignore sa lettre, j'ignore ses appels.

« Abusée, manipulée, négligeable » : bon, elle commence à piger, enfin. Mais elle m'envoie une autre bafouille, avec « Cher Monsieur » et tout. Elle m'accuse d'avoir trahi ma promesse de l'aider à trouver un autre boulot. Menace de révéler notre « amitié » à ses parents. Je sais qu'elle en a déjà parlé à sa mère, donc c'est de son père qu'il s'agit... La salope veut la guerre entre nous. Chantage ! Le président des Etats-Unis avec le couteau sous la gorge pour dégotter un job à une... gâterie !

J'avais la haine. Il fallait mettre un point final à tout ça. La calmer, l'empêcher de continuer à bavasser. Je la réinvite dans le Bureau ovale, je lui annonce que c'est un délit de proférer des menaces à l'encontre du président des Etats-Unis. Et mon boulot à la Maison-Blanche ? elle répond. Elle se met à pleurer. Je la serre contre moi, lui caresse le bras, joue avec ses cheveux, l'embrasse sur la nuque. Je lui dis qu'elle est belle, intelligente, tout. Et tellement mince. A nouveau le coup des mâchoires et des yeux. Un chef, je suis. Ni à son paternel ni à personne, elle va causer. J'ai la situation en main. Quand elle s'en va, elle est persuadée que je suis fou amoureux d'elle, la niaise.

Elle m'appelle pour me dire qu'elle a décidé d'aller bosser à New York et c'est de la musique à mes pauvres oreilles. New York, cool. New York, c'est loin de Washington. Et de moi. Je vais lui trouver quelque chose à l'ONU grâce à Bill Richardson. Il est sympa, Bill. Il ne pose jamais de questions, il connaît les règles. C'est dans la poche ! Elle voit Bill, elle part à New York et là... Cette insupportable fille à papa revient en disant qu'elle ne veut pas gratter à l'ONU parce qu'il y a trop d'Arabes ! Je n'arrive pas y croire ! Elle veut travailler « dans le privé », rien que ça ! Il faudrait que ce soit *moi* qui lui trouve un job dans le privé.

Là, c'est un peu fort de café, non ? Moi, le président, chargé par une petite d'aller demander à un employeur « privé » de lui faire une fleur en l'embauchant. Soi-disant que je lui « devais » ça. Parce qu'elle avait été éjectée de la Maison-Blanche à cause de son « amitié » avec moi, et que je n'avais pas tenu ma promesse, et qu'elle s'était tenue tranquille sans en parler à personne... Bref, tout était de ma faute, quoi ! Et je n'avais plus qu'à me racheter en dégottant à Miss la Secrétaire aux turlutes un job mieux que ce truc à l'ONU. Ce qui signifiait un salaire à six chiffres, évidemment. De quoi satisfaire la maman et son nouveau beau-papa. Je n'avais qu'une envie : qu'elle aille mourir !

J'ai mis Vernon sur le coup. Il était capable de lui trouver quelque chose, lui qui siège dans une tapée de conseils d'administration. Et il était déjà en quête d'un boulot pour elle quand ils l'ont citée à comparaître dans l'affaire Paula Jones. Elle me tenait vraiment, maintenant. La salope ! Insupportable bavasse ! Qu'elle dise la vérité et tout était à l'eau. Mais mentir sous serment pour me protéger, c'était violer la loi : j'étais baisé, retourné et rebaisé.

Je l'ai à nouveau convoquée au Bureau ovale. Je l'ai couverte d'un tas de saletés : une tête d'ours en marbre, une couverture Rockettes, un chien en peluche, une petite boîte de chocolats, une paire de lunettes de soleil fun et un badge avec une vue de New York. Je lui ai permis de jouer avec Buddy. Je l'ai embrassée fougueusement. Je lui ai dit qu'elle était incroyablement mince. J'ai fait le coup des mâchoires et des yeux. Et elle a marché comme la grosse pleurnicheuse qu'elle est.

Une semaine plus tard, elle signe une fausse déclaration sur l'honneur certifiant qu'elle n'a jamais eu de « relations sexuelles » avec moi. Deux jours après, Vernon lui pêche un job à Revlon-New York. Elle est contente, sa fichue mère, le fichu beau-papa aussi. C'est terminé, enfin. Je me suis libéré d'elle.

Et puis... Comment ça, des cassettes ? Cet enfoiré de Starr a des cassettes ? C'est la fin de tout, c'est la fin du monde ! La première trouille qui me vient, c'est qu'elle m'a enregistré comme la Gennifer et... oh, Seigneur miséricordieux ! Le cul au téléphone ! Comme si c'était hier, je m'entends délirer avec les infos du soir sur NBC en contrefond. Mais non, on l'entend seulement jacter avec cette fouille-merde toxique qui a fait amie-amie avec elle, le moulin à paroles qui déblatère et déblatère à propos de tout et n'importe quoi.

Quoi, le cigare aussi ! Non, Dieu Tout-Puissant, pas ça ! C'était son idée à elle, rien qu'à elle. Qui a dit :

« Et si vous voulez faire ça une fois, on peut aussi »
avec un regard de pute à dix dollars sur mon cigare ?
Et elle m'a demandé, elle m'a quasiment ordonné de
le faire. Ma main n'a été que l'instrument de ses fantasmes, et quels fantasmes... Ce qui s'est passé entre
son ce à quoi je pense et mon cigare, je n'y ai presque
rien à voir, moi.

Là, il n'y avait plus d'autre choix que de la dégom-
mer. Charlie Rangel avait commencé, de toute façon,
et sérieux. Le représentant démocrate de New York.
Il avait sorti que « cette pauvre enfant » avait « un
sérieux problème d'équilibre émotionnel », qu'elle
n'avait « visiblement pas toute sa tête », qu'elle était
« en pleine affabulation »... Il n'y avait pas à pousser
très loin, d'ailleurs. Pas de quartier, à nouveau. Parce
qu'on était en pleine *Liaison fatale*, là ! Pour de bon !
Et salope, et timbrée, la nana ! La groupie nympho,
l'allumeuse de Beverly Hills ! Et qu'on ne me parle pas
de son âge, hein ! Elle se tapait déjà un mec marié à
Portland... Mais attendez un peu, attendez ! Brusquement, ABC a raconté qu'elle avait une robe bleu
marine avec mon... Et puis ils ont démenti dans un
autre sujet. Mais même si c'était vrai, est-ce qu'elle
allait la remettre à l'autre enfoiré ? Et si elle la gardait ? Alors ce serait sa parole contre la mienne : pas
de preuve. Mais du coup je ne pouvais plus la dégom-
mer, merde ! Si je lui tombais dessus et qu'elle l'avait,
cette robe, elle s'empresserait de la leur donner.
Non, il fallait être gentil-gentil avec ce thon, cette
intrigante aussi débile que fourbe. Ça avait déjà
marché, avant. La petite était folle de moi, non ? Mais
comment être gentil avec elle quand il était exclu de
la rencontrer, ou même de lui parler ? Et là, illumination ! Génial, le mec !

Elle me verrait forcément à la télé... et moi, je met-
trais une des cravates qu'elle m'avait offertes. Un petit
message d'amour, rien que pour elle. Que tout le
monde aurait sous les yeux sans le comprendre, sauf

elle ! Elle ne la donnerait jamais à l'autre cinglé, sa robe ! Elle craquerait sur ce coup-là comme elle avait craqué pour moi. C'est l'effet que je leur fais, moi, aux petits morceaux ! Pourquoi ? Parce que je suis *le* mec à la coule, *le* chéri des doudous, *le* maque, *le* président des Etats-Unis !

13

Bob Packwood, toute langue dehors

« C'est un zombie. C'est une merde ambulante. Je le déteste. » (MONICA À LINDA TRIPP)

Tandis que des effluves sexuels montaient dans les gros titres consacrés à l'affaire Lewinsky, les mécréants à la recherche de précédents graveleux dans l'histoire récente ont repris le cas de l'ex-sénateur déchu du vertueux Etat de l'Oregon, connu pour avoir dîné quelquefois en compagnie de la grande patronne des féministes américaines, Gloria Steinem... J'ai nommé l'Homme-Langue, dit aussi Mains baladeuses : Mesdames et messieurs, Bob Packwood !

A l'arrivée de Bill Clinton à la Maison-Blanche en 1992, Packwood, élu en 1968 parmi les cohortes de la Créature de la Nuit, était le plus actif et le plus écouté des féministes de sexe masculin en Amérique. Autour du premier projet de législation sur l'avortement au Sénat en 1970, il était depuis toujours le principal avocat de l'Amendement pour l'égalité des droits au sein du Parti républicain, rédigeant ainsi d'audacieuses propositions de loi en matière de congé maternité, de réforme du système d'assurances et de l'encadrement préscolaire en faveur des femmes.

En 1962, déjà, il avait affirmé à quelqu'un de son équipe électorale que « le génie des femmes » était « la ressource nationale la plus dilapidée ». A propos de son amie Gloria, il disait : « Sur les questions féminines, elle me juge pratiquement à cent pour cent fiable. Elle est satisfaite de voir les femmes majoritaires parmi les plus hauts postes à mon bureau, et de constater qu'elles sont payées en conséquence. » Si le staff de Bob Packwood était en effet très largement féminin, on murmurait qu'il engageait volontiers des femmes divorcées ou déçues par leur mariage, bref, libres de relations qui pourraient entrer en compétition avec la « carrière » : la stabilité de l'équipe avant tout, non ? D'autres remarquaient que ses collaboratrices, bien qu'invariablement séduisantes, n'étaient pas aussi brillantes, ou diplomates, ou progressistes qu'on l'aurait attendu de leur fonction. On rapportait ainsi en exemple un échange entre la directrice de cabinet de Packwood, Mimi Weyforth, et un assistant qui s'était étonné des positions résolument pro-israéliennes de leur patron alors qu'il n'était pas juif.

« Quoi, vous ne savez pas qu'il a fait la fac de droit yid à New York ? » avait rétorqué Weyforth. Indigné, son interlocuteur lui avait alors annoncé qu'il était juif, s'exposant à la remarque suivante : « Vous me dites que j'ai embauché un Yid sans m'en rendre compte ? » Abasourdi, l'autre avait tourné les talons, pas assez vite pour échapper à une dernière pique : « C'est un nom allemand, Weyforth. Ne l'oubliez surtout pas ! »

Les vieux observateurs de la vie politique locale soutenaient avec un cynisme désabusé que son image de numéro un féministe en Amérique n'était que du flan, une autre manifestation de l'opportunisme qui lui avait permis de décrocher son siège en tant que nixonien pur et dur. « Si on parle de ces gens qui se promènent avec des banderoles pieds nus, avait-il lancé dans les années 60, de ces garçons embagousés, eh bien je dis non, moi. Quand j'ai vu ce petit blanc-bec [Mark Rudd, *NdA*] assis dans le fauteuil du doyen de l'université de Columbia avec les pieds sur le bureau et un cigare à la bouche, ça m'a mis hors de moi. »

Lorsque la bombe Watergate a explosé, Packwood s'est hâté d'abandonner la Créature de la Nuit, dont le « raz de marée électoral » lui avait permis d'être élu avec 0,3 % d'avance. Les mots qu'il a alors utilisés pour le sermonner allaient revenir un jour le hanter : « Le point faible de certains hommes politiques, c'est l'alcool. D'autres, les femmes. Le vôtre, c'est la crédibilité », lui avait-il balancé avant de lui enjoindre de « tout révéler ».

L'exemple le plus frappant de cet opportunisme, selon les mêmes observateurs locaux, était son attitude vis-à-vis des gays. Alors qu'il prend un jour la parole devant un colloque féministe, on lui demande s'il est partisan d'une législation garantissant les droits des homosexuels. Il s'étrangle de rage : « Non ! Je trouve ça dégoûtant, l'homosexualité ! » Conspué, puis désavoué par les femmes qui constituent le gros de sa base électorale, il se retrouve bientôt corédacteur d'une loi fédérale en faveur des gays...

Autre Républicain et sénateur de l'Oregon, le très respecté Mark Hatfield, qui avait été son professeur de sciences politiques à la faculté, le détestait au point de refuser de participer à la moindre commission du Sénat où Packwood serait invité : « C'est un saligaud sans aucun scrupule », devait-il dire de lui alors qu'il était connu pour la modération de ses propos.

Fayot à grosses lunettes dans son jeune temps, Bob Packwood se destinait d'abord à la mécanique. Elu « le mec le plus moche du campus » par ses pairs, il était l'objet des railleries permanentes de ses camarades : « Chaque fois qu'il invite une fille un soir, elle répond qu'elle doit se laver les cheveux. » A trente-trois ans, il épouse une divorcée de deux ans son aînée, Georgie Oberteuffer Crockett, la fille du fondateur du Mouvement des filles du feu de camp, une branche importante du scoutisme américain.

Autant Georgie aime les grands espaces et les chevaux, autant il apprécie les arrière-salles enfumées et les bars feutrés. Peu après leur mariage, elle remarque qu'il était « le premier homme que j'aie connu qui ne savait pas faire la cour à une femme et ne se donnait même pas la peine d'essayer ». Ils adoptent deux enfants et au bout de quelques mois la Fille du feu de camp note sur un calendrier : « Il se saoule et dit qu'il veut divorcer. Bon, on a tenu un an, presque. » Il se met à appeler Georgie « mon fardeau », disparaît pour des cuites monumentales trois ou quatre fois par an, et lui répète : « Je veux le divorce. On n'aurait jamais dû se marier. J'ai envie de vivre en garçon. » Ils restent ensemble, pourtant.

Des rumeurs commencent à parvenir aux journalistes qui couvrent ses campagnes. L'un d'eux, au sortir d'une conférence du Parti, rapporte que « certains matins Bob arrivait avec des poches comme ça sous les yeux et tout le monde se disait qu'il avait passé la nuit avec une petite chérie républicaine. Il prenait des risques, pour quelqu'un qui mettait toujours en avant les femmes dans son équipe ». On le voyait souvent à la Taverne de l'Enclume, dans le parc national du Canyon de l'Enfer, près de la frontière avec l'Idaho. « Packwood avait toujours cinq ou six nanas vraiment chouettes dans son équipe, se souvient un compagnon de beuverie là-bas, et il décidait à qui c'était le tour le soir. »

Un nouvel organisateur de tournées ayant été embauché, les proches conseillers de Packwood s'empressent de lui signaler toutes les villes de l'Oregon qu'il est préférable que le candidat évite : « Il y avait Susie à Salem, Judy à Eugene, Elizabeth à Coos Bay... » Du coup, monter une campagne à l'échelle de l'Etat devient un vrai casse-tête.

Comme certains ragots ont fini par lui parvenir, Georgie demande à son mari pourquoi il se déplace toujours avec une assistante ou une conseillère au physique spectaculaire. Réponse de Packwood : « Si je me trimbalais avec des hommes, les gens me traiteraient d'homosexuel. » Mais elle n'est pas dupe, ni sur son compte, ni sur celui de ses nombreux collègues tout aussi dissipés que lui. A un déjeuner d'épouses de sénateurs, elle observe l'assistance et pense s'être retrouvée dans « un rallye de femmes résignées ». La Fille du feu de camp constate aussi que son mari se comporte de plus en plus bizarrement. Décidé à éviter l'adoption d'un projet de loi démocrate sur le contrôle des dépenses électorales, il refuse d'aller s'asseoir à sa place au Sénat pour qu'il n'y ait pas le quorum nécessaire à un vote. Le leader de la majorité, Robert Byrd, envoie l'huissier d'armes le chercher mais Packwood s'enferme dans son bureau, pousse des meubles contre la porte. Des appariteurs entrent en force et il se casse un doigt en luttant contre eux. Finalement, ils sont obligés de le porter jusqu'à son siège.

En 1989, Georgie a la conviction qu'il entretient une liaison avec sa directrice de cabinet, que l'on a souvent vue « faire le point » en bikini avec le sénateur féministe dans un jacuzzi. « Le sénateur Packwood aime l'eau chaude, il passe beaucoup de temps dedans à réfléchir », explique l'accorte collaboratrice. Cette fois c'est Georgie qui réclame le divorce et Packwood s'y résout sans combat : « Je ne veux pas d'épouse, je ne veux pas de maison, je veux juste être sénateur », explique-t-il à la Fille du feu de camp et aux deux enfants maintenant adultes. « Mais Papa, objecte le fils, un jour tu finiras par être battu et nous, nous sommes tes meilleurs amis... » Amis ou pas, le divorce est prononcé et Packwood se retrouve « garçon » ainsi qu'il l'avait rêvé.

En 1990, ce chouchou des féministes, cette préfiguration du futur mâle raisonnable et désexué de la culture New Age, est la star du jour lors d'une séance pratique sur la violence sexuelle au Sénat. Devant une salle pleine d'employées réunies là pour s'initier à l'autodéfense en cas d'agression, Packwood monte sur scène, les organisatrices lui ayant demandé de jouer le rôle du violeur potentiel. Il attrape des volontaires par les fesses, leur triture les seins, fourre sa main entre leurs jambes. Et il est chaleureusement applaudi.

Deux ans plus tard, la presse de Washington et de l'Oregon commence à apporter des révélations sur une constante dans la vie secrète de Packwood qui dure depuis trente ans. Pas question ici des frasques sénatoriales classiques : on atteint le harcèlement sexuel, l'intimidation et l'humiliation systématiques.

Ce n'est pas de sexe à la Mick Jagger dont il est fait état, mais de pratiques de « vieux dégueulasse » années cinquante, baisers baveux et caresses imposées au rythme des chansons de Sinatra que Packwood aimait chanter à ses collaboratrices, en harmonie avec la carte qu'il avait envoyée à l'une de ses subordonnées sexuellement abusées : « Es-tu la fille que j'ai rencontrée sous la pendule du Biltmore en 1954 ? » Finalement, quarante-huit femmes vont oser raconter leur histoire au grand jour, pour la plupart d'anciennes secrétaires ou assistantes qui répéteront la consigne tacite régnant dans l'équipe du grand féministe : « Déballe ou dégage ! »

Il y a par exemple cette bachelière en stage d'été à son bureau du Sénat, qui lui demande une lettre de recommandation pour une université. Packwood débarque un jour chez elle, « un peu échauffé », selon son témoignage : « Il a posé un baiser collant sur mes lèvres, je sentais sa langue arriver »... Mais il y a aussi la journaliste de soixante-quatre ans qui vient de l'interviewer : Packwood contourne la table entre eux et vient l'embrasser de force sur la bouche. Ou bien une volontaire qui a réagi aussitôt à une lettre de Gloria Steinem exhortant les femmes à aider ce fantastique libéral : « Il m'a attirée à lui et m'a imposé un baiser très inconvenant. » Ou une femme qui a travaillé pour lui durant sa campagne de 1986 en vue de sa réélection : « Il m'a fait un clin d'œil, il est venu se presser contre moi et il m'a demandé quelles étaient mes mensurations en se léchant les babines. J'ai eu l'impression d'être un morceau de barbaque. » Une jeune fille de vingt-trois ans, issue d'une famille très influente politiquement en Oregon, est de passage à Washington. Elle prend un verre avec ses parents et Packwood ; celui-ci, assis à côté d'elle, passe sa main sous sa jupe. Une candidate à un poste dans son équipe électorale : « Il m'a invitée à danser dans un restaurant. Là, il m'embrasse dans le cou, me tripote le dos, les fesses, tout ça avec des mouvements très suggestifs. »

Il y a encore l'assistante d'un autre sénateur venue lui remettre un colis à son bureau. Georgie, présente à ce moment, lui demande derechef si elle pourrait garder leurs enfants le soir. Quelque peu surprise, la jeune femme accepte de jouer les baby-sitters. Plus tard, en la raccompagnant à sa voiture, Packwood la prend par les épaules, essaie de glisser sa langue entre ses lèvres closes tout en lui touchant les cuisses. Dans la bonne ville d'Eugene, une militante locale conduit Packwood et son amante-directrice de cabinet à un hôtel. A l'arrivée, il laisse sortir sa maîtresse et administre un « baiser à la française » à la conductrice. Même scénario avec une réceptionniste de vingt-trois ans qu'il a repérée au Sénat et qu'il convoque dans son bureau. Et avec une employée encore plus jeune : « Dès qu'il a fermé la porte, il a passé ses mains dans mes cheveux et m'a embrassée sur la bouche. J'avais la peau hérissée, j'étais paralysée mais j'ai essayé de le repousser. » Après cet incident, elle décide d'aller travailler ailleurs au Capitole. Six années plus tard, cependant, elle le croise dans un couloir souterrain du Sénat ; il lui demande où elle a été affectée puis, s'arrêtant devant la porte d'un bureau resté vacant : « Entrons là, qu'on puisse terminer cette conversation. » Il la prend par la main, l'embrasse et entreprend de jeter les coussins d'un canapé sur le sol : « Il me tenait serrée mais j'ai réussi à le bousculer jusqu'à ce qu'il s'arrête, et pendant tout ce temps je n'arrêtais pas de maudire ma naïveté... »

Une collaboratrice de vingt-huit ans et son mari dînent avec le sénateur. A peine le bonhomme est-il parti aux toilettes que Packwood tombe sur elle. Le lendemain, au bureau, il s'approche par-derrière et l'embrasse sur la nuque. « Ne refaites jamais ça ! » lui lance-t-elle en se réfugiant dans une autre pièce. Il la suit, la saisit par sa queue de cheval, écrase ses pieds sous les siens : « Il a passé la main sous ma robe pour m'enlever ma culotte. J'ai lutté pour libérer mes jambes. Dès que j'ai pu, j'ai commencé à lui donner des coups de pied dans les tibias et ça l'a stoppé. » Il l'avertit sommairement : « Pas aujourd'hui, d'accord, mais alors ce sera un autre jour ! » Une semaine plus tard, elle le somme de s'expliquer : « Qu'est-ce que vous attendiez, l'autre fois ? Qu'on se retrouve sur le tapis et qu'on se conduise comme des animaux dans un zoo ? » A quoi Packwood réplique : « Je vois, tu es du genre à vouloir aller dans un motel, toi... »

Une opératrice d'ascenseur âgée de vingt-sept ans referme les portes coulissantes. Packwood l'a déjà attrapée par les épaules et l'embrasse sur la bouche. « Qu'est-ce... Qu'est-ce que vous voulez de moi ? » demande-t-elle, effrayée. « Deux choses, répond le sénateur. D'abord, je veux te faire l'amour. Ensuite, dans ton travail tu entends plein de choses, et moi je veux entendre ce que tu auras entendu. » Et encore : une hôtesse d'accueil à un rassemblement politique dans l'Oregon. Age : treize ans. Packwood lui pétrit les fesses. « Je ne sortais même pas avec des garçons, encore, se rappellera-t-elle, et ce travail, c'était tout un événement pour moi. Pensez, je devais être en robe noire, avec des collants noirs aussi. C'était la première fois que j'en mettais, des collants... »

Politiquement parlant, le plus illustre féministe mâle d'Amérique est au bord de la tombe. Les révélations de la presse conduisent le Sénat à ouvrir une enquête officielle. Jay Leno en fait ses choux gras : « Le président Clinton veut que tous les enfants du pays soient vaccinés ? Eh bien pour ne pas être en reste, le sénateur Packwood a promis un examen du sein gratuit à toutes les femmes du pays. » Gloria Steinem reconnaît devant des reporters qu'elle a dîné avec lui, en effet, mais elle ajoute : « S'il vous plaît, ne mettez pas "dîner en tête à tête". »

Le sénateur jure qu'il va combattre ces accusations. Il fait fixer sur sa voiture des plaques d'immatriculation « Massada », en expliquant qu'il s'agit d'un hommage à ce groupe de juifs patriotes retranché dans les montagnes de Judée, qui a préféré le suicide à la reddition. Mais tout est consommé lorsque la commission d'enquête du Sénat le contraint à lui confier son journal, huit mille pages détaillant nombre de ses aventures et mésaventures sexuelles. Ce document, c'est l'équivalent des cassettes du Watergate pour lui. Ou de la petite robe bleu marine avec les taches...

Au bout du compte, la Créature de la Nuit, génitrice électorale de Packwood, sera parmi les rares à le défendre. « Il doit être mort de trouille », dira Richard Nixon en reconnaissant que le sénateur pouvait parfois être « mauvais » mais en ajoutant aussitôt : « S'ils obligent Packwood à démissionner, ils devraient également le faire avec Teddy Kennedy et avec tous ceux qui ont un problème, ce qui signifie que le Sénat resterait pratiquement désert ! Parce que je les connais, moi, je les connais ! Après combien de femmes Teddy a couru dans les bureaux ? Et Clinton ? Mon Dieu, bien plus que vous ne l'imaginez, bien plus ! Et tous les autres Démocrates qui ont agi pareil, alors ? Il y en a tellement dans ce cas, tellement, et ce depuis des lustres, que vous ne pourriez pas le croire ! »

Bob Packwood essaie de rejeter la faute sur l'alcool mais cela ne suffira pas à le tirer d'affaire. Entré dans une clinique de désintoxication du Minnesota, il explique à ceux qui viennent l'interviewer que son père était un alcoolique qui sifflait de l'extrait de vanille surconcentré au temps de la Prohibition ; les journalistes rapportent avec complaisance, comme William Safire — dont le fils est alors stagiaire chez Packwood...—, que le sénateur a toujours commandé deux verres à la fois. « J'absorbe des quantités énormes de liquide, leur avoue l'intéressé, et peu importe ce que c'est. Il peut m'arriver de boire quatre litres de lait au dîner, ou bien deux ou trois carafes d'eau, et quand c'est de l'alcool je fais de même avec la bière ou le vin. » Les plus malveillants se sont demandés s'il ne souffrait pas du syndrome de Minamata, dont les symptômes sont notamment la perte de contrôle musculaire, les difficultés d'élocution et des lésions cervicales irrémédiables.

Il tente aussi les excuses, sans résultat non plus. Sa conduite avec les femmes a été « déplacée, inconsidérée », dit-il. Et encore : « Mes actes n'ont pas été qu'inappropriés. Ils n'ont pas été qu'une preuve de bêtise ou de goujaterie. Ce que j'ai fait était mal, c'est tout. » Et puis, une fois écarté du Sénat, il invoquera Job : « Je ne suis pas quelqu'un de spécialement religieux mais il m'arrive de trouver du réconfort en lisant le Livre de Job, de temps en temps. Il y a des gens qui *croient* avoir des problèmes : ce pauvre diable-là, il en avait *vraiment*... »

Quelques années après la disgrâce de Packwood, et alors qu'il songeait au mea culpa humiliant que les médias attendaient de lui, Bill Clinton ne pouvait que trouver le sort du sénateur plein d'enseignements.

Packwood, ce Galaad du féminisme, avait présenté des excuses complètes et dévastatrices. Il ne s'était pas accroché à des termes tels qu'« inapproprié » comme à une dérisoire bouée de sauvetage. Non, il s'était carrément et absurdement jeté dans des eaux infestées de requins et bien entendu les éditorialistes et les féministes l'avaient boulotté vivant.

Ses forfaits, pourtant, se limitaient à beaucoup de tripotages intempestifs et de patins forcés. Il n'avait pas, lui, exhibé de manière compulsive la grossière énormité ou l'énorme grossièreté de son Willard devant quiconque. Ses péchés mortels avaient quelque chose d'acnéique, quelque chose qui tenait de l'adolescent amidonné dans sa maladresse. Ses excès n'étaient que ceux d'un fayot à grosses lunettes de myope qui rêvait de mécanique.

Packwood avait peut-être perdu le contrôle sur son Frangin mais sa langue envahissante et ses blanches mains baladeuses étaient encore plus rapides que celui-ci. Ce qui n'était pas le cas pour Bill Clinton : avec lui, c'était Willard qui prenait toujours les devants. Pas de pipes pour Packwood, pas de cigare mouillé, et pourtant les féministes et leurs commandos de choc, en l'occurrence les nouvelles mamans et les militantes d'associations de parents d'élèves, lui étaient tombés dessus.

En réfléchissant à ce précédent, Bill Clinton a discerné le fantastique avantage dont il disposait en la personne d'Hillary. Il pouvait compter sur son aide, contrairement à l'erratique Packwood, divorcé de son antithèse d'Hillary, séparé de sa scoute. Les féministes allaient-elles décider d'avoir sa peau alors qu'elles savaient pertinemment que l'offensive serait dommageable à leur icône vivante, qui se trouvait n'être autre que son épouse ? D'accord, elles s'étaient retournées contre leur idole, Packwood, mais dans son genre c'était un homme, finalement. Tandis que s'en prendre à sainte Hillary, la première femme coprésidente des Etats-Unis...

Non, c'était peu probable, s'est convaincu Bill Clinton en souriant intérieurement des paradoxes moralisateurs ou scandaleux de son existence. Et en découvrant les gros titres consacrés à l'affaire Lewinsky, en écoutant les blagues que Jay Leno lui consacrait, Bob Packwood a souri, lui aussi. A Portland, il a annoncé qu'il envisageait de se porter à nouveau candidat au Sénat.

14

Le Cybercoprophage

« La dernière fois que je l'ai vu, le Grand Zombie,
il m'a dit : "Je n'ai rien d'autre que mon travail
dans la vie, et ce n'est qu'une foutue obsession." » (MONICA À LINDA TRIPP)

Tout en complotant à propos de Kathleen Willey
d'abord, puis de Monica, Linda Tripp et Lucianne
Goldberg étaient conscientes de la nécessité absolue
d'amener la Bête à claironner leurs ragots à la face
du monde. Ne croyant pas aux airs de grande dame
vertueuse qu'elle se donnait hypocritement, elles
espéraient que l'appât du gain, la perspective d'une
histoire bien juteuse s'imposeraient sur ses préjugés
libéraux et ses accès de moralisme bégayant.

Si elles avaient attiré dans leur toile Michael Isikoff, ce journaliste de *Newsweek* à la réputation d'en-
quêteur sans concession, elles se sentaient encore sur
un terrain peu stable. Serait-il en mesure de
convaincre ses chefs de publier leurs révélations ?
Comment forcer les médias à reprendre en une les
ingrédients de leur philtre maléfique ? Et c'est là
qu'elles ont trouvé un allié encore plus utile que Mark
Fuhrman. Un Californien, lui aussi, qui opérait depuis

son appartement miteux dans les confins désolés de Hollywood Boulevard : Matt Drudge, le Cybercoprophage.

Sur le plan de la manipulation malveillante, la Ratte continuait à avoir la charge de Monica et la Trimardeuse s'est chargée de la presse. Après avoir espionné les journalistes pour le compte de la Créature de la Nuit, elle était convaincue des leçons que Nixon avait tirées à ce sujet : « 75 % d'entre eux ont voté McGovern, avait affirmé ce dernier. Ils ont protégé Kennedy, ils lui ont même rabattu des filles, parfois. » Quant à ceux de l'époque Clinton, c'était « des déserteurs, tout comme lui. Aussi dénués de principes et de moralité, ne pensant qu'à leurs intérêts ». Elle n'en doutait pas, Goldberg : n'avait-elle pas été liée d'amitié avec Murray Chotiner, l'infamant porteur de couteaux anti-communistes de Nixon, ainsi qu'avec Victor Lasky, réactionnaire de bas étage spécialisé dans l'étripage de JFK à la faveur de livres nauséabonds ?

Et elle soupçonnait Isikoff d'appartenir à la même catégorie de journalistes « de gauche » honnie par Nixon. Le révérend Pat Robertson l'avait estampillé comme « l'un des fanatiques antichrétiens les plus virulents au monde. Absolument bourré de parti pris et, euh, comment dire, atrophié sur le plan émotionnel, euh, à mon avis ». Mais c'était aussi un féroce limier qui n'avait pas hésité à traiter un jour de « complet connard » un rédacteur en chef du *Washington Post* alors que celui-ci refusait de publier son compte rendu fouillé des affirmations de Paula Jones contre Bill Clinton. Sanctionné par la direction pour ce coup de gueule, il avait intégré la rédaction de *Newsweek* peu après.

Son expérience antérieure l'avait bien préparée à la tâche qu'elle s'était désormais fixée avec Tripp : « L'équipe Nixon était sans cesse à l'affût des trucs vraiment crados, devait-elle expliquer. Qui couchait avec qui, qu'est-ce que les types des services secrets fabriquaient avec les hôtesses de l'air, qui fumait du hasch dans l'avion de campagne, et ainsi de suite... » Et là-dessus elle en connaissait un rayon, la Trimardeuse de la Crassouille. L'héroïne de l'un de ses romans, *Ça va jaser*, était une chroniqueuse mondaine « capable de descendre une braguette rien qu'avec ses doigts de pied ». Dans une autre œuvre précédemment citée, *Rentre tes griffes, chérie*, elle conseillait aux femmes de s'imaginer comme « un tableau de distribution avec plein de touches ultra-sensibles et de fonctions pour faire passer le courant et établir des connexions ».

C'est ce qu'elle avait accompli elle-même lorsqu'elle avait débarqué à Washington, en couchant à tire-larigot. Selon l'une de ses connaissances, « Lucy répétait souvent que ses contacts avec les autres n'avaient lieu que du lundi au vendredi, parce qu'elle ne fréquentait que des hommes mariés ». Une autre la décrit « toujours en jupe moulante et en chemisier avantageux, avec ses cheveux blonds empilés en chignon sur la tête, et que je te traverse la salle en faisant claquer mes talons hauts ». Cultivant un accent britannique, elle s'arrangeait pour se glisser dans les restaurants à la mode et pour être prise en photo avec des célébrités politiques telles que Hubert Humphrey en racontant qu'elle était « une amie du bon vieux temps ».

Il faut dire que les mensonges ne l'ont jamais rebutée, au fil des années. Dans la notice biographique de l'un de ses livres, on peut lire qu'elle « a entamé sa carrière journalistique au *Washington Post* » : elle y était employée de bureau. Sur la jaquette d'un autre, elle affirme « avoir rejoint les services de la Maison-Blanche » après l'élection de JFK, sans qu'on ne trouve aucune trace de son passage dans l'équipe Kennedy. Lorsqu'elle était agent littéraire, l'une de ses clientes, Kitty Kelley, l'a accusée de lui avoir volé ses droits d'auteur étrangers. L'affaire a été portée devant un tribunal, qui a accordé soixante mille dollars à la romancière.

Et maintenant, à soixante-deux ans, son porte-cigarette Dunhill plaqué or entre les doigts tandis qu'elle sirote un verre de vodka, la Trimardeuse pense avec satisfaction que ses incursions dans les allées les plus sordides de Washington vont lui être d'une grande aide dans l'entreprise en cours.

Il y a de quoi rire, même : Monica a raconté à sa confidente qu'elle suçait des pastilles à la menthe poivrée avant de se mettre à genoux devant Bill Clinton ? Mais il y a exactement la même scène dans l'un de ses livres, *Les Filles de Madame Cleo* ! Seule la marque des pastilles diffère. Elle sait donc de quoi elle parle, la Trimardeuse, et, plus important encore, à qui elle à affaire.

Michael Isikoff a eu vent de l'entrevue entre Kathleen Willey et Bill Clinton au Bureau ovale par l'un des avocats de Paula Jones, qui lui-même tient l'information de Linda Tripp. Le journaliste recherche la jeune femme, qui lui narre « off the record » ce qui s'est passé et désigne Linda Tripp comme témoin, puisque c'est la première personne à laquelle elle a parlé en sortant de chez le président. Isikoff se met en quête de la Ratte, lui apprend qu'il enquête sur cette histoire. Elle confirme qu'il y a eu quelque chose dans le Bureau ovale, mais ajoute que Kathleen Willey ne semblait pas mécontente, sur le coup. Tant que celle-ci refuse de s'exprimer devant un micro et qu'il n'a pas résolu les contradictions dans leurs deux versions de l'incident, Isikoff n'est pas en mesure de sortir son papier. Mais le duo Tripp-Goldberg sait désormais que *Newsweek* a le bébé, et comme les semaines passent elles en déduisent qu'ils préfèrent s'asseoir dessus.

C'est là que, venu de l'espace cybernétique, le Coprophage entre en scène. Matt Drudge, celui avec lequel Lucianne Goldberg saluera sa « communion de pensée ». A trente ans, il a fondé en 1994 le *Drudge Report*, une page web de cancans consacrés tout d'abord au petit monde d'Hollywood. Il n'a pas menti en rapportant que Jerry Seinfeld réclamait un million de dollars par épisode de son fameux feuilleton, ou que le tournage de *Titanic* rencontrait de sérieuses tensions financières. Son principal scoop politique a été d'annoncer que Jack Kemp serait le colistier de Bob Dole. Et quand il commence à sortir des ragots sur les Clinton, le très conservateur Rush Limbaugh lui accorde le titre du « Rush Limbaugh de l'Internet ».

Lucianne Goldberg est tellement impressionnée par cette dernière consécration qu'elle n'entend pas ceux qui accusent Drudge d'être un « diffamateur professionnel » ou « le roi de la presse pourrie ». Et puis elle apprécie le regard qu'il porte sur lui-même : « Toute vérité est une rumeur, au départ (...). Je ne suis pas un journaliste mais un kangourou (...). J'anime une page saignante dans une ville où tout le monde se passe de la pommade (...). Je vais là où ça pue. » Elle aime notamment sa remarque selon laquelle « la différence entre les médias et moi, c'est que je n'ai ni filtrage ni édition ». En clair : personne ne peut empêcher Drudge de poster ce qu'il veut sur son site et des centaines de milliers, voire des millions d'internautes le verront. Et peu importe que cela soit vrai ou faux. Pas de desk, pas d'editing, pas de rédacteurs en chef « de gôche » invoquant sans cesse l'impartialité. Aucune des entraves avec lesquelles Isikoff doit compter, lui.

Il n'a pas la crédibilité de *Newsweek* derrière lui, certes, et pourtant la Trimardeuse est convaincue qu'il peut sortir l'affaire. Et elle sait aussi qu'au-delà de leurs convictions politiques communes Drudge est

aux abois. Il a eu un modeste avant-goût de la gloire
avec ses révélations sur Seinfeld et Jack Kemp mais
il est fauché, ne recevant pratiquement pas de retours
d'America Online. Son site lui-même est plutôt rin-
gard, avec son girophare rouge et sa sirène de police
qui se met à hululer à chaque fois que ses « informa-
teurs-balances » et ses « initiés e-mail » entrent une
info soi-disant fracassante.

Que le Coprophage soit un drôle de pistolet, personne ne pourrait le nier. Il se déplace dans une vieille
caisse cabossée et habite avec son chat au neuvième
étage d'un immeuble poussif d'Hollywood, dans une
zone qui a jadis été l'un des principaux centres de
ralliement du showbiz en goguette mais qui accueille
désormais plus de prostituées et d'amateurs de petits
garçons que d'agents ou de scénaristes.
Fils de « parents hippies engagés », Drudge a
grandi dans une banlieue de Washington, à Takoma
Park. Son père, travailleur social, et sa mère, une avocate qui a été suivie pour schizophrénie, sont divorcés.
A l'école, où on lui a diagnostiqué une sérieuse difficulté à concentrer son attention, il séchait les cours
pour se faufiler dans les galeries d'art et il jetait des
pierres à ses camarades. Au lycée, c'est un élève
médiocre — D en histoire contemporaine et instruction civique — qui passe des heures à écouter des
causeries à la radio dans sa chambre puis les remonte
à l'aide d'un magnétophone en s'arrogeant le rôle
d'animateur du débat. Chaque matin, c'est lui qui
récite le serment de fidélité à la Constitution sur la
sono du bahut. Lorsqu'il décroche son diplôme de fin
d'études — « Juste, juste », dira-t-il —, il laisse à sa
classe un « Testament et Dernières Volontés » dans
lequel il écrit : « A ma seule vraie amie miss Machin,
Vicky B., je lègue une nuit à Paris, une bouteille d'eau
de cologne Chaps et l'espoir qu'elle trouvera une fac

avec des gens authentiques. A tous les autres qui m'ont aidé ou obstruqué (*sic*) le chemin, qu'ils soient enseignants ou élèves, je laisse un penny pour chaque jours (*sic*) que j'ai passé ici et où j'ai pleuré ici. Un penny chargé de souvenirs inutiles, car c'est ce qui a été mon lot : des souvenirs inutiles. »

Après un voyage d'un mois en Europe, il vit une année à New York où il est employé dans une boutique d'alimentation, puis revient à Takoma Park, devient manager du soir pour des magasins 7 à 11 dans d'autres banlieues de Washington, et débarque enfin à LA, où il est homme à tout faire au kiosque de souvenirs CBS de Studio City, pliant des tee-shirts, époussetant des étagères et empilant des boîtes pendant... sept ans. Mais il bavarde aussi avec les techniciens télé qui travaillent dans le même bâtiment, recueille leurs anecdotes, leurs indiscrétions et les présente sur la page personnelle qu'il a créée avec l'ordinateur que son père lui a offert, ou les fait circuler par mail auprès de ses connaissances. Sa pêche aux rumeurs remonte aux échelons supérieurs de CBS, puis d'autres studios, et il met toutes les saletés qu'il peut glaner sur son site web. On commence à parler de lui. Le petit éboueur est en voie de devenir une célébrité, le Cybercoprophage.

De son côté, Lucianne Goldberg s'offusque d'en être toujours à attendre que les supérieurs d'Isikoff daignent sortir l'histoire Willey-Clinton. Pourquoi ils mettent tout ce temps, à *Newsweek* ? Est-ce que le lobby libéralo-médiatique de Washington va l'enterrer, comme tout ce que son ami Victor Lasky lui a raconté à propos de JFK et qu'on n'a jamais vu dans la presse ? *Newsweek* appartient au groupe du *Washington Post*, ce bastion des libéraux, alors... Elle n'ignore pas que Vernon Jordan, l'ami cher à Bill Clinton, est souvent reçu à dîner chez la grande dame du *Post*, Katharine Graham. Elle se rappelle aussi que l'ancien rédacteur en chef du quotidien, Ben Bradlee, était un de ces journalistes qui faisaient la bringue avec JFK au lieu de le dénoncer. Et elle n'a pas oublié les obstacles qu'Isikoff a rencontrés quand il a voulu évoquer l'affaire Paula Jones dans ces colonnes... Assez de temps perdu ! La Trimardeuse va prendre les choses en main. Elle appelle Matt Drudge.

Qui s'empresse de tout déballer, évidemment, sous le titre : « Le choix de Willey : Une employée de la Maison-Blanche confie à un journaliste que le président lui a fait des avances. Exclusivité mondiale ! » En conclusion, Drudge enfonce le clou : « Isikoff n'est pas allé jusqu'au bout de ce scoop parce qu'elle a refusé de soutenir formellement ce qu'elle avançait. Mais la rumeur Willey a déjà envahi Washington et risque d'affaiblir la défense du président Clinton dans l'affaire de harcèlement sexuel qui l'oppose actuellement à Paula Jones. » Le journaliste de *Newsweek* est furieux mais la Trimardeuse exulte, elle, car elle se rend compte qu'elle a fait d'une pierre deux coups en refilant le bébé à Drudge : constatant que l'histoire est désormais dans le domaine public, la direction du magazine décide de publier sa propre version des faits. Comme si Drudge avait « libéré » l'influent hebdomadaire, qui du coup apporte sa crédibilité aux allégations... Le Cybercoprophage est ravi : non seulement il a grillé *Newsweek* mais le journal vient maintenant renforcer la notoriété de son site ! Dont le nombre de visites grimpe comme une fusée de feu d'artifice dans le ciel d'un 4 juillet.

Lorsque Isikoff s'est entretenu pour la première fois avec Linda Tripp au sujet de Kathleen Willey, elle a mentionné que Bill Clinton avait une aventure avec une stagiaire de la Maison-Blanche qu'elle n'était pas prête à nommer. Mais désormais que son histoire est sortie grâce à Matt Drudge, elle invite le journaliste à venir parler « du reste ».

Au rendez-vous fixé par Tripp, Isikoff découvre que Lucianne Goldberg a aussi été conviée, ainsi que le fils de celle-ci, qui travaille dans une maison de production vidéo. Il ne se doute pas que les deux femmes ont décidé de le piéger à nouveau. Puisque ça a si magnifiquement marché déjà, pourquoi ne pas recommencer ? Avec des révélations bien plus explosives.

Elles révèlent donc au reporter l'identité de la jeune stagiaire et lui apprennent que Tripp l'a enregistrée à son insu. Après avoir tout noté en détail, Isikoff va trouver la rédaction en chef. Là, on lui rétorque que le magazine ne publiera pas ce genre d'atteinte à la vie privée du président. Peu après, le journaliste est informé — par quelle source, il ne l'a jamais révélé — que Linda Tripp a pris contact avec Kenneth Starr et que celui-ci enquête déjà sur les relations entre Monica et Bill Clinton. Il revient à la charge avec ses chefs. C'est une très grosse histoire, leur explique-t-il. Le procureur spécial s'intéressant à la vie sexuelle du chef de l'Etat, vous vous rendez compte ? Après moult hésitations, la redchef décide à nouveau de ne pas publier. « Il y a des fois où il vaut mieux ne pas être le premier », philosophe un responsable devant Isikoff.

Lucianne Goldberg ne se tient plus. Voici des mois qu'elle raconte les aventures de Bill et Monica à son ami le romancier Dominick Dunne. Dans ses récits, Linda Tripp est « celle qui a servi son dernier hamburger à Vince Foster ». Ainsi, Dunne est au courant de tout bien avant le nouveau procureur Kenneth Starr, il sait même que Tripp enregistre Monica ; et cependant, comme il le reconnaîtra plus tard, il n'a « jamais saisi à quel point c'était sérieux ». Apercevant Vernon Jordan à un dîner, il a l'impulsion de le mettre en garde : « Je connais Vernon depuis longtemps et je l'aime beaucoup, explique-t-il. Au moment où j'allais partir, il est venu me dire bonjour à ma table et j'ai été à deux doigts de lui dire : "Ecoute, il y a une petite dans le Bureau ovale qui se fait enregistrer dans son dos." J'avais connaissance des moindres détails, la robe avec les taches, les fellations... Et j'ai failli tout lui raconter mais ça paraissait tellement absurde, une calomnie montée de toutes pièces, alors je me suis contenté d'un "Amitiés au président"... J'ai raté l'occasion. »

Apprenant d'Isikoff que son journal ne sortira pas son papier, la Trimardeuse contacte Matt Drudge et aussitôt la sirène retentit sur son site : « *Newsweek* enterre l'histoire de la stagiaire de la Maison-Blanche ! De la dynamite : une ancienne employée de vingt-trois ans et ses démêlés sexuels avec le Président ! Exclusivité mondiale ! Référence obligatoire au *Drudge Report* ! » Après cette bordée de titres, il développe : « A 18 heures samedi soir, in extremis, *Newsweek* a renoncé à publier des révélations qui allaient faire trembler Washington jusque dans ses fondations. Une stagiaire de la Maison-Blanche a entretenu de torrides relations avec le président des Etats-Unis ! Selon nos informations, le journaliste Michael Isikoff tenait là le scoop de sa vie mais ses supérieurs en ont décidé autrement quelques heures avant de lancer les rotatives. Il est question d'une jeune femme de vingt-trois ans passionnément amoureuse du président et qui a eu des relations sexuelles avec lui depuis qu'elle était entrée à la Maison-Blanche en tant que stagiaire à l'âge de vingt et un ans. Elle affirme avoir satisfait à plusieurs reprises les goûts érotiques du chef de l'Etat dans un petit local attenant au Bureau ovale. La nouvelle s'étant répandue dans les services présidentiels, elle a été transférée au Pentagone, où elle était employée jusqu'au mois dernier (...). Des cassettes de conversations téléphoniques très compromettantes existent, avons-nous appris de bonne source (...). *Newsweek* et Isikoff projetaient de révéler l'identité de la jeune femme. »

Quelques jours plus tard, le *Washington Post* publie en bonne place ses propres informations et *Newsweek* suit le mouvement, non pas dans le magazine mais sur le terrain même de Drudge, sur Internet.

Une nouvelle fois, le stratagème de Goldberg a parfaitement fonctionné. Isikoff est encore floué et c'est le Coprophage qui, grâce au redoutable duo, a obtenu une histoire de portée mondiale. Mieux que l'affaire Willey, le cas Lewinsky fourmille de détails gratinés que Drudge distille en exclusivité au cours des semaines suivantes. Ayant accès à des secrets seulement connus de Linda Tripp et des procureurs de Starr, il fait hululer sa sirène à propos des pipes, de la petite robe bleue, du cigare, et l'Amérique entière se connecte sur son site : un million de visites quotidiennes, autant que le *New York Times* compte de lecteurs...

Par l'intermédiaire de Drudge, elles sont allées bien plus loin que « forcer » la presse à reprendre leur philtre empoisonné : elles se sont carrément emparées des médias, désormais contraints de « suivre » l'insatiable Coprophage, devenu lui-même l'objet de leur attention. Par ricochet, les plus célèbres amuseurs du pays, de Jay Leno à Don Imus, reprennent les anecdotes les plus graveleuses du *Drudge Report* et improvisent dessus, si bien qu'elles atteignent maintenant des dizaines de millions de téléspectateurs. Elles sont en train de réussir ce à quoi Victor Lansky n'est jamais parvenu avec JFK : prendre Bill Clinton à la gorge.

Jadis toisé de haut, le Cybercoprophage se voit maintenant consacré « crieur des rues post-moderne ». *Playboy* l'interviewe. Il devient un invité régulier du programme *Politically Incorrect*. *Time* le choisit parmi ses personnalités les plus surprenantes de l'année 1998. Il est en couverture des magazines, sur les radios. On lui propose des conférences partout, l'hôtel Mayflower de Washington lui offre une suite. Et l'on imagine la tête de Michael Isikoff quand *Newsweek* cite Drudge parmi « les nouvelles stars des médias ».

Mais après son démarrage fracassant toutes les révélations qu'il publie sur son site se révèlent sans fondement. Il prétend qu'Hillary va être incessamment inculpée. Il raconte que Paula Jones a vu un aigle américain tatoué sur Willard. Il soutient que Starr est en possession de soixante-quinze photos accablantes de Bill en compagnie de Monica. Il signe trois papiers mensongers sur le chroniqueur politique de NBC, Tim Russert. Il prétend que Sidney Blumenthal, conseiller de Clinton, bat sa femme, puis se rétracte, puis s'excuse, mais Blumenthal n'en réclame pas moins trente millions de dommages et intérêts.

Ironie du sort : son plus gros plantage, la pierre lancée dans la cour d'école qui lui revient en pleine poire, est également issu d'un tuyau refilé par la Trimardeuse. Il se trouve que celle-ci compte parmi ses rares admirateurs l'échotier du journal à scandale *Star*, Richard Gooding, qui ne manque pas une occasion de la dire « délicieuse ». A l'instigation de Gooding, le *Star* finance une chasse à l'ADN dans le but d'établir un lien de paternité entre Bill Clinton et l'adolescent noir Danny Williams, et Drudge lui emboîte fébrilement le pas : « La Maison-Blanche dans la terreur de l'ADN ! » Lors d'un rassemblement conservateur en Arizona, il déclare : « C'est une énorme histoire, si on arrive jusqu'au bout. De portée mondiale. Les principaux témoins ont été placés en lieu sûr en attente des résultats de l'examen, aujourd'hui. Branchez-vous sur le *Drudge Report* ! » En Amérique et ailleurs, les titres de Rupert Murdoch en font leur une et citent Drudge, qui leur rend la politesse en leur consacrant des revues de presse sur son site. Mais quand la pierre lui arrive en pleine figure — les codes génétiques sont différents —, tout ce que le Coprophage trouve à dire, c'est qu'il s'agit d'une « cruelle supercherie » montée par la mère du garçon...

A ce stade, même les journalistes des pires feuilles de chou commencent à le dénoncer comme « un parasite accroché au corps médiatique » qui s'est débrouillé pour obtenir les mots de passe adéquats et pille allégrement dans leurs archives informatiques afin de leur voler des exclusivités. Steve Coz, le rédacteur en chef du *National Inquirer*, s'indigne : « Il nous coupe l'herbe sous les pieds ! Il est si rapide qu'il obtient ce qu'il veut en cinq minutes. » D'autres l'accusent tout bonnement de voler leur matériel, de façon aussi éhontée que la Trimardeuse avait dérobé ses droits internationaux à sa cliente.

Mais cela ne nuit pas à sa soudaine célébrité. On raconte qu'il va lancer une ligne de tee-shirts, que les investisseurs de Wall Street estiment à quatre millions et demi de dollars ce qu'il rapporterait à une société de nouvelle technologie. Dustin Hoffman, pourtant un progressiste professionnel, l'aborde dans une réception et lui annonce qu'il adorerait incarner son personnage dans un film. A un dîner des correspondants de la Maison-Blanche, il sert de cavalier à Paula Jones et on le voit aussi au bras de l'ultra-chic égérie des conservateurs, Ann Coulter, qui dit de lui : « Il est incroyable, avec quelque chose d'enfantin en lui. Je ne pense pas que quiconque connaisse Matt dans sa totalité, non. » Elle le décrit au volant de sa « Drudge-mobile », ou éclatant de rire en écoutant ses vieilles cassettes de débats radio improvisés. Ses revenus atteignent maintenant quatre cent mille dollars annuels et il lui arrive souvent de donner à Coulter des billets de cent « pour le taxi » en lui recommandant de garder la monnaie...

Il a son émission sur Fox Television, à la meilleure heure du samedi. Il pose pour un photographe de presse dans une arrière-cour près de son immeuble à Hollywood, en caleçon, le pantalon tombé sur les chevilles et un ordinateur portable en main. On répète ses formules, telles que : « Ces grands messieurs de la presse ont l'air de croire que l'information est forcément quelque chose de barbant ; eh bien pas moi ! », ou « J'ai amené le président des Etats-Unis à avouer devant le grand jury que je lui flanquais des crises d'anxiété. Sur vidéo ! Moi ! Cinq fois, il l'a dit ! » Et qui invite-t-il fréquemment à son show télévisé, suivi par quelque deux cent cinquante mille foyers à travers le pays ? Lucianne Goldberg, clope au bec, verre de vodka à la main, qui ricane avec entrain et déclare modestement avoir « voulu maintenir la Bête en vie » en « facilitant » l'enquête de Starr. En plein plateau, elle se plaint que la Ratte ait choisi de remettre ses enregistrements au procureur : « Je lui ai dit : "OK, voilà le deal." Pour ces cassettes, on me proposait soixante millions, et plus ! J'aurais vendu sans problème mais Linda se serait retrouvée en prison pour enregistrement illégal et obstruction à la justice. Elle aurait fait trois mois, en gros, alors je lui explique : "Trois mois pour soixante millions, c'est quoi ? Vas-y !" Ça aurait vite passé. Avec tout cet argent, elle aurait pu acheter sa tranquillité si des lesbiennes se mettaient à la harceler en taule, elle aurait pu se commander ses repas dans le meilleur restau de la ville ! Où était le problème ? Mais non, elle n'a pas eu la force, voilà. » Elle raconte qu'on lui a craché dessus dans la rue à Manhattan, qu'elle a été insultée, bousculée : « En fait, les deux fois c'était des gays, alors j'ai riposté et je les ai envoyés par terre. » Et elle glousse encore, elle trouve ça hilarant...

Pendant que Goldberg ricane et prépare sa propre émission sur une radio, Michael Isikoff écrit un livre dans lequel il reconnaît : « En règle générale, nous ne demandons pas à nos informateurs d'être parfaits sur le plan éthique. Et nous n'aurions aucune raison de le faire : les meilleures infos viennent parfois des individus les plus désagréables. »

Le Cybercoprophage, lui, se repaît de sa notoriété télévisuelle. A Fox Television, il dépend de Roger Ailes, le chef du service des infos qui a jadis orchestré les campagnes de Richard Nixon. Et quand une équipe télé essaie de le filmer dans son appartement en s'installant dans l'immeuble d'en face, Matt Drudge se dissimule derrière un masque à l'effigie de... Nixon, encore.

15

Hillary aime Eleanor

Pourquoi son « crétin de mari » était-il incapable de lui manifester un peu plus d'attention sur ce plan-là ? Pas plus de deux fois par an ?

Même les Truman, ce couple à la pépère-mémère, sont allés jusqu'à casser les ressorts de leur lit à la Maison-Blanche. Même JFK, avec des femmes par-dessus la tête dont ses deux secrétaires nymphomanes, trouvait le temps de rendre visite à Jackie chaque après-midi dans son boudoir, pendant que les gosses faisaient la sieste. Et Jackie avait des tapis en peau de zèbre dans sa chambre, comme le canapé de Genni-fer, mais Hillary savait que ce n'était pas son genre à elle. Son genre, c'était de manger du poulet frit à l'arrière de la limousine officielle du temps où Bill était gouverneur, et de laisser les os sur la carpette.

Quand elle apprenait qu'il y en avait eu encore une autre, elle pouvait seulement lui crier dessus. « Reste là, tête de nœud ! hurlait-elle si fort que les types des services secrets entendaient tout. Où tu crois que tu vas aller, bordel ? »

D'accord, elle n'ignorait pas que son comportement n'avait rien d'exceptionnel chez un pensionnaire de la Maison-Blanche. Elle connaissait la froideur qui avait régné entre Franklin et Eleanor Roosevelt, ou entre Nixon et Pat, ou entre Johnson et sa Lady Bird. Elle se rappelait qu'un jour Nixon avait suivi un parcours de golf de neuf trous avec Pat et leurs filles sans leur adresser une seule fois la parole, ou que LBJ s'enfermait dans son salon privé sur Air Force One en compagnie d'une secrétaire pratiquement analphabète tandis que Lady Bird était assise dans son coin de l'avion. Mais cela ne suffisait pas à la consoler, Hillary. Son « crétin de mari » la mettait dans une telle rage qu'elle allait lui lancer un gros bouquin à la tête : non pas une lampe, ainsi que la presse allait rapporter l'incident, mais un manuel de questions-réponses, cette arme absolue du politicien consommé.

Sa vieille amie Brooke Shearer, qui avait exercé le métier de détective privé avant de rejoindre son équipe, l'informait sur ce qui pouvait parfois lui échapper. Mais la First Lady était presque toujours au courant. Elle savait que son époux s'entourait de collaboratrices destinées à son usage personnel, en plus des invitées de marque à la Maison-Blanche : Markie Post, photographiée en train de se trémousser sur le lit de Lincoln, ou Eleanor Mondale, « tellement » dévouée à la cause démocrate, ou encore Barbra, dont les préoccupations sociales confinaient au libidineux et toujours prête à plaider en faveur des déshérités auprès de Bill, elle et sa colossale fortune...

Hillary ne se considérait pas comme la première dame des Etats-Unis. Elle avait toujours tenu les rênes de l'existence de son mari et désormais qu'il était président elle continuait à lui dicter ses faits et gestes, de sorte qu'elle était en réalité... « Vous votez pour un et vous en avez deux ! » avait-il plaisanté un jour dans le New Hampshire, sauf qu'Hillary en venait parfois à se demander qui était ce deuxième. Il savait faire des sourires : ça, elle ne pouvait pas le lui enlever. Pour collecter des fonds électoraux, il n'avait pas son égal.

Elle détestait ça, d'être enfermée dans cette bâtisse que Truman appelait une cage, et FDR « un aquarium en verre grossissant ». Eleanor Roosevelt disait que la Maison-Blanche était « une prison dorée » et même son « crétin de mari » l'avait surnommée « le fleuron du système pénitentiaire fédéral ». Ses seuls moments agréables, à la réflexion, étaient les samedis matin, quand elle restait au lit jusqu'à midi avec Earth, Wind & Fire à fond sur la sono.

Elle sentait son intimité sans cesse et radicalement violée. Une femme de chambre ne lui avait-elle pas confié que, dès que le couple présidentiel était en voyage, huissiers et employés s'empressaient de conduire leurs petites amies dans ses appartements pour faire l'amour sur les tapis ou sur les lits, puis se glissaient à l'office en bas pour siffler du champagne et se gaver de caviar ? Elle comprenait maintenant ce qu'Eleanor Roosevelt avait voulu dire lorsqu'elle avait noté que les gens des services secrets la regardaient comme si elle était en train de « couver des anarchistes » sous sa robe. Ils la haïssaient parce qu'elle était brillante, indépendante, tout le contraire des autres épouses de président qu'ils avaient connues : Hillary en était persuadée.

Mais qu'est-ce que le petit personnel aurait attendu d'elle ? Qu'elle le présente aux chefs d'Etat en visite, ainsi que Bess Truman l'avait fait ? Rapporter du jade de ses voyages en Chine, comme Pat Nixon ? Mais elle n'avait rien de commun avec celles qui l'avaient précédée ici, rien ! Aucune comparaison avec Ida McKinley [1], qui s'endormait dans les dîners officiels et se mettait à ronfler si fort que son mari devait lui couvrir le visage d'un mouchoir. Ni avec Nancy Reagan, qui faisait son shopping sur Rodeo Drive et occupait la suite de Steve McQueen quand elle descendait

---

1. Femme de William McKinley, vingt-cinquième président des Etats-Unis, de 1897 à 1901. Celui-ci fut assassiné par un anarchiste à Buffalo. (*NdT*)

au Beverly Wilshire. Ni avec Margaret Taylor [1], qui fumait la pipe et ne quittait pratiquement jamais le second étage de la Maison-Blanche. Ni avec Barbara Bush, connue pour préparer elle-même des spaghettis qu'elle servait dans des assiettes en carton.

Elle savait pourtant que certains employés la comparaient à Nancy, laquelle avait lancé à un appariteur un comminatoire « Comment osez-vous montrer mon chien du doigt ? » alors que celui-ci venait de le mordre. Mais ils se trompaient, tout comme les gueux qui raillaient Martha Washington en rappelant qu'elle tenait à être appelée « la Présidente » ou « Madame le Président ». Et Hillary n'était pas Jackie Kennedy non plus, quand bien même elle avait le plus grand respect pour elle et leurs maris respectifs bien des points communs. Parce que Jackie s'était contentée de redécorer la Maison-Blanche, une occupation d'épouse soumise, de « petite femme ». Cela étant, Hillary se retrouvait dans ce qu'elle avait dit un jour : « Tout ce que je demande, c'est qu'on ne me donne pas de la "First Lady". On croirait le nom d'une selle d'équitation. »

Mais le précédent le plus abominable à ses yeux, celle qu'elle ne manquait pas de tourner en ridicule devant ses proches amies, c'était « Mamie » Eisenhower, qui passait son temps dans son lit, à fumer et à jouer de l'orgue portatif avec sa mère qui l'accompagnait à l'harmonica. Toujours habillée en rose, elle avait imposé cette couleur à tout ce qu'elle avait pu, depuis les rideaux jusqu'aux fauteuils et au couvre-lit de la chambre présidentielle. Assise sur son canapé rose, elle se contentait de regarder des navets à la télé et se vantait de n'avoir besoin d'aucun exercice physique sinon son massage quotidien. A son poignet

---

1. Epouse de Zachary Taylor, héros de la guerre avec le Mexique et douzième président des Etats-Unis pendant moins de deux ans, de 1849 à 1850. (*NdT*).

tintinnabulait sans cesse un bracelet à breloques avec
les « porte-bonheur d'Ike » : un char d'assaut, cinq
étoiles, une carte de l'Afrique et un casque.

Non, son modèle, son idole, c'était Eleanor Roosevelt. Une première dame qui l'avait été sur nombre
de plans : première à conduire sa propre voiture, à
monter en avion, à effectuer des voyages officiels sans
se contenter du rôle d'accompagnatrice, à donner ses
propres conférences de presse.

Enfant timide et renfermée — « toujours effrayée...
le vilain petit canard » —, sa mère lui avait asséné :
« Tu ne ressembles à rien, donc veille au moins à
avoir des manières. » Elle était devenue une femme
de haute taille, godiche mais d'allure sportive, et
l'écrivain Martha Gellhorn, qui avait elle aussi une
grande indépendance d'esprit et assez de jugeote
pour envoyer bouler Hemingway, disait d'elle : « Eleanor irradie la lumière. Je ne vois rien de mieux pour
la décrire. »

En elle, Hillary trouvait inspiration et maintes ressemblances. Toutes deux s'engageaient avec une ferveur militante en faveur des pauvres, des exclus, des
minorités. Toutes deux avaient leur franc-parler et ne
se laissaient pas intimider. Pendant la seconde guerre
mondiale, quand les militaires avaient voulu camoufler
la Maison-Blanche en la peignant en noir, c'était Eleanor qui les avait arrêtés. Et lorsque Winston Churchill
s'était pavané tout nu dans la résidence officielle,
c'était elle qui lui avait demandé de se couvrir un peu.

Comme Hillary, Eleanor était une agitatrice infatigable. L'humoriste et commentateur Will Rogers l'a
décrite « sur le front à chaque arrêt, posant pour les
photographes, acceptant toutes les interviews, s'ex-
primant à la radio, sans prendre un instant de repos.
Et pourtant, selon ce qui se dit, elle ne montre pas le
moindre signe de fatigue, ni de lassitude ». Comme

Hillary, elle donnait des contributions à la presse. Comme Hillary, elle avait parmi ses amies les plus proches une enseignante noire, Mary McLeod Bethune. Comme Hillary, elle abhorrait les services secrets, refusait parfois leur protection et prenait sa voiture à leur insu.

Principale similitude, peut-être : sa vie conjugale était très atypique. « Nous n'avons jamais vu Eleanor et Franklin en tête à tête où que ce soit », constatait ainsi le chambellan de la Maison-Blanche à leur époque, JB West, dans son livre de souvenirs : « Ils entretenaient les relations les plus indépendantes que j'aie jamais vues entre mari et femme, et aussi les plus marquées par l'égalité. » Comme Hillary, Eleanor avait épousé un charmeur qui la trompait sans cesse et recevait ses maîtresses dès qu'elle avait le dos tourné. Et elle avait son Vince Foster à elle : l'historien en herbe Joe Lash, qui occupait une chambre non loin d'elle à la Maison-Blanche. Comme Hillary, elle nouait des amitiés féminines très intenses, par exemple avec la danseuse Mayris Chaney, qui lui rendait souvent visite, et bien sûr son amante Lorena Hickok, l'ancienne journaliste un peu hommasse.

Hillary comprenait la solitude et l'affliction d'Eleanor. Franklin était avec Lucy Mercer, qui avait été la secrétaire personnelle de son épouse, ou avec sa propre assistante, Missy LeHand. Alors, avant de rencontrer sa chère « Hick », elle s'absorbait dans ses activités publiques et l'éducation de ses enfants. Hillary enviait la joie qu'elle avait dû éprouver en rencontrant enfin Lorena, à sillonner la campagne de Nouvelle-Angleterre, à lui offrir de la lingerie fine, à lui envoyer des lettres enflammées : « Je t'aime de tout mon cœur. Mes bras sont si vides sans toi. Je t'aime au-delà des mots, et tu me manques (...). C'était un délicieux week-end, auquel je vais devoir penser longtemps, longtemps. Chaque occasion où nous sommes ensemble... de cette manière nous rapproche encore plus l'une de l'autre, n'est-ce pas ? »

D'un tempérament à la fois contemplatif et explosif, Hick faisait penser à un gros matou ombrageux : « Je me demande ce que tu fais ce soir. Je ne tiens pas en place, je suis incapable d'entreprendre quoi que ce soit. » Eleanor, elle : « Oh, comme je voudrais te prendre dans mes bras en réalité plutôt qu'en pensée ! A la place, je suis allée embrasser ta photographie et les larmes me sont venues aux yeux. (...) Je suis si heureuse, chérie, parce que chaque jour me rapproche de toi. » Et Hick : « J'essaie de retrouver ton visage dans ma mémoire, tout simplement de me rappeler comment tu es. C'est étrange comme même les traits les plus aimés finissent par s'estomper avec le temps. C'est de tes yeux que j'ai le souvenir le plus précis, avec ce sourire taquin qu'on voit en eux, et puis ce petit coin si doux sous ma bouche au nord-est de la commissure de tes lèvres (...). Je voudrais t'enlacer et t'embrasser encore là. Et dans un petit peu plus d'une semaine, c'est ce que je ferai. »

Même dans la tristesse que lui inspiraient les derniers instants du couple Franklin-Eleanor — le président avait rendu l'âme avec Lucy Mercer à son chevet, « l'autre » appelée sur les lieux par la propre fille d'Eleanor, Anna —, Hillary Rodham Clinton mesurait l'amour qu'elle en était venue à porter à son modèle de femme. Sa voix de tête si aiguë, ses cheveux relevés en chignon, en pantalon jodhpur et en bottes, une cravache à la main, moite de sueur, imprégnée de l'odeur de son cheval...

D'aucuns estimaient que sa dévotion envers Eleanor était liée à son affection maternelle pour Chelsea, grande et maladroite comme Eleanor ; comme elle c'était une adolescente dont l'apparence suscitait les railleries de ses camarades. Car Hillary était fière de sa fille. Elle était consciente d'avoir été sans doute trop peu souvent auprès d'elle — « Maman est partie à la campagne électorale », confiait la petite fille à ses amies —, l'aidant parfois à ses devoirs par le truchement du fax, ce qui n'était peut-être pas l'idéal. Et elle savait que son mari ne lui portait pas toute l'attention qu'on aurait pu attendre d'un père quand elle était absente : Gennifer avait raconté la fois où Bill avait interrompu ses badinages téléphoniques avec elle parce que Chelsea venait de tomber de son lit.

Ce n'était pas une petite peste du genre d'Amy Carter, qui faisait exprès d'émietter des crackers sur Air Force One pour regarder la piétaille ramasser le gâchis. Et elle ne fumait pas des joints avec les Marines en faction à Camp David comme Chip Carter. Et aucun agent des services secrets ne l'avait accusée de voler dans les magasins à l'instar de Michael Reagan. Et elle n'écumait pas les bars de Georgetown avec une fausse carte d'identité ni ne s'envoyait en l'air dans les parkings avec des gardes du corps comme Susan Ford.

A leur arrivée à la Maison-Blanche, Hillary avait une idée très précise de la manière dont ils allaient fonctionner. Son époux les avait conduits ici avec toute sa poudre aux yeux de séducteur télégénique mais il était désormais temps de se mettre sérieusement au travail. De retrousser les manches et de gouverner. « Vous votez pour un et vous en avez deux ! » : ce système était plus que jamais de rigueur. Ainsi que l'avait déjà noté John Robert Starr, le rédacteur en chef de l'*Arkansas Gazette* : « Pendant tout le temps où il a été gouverneur, elle a été très visiblement son principal conseiller. Il commençait souvent ses phrases par un "Eh bien, Hillary pense que...". »

La première initiative de Bill Clinton à la Maison-Blanche avait été de modifier le central téléphonique pour être en mesure de passer un coup de fil personnel — entendez « top secret » — sans avoir besoin d'une opératrice. Celle d'Hillary avait visé à garantir à tous ses concitoyens une couverture maladie adéquate : « J'aurais certainement pu rester à la maison à faire de la pâtisserie et à prendre le thé mais j'ai préféré continuer dans la ligne de la profession que j'exerçais déjà avant que mon mari ne devienne une personnalité politique. »

Chaque embauche à la Maison-Blanche devait recevoir l'aval d'Hillary. Tout le courrier des services présidentiels, entrant et sortant, passait par son bureau. C'était elle qui approuvait son emploi du temps, c'était à elle que revenait la décision de pourvoir des postes aussi importants que celui de procureur général de l'Etat, confié à Janet Reno — dont la spécialité juridique était justement la défense des enfants maltraités —, ou de secrétaire à la Santé et aux Services sociaux, pour lequel elle avait choisi Donna Shalala. C'est elle qui allait nommer conseil juridique de la Maison-Blanche son ancien chef au temps du Watergate, Bernie Nussbaum, et lui donner pour adjoint Vince Foster, son associé dans son cabinet d'avocats. C'est elle qui allait faire de son ancienne assistante à Little Rock, Carol Rasco, la principale conseillère en politique sociale de la présidence, et obtenir pour sa directrice de cabinet Maggie Williams le titre de conseillère spéciale du président, ce qui permettait à ces deux alliées d'avoir accès aux réunions importantes et aux documents essentiels.

Présente aux séances de travail de la Maison-Blanche, elle était toujours prompte à synthétiser les différentes positions. Elle avait affirmé que son équipe de réflexion sur le système de santé ne coûterait que cent mille dollars : au final, elle allait en dépenser treize millions quatre cent mille pour ce programme. Elle veillait à ce que toutes les clauses anti-discriminatoires à l'égard des minorités ethniques ou sexuelles soient strictement appliquées dans l'appareil présidentiel. Et elle avait mis un point d'honneur à ce que son portrait, et non celui d'Al Gore, orne tous les bureaux de la Maison-Blanche à côté de celui du président.

Ceux qui avaient travaillé avec elle en Arkansas ou en tournée électorale n'étaient pas surpris de voir la place qu'elle prenait en tant que First Lady. C'était elle qui avait veillé aux finances de la famille, toujours. Et elle qui avait déclaré à George Stephanopoulos lors d'une des histoires de jupon présidentielles : « Il faut qu'on détruise cette nana. » Et pendant ce temps son mari faisait tirer de nouvelles lignes à la Maison-Blanche pour pouvoir raconter ses fantasmes au téléphone sans prendre le risque qu'une opératrice ne laisse traîner une oreille par là : jamais les techniciens des communications présidentielles n'avaient été aussi occupés depuis le jour où la petite Caroline Kennedy avait voulu joindre le Père Noël en direct...

Au cours de l'année de la crise Lewinsky, nombre d'Américains, et notamment d'Américaines, en étaient arrivés à penser qu'Hillary était le ventriloque Edgar Bergen et son « crétin de mari » Charlie McCarthy, la marionnette en bois à l'éternel sourire niais. Ce même Charlie qui avait bouleversé la vie de l'extralucide Jean Houston.

Impuissants à manifester autrement leur indignation, certains mâles américains allaient monter un site Web consacré aux photos où l'on pouvait voir des marques de coups et d'égratignures sur le séduisant visage de Bill Clinton. Le président, affirmaient-ils, était la femme battue de la Maison-Blanche.

16

La Sorcière de l'enfer

LINDA TRIPP : Ce n'est pas parce que tu mets un pull
   rouge que tu dois avoir un rouge à lèvres de la
   même couleur.
MONICA : Ça, je comprends très bien. Pas question
   d'avoir les lèvres en rouge, quand je le vois.

*Elle avait conclu un accord plein de cynisme avec
un déséquilibré sexuel, disaient ses détracteurs.
Elle l'avait épousé tout en sachant pertinemment ce
que ce mariage lui apporterait. C'était de pouvoir
qu'elle était assoiffée, non d'amour physique. Brill-
lante, sensée, elle avait toujours été engagée politiquement, n'avait jamais craint les débats d'idées. Une
forte femme, une intellectuelle, nourrissant cependant
des inquiétudes métaphysiques qui lui avaient valu les
piques de la presse lorsque sa dépendance vis-à-vis
d'une gourou New Age avait transpiré. Elle pouvait
être inflexible sur un plan politique mais aussi personnel : lorsqu'ils étaient finalement parvenus à la
décision commune de divorcer, elle avait déclaré aux
proches de son mari qu'il était... homosexuel.*

Plus je regardais Arianna Huffington s'acharner sur Bill Clinton à la télévision en plein cœur de la tourmente Lewinsky, plus je me disais qu'elle était le fruit non désiré d'un furtif accouplement entre le sénateur McCarthy et Zsa-Zsa Gabor. Elle était sur toutes les chaînes et dans toutes les colonnes, très élégante dans ses tailleurs Carolina Herrera et avec sa tignasse auburn tandis qu'elle le clouait au pilori de sa voix nasale aux accents de Méditerranée. Elle s'avouait « écœurée » par ses actes : « Il a laissé plus de marques d'ADN partout qu'un gobelet à café percé (...). Il n'a pas d'autre choix que la démission : prolonger ce cauchemar serait ce qu'il y a de pire pour le pays (...). Après avoir sali la fonction de dirigeant politique, il a prétendu rendre cet abâtardissement respectable (...). Non content de priver la vie politique américaine de tout principe moral, il a cultivé l'art de chercher des boucs émissaires avec l'aide de sa femme et de ses courtisans (...). Tel un naufragé désespérément accroché à sa planche de salut, le président cherche à entraîner la nation dans sa chute, mais nous ne devons pas nous laisser faire (...). Il n'y a rien dans ce malheureux [Clinton, *NdA*] qui soit incurable ; il suffit de le mettre tête en bas et de le secouer gentiment jusqu'à ce que tout ce qu'il peut avoir dans le crâne, toutes ces dissimulations et toutes ces demi-vérités et tous ces calculs égoïstes qui l'ont si bien servi dans le passé finissent par en tomber. »

Sur son site Web intitulé Resignation.com (Démission.com), elle l'exhortait : « Monsieur le président, assumez la responsabilité des dommages que vous avez causés à votre parti, à votre fonction et à votre pays ! » Mais elle n'avait pas peur de plaisanter, non plus : « Au cas où Hillary serait inculpée, est-ce qu'Al Gore pourrait devenir la First Lady ? » Ou : « William Taft, le vingt-septième président des Etats-Unis, élevait des vaches sur la pelouse de la Maison-Blanche. Clinton aurait voulu l'imiter mais son épouse a mis son veto : elle avait trop peur qu'il ne se mette à tourner autour. »

J'étais plus que perplexe. Quoi, c'était Arianna Huffington qui s'étranglait ainsi de vertueuse indignation ? La même femme qui avait embauché des détectives privés afin d'espionner la journaliste Maureen Orth alors que celle-ci avait décidé de préparer un portrait d'elle ? Ou qui s'était proposé de trouver « de la compagnie » au spécialiste en marketing politique des Républicains Ed Rollins pour le cas où ses relations avec son épouse ne s'amélioreraient pas ? Elle qu'on avait taxée au cours des années de « méprisable impudente », de « Raspoutine grecque décidée à utiliser la fortune de son mari pour assouvir ses dangereuses ambitions politiques », de « créature sans principe », d'« arriviste au toupet proprement sidérant », d'« intrigante dépourvue du moindre scrupule » ? Elle, « la Grecque la plus fascinée par les sommets depuis Icare » ? Le même Ed Rollins disait n'avoir jamais rencontré quelqu'un « d'aussi immodérément ambitieux en trente ans de carrière dans la politique américaine ». Et il ajoutait que sa soif de succès avait « parfois quelque chose de pathologique. Son allure raffinée n'est qu'un vernis derrière lequel se dissimule l'âme d'une sorcière pleine de subterfuges ».

Née Arianna Stassinopoulos en 1950 à Athènes, fille du directeur d'un quotidien financier élevée dans la foi orthodoxe, « la Sorcière » prie la Vierge Marie dès son plus jeune âge. A seize ans, alors que ses parents ont divorcé, elle part étudier l'histoire comparative des religions à l'université Shantaniketah, près de Calcutta. Un an plus tard, elle s'installe en Angleterre avec sa mère, où elles vivent chichement, et se présente aux examens de sélection des universités britanniques. Reçue à Cambridge, elle se distingue rapidement en devenant la présidente du club de discussion du campus, première ressortissante étrangère et troisième femme de l'histoire à occuper ce poste de prestige. Elle est douée, et elle est belle, port statuesque, chevelure flamboyante. Au cours de son intervention d'adieu, elle critique les féministes des années soixante-dix, leur reprochant de mépriser « le besoin d'enfanter et de fonder une famille, propre à l'identité féminine ». Ce dernier débat est retransmis par la télévision et sa vivacité d'esprit ainsi que son apparence physique la rendent aussitôt célèbre en Angleterre. George Weidenfeld, qui va devenir son éditeur, lui conseille de ne « pas perdre de temps avec les hommes. Cela ne servirait qu'à exciter la jalousie de leurs épouses. Concentrez-vous sur les femmes qui comptent et si vous jouez serré vous irez de succès en succès ».

Elle écrit son premier livre, *The Female Woman* (*La Femme femme*), une réplique à *La Femme eunuque* de Germaine Greer. Elle raconte sa tournée de promotion internationale en ces termes : « Un jour, tout s'est mis à clocher. Personne ne m'attendait, je suis allée à l'hôtel et il y avait deux cents GIs qui faisaient la queue devant la réception, si bien que j'ai dû attendre des heures. Quand j'ai eu enfin ma chambre (...), c'était un placard qui empestait la cigarette. Je n'avais aucun plan pour la soirée et je devais être debout le lendemain à cinq heures pour une interview à la radio locale. » Mais la Sorcière n'aime pas être seule, ni poireauter dans un hall d'hôtel, ni échouer dans des chambres aussi minuscules que mal ventilées. « Déprimée, désespérée », elle rentre en Grande-Bretagne et entreprend un jeûne prolongé, n'absorbant que de l'eau : « Je voulais atteindre l'Esprit, en être imprégnée, me dépouiller de tout ce qui n'était pas lui ou n'avait pas de relation avec lui. » A la fin de cette expérience, elle est « capable de reconnaître d'une seule gorgée les diverses marques d'eau minérale » qu'elle avait chez elle.

Suivant l'avis de Weidenfeld, elle recherche la compagnie des dames du beau monde et acquiert la réputation de toujours envoyer des fleurs après avoir été reçue pour la première fois dans un salon. Elle se lie à un vénérable éditorialiste du *Times* de Londres, avec lequel elle va assidûment à l'opéra. Elle tente d'animer une émission de débat sur BBC-Television, qui tourne rapidement à l'échec, ce qu'elle explique par le fait que « les Britanniques accordent trop d'importance à votre accent ». Entre-temps, elle s'est attelée à la rédaction d'un nouveau livre, consacré à la diva Maria Callas, elle aussi d'origine grecque.

Venue présenter cet ouvrage à New York, la Sorcière s'y sent « comme à la maison ». Elle remporte un petit succès de scandale, puisqu'elle a écrit qu'Ari Onassis trouvait Jackie « froide et sans cœur », et qu'il se disposait à divorcer d'elle avant sa mort, mais elle est accusée de plagiat et son éditeur est contraint de verser de gros dédommagements au plaignant. Elle fréquente des personnalités américaines en vue, comme Barbara Walters ou Lucky Roosevelt, le chef du protocole du président Reagan. Toujours grâce à Weidenfeld, elle fait la connaissance de l'égérie de la vie mondaine de San Francisco, Ann Getty. Elle a une aventure avec Mort Zuckerman, le magnat de l'immobilier. C'est une vraie Sorcière, futée, entreprenante et sexy : « Elle s'y entendait en flatteries et nous avons tous été séduits, tous », devait constater Bob Colocello dans les colonnes de *Vanity Fair*, ajoutant qu'elle était également « impitoyable » et « aussi déterminée qu'une fanatique religieuse ». Elle se lit à Kathleen Brown, la sœur du gouverneur de Californie, réalisant une brève tournée de conférences avec elle. Après avoir écrit un portrait de Jerry Brown pour *People*, elle sort avec lui. Elle n'a pas d'argent mais elle a des relations, énormément : « On m'a donné le

titre de "mondaine" mais je l'ai bien gagné », remar-
quera-t-elle plus tard.

Arianna est devenue officiante du Mouvement pour
la connaissance spirituelle[1], surnommé « la Cadillac
des sectes » en Californie, son fief, et dont elle a rencontré le fondateur-messie, « Sri John-Roger », en
1973 à Londres. Ancien infirmier de nuit dans un
hôpital psychiatrique de Salt Lake City, celui-ci se
disait habité par un esprit qu'il appelait « John l'Elu »
depuis qu'il était resté dans le coma après une opération des calculs biliaires en 1963. Ce dernier lui avait
certifié qu'il n'était autre que « la Conscience du
Voyageur mystique », laquelle revenait hanter notre
planète tous les vingt-cinq mille ans. Et la Sorcière
apprécie ces dons : « Il se focalisait sur mon seul vrai
sujet d'intérêt, allait-elle écrire dans *Interview*, aider
les gens à découvrir l'esprit qui est en eux, à se fier à
leur savoir naturel et à leur sagesse instinctive. J'ai
acheté tous ses livres, je me suis abonnée à son bulletin mensuel et j'ai participé à ses retraites de méditation. » Et elle essaie aussi de trouver de nouveaux
disciples à John-Roger parmi le beau linge qu'elle fréquente. « Elle m'a pratiquement jeté ce type dessus,
racontera la chroniqueuse Liz Smith. Il me donnait la
chair de poule, vraiment. Sous prétexte que j'avais la
migraine ce jour-là, il a voulu poser ses mains un peu
partout sur moi. J'ai trouvé ça carrément gênant, et je
me suis dit que c'était un charlatan. »

Pour se rapprocher à la fois de son maître spirituel
et d'Ann Getty, la Sorcière vient poser ses valises à
Beverly Hills en 1984. A cette époque, elle projette
un autre livre, cette fois sur Pablo Picasso et celle
qui avait longtemps été sa maîtresse, Françoise Gilot,
désormais mariée à Jonas Salk, lequel passait une par-

---

1. Le MSIA (Movement for Spiritual Inner Awareness), fondé en 1968
par John-Roger Hinckins, a été un précurseur des idéologies New Age aux
Etats-Unis. (*NdT*)

tie de l'année en Californie du Sud. Pendant ce temps, Ann Getty rêve de trouver une âme sœur à Arianna, allant jusqu'à établir une liste de candidats possibles. Et puis, à Tokyo, pendant une réunion de l'Institut Aspen, un forum de réflexion politiquement indépendant, un inconnu l'aborde : « Vous êtes merveilleuse ! Auriez-vous une fille, par chance ? » Et Ann Getty lui répond : « Non, mais j'ai une grande amie. » Aussitôt, elle l'appelle pour lui annoncer qu'elle vient de dénicher le mari idéal pour elle. Il s'appelle Michael Huffington, c'est le fils de l'une des plus grosses fortunes d'Amérique. La Sorcière en est tout aise.

« Big Roy » Huffington, le père de Michael, est le plus texan des Texans : il a amassé des milliards dans le pétrole, il boit sec, il est costaud, et macho, et grande gueule : John Wayne puissance cent ! Son unique rejeton, lui, a été un garçon malingre, aussi efflanqué que Big Roy occupait de volume et obligé de porter un cache sur son seul œil qui fonctionnait à peu près. Quand il avait sept ans, il a été surpris par son père en train de jouer avec des allumettes, celui-ci l'a entraîné dans le jardin et l'a forcé à les gratter une à une, jusqu'à ce qu'il ait tous les doigts brûlés. Même principe éducatif avec les cigarettes et l'alcool : Ah, tu veux essayer de fumer, fiston ? Tiens, vas-y, prends une clope et tire... Jusqu'à ce que le petit Michael devienne blanc, et vert, et gerbe toute la gnôle qu'il avait dû aussi ingurgiter. A quatorze ans, il passe le plus clair de son temps devant la télé avec sa mère, Phyllis, une ancienne reine de beauté devenue accro à la nicotine. Républicaine acharnée, elle menace et invective le petit écran dès qu'elle y voit l'un de ces fichus Démocrates crypto-cocos oser soutenir une opinion un tant soit peu critique et décidément « Côte Est ».

Cette année-là, Big Roy le fait entrer à l'Ecole mili-

taire Culver, en Indiana, et il est agréablement surpris
d'apprendre que Michael s'y distingue : un des meilleurs de sa classe, il obtient son brevet de tireur et des
mentions en natation et en esprit d'équipe. Mais les
autres cadets le détestent, notamment parce qu'il a la
charge de les dénoncer lorsqu'ils lisent *Playboy* en
cachette ou qu'ils regagnent leur dortoir en retard. De
l'aveu même de l'intéressé, « j'ai même signalé mon
camarade de chambrée parce qu'il avait cinq minutes
de retard. Deux jours après, il m'est tombé dessus,
mais il n'empêche que j'ai respecté le règlement,
moi ».

Son diplôme obtenu, il entre à Stanford University
et adhère aux « Jeunes Américains pour la liberté »,
qui protègent les bâtiments administratifs du campus
face aux manifestants anti-guerre du Vietnam. Big
Roy est très fier de lui mais à l'été 1968 il est réformé
en raison de sa vue déficiente. Tandis que la majorité
de sa génération pense surtout à fumer des joints et à
s'envoyer en l'air, il obtient grâce à son père un
emploi de grouillot dans le bureau de George Bush au
Capitole. Son studio est couvert d'affiches pro-Nixon,
il porte une montre à l'effigie de Spiro Agnew. Un
jour, alors qu'il fait quelques pas avec Bush, celui-ci
passe son bras autour des épaules de ce petit si dévoué
et ce geste anodin l'emplit d'une émotion insoupçon-
née, parce que ses parents ne lui ont presque jamais
donné de marques d'affection.

Il suit la Harvard Business School, fréquente une
étudiante de Stanford et, en dernière année, se lie
d'amitié avec un garçon qui lui apprend qu'il est
homosexuel. Quelques mois plus tard, entré dans le
secteur bancaire à Chicago, il couche avec un homme
pour la première fois. Il revient à Houston, crée une
banque d'investissements. Sa mère lui demande de
rejoindre la compagnie pétrolière de la famille,
Huffco. Il ne peut lui dire non, même s'il ne la voit
qu'une fois par mois, au cours d'un dîner planifié à

l'avance, et il devient donc l'un des vice-présidents du groupe. Un de ses concurrents dira de lui qu'« il était le gosse de riche typique, à faire joujou avec l'argent de Papa. Il foirait pratiquement tout ce qu'il prenait en charge : une raffinerie, une boîte de prospection... Les banques ont fini par lui couper les vivres. Il leur a promis des tas de choses qu'il n'a pas tenues, ce qui a ruiné sa réputation ». Il se met aussi à dos ses propres employés en interdisant le café dans les bureaux, boisson qu'il juge dangereuse pour la santé. « Il s'est accroché avec plein de relations d'affaires, se rappelle un banquier, il y a des gens qui ont le feeling, d'autres qui bousillent tout. Lui faisait partie de ces derniers... »

De confession presbytérienne, il opte pour l'Eglise épiscopale. Un de ses amis l'entend encore discourir d'abondance sur la réalité de Dieu. Quand ses connaissances veulent aller jouer au golf, il préfère continuer des discussions édifiantes. Parallèlement, il peut inviter des clients à déjeuner dans un bar topless où les convives sont invités à peindre avec leurs doigts sur le corps des serveuses. Et il a des relations sexuelles avec des hommes, en général éphémères, à part une liaison plus sérieuse avec un homosexuel dont il cache la photo dans ses affaires. Mais il prie le Seigneur de le libérer de ces inclinations. En voyant à la télé un gay affirmer qu'il a renoncé à l'homosexualité, il éclate en sanglots. Il promet à Dieu de ne plus jamais recommencer.

Il est assis dans le salon de la somptueuse demeure d'Ann Getty, un soir, quand Arianna Stassinopoulos fait son entrée. On les présente l'un à l'autre. Michael lui demande ce qui compte le plus pour elle, dans la vie. « Dieu », répond la Sorcière.

Il participe au réveillon du nouvel an chez Arianna à Beverly Hills, avec Shirley MacLaine et la mère de l'hôtesse parmi les invités. La Sorcière fait passer une baguette magique en cristal autour de la table en proposant à chacun de formuler un vœu. Elle-même souhaite se retrouver enceinte au cours de l'année qui vient. Le vœu de Michael est que celui d'Arianna se réalise. Lorsqu'ils restent en tête à tête, il lui avoue avoir couché avec des hommes. La Sorcière répond que cela ne le rend que plus précieux à ses yeux.

Ils se marient à New York. « On n'y croyait presque plus, Michael ! » lance Big Roy en guise de toast. Arianna a Barbara Walters et Lucky Roosevelt pour témoins. C'est Ann Getty qui a tout payé, jusqu'à la robe de mariée à dix-huit mille dollars. Il y a des invités illustres : Henry Kissinger — qui dira qu'« il ne manquait rien aux festivités, à part peut-être une danse du feu sacrificielle aztèque » —, Norman Mailer, Helen Gurley Brown, Shirley MacLaine. Elle passe cependant sa nuit de noces non avec le mari mais avec John-Roger, car elle doit s'adresser à des sponsors du mouvement spiritualiste. Dans une interview, peu après, elle confie : « J'ai toujours su qu'on prendrait soin de moi, que je n'aurais pas à me soucier de l'argent. »

Leur lune de miel les conduit aux Caraïbes et en Europe. Il est froissé qu'elle continue à travailler à son livre sur Picasso même pendant ces heures privilégiées. Ensuite, ils s'installent à Washington car George Bush a nommé Michael, sur les instances de son père, parmi ses secrétaires adjoints à la défense. Son supérieur direct au Pentagone, Frank J. Gaffney, remarque : « C'était une fleur que Bush faisait à la famille Huffington mais ce n'était pas un cadeau pour nous. Les services ont continué à bosser dur, parfois en dépit de sa présence. Le principal, c'était qu'il ne provoque pas trop de dégâts : peu importe qui il était et ce qu'il prétendait faire. En général, il y avait un déjeuner de travail dans son programme de travail, et c'était à peu près tout... » Il tient un an au Pentagone.

Arianna écrit son livre, Michael va beaucoup au cinéma, seul.

Leur premier enfant est mort-né. Michael suit une retraite de trois jours dans un monastère épiscopal, en compagnie d'un ami cher. A son retour, il annonce à Arianna son intention de s'installer avec elle en Californie. Il achète une maison de quatre millions trois cent mille dollars à Santa Barbara mais il n'y rejoint sa femme que pour de rares week-ends. Il a repris son travail à Huffco. Après avoir regardé *Les Ailes du désir*[1] avec lui, elle retombe enceinte. Cette fois, c'est une fille, Christina. « Nous l'avons installée dans un berceau près de mon lit, écrira-t-elle par la suite, et quand je me suis retrouvée seule avec elle dans la chambre j'ai été prise de tremblements convulsifs. Puis mon corps s'est apaisé d'un coup. Je l'avais quitté. De très loin, je regardais Christina, et moi, et les fleurs sur la table de nuit, et toute la pièce, sans la moindre frayeur. Je savais que j'allais revenir mais pour l'instant j'étais baignée par une énorme impression de force et de joie. C'était comme si j'avais eu un aperçu de plénitude paradisiaque : naissance, vie et mort, j'apercevais tout cela à la fois et je pouvais l'assumer entièrement. »

A la publication de son livre, elle est à nouveau accusée de plagiat. Selon le *Time*, l'ouvrage n'est « que de la poudre aux yeux, de la matière pour débats télévisés sans substance et chroniques de potins ». Paloma, la fille de l'artiste, s'indigne : « Sa spécialité, c'est la psychologie de bas étage. Vous la croisez dans une réception, elle vous regarde droit dans les yeux, vous bombarde de questions sur votre vie privée, et puis elle vous dit que c'est tellement intéressant qu'elle devrait en faire un livre. Et puis le lendemain elle vous envoie un petit cadeau, histoire de se rappeler à votre bon souvenir. »

---

1. *Der Himmel über Berlin* de Wim Wenders (1987). (*NdT*)

En 1990, Big Roy Huffington vend sa société cinq cents millions de dollars. La part de Michael s'élève à quatre-vingts millions. L'année suivante, ils ont une seconde fille, Isabella. Arianna s'est retrouvée enceinte après avoir vu *Jésus de Montréal*[1] avec son mari. Tous deux ont commencé à s'impliquer dans la vie politique californienne, offrant des réceptions dans leur résidence de Santa Barbara. Michael décide de briguer une place au Congrès alors qu'il vit depuis à peine six mois sur place. C'est un piètre orateur, il a un trac terrible devant une audience mais il consacre cinq millions six cent mille dollars à sa campagne, pris sur sa fortune personnelle, et réussit à battre celui qui occupait ce siège depuis dix-huit ans.

Le couple achète une autre maison à Washington, quatre millions. Dans son bureau du Capitole, Michael accroche une photo de l'acteur James Stewart et confie à des journalistes qu'il a pleuré en regardant *Mr. Smith Goes to Washington*[2], affirmant qu'« il y a beaucoup de moi dans ce film ». Sa fonction politique ne lui plaît pas : « A part écouter ses administrés, il n'y a rien à faire », soupire-t-il. Le représentant Barney Franck résume la contribution de Michael aux travaux du Congrès en ces termes : « Même quand il est présent, il n'est pas là. » Et en effet il s'esquive souvent d'une réception pour aller au cinéma. Il se montre si affectueux envers ses assistants masculins que l'un d'eux présente sa démission. Pour lui, Washington est un « trou noir ».

La Sorcière s'épanouit, au contraire. Elle s'achète un programme de débats sur une chaîne de télévision conservatrice : cent trente mille dollars, venus de la fortune de son mari. Elle organise des dîners-causeries au cours desquels les invités doivent s'exprimer sur

---

1. Film de Denys Arcand, en 1989. (*NdT*)
2. *Monsieur Smith au Sénat* de Frank Capra (1939), où James Stewart, instructeur boy-scout, se retrouve catapulté sénateur à son corps défendant. (*NdT*)

un thème qu'elle a choisi. Elle appelle ces rassemblements « Masse critique », « une masse critique de citoyens spirituellement inspirés qui sont capables de suppléer les carences de l'administration, qui offrent volontairement leur temps et leur argent pour venir en aide aux désabusés, aux déshérités ».

Toujours fort riche mais dégoûté par sa vie washingtonienne, Michael emmène Arianna et les filles en Grèce pour des vacances. Pendant qu'elle s'attelle à un autre livre, il escalade le mont Athos et passe trois jours dans un monastère orthodoxe, « à prier, à regarder la mer et à goûter la compagnie des moines ». Quand il redescend, il annonce à sa femme qu'il va se présenter au Sénat, même s'il est à peine à la moitié de son mandat au Congrès. « Je pense que c'est à ce moment qu'il a pris conscience de la grave crise que traversait le pays, commente Arianna. Nous aurions pu nous dire : "Attendons." Mais à situation exceptionnelle, réponse radicale. »

« J'aurais dû lui mettre mon poing dans la figure », constatera à propos d'Arianna Ed Rollins, le directeur de campagne de Michael Huffington pour le siège de sénateur qu'il dispute à la Démocrate Diane Feinstein, « et si elle avait été un homme c'est probablement ce que j'aurais fait. » C'est pourtant elle qui l'a engagé, en lui donnant le mot d'ordre de cette course au Sénat : « Cogner vite, cogner fort, cogner les premiers ! » La campagne telle qu'elle la conçoit coûtera vingt-huit millions de dollars à son mari, soit près du triple de la somme consacrée par Jay Rockefeller à une ambition similaire en Virginie-Occidentale.

Les observateurs, directement ou indirectement impliqués, comprennent rapidement qui est le vrai candidat dans cette aventure. Elle rencontre à six reprises la rivale de Michael dans des débats contradictoires, alors que lui-même ne le fait qu'une fois.

Après deux apparitions publiques, son mari disparaît quinze jours à Hawaii pendant qu'elle reste à tenir la baraque électorale : « Je me présente comme un fantôme ! constate leur adversaire, c'est sa femme qui le veut, ce fauteuil. Elle veut acheter un fauteuil au Sénat pour viser ensuite la Maison-Blanche. Hillary a envie d'y entrer pour inventer une autre politique destinée à la collectivité tandis qu'Arianna, c'est pour enrichir sa vie mondaine. » Un feu de forêt éclate : la Sorcière s'y rend sous les objectifs des photographes de presse, munie de bouteilles d'Evian. Selon Barney Klueger, un influent Républicain de Santa Barbara, « c'est son épouse qui brigue le poste, pas lui. Vous pouvez appeler son bureau sous n'importe quel prétexte, la démarche passera par elle ». Un chroniqueur du *San Francisco Examiner* s'exclame : « Michael Huffington face à Diane Feinstein chez Larry King ? Bof. Moi, ce que j'attends, c'est le duel Arianna-Diane. Pas besoin de sa doublure ! » Un proche du couple confie : « Ça me rappelle la créature qui vit à l'intérieur de John Hurt dans *Alien*. Avec de plus beaux cheveux, toutefois. Elle l'a colonisé, Michael. » Et Ed Rollins, bien placé pour juger de l'entreprise, conclut que « la campagne qu'on m'a confiée était l'obsession de son arriviste de femme, non la sienne (...). Quand elle ne me faisait pas les yeux doux, elle passait son temps à lui donner des ordres. Il était là comme un cheveu sur la soupe, la plupart du temps ».

Lorsque la presse apprend les sommes gigantesques englouties, elle surnomme Huffington « le Ross Perot de l'Ouest », bien que d'après Rollins ce dernier ait été « saint François d'Assise, comparé à Arianna et Michael ». Il estime que celui-ci est « incapable de s'intéresser aux gens et à leurs problèmes. Il est timide, maladroit, lamentable orateur, il n'a pas de conversation. Aussi déplacé dans le jet-set que dans le marigot politique ». « Elle conçoit, il paie », résume un titre de journal. Michael est taxé de « nullité absolue », de « figurant sans aucune substance », de « candidat virtuel ». Rollins écrira qu'il s'est vite rendu compte que « ce pauvre crétin avait autant envie de devenir sénateur que moi pape. Je me suis dit : "Il déteste les discours, les meetings, la campagne, les tournées, les électeurs, et si jamais il est élu il va détester le Sénat." ».

Quand Michael refuse de rendre publics sa déclaration fiscale ou l'état de ses avoirs, il est pris à partie par les médias et Rollins l'exhorte à la transparence, en vain. « Je ne peux pas faire une chose pareille, lui déclare-t-il enfin. Si Arianna apprend tout l'argent que j'ai, elle le dépensera jusqu'au bout ! » Ces données ne seront jamais publiées.

Des rumeurs insistantes évoquent son homosexualité, ce que les euphémismes journalistiques suggèrent par des qualificatifs tels que « renfermé », « imprévisible », « mal à l'aise », « fuyant »... Un ami d'Ed Rollins lui envoie une boîte de préservatifs avec ce petit mot : « Quand Mike est dans le coin, n'oublie jamais de faire gaffe à ton cul ! » Lorsque Rollins lui pose carrément la question, il ne le dément pas, se contentant de lancer qu'il ne répondra pas, « ni à vous ni à personne ». « No comment », rétorque-t-il d'ailleurs à *Vanity Fair*, au même sujet. Arianna, de son côté, s'offusque : « C'est comme demander si Michael est chinois ! » Interrogé par le *Los Angeles Times* à propos des effusions imposées à ses collaborateurs masculins au Congrès, il reconnaîtra « donner volontiers l'accolade, comme Bill Clinton ». Mais en lui-même il bout de colère contre Arianna et John-Roger, persuadé que celle-ci a raconté ses expériences homosexuelles au « voyageur mystique », qu'il tient pour « un intrigant qui manipule son épouse », ainsi que l'écrira plus tard David Brock dans *Esquire*.

C'est finalement le messie autoproclamé qui va apporter les premières difficultés sérieuses à sa campagne électorale puisque la presse, non contente de révéler les relations privilégiées qui le lient à Arianna, découvre d'anciens membres masculins de la secte qui affirment que John-Roger les a soumis à « des pressions et promesses spirituelles » afin d'obtenir leurs faveurs sexuelles. D'autres ex-fidèles ajoutent que le grand maître avait coutume de confier les plus hautes fonctions à ceux qui passaient dans son lit, et de vanter leur élévation mentale. Deux d'entre eux soutiennent que les « pressions » sont allées jusqu'aux lettres anonymes, au saccage de leurs biens et aux menaces de mort. Tout en repoussant ces accusations, la Sorcière relativise ses responsabilités au sein du Mouvement en décrivant John-Roger comme un « vieil et grand ami ».

Aussi incroyable que cela puisse paraître, malgré cette association avec une personnalité aussi contro-versée, la détermination d'Arianna et les millions de Michael les font approcher de la victoire notamment grâce à un matraquage de publicité négative à la télé-vision, conçue par le publicitaire auteur des spots à connotation raciste de George Bush. S'ils doivent s'incliner avec seulement deux points d'écart, c'est à cause d'une initiative malheureuse de son épouse et non du candidat : à la fin des années quatre-vingt, elle a engagé une nounou immigrée clandestinement aux Etats-Unis, et ce malgré les objections de Michael puisqu'il s'agissait d'un emploi illégal. Dès que le *Los Angeles Times* sort l'affaire, il dégringole dans les sondages et Arianna, selon Ed Rollins, devient « hys-térique, rabâchant à longueur de journée qu'il fallait contre-attaquer ». Quand il découvre ce qu'elle entend par là, il est à deux doigts de démissionner : elle a confié à une bonne douzaine de détectives privés le soin de traquer d'éventuels immigrants non munis de la carte verte qui auraient pu travailler pour Diane Feinstein. Il sait déjà qu'elle a eu recours à la même méthode pour déstabiliser la journaliste de *Vanity Fair* dont il a été question plus haut, ainsi que contre

Peter McWilliams, un ancien membre de la secte qui a entrepris de rédiger un livre de révélations sur le MSIA. « A ce moment elle n'écoutait plus personne, ni moi ni quiconque, écrira Rollins, elle était devenue complètement incontrôlable. »

La Sorcière a perdu son fauteuil au Sénat. Des années plus tard, Michael Huffington confiera à David Brock qu'il l'espérait de tout cœur, cette défaite.

De retour à Washington, Arianna demande à Michael de lui doubler sa pension mensuelle pendant deux ans, afin qu'elle puisse entreprendre une carrière de commentatrice politique. Il accepte aussitôt et elle commence à apparaître dans les journaux, à la radio et à la télé. Devenue vice-présidente de la fondation Progrès et Liberté, un club de réflexion conservateur étroitement lié à la droite républicaine de Newt Gingrich, elle se montre souvent en public avec ce dernier, et l'exhorte dans ses chroniques à se présenter aux présidentielles. « Arianna veut la célébrité, remarque alors un républicain californien. Comme elle a échoué avec la candidature de son mari, elle travaille la bande de Gingrich et elle s'accrochera à lui pour attirer le maximum d'attention sur elle. » Le chantre du conservatisme, de son côté, garde sur une étagère de son bureau la dernière œuvre d'Arianna, *Le Quatrième Instinct*.

La Sorcière se taille une réputation de généreuse hôtesse dans le petit monde de Washington, « l'Imelda Marcos putative de la ploutocratie néo-républicaine » ainsi que d'aucuns la surnomment. A certaines de ces somptueuses réceptions, qu'il paie de sa poche, on voit Michael surgir, éteindre et rallumer les lumières pour signifier aux invités qu'il est temps de partir. Mais il profite également de ces occasions pour rencontrer des homosexuels et les convier à des dîners privés.

A la fin de ce délai de deux ans, il annonce à Arianna qu'il désire retourner en Californie. Pour elle, il n'en est pas question. Alors, la Sorcière demande le divorce. Elle téléphone à la mère de Michael, à sa sœur et à quelques amis communs en leur déclarant qu'il est gay et qu'elle veut se séparer de lui. Il regagne la Côte Ouest, devient producteur de cinéma et multiplie les aventures homosexuelles. Il est beaucoup moins riche qu'auparavant mais au moins Arianna n'est plus dans sa vie, et Big Roy est mort.

Alors qu'elle enchaîne causeries sur débats télévisés pour clouer Bill Clinton au pilori, la Sorcière cherche à perdre son accent en prenant des cours de diction avec le spécialiste qui a travaillé sur le plateau de *Forrest Gump*. Spectaculairement fortunée désormais, elle consolide sa place au sein du Tout-Washington et continue à recevoir avec faste les conservateurs qu'elle tient sous son charme. Son assistant documentaliste n'est autre que le meilleur ami de celui par qui le scandale a éclaté, Matt Drudge, le Cybercoprophage. Elle donnera même un grand raout en l'honneur de ce dernier, qui apparaît au bras de Lucianne Goldberg, sous les applaudissements de l'assistance. Quel trio, et comme ils s'amusent !

Acte III

DES SOUPÇONS PLEIN LA TÊTE[1]

« Ah, savourer le goût âpre du sang, se montrer si démoniaque !
Se targuer des blessures et des pertes infligées à l'ennemi...

Amener le peuple à hurler, à pleurer, à haïr, à convoiter avec vous
Gouverner l'Amérique... Etouffer l'Amérique sous votre vaste langue ! »

Walt Whitman,
Feuilles d'herbe

---

1. Le titre de cette partie, *Suspicious Minds*, est encore un clin d'œil à une célèbre chanson d'Elvis intitulée de la même manière : « On ne peut pas continuer comme ça / Avec des soupçons plein la tête / Nos rêves en resteront là / Avec des soupçons plein la tête... » Créée le 23 janvier 1969 à Memphis, paroles et musique de Mark James. (*NdT*)

I

Un président noir

LINDA TRIPP : Il doit avoir l'impression que tout le
monde est susceptible de se retourner contre lui,
à un moment ou un autre. Tu vois ce que je veux
dire ?

MONICA : Mais c'est de sa faute !

LINDA TRIPP : Pourquoi ?

MONICA : Parce qu'à force de baiser les gens par
derrière, ils finissent par se retourner pour te baiser toi !

Quand les Républicains ont entrepris de monter au
Congrès l'expédition destinée à appliquer la loi
de Lynch au grand galop, ceux qui gardaient la pire
expérience des lynchages ont été aussi ceux qui ont
défendu Bill Clinton avec la plus grande détermination : les Noirs d'Amérique. Les conservateurs
n'avaient pas trop envie d'être vus s'en prendre à eux
à une époque où le racisme était devenu, sur le plan
des médias américains, le crime absolu. Et les Noirs
de ce pays qui entendaient protéger le président de
leur propre corps n'ignoraient pas les ravages que la
carte raciale pouvait provoquer parmi leurs adver-

saires, surtout quand ces derniers se sentaient particulièrement vulnérables à ce type d'accusations.

Sur la défensive, pris à contre-pied, les Républicains ont été démentis par les élections de novembre
qu'ils avaient prétendu transformer en référendum sur
la personne de Bill Clinton. Quand l'instant critique
de leur offensive est venu, quand il s'est agi d'appeler
à la barre la fidèle secrétaire particulière du président,
celle qui se trouvait à l'épicentre de toutes les contradictions et de toutes les demi-vérités, Betty Curie, une
Noire, ils se sont dérobés. Ils avaient trop peur d'en-
dosser ainsi le rôle du raciste acharné que trop d'entre
eux jouaient si bien loin des feux de l'actualité. Formidable paradoxe : si Betty Curie et dans une moindre
mesure Vernon Jordan avaient été des Blancs, Bill
Clinton aurait très probablement été destitué.

Il était « le premier président noir des Etats-Unis »,
selon l'heureuse expression de Toni Morrison, ce qui
donnait justement aux lyncheurs républicains une raison supplémentaire de le détester autant. Les Noirs,
eux, savaient dans leur chair que ces derniers étaient
les descendants spirituels de J. Edgar Hoover, le
patron du FBI qui adorait se travestir en femme et se
faire lire la Bible par un jeune éphèbe tandis qu'un
autre le tripotait avec un gant en caoutchouc, la vieille
folle aux yeux larmoyants qui avait rêvé de réserver
à Martin Luther King Jr. le sort que ses héritiers voulaient maintenant réserver à Bill Clinton.

Hoover, qui d'après un témoin avait l'air d'une
« rombière particulièrement laide » lorsqu'il s'accou-
trait d'une robe plissée, de bas en dentelle, d'une perruque bouclée et de faux cils, n'avait plus toute sa tête
à la fin de sa carrière. Il avait la phobie des gens aux
mains moites, ou aux oreilles décollées, boutonneux,
ou chauves, la hantise des microbes et des insectes,
réservant à un serviteur noir la tâche de traquer les
mouches. Mais surtout, surtout, il haïssait Martin
Luther King, et d'autant plus depuis que celui-ci avait

reçu le prix Nobel en 1964. Le pédophile gâteux avait donc chargé ses agents d'enregistrer le Dr. King en train d'avoir commerce avec une femme qui n'était pas son épouse légitime, puis il avait envoyé les cassettes à Coretta King avec un mot non signé dans lequel il exhortait le leader noir de se suicider, « la seule issue honorable ». Tandis qu'il essayait de sauver son mariage, Martin Luther ignorait que Hoover le gardait toujours sur écoutes et ricanait chaque soir en se repassant les explications douloureuses du couple. Cette crise personnelle ne l'avait cependant pas dissuadé de poursuivre la lutte qui allait changer si radicalement l'Amérique. Mais quelques années plus tard, après l'assassinat du visionnaire, un homme du FBI allait vociférer : « On l'a finalement eu, ce fils de pute ! »

Face à la chevauchée infernale qui se préparait, les Noirs d'Amérique n'ont laissé plané aucun doute quant à leur intention d'empêcher l'assassinat symbolique de leur « premier président ». « Ne nous laissons pas abuser ! lançait Jesse Jackson Jr., le fils de son célèbre homonyme. Ce que les Républicains veulent censurer, c'est la sécurité sociale, la réhabilitation des quartiers défavorisés, le droit des femmes à disposer de leur corps, la médecine publique, une Cour suprême qui garantisse l'égalité de tous devant la loi. Au niveau historique, ce qui se passe va bien plus loin qu'une affaire de sexe, de mensonge et de parjure. » La congressiste démocrate de Californie Maxine Waters dénonçait un « véritable coup d'État mené par la coalition chrétienne d'extrême droite, dont Bill et Hillary Clinton sont la cible et les Républicains l'instrument ». John Conyers, le président du Regroupement noir pour les Démocrates du Congrès, remontrait que la procédure d'impeachment avait été « conçue pour permettre au pays de renverser légalement les tyrans ou les traîtres et non pour punir les tentatives de dissimuler des relations adultérines ». Et c'est peut-être le vétéran de multiples combats en faveur des droits civiques, John Lewis, qui allait trouver le résumé le plus percutant : « L'Amérique est malade. Son cœur est lourd, son âme torturée. Qui d'entre nous n'a jamais péché ? »

En écoutant les Républicains invoquer les héros d'Iwo Jima, ou les pères fondateurs de la nation, ou la Constitution — sur laquelle certains d'entre eux s'asseyaient pourtant sans scrupule —, la communauté noire retrouvait les vieux accents réactionnaires bien connus, la bannière étoilée servant à masquer les pires turpitudes, le parti de Lincoln devenu celui des oppresseurs et des lyncheurs. N'était-ce pas un Républicain, Earl Butz, qui avait soutenu que « la seule ambition du Noir, c'est d'avoir une nouvelle Cadillac, une craquette bien serrée et un toit sous lequel chier » ? Et James Watt, un proche collaborateur de Ronald Reagan, s'extasiant à propos d'une commission qu'il venait de former : « Point de vue diversité, on ne peut pas faire mieux. J'ai pris un Noir, une femme, un juif et un handicapé moteur » ? Et George Bush, avec ses spots télévisés destinés à effrayer l'électeur blanc en brandissant l'image de Noirs voleurs, violeurs, pilleurs ? Et quel Noir dans l'entourage de Nixon, ou de Reagan, ou de l'establishment républicain actuel ? Eartha Kitt ? Sammy Davis Jr., avec ses cigares d'un kilomètre de long ? James Brown et ses yeux en forme de dollars ? Linda Tripp, cette conservatrice de toujours, avait sans doute révélé la véritable face de son camp, et ce avec la subtilité qu'on lui connaissait, en disant qu'elle n'avait pas voulu aller chez le coiffeur pendant que la « Marche des Un Million » parcourait les rues de Washington parce qu'elle n'avait « pas envie de voir tous ces... tout ce ramassis ».

Même parmi les Démocrates, les Noirs n'avaient

jamais trouvé une personnalité réellement « en phase » avec eux. Johnson était dans le fond un réac, il suffisait de voir ses chapeaux de cow-boy et de l'entendre parler de « négros » à tout bout de champ. JFK croyait à l'égalité raciale, il discourait très bien là-dessus, mais est-ce qu'il était sorti ne serait-ce qu'une fois avec une Noire ? Est-ce qu'il s'attablait devant un bon plat de côtes aux fayots avec Jackie ? Et McGovern, froid comme tout ? Carter, d'accord, sauf que c'était déjà un vieux radoteur à vingt piges. Et Dukakis, Duka-chose, complètement tête en bas, ce bougre-là, présentement !

Bill — pardon, le président Clinton —, c'était autre chose. Pas étonnant qu'on lui ait répété qu'il avait des lèvres de nègre toute sa vie. Il ne se promenait pas avec un balai dans son cul de Blanc, lui. Ne servait pas le baratin « Je comprends vos problèmes » avant de vous serrer la pogne du bout des doigts et de vous oublier jusqu'aux élections suivantes. Il savait se la donner, lui, pareil qu'un Keubla. Avec le saxo, avec le plat de côtes, avec les bougresses. Humain, le mec. Ça se sentait à comment il te regardait quand tu étais noir, comment il te donnait l'accolade : du réel, l'ami, du vrai pour de vrai. Et Hillary ? Bon, elle n'était peut-être pas aussi black que lui, mais au moins elle essayait. Pour une garce blanche sortie de la crème des toubabs, elle faisait des efforts, là : elle disait toujours que le plus beau moment de sa vie avait été de rencontrer Martin Luther, et du temps où elle était dans cette fac yankee chic elle intervenait à chaque fois que des potes se faisaient ramasser par les keufs, et elle avait trimé pour un avocat des Black Panthers, dans sa jeunesse, et elle était même allée voir le ghetto quand elle était gosse... Un peu comme la visite du zoo, d'accord, mais mieux que pas du tout !

Bill, il aimait les Noirs autant qu'il aimait ses col-

lègues blancs. Pas un gramme de différence, il faisait.
Pour rigoler, pour se bagarrer, pour essayer de les
aider, et c'était vraiment spécial chez lui, si différent
des autres politicards blancs qu'on notait ça tout de
suite. De l'âme, quoi. Alors quand il avait voulu être
le président, les frères et les sœurs l'avaient entendu
et le fait est qu'il avait tenu ses promesses, et comme
au temps où il était en Arkansas il avait nommé
pas mal de Noirs à des postes importants, Mike Espy
à l'agriculture, Ron Brown au commerce, Hazel
O'Leary à l'énergie, Jesse Brown aux anciens
combattants, Clifton Wharton secrétaire d'Etat
adjoint, Joycelyn Elders à la santé...

Il avait aussi protégé les acquis sociaux que ces
macaques de Républicains voulaient esquinter. Mais
il y avait un point sur lequel son absence totale de
racisme se voyait plus que tout, même s'il appartenait
moins à son action publique : il aimait toucher les
femmes noires aussi, en plus des autres. Obsédé,
satyre, peut-être, mais sans préjugés. Devant son Willard, elles étaient toutes égales, sans distinction de
race ni de couleur. Cette attirance pour la plastique
noire, aucun président ne l'avait montrée depuis Thomas Jefferson, et d'ailleurs, tiens, pas un hasard s'il
s'appelait William « Jefferson » Clinton, pas vrai ?
LBJ, JFK, ces queutards pas possibles, on ne leur
connaissait pas de doudous noires tandis que lui, on
lui prêtait des aventures avec une journaliste black de
Little Rock, et avec une ancienne Miss Amérique
noire, et avec la fille de Ron Brown, et avec cette
prostituée noire qui certifiait avoir eu un enfant de lui,
et même en fiction, dans le *Primary Colors* de Joe
Klein, on le voyait mettre en cloque une ado black !
Il était le président d'un pays affligé par la ségrégation
raciale pendant quarante ans et il faisait l'amour à
des Noires. Il y avait eu le « Grand Emancipateur »,
Lincoln, mais lui c'était le Grand Intégrateur. Pas
étonnant que les Blancs racistes aient une telle haine

contre lui : le peuple noir, il le connaissait de l'intérieur, Bill. Et ses ennemis basculaient dans leur délire habituel, répétant sur Internet ou ailleurs qu'il devait lui-même être un bamboula, pour tant aimer les filles noires. Cause toujours. Il n'en était que plus populaire auprès des intéressés. Et allez savoir, si c'était vraiment le « premier président noir des Etats-Unis » ? Super ! Dans les dents ! Pas trop tôt, là !

A mesure que la fermeté du soutien noir au président Clinton se révélait dans toute son ampleur, on a vu le retour de la polarisation politique, du fossé électoral traditionnel qui rappelait le règne de la Créature de la Nuit : la « majorité silencieuse » d'un côté et « nous » de l'autre. Comme avant, on retrouvait dans le premier groupe les chrétiens conservateurs, les Républicains, les tenants de la pureté constitutionnelle et les moralistes psychorigides désireux de pendre Bill Clinton haut et court. S'y ajoutaient, tout aussi classiquement, les gens qui ne pouvaient pas supporter les « nègres ». Mais un élément nouveau allait apparaître, confirmé à la faveur des élections de novembre : cette fois, nous étions plus nombreux qu'eux. En clair, ils ne formaient plus une majorité.

Ceux d'entre nous qui avaient été jeunes dans les années 60 vouaient aux Noirs un respect confinant parfois à l'adulation. La fermeté de l'engagement black derrière le président était de nature à influencer les ex-soixante-huitards reconvertis en parents-poules qui auraient eu tendance à faire grise mine devant le cigare humecté comme l'on sait et tombé en plein milieu de la table du dîner. Nous étions impressionnés par la réaction béton des Noirs face au tir de barrage anti-clintonien. Soudain, à l'âge de la préretraite, nous nous rappelions qu'il y avait encore des concitoyens à se mobiliser pour les causes de l'ancien temps, nous retrouvions les matraques policières entre les mains des Gingrich et compagnie, et nous nous rendions compte à quel point les Noirs étaient persuadés qu'ils retourneraient à leur situation antérieure si Bill Clinton était destitué, parce qu'il était tout simplement « un des leurs ». Comment la génération blanche qui s'était battue pour les droits civiques aux côtés de nos frères noirs aurait-elle pu abandonner maintenant nos héros des années 60 tels que John Lewis ?

Dans la vivacité de l'indignation noire, il y avait aussi un aspect qui ne manquait pas de nous troubler, désormais que nous avions pris de l'âge. Cette colère venait des années 60, en effet, et elle avait eu pour dernière manifestation les émeutes ayant suivi l'acquittement des policiers meurtriers présumés du jeune Noir Rodney King à Los Angeles. Nous ne nous rappelions que trop bien la réaction en chaîne qui avait suivi, à Detroit, Cleveland, Newark, nos villes en flammes et quadrillées par les forces de l'ordre dans un passé encore tout proche. De fait, les images de la révolte noire consécutive à l'assassinat de Martin Luther King Jr. se juxtaposaient à celles de tireurs anonymes embusqués sur les toits de Sunset Boulevard à LA à une époque plus récente. Mais la criminalité était en baisse, incontestablement : grâce aux liens particuliers qui l'unissaient au peuple noir, Bill Clinton avait réellement franchi les premiers pas dans le sens de l'harmonie raciale en Amérique. Si tout n'était pas pour le mieux, loin de là, on n'était plus au bord de l'explosion permanente. Passer par certaines artères après telle heure n'était plus un sujet d'inquiétude pour nous, et nous pouvions croiser un groupe de Noirs au coin de la rue sans nous exposer à un déluge d'insultes. Le mérite en revenait au premier président noir des Etats-Unis, Bill Clinton. Alors fallait-il remettre en cause cette sensation de paix, relative mais tant désirée, en l'abandonnant à ses adversaires ? Courir le risque d'une nouvelle flambée de révolte noire ? Ross Perot avait beau conjurer le spectre de caravanes de camions charriant les pétitions réclamant la destitution, nous étions surtout hantés par l'idée de revoir les véhicules blindés de la Garde nationale prendre à nouveau position en plein cœur de nos cités. Et puisque nous avions craint qu'une condamnation d'OJ Simpson ne déclenche un soulèvement racial à Los Angeles, comment imaginer ce qui se passerait à travers tout le pays si Bill Clinton était renversé ?

Avec une carte pareille dans sa manche, on pouvait attendre d'un joueur de poker aussi brillant qu'il la joue avec maestria, et donc il ne perdait pas une seule occasion d'être photographié en compagnie de personnalités noires. L'honorable Jesse Jackson paraissait partager tout son temps entre les apparitions sur le plateau de Larry King et son rôle de conseil psychologique de la famille présidentielle à la Maison-Blanche. Arrivant à sa villégiature d'été de Martha's Vineyard après avoir reconnu qu'il avait « induit en erreur le peuple américain », Clinton était chaleureusement accueilli par Vernon Jordan, l'ancien activiste de la cause noire, son vieil ami qu'il a chargé de trouver un emploi à l'exigeante Monica. Et pendant sa tournée en forme de mea culpa national, sa première étape assidûment couverte par les télévisions avait été la petite église baptiste d'une communauté noire.

La Maison-Blanche nous a ainsi adressé un message subliminal que personne n'aurait osé décoder. « Voici des électeurs que je chéris et qui m'aiment, signifiait Bill Clinton au pays. Ils sont prêts à tout pour moi. Ils seraient très, très mécontents si j'étais destitué. C'est ça que vous voulez, qu'ils se fâchent ? Surtout maintenant, en pleine croissance économique, alors que la vie est plutôt facile pour vous ? Vous avez vraiment envie de vous inquiéter encore de ça ? »

Au moment-même où cette carte est jouée, un joker tombe sur la table à l'effigie de Danny Williams, l'enfant noir présumé de Bill Clinton. Une vieille histoire qui traînait plus ou moins depuis la moitié des années quatre-vingt mais qui maintenant, en plein contexte du scandale Lewinsky, prend une dimension explosive. Matt Drudge, on l'a vu, a révélé que le journal à scandales *Star* finançait des analyses d'ADN veillant à établir la similarité du type sanguin de l'adolescent et de la structure d'ADN présidentiel communiquée aux enquêteurs de Kenneth Starr. Le site Internet du Coprophage offre une photographie d'un adolescent à la peau caramel, dont le visage grassouillet et constellé de taches de rousseur présente pour nombre d'Américains une ressemblance frappante avec Bill Clinton enfant.

Le jour de la publication, j'étais en réunion de travail à la Paramount mais le scénario dont nous devions parler a vite été éclipsé : il n'y en avait que pour Danny Williams. « Ça y est ! devait s'exclamer Sherry Lansing, la directrice des studios. Si l'ADN colle, Clinton est fichu. »

L'histoire était typique de ce dernier, à vrai dire : lors d'un jogging aux abords de la résidence du gouverneur à Little Rock en 1983, il aurait croisé une prostituée noire, une certaine Bobbie Ann Williams. D'après elle, il l'aurait entraînée derrière une haie et lui aurait demandé de le sucer, puis il aurait remonté son pantalon et aurait repris sa course. Quinze jours plus tard, toujours selon elle, il réapparaît dans une Lincoln blanche conduite par un membre de sa garde, ramasse Williams et deux de ses consœurs, les conduit dans une maison de Hot Springs que possède sa mère, et se met au lit avec les trois filles. Lorsqu'elle le recroise par hasard dans la rue, toujours en activité, elle lui annonce être enceinte de quatre mois. « Il a rigolé, racontera-t-elle. Il a frotté mon gros ventre et il a dit : "Il peut pas être de moi, ce bébé !" »

Peu après la naissance de Danny, Bobbie Ann se retrouve en prison pour exercice de la prostitution et usage de drogue. L'enfant est donc confié à la garde de sa sœur, Lucille Bolton, désignée tutrice légale, qui affirme que « le petit s'est mis à ressembler de plus en plus au gouverneur ». Elle se rend à la résidence officielle, se confronte aux collaborateurs de Bill Clinton quand elle réclame une pension pour le bébé. Le gouverneur refuse tout, y compris de se prêter à un examen sanguin. L'affaire transpire dans les journaux locaux, Lucille et Bobbie Ann passent avec succès l'épreuve du détecteur de mensonges. Un beau matin, Don Williams, le mari de Bobbie Ann, suit en voiture Bill Clinton en train d'accomplir son jogging quotidien, le somme d'assumer ses actes. Sans interrompre sa course, le gouverneur lui jette par la vitre tout l'argent liquide qu'il a dans ses poches... Mais la rumeur enfle, parvient jusqu'à une conférence fédérale à Chicago où Bill Clinton est obligé d'assurer à certains de ses pairs démocrates : « Ecoutez-moi, je n'ai pas de gosse noir ! »

Plus tard, quand elle revient avec le *Drudge Report*, l'affaire occupe la une du *New York Post*, et si la presse respectable la boude elle accapare toutes les conversations, à Hollywood comme ailleurs. D'aucuns trouvent étrange que les partisans de Clinton aient accepté de communiquer un rapport d'analyse d'ADN quelques semaines seulement avant que l'on apprenne qu'un illustre prédécesseur, Thomas Jefferson, avait été le père d'un enfant noir. Manœuvre préventive ? Recherche d'alibi ? Lorsqu'il est finalement établi qu'aucun lien de sang n'existe entre le petit Williams et le président, les ennemis de ce dernier s'indignent : comment comparer des structures d'ADN sans réel échantillonnage ? Les experts sont formels, cependant : Danny le potelé, Danny le Noir aux taches de rousseur, n'a toujours pas de papa connu.

La chevauchée républicaine tourne à la confusion. Les élections de novembre ont été un traquenard, des foules noires en colère se massent sur les escaliers du Capitole et même l'ADN les lâche, maintenant ! Mettre Vernon Jordan en porte à faux est trop difficile mais il leur reste Betty Currie, qui s'est montrée confuse dans un premier témoignage, sur la défensive, parfois en contradiction avec elle-même. Elle sait tout, même si elle éprouve une sorte de « dévotion de merde » envers son patron, pour reprendre les termes châtiés de Linda Tripp. En tant que Noire, elle l'admire et elle entend lui être d'une totale fidélité. Il faudrait donc lui arracher la vérité de gré ou de force, par la persuasion ou par la menace. La clouer au pilori sous les yeux de millions de Noirs indignés de voir cette bande de Blancs, à l'accent sudiste pour beaucoup, s'attaquer à une femme travailleuse, respectable, religieuse, une femme qui incarne leurs valeurs...

S'ils n'appellent pas Betty Currie à la barre, ils ont raté leur lynchage. Mais s'ils la convoquent, ils risquent de se retrouver avec leur tribunal en flammes ! Alors ils tournent bride, ils s'éloignent en maugréant « Oh, Danny, Danny ! » dans leur barbe, ils laissent à nouveau retomber la bannière d'Iwo Jima. La carte raciale reste sur l'estrade sacrée du Sénat et c'est le porte-bonheur clintonien gagné de haute lutte, c'est l'atout noir, c'est l'as de pique.

2

Al Gore et moi, les Nègres blancs

Ado efflanqué et rouquin réfugié de Hongrie dans une banlieue de Cleveland, j'ai été affligé d'une série d'épithètes méprisantes qui m'ont initié pour toujours à la blessure qu'un autre mot pouvait infliger aux principaux intéressés mais aussi à moi-même : celui de « négro ». Il n'y avait que peu d'enfants noirs dans mon quartier et c'est leur compagnie que je recherchais à une époque où je bafouillais deux mots d'anglais, sans savoir pourquoi, sans comprendre que je recherchais instinctivement l'amitié de semblables, de « personnes déplacées » comme moi : eux, ils avaient fui le sud de l'Amérique et nous ressentions également dans notre chair le mépris que les Blancs nantis nous réservaient. Comme nous, ils étaient vêtus de hardes quémandées à l'Armée du salut, et nos mères se retrouvaient aux premières heures du jour sur le marché de West Side pour négocier à bas prix les légumes et les fruits qui auraient déparé l'étal des marchands. Il y avait cependant une ligne invisible tracée sur le terrain de jeux : nous jouions ensemble au basket, ou au base-ball avec des balles rafistolées, mais nous ne nous invitions jamais à la maison les

uns les autres. A la fin d'un match, c'était toujours :
« Bon, à plus », et non : « Hé, tu veux venir voir le
feuilleton chez moi ? »

Alors je regrimpais jusqu'à l'appartement de mes
parents, qui parlaient encore plus mal la langue du
pays que moi, j'allumais mon vieux poste de radio et
j'écoutais pendant des heures ce que mon père, qui ne
quittait jamais son béret, appelait « cette musique de
sauvages ». Ils me touchaient plus que tout, ces
rythmes, m'atteignaient jusqu'au fond de l'âme. Très
croyants, mes parents me parlaient de Jésus-Christ
mais ce n'était pas ces histoires que je voulais
entendre, j'avais soif de la « mignonne de seize ans »
ou de *Maybellene* que me chantait Chuck Berry, ou
de Little Richard en train de piailler *Good Golly, Miss
Molly*, ou de Fats Domino, ou des Drifters, des Plat-
ters, des Flamingos... J'avais la certitude que cette
musique noire, que j'aimais tant, recelait une force,
une « flamme » que ni Elvis, ni aucun autre rocker
blanc ne pouvait atteindre. Elle seule pouvait calmer
la tempête intérieure que je sentais en moi. Elle était
un refuge après les bêtises juvéniles dans lesquelles
je m'embringuais derrière les immeubles le soir
tombé, alors que certains d'entre nous portaient des
canifs retenus par du sparadrap au poignet, asper-
geaient les chats d'essence de briquet, pillaient les
épiceries ou forçaient les filles du quartier à des jeux
qu'elles n'avaient pas toujours envie d'essayer.

Le sport occupait un rôle similaire. Al Smith, Luke
Easter, Bobby Mitchell puis Jim Brown, celui que
Time allait surnommer « Supernégro », étaient mes
héros. Je priais pour que cette vieille belette d'Archie
Moore finisse par donner la pâtée à Yvon Durelle sur
le ring, et j'ai pleuré quand ma radio m'a appris que
la droite fulgurante d'« Ingo » Johansson avait envoyé
Floyd Patterson au tapis.

J'ai détesté le lycée catholique huppé, presque uni-
formément blanc, que j'ai fréquenté, mais c'était le

seul établissement qui m'avait accordé une bourse
d'études et puis il avait l'avantage d'être situé en plein
quartier est de Cleveland, à prédominance noire, où
je me sentais comme un poisson dans l'eau. Je passais
des heures dans les cafés avoisinants, avec Stevie
Wonder, Ray Charles, Ben E. King ou les Marvelettes
sur le juke-box. Un après-midi, sur le chemin du bus
qui devait me reconduire chez moi, je me suis arrêté
net devant la porte ouverte d'un bar d'où sortaient des
accords. Me rapprochant de quelques pas, j'ai vu une
jeune Noire sur la scène, en train de répéter avec sa
formation. Sa voix était pleine de blues mais aussi
d'une énergie débordante. Un écriteau à l'entrée :
« Ce soir, Aretha Franklin ! »

Entré à l'université de l'Ohio, je me suis enfin
retrouvé dans un contexte où les Noirs étaient en
nombre. Comme moi, ils fréquentaient assidûment le
cercle étudiant du Baker Center, où j'allais entendre
pour la première fois le *Do You Love Me* des Contours
et où j'ai rencontré Delia. En première année d'anglais, elle aussi, mais c'était une Noire et moi j'étais
blanc, elle venait de l'East Side et moi du West, elle
était originaire du Mississippi et moi de Hongrie. Or
nous étions en 1962, dans l'Amérique profonde, et
même sur un campus universitaire une relation racia-
lement mixte constituait encore un tabou absolu. Les
regards que les barmen nous lançaient quand nous
nous payions une bière avec nos maigres économies
ne nous échappaient pas, à Delia et à moi, ni les sourires railleurs des fils de bonne famille lorsqu'ils nous
voyaient passer main dans la main. Mais on s'en
fichait. On planait. A la porte de son foyer, où elle
devait être rentrée avant onze heures tous les soirs, on
s'embrassait passionnément en faisant comme si tous
ces visages pâles stupéfaits autour de nous n'existaient pas.

Nous parlions beaucoup. Je lui ai raconté l'histoire d'Attila le Hun, la lutte des Magyars contre les Turcs, elle évoquait son arrière-grand-père qui avait été esclave, ou l'un de ses oncles qui avait perdu les yeux parce qu'une femme blanche avait prétendu qu'il lui avait lancé un regard « inconvenant ». C'est elle qui m'a fait connaître Ralph Waldo Ellison, Richard Wright, Chester Himes et WEB Du Bois. Nous partagions le même amour de Faulkner, même si ses livres mettaient parfois Delia mal à l'aise.

Nos premières expériences sexuelles ont été plus cocasses que bouleversantes — nous étions tous les deux très nerveux —, mais comme nous étions vraiment amoureux la nature a suivi son chemin. Nous sommes revenus ensemble à Cleveland, j'ai été reçu chez ses parents et elle est venue voir les miens à Buckeye Road, dans le quartier des émigrés hongrois surnommé le « ghetto du Strudel » où ils s'étaient installés. J'ai été accueilli comme un Martien, mais avec politesse. Mes vieux sont restés bouche bée devant cette belle Noire pleine de vie, mais poliment. Nous fréquentions les boîtes noires de l'East Side, où nous avons pu écouter Roland Kirk, Cannonball Adderley ou un groupe de blues avec un incroyable pianiste blanc, Al Kooper. Delia adorait cette musique, elle aussi, et cependant une tension grandissante est apparue entre nous. Ses parents ne comprenaient pas ce qu'elle fabriquait avec un Blanc, son frère aîné lui répétait que je n'avais rien à faire auprès d'elle... Et puis sa famille lui a annoncé qu'elle allait devoir poursuivre ses études sur Cleveland parce qu'ils n'avaient plus les moyens de lui payer l'université de l'Ohio, et nous avons pleuré ensemble : nous avions compris que notre histoire était scellée. Nous étions jeunes, curieux de tout, la distance finirait par nous séparer.

C'est ce qui s'est passé. Nous avons chacun connu d'autres partenaires tout en continuant à nous voir de temps à autre, et puis nos routes ont divergé. Quelques années plus tard, alors que j'étais allé voir seul la retransmission du combat Muhammad Ali-Sonny Liston dans un cinéma de Colombus, je me suis dit que Delia se serait réjouie de la beauté de ce spectacle, que nous aurions partagé la saveur du triomphe d'Ali, et elle m'a terriblement manqué soudain. Après la rencontre, j'ai téléphoné chez ses parents. Sa mère m'a appris qu'elle s'était mariée, qu'elle vivait à Buffalo et qu'elle avait un petit garçon. Elle avait épousé un ami de son frère.

J'ai débuté ma carrière de journaliste à Dayton, dans l'Ohio, « la ville la plus propre d'Amérique » selon la devise peinte sur ses poubelles, même si un certain Larry Flynt y avait jadis ouvert un bar mal famé. Propre et raciste, faudrait-il ajouter. Un jour, mon rédacteur en chef m'a demandé d'écrire un article sur un Noir qui répondait au sobriquet de « Hospital » Steward et venait de mourir. Tout l'intérêt, pour lui, venait de l'origine de son surnom : le bonhomme était connu de la plupart des établissements hospitaliers de la région car il était doté d'un membre viril tellement énorme qu'il se retrouvait immanquablement aux urgences avec telle ou telle partenaire sexuelle, dans l'impossibilité de s'extraire d'elle tout seul.

Une autre fois, j'avais consacré un papier à un garçon noir qui avait été frappé par la foudre. L'intéressé était charmant, intelligent, et l'histoire avait tout le pathos nécessaire pour se retrouver en première page. J'ai donc été très étonné en découvrant que mon portrait de Casey Popo Jones Jr. avait été relégué à côté des notices nécrologiques, et méchamment coupé encore. Lorsque j'ai demandé des explications à mon chef, il m'a répondu : « Si tu veux la une, trouve-moi un Blanc qui a été frappé par la foudre ! »

Quand Stokely Carmichael est passé à Dayton, j'étais le seul visage pâle dans l'assistance venue écouter à l'église basptiste locale le leader du « Black Power ». Lorsque je l'ai interviewé, j'ai été frappé par son charisme, son énergie, mais l'article a été à nouveau caviardé et placé en bas de page. C'est ce qui est arrivé également à l'interview de l'un des héros rock and roll de mon adolescence, Fats Domino.

Je suis entré au *Cleveland Plain Dealer* peu après les premières émeutes raciales de la cité. A cette époque, l'East Side, avec ses « îlots » blancs parsemés dans une zone à majorité noire et défavorisée, était devenu une bombe à retardement. J'ai été chargé de la couverture des activités policières de nuit : en clair, cela consistait à m'asseoir dans un bureau minuscule au premier étage du QG de la police de Cleveland et attendre qu'il se passe un truc atroce.

Pendant ces longs moments, il y avait toujours quelqu'un d'intéressant avec qui partager, illégalement, un pack de six bières. L'un de mes interlocuteurs préférés était un grand baraqué nommé Elmer Joseph, un flic très amical, d'origine hongroise lui aussi. On parlait de tout et de rien, des Indiens, ou des mérites du poulet au paprika d'un des restaus hongrois de Buckeye Road, Elizabeth's, ou de quelque histoire bien larmoyante que j'avais publiée dans le journal et dont Elmer faisait des gorges chaudes. J'appréciais également la compagnie d'Ahmed Evans, un activiste noir en chemise africaine qui dirigeait une communauté de jeunes nationalistes à Glenville, non loin de chez les parents de Delia. Il passait me voir tard le soir dans mon réduit et on se mettait à tchatcher sur les sujets les plus divers, depuis les ovnis en provenance de Mars jusqu'aux crimes de ces salauds de flics blancs en passant par une évocation historique de l'esclavage en Amérique. Il citait Marcus Garvey et Malcolm X aussi volontiers que Nostradamus, refusait d'abord la bière que je lui offrais puis finissait par s'enfiler la majeure partie du pack. Une nuit, je lui ai demandé si je pouvais essayer son boubou, et quand je l'ai enfilé il a été pris d'une telle crise de rire que j'ai cru qu'il allait exploser.

Un soir d'été, alors que je venais juste de rentrer de vacances, mon rédacteur en chef m'a téléphoné. Il voulait que je me rende tout de suite à Glenville, où des « troubles » avaient éclaté. J'ai sauté dans ma vieille caisse rouillée et je suis tombé sur un véritable champ de bataille : de la fumée partout, des maisons en flammes, les voitures de patrouille et les camions de pompiers me dépassant toutes sirènes allumées. Après m'être garé, je me suis faufilé en brandissant ma carte de presse au milieu de centaines de policiers l'arme au poing. Chaos total. Une fusillade nourrie a retenti et je suis parti en avant, plié en deux, pendant que les autres me hurlaient de me coucher par terre. Un des flics m'a pratiquement assommé en me plaquant contre la roue d'une auto. Tapi dans ce coin, j'ai entendu les rafales s'intensifier, les balles ricocher autour de moi, quelqu'un gémir et crier à l'aide. Je tremblais si violemment que j'en ai laissé tomber ma carte de presse. J'ai senti mon pantalon se mouiller entre mes jambes. Quand j'ai risqué la tête au-dehors de mon abri, j'ai aperçu un policier étendu au milieu de la chaussée, à moins de vingt mètres. C'était mon ami Elmer, qui baignait dans une mare de sang en appelant au secours. Mais il était pris entre deux feux, personne ne pouvait l'approcher. Les tirs venaient d'un immeuble de l'autre côté de la rue, celui de mon copain Ahmed Evans et de son groupe.

Je suis resté plus d'une heure dans cette position. Quand le calme est revenu, il y avait beaucoup de morts, dont Elmer Joseph. Ahmed Evans a été condamné à perpétuité. Le quartier a continué à brûler pendant trois jours. Le lendemain, j'ai vu que la maison du père de Delia avait été épargnée.

La tuerie de Glenville a fini par provoquer une sérieuse enquête interne dans la police de Cleveland. Il arrivait trop souvent aux représentants de l'ordre de prétendre avoir vu « quelque chose briller » pour se justifier d'avoir tiré sans sommation sur de jeunes Noirs. Et les politiciens avaient eu la part trop belle en invoquant des « agitateurs extérieurs » à chaque fois que les zones défavorisées s'embrasaient. Martin Luther King est arrivé en mission pacificatrice. En le suivant pour mon journal, j'ai été impressionné par sa sérénité, sa paix intérieure tandis qu'il s'entretenait avec toutes les parties afin d'éviter de nouvelles violences. Et le *Plain Dealer* s'efforçait de jouer également son rôle pour calmer les esprits et ramener la raison. Mes reportages sur la condition noire étaient publiés en première page, par exemple une série dans laquelle j'établissais, statistiques à l'appui, que les premières victimes de la criminalité étaient les citoyens noirs.

Et pourtant le racisme existait jusque dans la rédaction. Une journaliste plus âgée, qui se targuait d'avoir des sources confidentielles au FBI, essayait de convaincre la direction de lancer une campagne visant à salir l'image du premier maire noir de Cleveland — et de tout le pays, d'ailleurs —, Carl Stokes. Elle a d'abord prétendu qu'il avait reçu des pots-de-vin, sans arriver à faire tenir debout son histoire. Ensuite, elle a soutenu qu'il avait un enfant illégitime quelque part dans le Tennessee, sans succès. Enfin, elle a martelé que Carl, marié à une Noire, avait des aventures avec des femmes blanches. Kenneth Starr avant la lettre : ce coup-là, l'histoire a pris et a coûté sa réélection au maire...

Le journal me permettait néanmoins de couvrir librement les manifestations antiracistes, de dénoncer la corruption des syndicats policiers ou les « milices » hongroises qui, sous prétexte de patrouiller le quartier où vivaient mes parents, attaquaient les passants noirs

dans le plus pur style nazi. Mes papiers ont entraîné
le démantèlement de ces groupes, à la grande fureur
de nombre d'habitants de Buckeye Road. Ici, seuls les
bouchers étaient contents de voir des familles noires
s'installer dans leur zone, parce qu'elles appréciaient
leur bacon au paprika, leur saucisse au poivre et leur
fromage de tête. Mais moi je me moquais de ces Hongrois ringards, racistes, antisémites, repliés sur leurs
vieilles haines et hostiles à la « musique de sauvages ».

J'emmenais Jimi Hendrix, avec lequel je m'étais
lié d'amitié, manger des boulettes de foie dans les
restaurants traditionnels de la zone, très amusé par les
yeux exorbités du patron et des serveurs devant ce
cow-boy astral, sa coiffure afro, ses colliers et ses
bagues en argent ultra-flashy. J'ai réalisé la dernière
interview d'Otis Redding, quelques heures avant sa
mort dans un accident d'avion. J'ai essayé la cape de
James Brown en coulisses après un concert, et elle
m'allait ! J'ai vu Chuck Berry exiger la recette d'une
soirée et la fourrer dans des sacs en papier avant de
monter sur scène.

A mon arrivée à *Rolling Stone*, je me suis aperçu
que les jeunes Blancs aussi fous de culture noire que
moi pullulaient, en fait. Tout avait commencé avec la
musique, souvent : nous avions grandi en écoutant
Chuck Berry ou Little Richard, et c'était aussi le cas
pour les Beatles, pour les Doors, et ces harmonies
nous avaient tellement bouleversés que nous voulions
être noirs même si nous étions arrivés, par une nouvelle ironie de l'histoire, à entendre des versions
blanches du « son noir », avec Janis, Mick, les
Beatles, plutôt que le blues de Muddy Waters lui-
même.

Malgré tout ce désir de négritude, nous n'avons pas
pu aller jusqu'au bout de la mutation. Ce sont nos
enfants qui se sont le plus rapprochés de ce but : dans
les années quatre-vingt-dix, alors que le rock and roll

avait pris de l'âge — comme nous... —, nos gosses
ont répondu à l'appel hypnotique du hip-hop et du
rap, à ces airs lancinants aux paroles si crues que de
nombreux parents, oubliant qu'ils avaient vibré aux
obscénités des Stones ou des débuts de Prince, exi-
geaient des mises en garde sur les pochettes des CD.
Oui, cette génération n'a plus eu envie d'ersatz, de
Mick jouant les Muddy Waters, elle est allée droit au
son le plus « black », Tupac, Snoop, Dr. Dre, Wyclef
Jean... Mon propre fils, qui avait grandi avec Dylan
et les Stones, est devenu un DJ hip-hop dès qu'il a eu
vingt ans, ne fréquentant que des Noirs, baignant dans
la musique noire ; même les Beastie Boys ne trouvaient plus grâce à ses yeux !

Venu à Hollywood, j'ai continué facilement à écrire
sur la question du racisme, composant deux scénarios
avec des approches différentes, l'un à propos de l'amitié
entre un jeune Noir et un Blanc, l'autre sur les milieux
néo-nazis. Mais j'ai aussi découvert que l'industrie du
cinéma n'était pas totalement à l'aise sur ces sujets.
Ainsi, Hollywood n'avait jamais produit le moindre film
sur les émeutes raciales des années soixante, un thème
pourtant riche en histoire et en drame. Les histoires
d'amour interraciales, et notamment la sexualité entre
un Noir et une Blanche, restaient de l'ordre du tabou :
les scènes intimes entre Richard Pryor et Margot Kidder
dans *Some Kind of Hero*, coupées au montage, étaient
d'ailleurs très recherchées par les collectionneurs... J'ai
aussi constaté que certains producteurs étaient particulièrement montés contre le jeune réalisateur noir Spike
Lee. Celui-ci aurait voulu tourner un de mes scénarios,
Reliable Sources, mais un dirigeant de la Paramount a
fait circuler des copies d'un article accusant Spike
d'avoir tenu des propos antisémites et, quand celui-ci est
arrivé au studio avec son chauffeur portant les couleurs
de la « Nation de l'Islam », on lui a fait une proposition
financière tellement ridicule qu'il ne pouvait que
refuser.

Quelques mois après la crise Lewinsky, Al Gore a débarqué dans une église baptiste noire et s'est employé, avec force effets de manche, à expliquer à son auditoire que lui aussi avait été victime des préjugés : de retour du Vietnam, avec sa coupe en brosse et son uniforme, il avait été en butte aux railleries des beatniks à cheveux longs. « Une expérience à la Ralph Ellison », allait soutenir le vice-président. Oui ? Pourquoi pas, d'ailleurs ? Ce vieux rabat-joie d'Al Gore, toujours propre sur lui ! Encore un autre, alors ? Ecoles privées, Harvard, fils de sénateur, et lui aussi, un petit Blanc qui rêvait d'être noir...

3

James Carville fonce dans le tas

« D'accord, il a un problème. Et nous, le peuple
américain, on l'a élu. Alors laissons-le faire son
boulot débile ! » (MONICA À LINDA TRIPP)

C'était l'une de ces légendes urbaines qui ont la
vie dure, comme celle faisant du chanteur John
Denver le meilleur tireur au Vietnam et le dépeignant
en train d'attendre que le soleil éblouisse sa cible
avant de presser la détente. Mais celle-là, me disaient
mes (inamovibles) sources à Washington, était « béton absolu », couverte par l'autocensure médiatique
uniquement parce qu'elle touchait des questions familiales trop sensibles. Entendue la première fois en
1992, la rumeur me revenait aux oreilles tandis que
Kenneth Starr et ses acolytes dégainaient leurs longs
couteaux, les yeux sur la jugulaire de Bill Clinton :
James Carville, le directeur de campagne du président, était le petit frère bâtard de Hunter Thompson !

Ils s'étaient retrouvés au cours de la campagne
électorale de 1992 et avaient aussitôt reconnu qu'ils
souffraient des mêmes désordres congénitaux qui
expliquaient leur comportement erratique, la bave aux
lèvres, les grommellements inintelligibles, les bégaie-

ments, les tics. Tout en observant les longs couteaux briller dans l'ombre, j'ai imaginé deux Carville, deux Thompson, et je me suis dit qu'en des moments aussi critiques il valait mieux deux fous semblables qu'un seul.

Ce que j'espérais, en réalité, c'était que le derviche lunatique retranché dans ses montagnes du Colorado avec CNN branché vingt-quatre heures sur vingt-quatre allait à nouveau servir de conseiller à son illégitime petit frère, de même qu'il l'avait aidé en 1992 avec une série de mémorandums stratégiques qui avaient donné la victoire à Bill Clinton et la célébrité au frérot Carville. Exemples des réflexions thompsoniennes transmises alors ? A propos de la tactique de George Bush : « Avec James Baker, il serait prêt à torturer la reine d'Angleterre pendant trois jours et trois nuits pour lui faire dire que Clinton l'a violée à plusieurs reprises du temps où il était étudiant à Oxford, et qu'elle a un tas de lettres d'amour enflammées pour le prouver. » Ou bien : « Ils seraient capables de payer la fille de Bill pour qu'elle déclare qu'il l'a molestée. Comme Woody Allen. » Sur la marche à suivre par Bill Clinton : « Ne niez jamais, surtout s'ils vous accusent de tringler des truies. Contentez-vous de rester devant le micro et de sourire tel un champion sportif. » Sur les points faibles du candidat démocrate : « Tiens, la nuit où James Dean est mort, il était où, Clinton ? Sur un terrain de golf pour ados dans l'Arkansas, ivre et à poil ? Flamberge au vent près du dix-huitième trou ? Poursuivant une fille nue dans les bois ? » A propos de Ross Perot : « Pourquoi avoir laissé cette petite vermine s'immiscer dans le débat, pour commencer ? Aux chiottes Perot ! C'est un dangereux pot de colle, et la créature de James Baker, qui veut notre mort à tous. A commencer par la mienne et la tienne, James. » Sur la vraie nature de l'ennemi : « Crois-moi, ces fieffés menteurs, ces porcs ignobles ne reculeront devant

rien. D'après toi, à combien de points dans les sondages James Baker évalue la chance de se pointer sur
la pelouse de la Maison-Blanche le 15 octobre avec à
la main la tête encore sanguinolente de Saddam Hussein ? Prends garde, James, prends garde ! Il est tellement méchant, le Baker, qu'à côté de lui tu fais figure
de nain de jardin. Il servirait la tête de Barbara Bush
sur un plateau si ça pouvait lui faire remporter les
élections. » Ou ce conseil de grand frère : « Tu as de
la chance de ne pas m'avoir pour adversaire. Parce
que moi, je ferais enfermer ce dégénéré [Clinton,
NdA], et pour son bien encore ! »

Oui, c'était ce genre d'état d'esprit dont le besoin
se faisait sentir désormais, me disais-je. A part le coup
de boucler le « dégénéré », évidemment. Le souffle de
la décade héroïque, des années soixante, la détermination. Aux barricades ! Sortons les masques à gaz et
foutons le feu ! Dans sa forteresse de Woody Creek,
Hunter le guerrier éthylique conjurait ces forces
vitales en se servant de son téléphone, de son fax, de
sa vindicte et de son brio comme de missiles laser
propulsés à la nicotine, à l'alcool, aux cocktails phar-
maceutiques et à une croyance indéfectible en une
Amérique meilleure. Et je savais que son petit frère
était tout comme lui, sans nicotine et sans comprimés,
et qu'il se confiait souvent à celui qu'il appelait affec-
tueusement « Doc ». « La Bible dit que nous devons
avaler un kilo de saloperie avant de mourir, avait
déclaré James à Hunter, entre autres formules bien
senties. Une campagne électorale consiste à baiser ses
ennemis, une victoire électorale à baiser ses amis » ;
« On dit que Dieu est rancunier ? Il faut voir mon
livre de bord, plutôt ! Même Richard Nixon n'aurait
pas eu une liste de comptes à régler aussi longue ! »...
Ça, c'était envoyé ! Un langage ferme, parfaitement
adapté à un moment où les longs couteaux scintil-
laient dans la pénombre des antichambres du Congrès,
à la lueur d'une lune rouge sang. Mais enfin, cela

restait... des paroles, bon. J'avais le sentiment que James avait besoin de plus encore. De la présence de son grand frère à ses côtés, sur le terrain.

Je n'ignorais pas la vicieuse bagarre qui les avait mis aux prises tous les deux et que Hunter décrit dans son *Better Than Sex* : « Me levant brusquement, je lui ai asséné une claque sur l'oreille, de toute ma main. Pris par surprise, il a chancelé de côté avant de tomber à genoux pendant que l'assistance s'écartait en se bousculant hystériquement autour de James qui s'agitait sur le sol. Puis il a adopté la position d'un serpent prêt à attaquer, avec un sifflement menaçant. J'ai voulu battre en retraite mais c'était trop tard. Il s'est jeté dans mes jambes tel un lutteur de sumo enragé. S'il n'y avait pas eu tout ce monde près de moi, je me serais écroulé. J'ai essayé de le repousser du pied mais il s'est esquivé en m'insultant. Les gens hurlaient, j'ai tenté de le piétiner, j'ai senti des mains s'abattre sur moi et puis quelqu'un m'a pris à la gorge par-derrière, me faisant perdre l'équilibre. Le coup de poing que j'ai lancé au hasard a atteint je ne sais qui, et déjà James revenait à la charge. » Et là, en relisant cette scène, je me suis dit que le petit frère pouvait fort bien se débrouiller tout seul, en fin de compte. Qu'il serait « un serpent prêt à l'attaque » et « un lutteur de sumo enragé » face aux pères la Morale brandissant leurs longs couteaux. Et s'il n'avait pas besoin de l'aide de « Doc » dans ce combat ? Et s'il était encore plus dingue que Thompson ? Crachant ses propres flammes évangéliques en défense des Américains qu'il aimait, des simples citoyens... Il fallait espérer que « Tête de serpent », ainsi que sa femme elle-même le surnommait, ait dit la vérité à Hunter, car il devait en effet être « plus rancunier que Dieu », plus méchant que Nixon, plus dément que « Doc », plus dur que tous réunis, s'il voulait sortir de ce guêpier le premier président rock and roll des Etats-Unis.

« Plus hargneux qu'un chien de poubelle ! » avait dit de James Carville l'assistant d'un candidat qu'il venait de battre. Dans une caricature du *Washington Post*, il apparaissait en doberman. « Un John Malkovich bourré d'amphètes », « un Anthony Perkins shooté à l'acide qui jouerait le rôle de Fidel Castro », « Attila », « Raspoutine » étaient les qualificatifs qu'on employait à son compte et il ne refusait que le dernier en rappelant que le Russe maléfique avait terminé violenté, châtré et jeté dans un fleuve. Ses adversaires le peignaient en brute épaisse spécialiste des coups sous la ceinture, ce qu'il ne niait pas, arborant fièrement le surnom de « Caporal Tête d'œuf » et proclamant qu'« on a toujours du mal à répliquer quand vous avez déjà votre poing dans la figure du type... A chaque fois que je me charge d'une campagne, je dis que je ne souhaite qu'une chose à mes opposants : qu'ils attrapent la chtouille et qu'ils crèvent ».

Lorsque les longs couteaux sont apparus contre Bill Clinton, il avait cinquante-trois ans. Grand, musclé, presque toujours en jean et tee-shirt, il affichait un sourire railleur, gloussait sans cesse, et parlait comme un moulin. « Ma mère me comparait à un grille-pain, aimait-il raconter. Parce que je n'arrêtais pas de sauter. » Il employait un idiome bien à lui, haché, marmonné, déformé par un accent de malfrat noir. Sa femme, qui l'appelait « le roi de la parlote », estimait qu'un bon tiers de ce qu'il articulait appartenait au slang des Blacks.

C'était là une des manifestations d'une démence aussi profonde que chronique, mais il y en avait d'autres. Parfois, quand il était en campagne, il pissait du sang et il refusait de changer de slip pendant la dernière semaine de peur de porter malchance à *son* candidat. Le jour de l'élection, il attendait les résultats dans une pièce obscure, replié en position fœtale. Afin de préserver sa bonne étoile, il se levait un matin à la gauche de son lit, et le lendemain à droite. Il portait

des mitaines noires dans le même but. Il avait en permanence onze pots de sauce à grillades du Chef Dan
sur son bureau, sans raison définissable. Il était en
permanence branché sur la chaîne météo, regardait
pour la énième fois les programmes du *Andy Griffith
Show* dès qu'il en avait l'occasion. Il combattait ses
migraines dues au stress en cassant des œufs sur le
crâne de ses collaborateurs. Il tenait Marcella Hazan,
une grande prêtresse de la gastronomie, pour le Messie sur terre. Il téléphonait à sa mère tous les jours. Il
gardait un bureau dans un sous-sol de Capitol Hill
qu'il surnommait « la grotte de la Chauve-souris »,
en hommage évident à la ferme du Hibou de Hunter
Thompson. Il apparaissait sur les plateaux télévisés
avec un verre de Wild Turkey à la main. Il faisait des
cartons sur des bouteilles de bière et des canettes de
Coca dans sa cour.

Ses improvisations jazzy, impétueuses, étaient une
atteinte à l'équilibre et à la patience des millions de
malheureux ploucs qui gardaient un manche à balai
dans le fion. Il hypnotisait, glaçait, intimidait avec ses
tirades en rafales secouées de tics, d'interjections,
de menaces, de piques, de coq-à-l'âne. Vraiment
effrayant, le spectacle. « Je suis comme qui dirait un
voyou de la politique, se décrivait-il. Un peu pareil
que le pianiste dans un claque : dès que quelqu'un
entend quelque chose, j'essaie de le reprendre. (...) Je
suis bizarre. Déconnecté, mais d'un autre côté c'est
grâce à mon aptitude à connecter des gens avec la vie
quotidienne que je gagne ma croûte (...). Le combat
politique, j'adore, j'aime. Cette époque où tout le
monde veut s'asseoir à la table du consensus, ce n'est
pas la période historique qu'il me fallait (...). Quand
je me choisis un candidat, je sais que je vais devoir
passer un an avec lui dans le même terrier, à supporter
son haleine et tout (...). Je serai clamsé avant de devenir un de ces gus avec la cravate et les pompes Gucci
qui jactent devant telle ou telle commission sénato-

riale. (...) J'ai besoin d'un méchant, dans toute histoire. Pendant tout le temps que dure la campagne, je
reste à cran. Comme l'uranium 235, pas vraiment
stable quoi (...). Si ça chauffe pour ton poulain,
balance de la flotte. Si ça chauffe pour ton adversaire,
envoie le kérosène (...). Si tu ramasses le serpent, tu
te fais piquer, forcé (...). La baston c'est la baston. »

Tous ceux qui connaissaient à la fois Thompson et
Carville étaient hallucinés par l'impact qu'avaient sur
Carville les doctrines politico-gonzos du « Doc »,
alors qu'il ne les avait lues que tardivement. « Je vais
m'abstenir au maxi de passer à l'argot et aux vilains
mots » ; « J'ai un faible pour le bourbon, le scotch, le
gin, le picrate et la bière » ; « Vous croyez que je n'ai
jamais signé un chèque sans provision, ni conté fleurette à une assistante ? Ni avalé la fumée ? » ; « Ce
qu'il nous faut dans cette campagne, c'est un peu plus
de principe McDo » ; « Pour avoir la plus complète
bande de geignards bons à que dalle, il suffit de
prendre les fameux "libéraux". Le message que je leur
envoie, c'est : Arrêtez les pleurnicheries, bougez-vous
le train et organisez-vous ! Sortez vos chéquiers, écrivez au courrier des lecteurs, faites comme les Républicains ! » ; « Eux, c'est le parti du fric et des
rumeurs de cul, ils ne sont bons qu'à ça... Je me
demande s'il y a un seul Républicain dans tout le pays
qui a jamais lu la Constitution »... Sa définition de
l'« ennemi » rappelait d'ailleurs point par point les
cibles politiques que son grand frère avait visées toute
sa vie durant : « Les Républicains, les médias, l'opposition, les je-sais-tout, les maquerelles de la citation
(également appelées "observateurs indépendants"), les
bande-petit qui se disent "experts". »

Quel dommage, voulais-je soupirer. Plus encore
que des frères, James et Hunter paraissaient des
jumeaux, sur un plan physique comme idéologique, et
en ces instants critiques ils n'étaient pas réunis, côte
à côte, à leur place respective ! L'un se terrait dans la

ferme du Hibou, l'autre dans la grotte de la Chauve-souris. Ils ne buvaient pas à la même bouteille de Wild Turkey mais s'arsouillaient séparément, faisaient des cartons chacun de leur côté... Et ce triste spectacle, pourquoi ? Pour une bête dispute de famille dans un bouge de Little Rock ! Deux durs à cuire qui, même au moment de la victoire, à la faveur de l'élection de Bill Clinton, n'avaient pas su arrêter la bagarre et avaient donc retourné leur fureur primordiale l'un sur l'autre.

Alors que Hunter était le penseur déversant ses tracts télécopiés du haut de sa montagne, James était le tueur, le surineur. « Je ne représente que les Démocrates, pas les filous ni les racistes », marmonnait-il, ce qui n'était qu'une excuse cajun pour énucléer les yeux, casser les genoux, trancher les gorges. Mais attention, seulement en faveur des braves types : les Démocrates, pas les filous, pas les racistes.

Contemplez-le en réunion avec un responsable d'institut de sondage, selon le témoignage de ce dernier : « Il tempête, il éructe, il se lève, il marche dans tous les sens, puis il grimpe sur les meubles, il va et vient sans arrêter de hurler et moi je me dis : "Oh mon Dieu, je suis tombé sur un fou ! Ce mec est bon pour l'hospitalisation immédiate" ! » Ou bien le voici rencontrant un possible client qui veut le charger de sa campagne électorale. Celui-ci l'ayant interrogé sur son équipe, James répond : « C'est l'histoire du shérif d'une petite ville du Texas où il se produit une émeute. Il appelle les Rangers à la rescousse et il va attendre l'arrivée du train de renforts à la gare en se rongeant les ongles. Quand le fichu train se pointe, il n'en sort qu'un seul Ranger, qui tient son cheval par la bride. Alors là le shérif explose : "Hé, mais on a une émeute du diable, ici ! Où ils sont, tous les autres ?" Et l'autre : "Tranquille, shérif, tranquille.

Une émeute, un Ranger !" » Puis il marque une pause et il conclut : « J'en ai pas, d'équipe. »

Regardez-le en 1983, employé sur la campagne de Gary Hart quand ce dernier renonce à cause de son affaire avec Donna Rice : « Je retourne à mon motel dans le Maryland. Je suis sur un trottoir de Massachusetts Avenue, en plein Washington et sous une averse terrible. Mon sac de voyage se casse, tout ce que je possède se retrouve par terre. J'ai six dollars dans mon portefeuille. Toute ma fortune. Alors je me suis vu comme le raté fini, je me suis assis sur le trottoir et je me suis mis à chialer. » Un an plus tard, il dirige celle de Lloyd Dogett pour le siège de sénateur du Texas. Il dort dans sa voiture. Non seulement Dogett se ramasse mais il connaît la pire défaite qu'ait subie un Démocrate au Texas. James finit dans un minable meublé à Austin : « J'ai pleuré, pleuré... J'avais peur d'être un zéro pointé. Quarante balais, pas de thune, pas de couverture médicale, une assurance-vie qui se montait à deux mille cinq cents dollars secs et que j'allais devoir claquer si je ne voulais pas que les types de la carte Visa viennent me lyncher... Ça vous est arrivé de regarder le téléphone en priant pour qu'il se mette à sonner ? Eh bien croyez-moi, c'est ce que j'ai fait pendant des semaines, des mois. Les yeux sur le bigophone, à me dire : "Faut que tu changes de crémerie. C'est sans avenir pour toi". »

Mais c'est là, dans cette chambre miteuse d'Austin, qu'il se rend compte qu'il aime trop ce métier pour abandonner. Et qu'il se jure de ne plus perdre, jamais. Question de vie ou de mort. Plus de larmes sur les trottoirs, plus de nuits passées dans une bagnole, plus de temps perdu à mater le téléphone. Finies les gentillesses ! Pas de quartiers, pas de scrupules ! Publicité hostile, crocs-en-jambe, tout est bon pour vaincre !

En campagne contre Bill Scranton en Pennsylvanie, il sort des encarts présentant son adversaire en veste à la Nehru, la bouche pleine de méditation transcendantale. Lui qui ne crache pas sur un bon joint de temps à autre, il met la presse dans le secret des habitudes de fumeur de ganja de Scranton. KO final pour James Carville. En lutte contre Pete Dawkins dans le New Jersey, il constate froidement : « Il fallait que je lui coupe tout de suite les jarrets. S'il devenait un tant soit peu crédible, on était partis pour une lutte serrée. » Il conçoit une campagne de pub qui ridiculise Dawkins, le traite de candidat parachuté et se conclut par cet appel : « Allez, Pete, redescendez sur terre ! » KO également. Encore en Pennsylvanie, il affronte l'ancien procureur général de Reagan, Dick Thornburg, il ne recule pas devant les attaques les plus personnelles : « Voir Dick Thornburg revenir ici et nous sortir "Renvoyez-moi dans les couloirs du pouvoir parce que je connais déjà Washington, moi", ce serait comme de se présenter sur une liste en faveur de la lèpre face à Jésus. » KO.

A ce stade, James a aussi pris l'habitude d'intimider ses adversaires par sa seule présence physique, par exemple en se glissant au fond de la salle pendant leur conférence de presse, son sourire diabolique aux lèvres. « On a perdu trop de temps à attendre et à esquiver James Carville », reconnaîtra un collaborateur de Thornburg. Selon le directeur de campagne de ce dernier, « là où Carville est le meilleur, c'est quand il ne fait rien mais qu'il vous fait croire qu'il prépare un truc. De la manip psychologique pure et simple. On a dépensé une énergie incroyable à essayer d'anticiper des coups qui ne sont jamais arrivés ».

Il est désormais en pleine ascension, non sans se forger la réputation d'un Lee Atwater des Démocrates, du nom de ce montreur de marionnettes qui, au service de Reagan et de Bush, a été le pionnier des campagnes négatives et destructrices, de l'hostilité permanente en guise de programme. Un chroniqueur politique remarque que « James Carville personnifie ce que beaucoup de Démocrates attendaient : quelqu'un qui non seulement réplique au feu ennemi mais qui n'a pas peur de le faire au lance-flammes ». Lequel a parfois des ratés : lors d'une primaire entre Démocrates contre le gouverneur du Texas Ann Richards, Carville, qui « avalait la fumée », lui, accuse publiquement cette dernière de consommer des stupéfiants. Elle gagne, il perd.

Mais qu'importe. En 1992, pour la sélection à la candidature présidentielle, tous les postulants démocrates veulent ses services, y compris Bill Clinton. C'est un gagnant, un magicien, un tueur, une star. « C'est l'un des rares métiers où le fait d'être considéré comme une ordure peut constituer un avantage, remarque-t-il, et ça vaut pour les clients comme les adversaires. » Le jeune associé qu'il vient de prendre, Paul Begala, explique carrément aux clients potentiels : « Nous savons tous que James ne joue pas avec un jeu complet, mais il n'y a que moi qui sache quelles sont les cartes manquantes. »

Il choisit Bill Clinton parce qu'il l'apprécie, lui, ses idées et Hillary, et aussi parce qu'il se juge capable d'en faire un président. « Voyez-vous, vous payez mon cerveau mais en prime vous avez mon cœur gratos », lui confie-t-il. Fidèle à sa tactique, il recherche systématiquement les points faibles de George Bush mais aussi ceux de Clinton lui-même, pour le cas où il aurait à le défendre, et puis il s'attelle à la tâche, sans une seconde de répit : c'est un démon en jean et tee-shirt qui répète sans arrêt à son personnel : « On ne marche pas, on court ! »

Le matin où Bill et Hillary doivent passer l'épreuve des *60 Minutes* à propos de Gennifer Flowers, il se réveille à l'aube : « une loque » qui sanglote éperdument. Après l'épreuve, il tombe dans les bras de Clinton et fond à nouveau en larmes. Le soir de la victoire, il chiale encore et c'est là qu'il affronte Hunter Thompson au cours de la déplorable rixe de bar, Thompson descendu de sa montagne pour venir voir son petit frère. Lorsque les deux compagnons se relèvent du parquet maculé de bière et de crachats, ils repartent chacun de son côté. Mais bon, toute révolution dévore ses propres enfants, n'est-ce pas ?

Pas question pour lui de se muer en responsable, ou en porte-parole : « Je n'aimerais pas du tout faire partie d'un gouvernement qui aurait James Carville pour membre », assure-t-il. Alors il continue sur d'autres campagnes mais reste exceptionnellement proche de Bill Clinton, dont il dira ne « voir personne qui se soit mieux conduit avec moi et qui m'ait donné plus de chance de me sentir au sommet des sommets que le président Clinton ».

Sa plus éclatante victoire ne paraît pas le changer : « Je ne me suis pas lancé dans les intrigues de Washington, on ne m'a pas vu dans les dîners de Georgetown, je n'ai pas renouvelé mon stock d'amis. » Parfois, sa célébrité l'écrase un peu : « Je me retrouve à New York sur cette estrade, je ne sais pas si c'était le Tout-New York qui était là mais en tout cas c'était tout le New York dont j'avais entendu causer. Pendant trois-quatre heures je reste assis devant cette foule, et la seule chose à laquelle je puisse penser, c'est : "Ma braguette est pas ouverte, au moins ?" » Mais il n'a pas renoncé à sa tenue décontractée, qui est celle qu'on attend de lui : « Au début de ma carrière, j'étais toujours en jean et tee-shirt. Et puis un jour je me suis acheté un costume pour sortir, pour faire des speechs... Alors les gens viennent me trouver et me disent : "Quoi, ça y est ? Tu as fait élire un président et maintenant tu te sapes friqué et tout ! Tu n'es plus le même !" Je reçois des réclamations : "Dites-lui de mettre son jean, quand il vient !" En Géorgie, j'ai mis un pantalon-treillis, il fallait voir comment ils ont été déçus ! On m'a sorti : "Mais où est votre jean, mon vieux ?" »

Il n'est pas grisé par son succès, pressent ce que la gloire a d'éphémère : « C'est la cérémonie du casse-gueule. On vous fait monter en haut du mât et quand vous vous ramassez par terre les gens se bouchent le nez : "Pouah, mais c'est dégueulasse !" Ça marche par cycle apparemment. On vous porte aux nues et puis bam, aplati en bas ! » Il ne nourrit pas d'ambitions démesurées d'ailleurs, désire seulement continuer à faire ce qu'il aime : « On raconte que Ted Williams ne pensait qu'à une chose, à la prochaine fois où il reprendrait sa batte de base-ball. Moi, c'est à la campagne suivante. Je suis né pour ça. J'aime l'odeur des QG électoraux. »

Il s'achète un chalet dans les Blue Ridge Mountains, s'assoit sur sa véranda en slip et tire les lapins à la pépère. Son ami Burt Reynolds lui rend visite là-bas tout comme Johnny Depp et John Cusack allaient voir son grand frère dans *sa* montagne. Quand son hôte s'exclame « Hé, mais on se croirait dans *Délivrance*, mec ! », Carville se contente de lui offrir son sourire énigmatique, de se gratter les roustons comme à son habitude et de recommencer à canarder.

Que Bill Clinton le réformé ait pour plus acharné défenseur un type né à Fort Benning et qui a passé deux ans dans les Marines, c'est le genre de maousse ironie que James adore.

Il a grandi à Carville, 1 020 habitants, au cœur de la Louisiane profonde, là où les êtres vivants dérivent à l'horizontale sur l'air moite et où les panneaux routiers finissent par ressembler à des gruyères à force d'être criblés de balles. La ville avait reçu son nom de son père et de son grand-père, qui avaient chacun à son tour exercé la fonction de receveur des postes. Mais il était surtout « le fils à sa maman », selon ses propres termes. « J'ai eu une enfance très heureuse, se rappelle-t-il, et j'étais sûr que c'était le cas pour tout le monde. Pas un moment désagréable dans mes souvenirs. Un veinard, quoi. J'ai eu un cheval à six ans, mes grands-parents habitaient pas loin et je pouvais aller passer du temps chez eux dès que j'en avais envie. On m'aimait, je n'ai jamais eu besoin de rien. Quand mon paternel m'a révélé que le père Noël n'existait pas, le choc a été négligeable, comparé au plaisir d'être dans un secret que mes petits frères et sœurs ignoraient. Et en plus, c'est moi qui aidais mon père à mettre tous les machins sous l'arbre. »

Ses expériences les plus marquantes ont été l'initiation à la politique par sa mère, qu'il surnommait Miss Nippy, et la découverte du racisme grâce au fameux livre de Harper Lee, *To Kill a Mockingbird*. C'est en l'emmenant avec elle dans ses tournées de vente d'encyclopédies au porte-à-porte que la maman lui a fait découvrir la logique politique, à six ans : « C'était une vendeuse hors pair, incroyable. On repérait d'abord les jardins où il y avait un vélo. Indice numéro un. Un vélo et une barque, alors là c'était assuré à 100 %. Alors elle entrait et elle commençait son baratin sur l'éducation des enfants, et à chaque fois le type finissait par dire que c'était trop cher pour lui. Là, elle lui faisait remarquer qu'il avait de quoi se payer une barque pour aller pêcher mais pas pour donner de l'instruction à ses enfants. Elle trouvait ça bizarre, elle disait. La tactique de la culpabilisation. A ce stade, l'affaire était déjà conclue. »

La lecture du roman de Harper Lee à seize ans le marque profondément : « Jusque-là, l'idée même de race, ça ne me parlait pas vraiment. Bon, il y avait les Blancs et il y avait les Noirs, point. Et les premiers avaient plus de trucs que les seconds. Ça avait été comme ça, c'était comme ça, ça serait comme ça et moi je ne me posais pas de questions. Je vivais dans un monde assez protégé, en fait, et je ne voyais pas que certains étaient privés de leur dignité. Mais là, en lisant ce livre, j'ai compris tout de suite que premièrement c'était le cas pour plein de gens ailleurs, et que deuxièmement ce devait aussi être le sort de gens dans ma propre ville, dans mon propre univers. Et que ça risquait de continuer. Du coup, ça m'a amené à tout remettre en cause. Je n'ai plus vu le monde de la même manière au bout du compte. »

Football, course à pied, cheval. A la fac, il « picole, drague les étudiants, atterrit dans plein de bagarres ». Renvoyé, il entre dans les Marines, caporal de régiment chargé de l'intendance. Au bout de deux ans, il est repris par l'université de Louisiane, obtient son diplôme de droit et ouvre son étude. « Le pire avocat qu'on puisse imaginer », dit sa mère de lui.

Le marchand de voitures, son voisin, décide de se lancer dans la politique. Il demande à James de l'aider. Son principal argument électoral est d'ouvrir grand les bras et d'entonner en imitant Elvis Presley « J'ai besoin de vous, oh ! tant besoin de vous ! ». Le trio formé par le candidat, Elvis et Carville se prend une raclée. C'est sa première défaite, mais non son premier acte politique : à dix-sept ans, encore au lycée, il a parcouru la ville en déchirant toutes les affiches d'un politicien local qu'il n'aimait pas.

Et voici que le Cajun déchaîné rencontre l'indomptable Croate : Mary Matalin, sa femme, est un saisissant sosie de Debra Winger qui a travaillé dans une aciérie et un salon de beauté avant de se lancer dans la politique, se considère comme une « nana », dit autant de gros mots que James, porte des jeans elle aussi mais complété par des ongles laqués rouge sang qu'il n'oserait pas arborer en public. De sa voix grave et rauque, elle caractérise Bill Clinton de « planqué, fumeur de joints et coureur de jupons ». Car, aussi incroyable que cela puisse paraître avec un tel mari, Mary Matalin est une Républicaine convaincue, et plus encore : quand ils se rencontrent, elle est à la tête du Conseil national républicain. C'est elle qui dirigera la campagne de George Bush pendant qu'il s'occupera de celle de Bill Clinton. Mariage des contraires, et union d'autant plus improbable que James a le même genre de problèmes avec son Willard que le président avec le sien.

Au début, ceux qui le connaissent doutent qu'il soit capable de lui être fidèle, même s'il répète qu'il trouve Mary « vraiment mimi » et « très chouette », même si en la voyant un jour à une tribune il s'exclame : « De Dieu, qu'est-ce que tu es bien roulée, chérie ! » James qui avoue aisément avoir un cœur d'artichaut, James qui selon un ami « a laissé une traînée de cœurs brisés dans toute l'Amérique » et qui, d'après le même témoin, lui « a présenté une bonne quinzaine de Mary avant que je le voie avec Mary » ? James qui dément avoir montré son Willard à une assistante au cours de la campagne de 1992 en lui lançant « Tiens, vise un peu ça ! », s'attirant en réponse un « Mince, j'en avais jamais vu un aussi vieux ! » ? Il a ouvert sa braguette, ça d'accord, il le reconnaît, mais le seul bout qui dépassait était celui de sa chemise...

Mais il se fiche de ce que pensent les autres, de toute façon : il est fou de Mary, au point de convaincre de sa sincérité même les amies de la jeune femme, dont l'une dira que « si Marilyn Monroe revenait sur terre et si elle entrait toute nue dans la pièce, il ne la remarquerait même pas ! ». Quant à elle, elle constate : « Il m'excite à un point... Ce qu'il a dans la tête, et ailleurs aussi. » A quoi il réplique, sarcastique, qu'« épouser une Républicaine, ça oblige au célibat forcé la plupart du temps ». Mais elle connaît son homme, et le connaît bien : « Je me moque que tu la portes à la narine mais j'exige que tu gardes ton alliance », lui lance-t-elle. Véritables accros à la politique, ils ont tous deux une approche quasiment érotique de cette activité. « Une campagne, ça enfle, ça explose et ça se

termine, constate ainsi Carville, c'est le côté aphrodisiaque du truc. »

James a tout de suite mesuré l'intelligence de Mary.
Et s'il plaisante en proclamant que « les Républicains,
ou je les écrase, ou je sors avec », il a été conquis par
sa jugeote, son aplomb et sa liberté d'esprit. Parce que
Mary, finalement, ce serait lui non pas sous l'enveloppe d'une créature ondulante du bayou mais sous
celle d'un être humain normalement constitué. Fine
stratège, elle a été dans l'équipe du redoutable Lee
Atwater, son maître à penser, qui a révolutionné
l'image de George Bush, transformant le fils à papa
guindé de la Côte Est en Texan grand amateur de
musique country et de cochon frit, qui va lui-même
s'acheter ses chaussettes à la grande surface du coin.
Et cette prouesse-là, James est le mieux placé pour en
reconnaître la valeur. Mais Mary a également assez
d'impertinence pour raconter comment toute une
famille de l'Ohio a montré ses fesses à Bush un jour
qu'il passait dans son train électoral, ou pour appeler
son fils « Jooooonior », ou pour dire de son chef de
cabinet John Sununu qu'il avait « autant de discernement politique qu'une bûche », ou pour reconnaître
que Pat Buchanan était un désagréable moustique
dans les oreilles nationales : « Il n'y a qu'à prendre la
tapette à mouches et le clouer au mur. »

Et elle est gonflée, oui, au point d'être capable de
lui dire en face, et devant témoins, ce qu'elle pense
de lui : « Pour ce qui est d'assimiler des connaissances, c'est un infirme, son cerveau réagit comme
une balle de ping-pong » ; « Il met un point d'honneur
à ce que tout le monde le prenne pour un ravagé du
caisson » ; « Quelqu'un de sensible, James ? Sensible
à la douleur, oui ! » ; « On croirait qu'il a été conçu
pendant une scène de cul dans *Délivrance* », etc.

Il n'empêche qu'elle a été envoûtée, instantané-
ment : « Il est tout simplement, tout bonnement le
type le plus doué en stratégie politique. L'homme le

plus brillant qui soit, point final. C'est effrayant même. Nous n'étions pratiquement d'accord sur rien mais nous avons passé du bon temps à nous hurler dessus réciproquement, et il n'a pas fallu attendre beaucoup pour qu'on en vienne aux mains. On se connaissait depuis une demi-heure qu'on s'engueulait devant tout le monde ! (...) Quand je l'ai rencontré, il n'avait qu'un vélo, un Schwinn, et même pas celui à dix vitesses. Son appartement a été visité mais les cambrioleurs n'ont pu emporter qu'une bouteille de Wild Turkey, parce qu'il n'y avait rien d'autre (...). Ce que j'ai d'abord aimé chez lui, c'est l'adoration qu'il porte à sa mère. Il adule sa maman. »

C'est elle qui se charge de la demande en mariage : « On était à une course de stock-car, assis tous les deux sur le capot d'un pick-up, et il a reconnu qu'il ne savait pas comment s'y prendre pour demander la main de quelqu'un, alors je lui ai dit : "Répète après moi", et c'est moi qui ai formulé le truc, et puis j'ai répondu oui. » La noce se passe à La Nouvelle-Orléans, avec leurs amis respectifs et donc hétéroclites. « Ça a commencé par un coktail, se remémore James, et quand l'heure de la cérémonie est arrivée on a ouvert les portes et tous les invités nous ont suivis avec leur verre à la main. Après, on a fait une sorte de parade sur Bourbon Street, tout le monde derrière une fanfare de jazz qu'on avait prise. Les gens jetaient des trucs en l'air et les musiciens jouaient. » Après le mariage, il constate qu'il était « destiné à devenir un homoncule, puisque les trois femmes les plus importantes de ma vie sont Mary, Hillary Clinton et Miss Nippy ».

Au moment où les longs couteaux menacent le président, James et Mary, qui ont maintenant deux ravissantes petites filles, passent tout leur temps libre à la campagne, s'adonnant à un sport que Carville appelle le « golf aérien » et qui consiste à tirer sur des bouteilles avec une carabine à air comprimé. Ils nagent dans le bonheur, Mary parle d'ouvrir un petit restau familial dans l'avenir, où « il sera aux fourneaux et moi je tiendrai le bar ». Le futur est nettement moins rose pour James : « Quand cette période de notre vie va se terminer et qu'on se retrouvera fauchés comme les blés, on se mettra à un coin de rue avec un écriteau "On se chamaille pour une petite pièce". »

Mais ils ont déjà commencé les chamailleries, à cause de l'offensive anti-Clinton justement. Mary, qui reproche à son mari de faire une fixation sur Kenneth Starr, voudrait le convaincre qu'« il n'y a rien de politique là-dedans. Ken Starr n'est pas un politique, il ne cherche pas à éjecter Clinton de son poste. Tu as une approche tellement sectaire de tout, James ! ».

Sectaire ? En effet, oui. Il discerne parfaitement le sectarisme à l'œuvre, et dans tous ses aspects, et jusqu'aux railleries que les collègues républicains de Mary chuchotent dans leur dos, les commentaires désobligeants qui visent leur couple. James songe à son frère là-haut, à Woody Creek, scrutant la planète avec son œil de faucon braqué sur l'écran de télé géant. Hunter percevrait aussitôt l'odeur putride du sectarisme, lui. Il saurait régler leur compte aux colporteurs de ragots. Car chez les Républicains, il se dit beaucoup que si Mary aime James à ce point, c'est uniquement parce qu'il lui rappelle son grand, son vrai amour, le défunt Lee Atwater.

Que Mary Matalin ait été une inconditionnelle de son maître à penser, décédé en 1991 d'une tumeur au cerveau à l'âge de quarante ans, c'était indéniable. Elle a encadré la pochette d'un CD que Lee Atwater, guitariste de blues à ses heures, avait enregistré avec Isaac Haynes et qu'il lui avait dédicacé en termes chaleureux : « Ma très chère Mary, tu m'as fait traverser bien des tempêtes... Je t'aime du fond du cœur. » Et il est vrai qu'elle évoque l'intelligence politique de

Lee avec le même enthousiasme que celle de son
mari : « C'était un génie, avec une rare compréhension de la nature humaine et des tendances culturelles. »

D'ailleurs les deux hommes ont maints points
communs à l'évidence. Inconditionnels du *Andy Griffith Show*, ils chérissaient l'un et l'autre leur chalet de
montagne. Lee, le vrai gars du Sud lui aussi, avait la
même énergie débordante, endiablée que James, et
une semblable agressivité en politique. « Dans le Sud,
les Républicains n'auraient pas pu gagner les élections en développant un programme, avait-il noté,
vous étiez obligé de vous focaliser sur l'autre candidat, sur l'adversaire, en faisant de lui le vilain. »
Comme James, il ne mâchait pas ses mots — « Je vais
lui arracher la peau des fesses, à ce petit salaud », à
propos du Démocrate Michael Dukakis — et il avait
conçu un spot d'une méchanceté rare qui faisait à
jamais de son opposant, dans l'esprit des électeurs
blancs, un complice de la criminalité noire.

Plus encore, il savait aussi bien que Carville organiser des fuites dévastatrices. Ainsi, directeur de campagne de Ronald Reagan recevant des pasteurs noirs
qui lui demandaient un soutien financier pour encourager l'inscription sur les listes électorales de leurs
ouailles, il leur avait répondu que les caisses étaient
vides en leur suggérant d'aller trouver John Connally,
opposé à Reagan dans la course à la nomination du
candidat présidentiel républicain. Aussitôt après, il
balançait à l'état-major de George Bush, lui aussi en
lice contre Reagan, que Connally était « en train
d'acheter les voix noires ». En conséquence, Bush
avait dénoncé Connally, qui avait répliqué aussi verte-
ment, chacun portant ainsi un coup sérieux à la campagne de l'autre tandis qu'Atwater continuait tranquillement la sienne... C'était le genre d'astuce que Mary
avait adoré chez Lee et qu'elle adorait chez James, ce
qui l'amenait à conclure qu'« ils se seraient beaucoup

appréciés mutuellement. Oui, Lee aurait énormément aimé James ».

Mais les rumeurs allaient plus loin, nettement plus loin. Comme Atwater, bien que marié et père de famille, avait eu une sérieuse réputation de séducteur, et comme Mary avait été une de ses plus proches collaboratrices, il n'en fallait pas plus pour que les esprits malveillants en fissent des amants. Ed Rollins, l'expert en marketing politique républicain qui avait jadis infligé à James sa première défaite, ne se contentait plus de chuchotements. Il y est allé carrément : « J'ai toujours été persuadé que l'attirance qu'exerçait Carville sur Mary avait une relation avec Lee. Pendant toute une année avant sa mort, c'est elle qui a dirigé le Conseil national républicain à sa place. Elle lui rendait visite tous les jours, elle supervisait l'essentiel de son traitement médical. En fin de compte, elle a été pour lui presque autant une épouse que sa vraie femme, Sally. Je n'ai pas été le seul de ses amis à penser que Carville était le substitut de Lee, à ses yeux. » Révoltante affirmation. Un « substitut » ? Quoi, sa seule raison d'aimer James, de coucher avec lui, aurait été qu'elle ne pouvait pas mettre un mort dans son lit ?

La thèse était particulièrement odieuse parce que Lee Atwater avait eu un comportement étrange en cette ultime année. Mais comment s'en étonner, alors qu'il avait une tumeur grosse comme un œuf dans la boîte crânienne ? Et certes il avait été avec une autre femme à ce stade final — Brooke Vosburgh, une amie de Mary —, sous le même toit que son épouse alors enceinte et que leurs enfants, et elle s'était allongée sur son lit à côté de lui, en lui tenant la main. Sauf que Brooke était là avec le consentement plein et entier de Sally, toutes deux s'efforçant de soulager un homme en proie à d'atroces douleurs, hanté par des visions, qui s'imaginait avec Brooke tel Napoléon et sa Joséphine, qui avait trouvé la foi, qui avait tenu à exposer

American Rhapsody

en détail à Sally toutes ses aventures sentimentales passées pour demander son pardon, désormais en proie à une paranoïa si aiguë qu'il exigeait que tous ses visiteurs soient fouillés et ses repas goûtés avant lui, et qui à la fin avait supplié sa mère de le tuer, préférant le suicide à cette torture.

Lee avait « épousé » Brooke au cours d'une pseudo-cérémonie dans laquelle ils avaient échangé des trombones à papier en guise d'anneaux de mariage. Il avait essayé les massages, les guérisseurs tibétains et holistiques, le jus de pastèque, et au final il avait constaté qu'il était incapable de mettre en déroute son cauchemardesque ennemi. « Le cancer n'est pas un Démocrate », avait-il soupiré avant de s'éteindre, avec Sally à son chevet.

Ce qu'Ed Rollins disait tout haut et d'autres plus bas n'avait d'autre but que de blesser James, et Mary le comprenait très bien. Le rabaisser, le montrer cocufié non seulement par un mort mais par le roi défunt de la stratégie électorale moderne. Même dans la tombe, Atwater battait Carville au concours du plus gros Willard, et Mary était le trophée de ce bras de fer à la fois grossièrement machiste et terriblement politique, insultée elle aussi, reléguée au statut de groupie amoureuse d'Elvis qui se console en épousant un piètre sosie du King... Mais ce qui la révoltait le plus dans les propos de Rollins et dans les cancans de couloir, c'était leur charge d'humiliation pour Sally Atwater, qui avait perdu son mari et devait maintenant entendre ses comparses républicains évoquer encore une autre de ses infidélités présumées.

James n'a guère réagi sur le coup. Il était sûr de l'amour de sa « nana ». Alors il s'asseyait devant son chalet, ses yeux de serpent plissés dans le soleil. Mais Mary Matalin, qui le connaissait bien, savait que les longs couteaux s'exposaient à une lutte à mort.

Il est tombé sur Kenneth Starr, et sur les Newt Gingrich, Henry Hyde, Ed Rollins et autres chefaillons culs-serrés de Républicains. Avec la même fougue démente que son alter ego dans *Délivrance*, il a fondu sur leurs petites personnes proprettes et pomponnées pour les rouler dans leur caca. Plus haut, plus fort que tous dans son acte d'obstruction cathodique, il a couvert les cris de courroux et les imprécations des éditorialistes et des commentateurs déchaînés contre Bill Clinton. Il faisait penser à un homme possédé par l'esprit divin qui vient d'être témoin de quelque obscénité biblique et s'emploie à l'éradiquer de la face de la terre.

Jugez : « Cette enquête pue l'ordure. Kenneth Starr ne cherche pas la vérité, il cherche Bill Clinton » ; « Je m'en vais faire la guerre à Ken Starr. En selle, tous ! On y va ! Ça va barder, mec ! » ; « Ce bonhomme n'est pas le serviteur de la vérité, non. Il ferait mieux de se refourrer sous le rocher d'où il est sorti en rampant, sous le bloc de fric des pontes de l'industrie du tabac. Laissons-le retourner à l'oubli en tant qu'un des personnages les plus tristement méprisables de ces vingt dernières années. Et remercions Dieu qu'il reparte maintenant défendre les intérêts des tabagistes, sa manière de gagner sa croûte avant de se lancer là-dedans ! » ; « Je n'aime pas Ken Starr. J'aime rien de rien chez lui. Ni ses opinions politiques, ni son hypocrisie, ni son auto-complaisance, ni les individus avec qui il se met. Je n'aime pas sa façon de lécher les gros bonnets et de s'immiscer dans la vie des simples gens » ; « Je suis le clown du rodéo, moi. Si le cow-boy se fait jeter du taureau, le boulot du clown c'est de s'interposer entre la bête et lui. Starr est le taureau, Bill Clinton le cow-boy » ; « Ken Starr peut aller se faire voir. C'est un citoyen américain comme les autres, il n'est pas au-dessus des critiques. S'il se croit dispensé de respecter la Constitution par je ne sais quel quitus, ce n'est pas ça qui va m'impres-

sionner » ; « Oh, je vais pas la fermer, Mr. Starr !
Vous pouvez prévenir vos tueurs, là, mais je vais pas
la boucler ! Et même si le Saint-Siège et l'ONU me
le demandent, je la bouclerai pas ! »

Lutteur de sumo, serpent dressé, à l'attaque et à
l'esquive, il est à tous les débats, sur toutes les radios
et toutes les télés, le jour, la nuit. La bave aux lèvres,
il tranche, pourfend, mutile, déchire. « Je préférerais
être un pauvre chien galeux, constipé et bouffé par les
tics que de manquer de loyauté envers Bill Clinton »,
affirme-t-il tout en menaçant de réunir des fonds pour
financer une campagne de publicité hostile contre
Starr et Gingrich.

Car le procureur spécial n'est pas le seul objectif
de ce djihad venu du bayou. « Caporal Tête d'œuf va
ouvrir le feu sur Newt Gingrich, annonce-t-il solennellement, parce que tout ce machin a été orchestré,
contrôlé et dirigé » par le chef de file de la droite
républicaine. Et donc il lui saute à la gorge en prenant
soin de « rappeler à tout le monde » que la première
femme de Gingrich a été contrainte de l'attaquer en
justice alors qu'il refusait de verser une pension alimentaire digne de ce nom à leurs deux enfants, que
l'église à laquelle il appartenait est allée jusqu'à organiser une collecte afin de leur venir en aide, et que
l'individu a tenté d'arracher un divorce négocié à son
épouse sur son lit d'hôpital, tandis qu'elle luttait
contre le cancer. Il « rappelle » également que la
Chambre des représentants l'a condamné à une
amende de trois cent mille dollars pour enfreinte à
l'éthique parlementaire et que c'est... Bob Dole, le
frère spirituel de Nixon, qui lui a avancé cet argent.

« J'ai vraiment essayé de trouver de l'indulgence à
son égard, confie James. Vraiment. Et puis je me suis
rappelé ce qu'il a dit, que moi et mes semblables
étions ceux qui avaient poussé Susan Smith à jeter ses
enfants à la baille. Nous ! Alors qu'en fait elle avait
vécu avec un cadre républicain, membre avéré de la

Coalition chrétienne, qui la battait régulièrement ! Et comme si ça ne suffisait pas, Gingrich a sorti que cette affreuse histoire à Chicago, vous savez, ce fœtus qu'on a arraché du ventre d'une femme, eh bien c'était à cause de gens tels que moi, mes amis et ceux pour qui je travaille. Et après il parle de "responsabilité parentale", lui qui laisse ses enfants sans un rond ! Jamais on n'a utilisé d'arguments pareils chez les Démocrates. Parce que bon, c'est un Républicain qui a fait brûler la First Lady en effigie pendant une manif dans le Kentucky, non ? C'est un Républicain, le sénateur Jesse Helms pour ne pas le nommer, qui a dit que le président ferait mieux de prendre des gardes du corps s'il venait en Caroline du Nord, non ? » Et en une autre occasion : « Le parti républicain est mort. Mort et enterré. Ces mecs ne savent même pas où ils sont ! On dirait une bande de bizuteurs dans un bahut. Ils agressent tout le monde et n'importe qui, mais quand quelqu'un arrive et balance son poing ils courent dans tous les sens, ils chialent, et là, maintenant, ils sont sous les jupons de leur maman. Ce parti, c'est le parti des coupes budgétaires dans les cantines, le parti des zélotes de la réaction, le parti des obsédés sexuels, le parti de la haine personnelle contre le président. »

La croisade du caporal a des effets immédiats. Les sondages montrent un Kenneth Starr isolé, les électeurs républicains se rebiffent. Ce type bizarroïde, antitélégénique au possible, a atteint le centre du système nerveux collectif et le maintient en état de révolte permanente. Les longs couteaux tremblent. On le menace de le traîner devant le grand jury, mais il « ne la fermera pas », non ! Il « rappelle » encore que le sénateur Phil Gramm a jadis investi de l'argent dans un film porno, que le milliardaire réactionnaire Richard Mellon Scaife s'apprête à financer un poste d'enseignant à l'université de Pepperdine pour Kenneth Starr, que le leader républicain Tom DeLay est

« une catastrophe ambulante, qui a trop sniffé sa bombe de laque capillaire ».

Un mois après le début de la guerre personnelle du caporal Carville, 34 % des Américains seulement croient encore en l'impartialité du procureur spécial, pourcentage qui dégringole à 11 % après la déroute républicaine aux élections de novembre. Commentaire typique de James : « Celui qu'il faut comparer à Nixon ici, tout le monde l'a bien compris, c'est Ken Starr et personne d'autre. D'ailleurs, tenez, il est encore plus impopulaire que Richard Nixon quand celui-ci a quitté la Maison-Blanche ! »

La riposte finit par arriver sous la forme d'une information mensongère qui se répand comme une traînée de poudre sur Internet : selon le lieutenant de police Bobby Masters de Rockville, en Virginie, James Carville a sauvagement agressé sa femme, Mary Matalin. Tentative d'assassinat symbolique qui vise ce que Carville place au-dessus de tout, sa relation avec Mary. Il n'y a jamais eu de policier de Rockville répondant à ce nom, le montage se dégonfle rapidement, non sans avoir été abondamment repris par le réseau de Radio Famille américaine, un service de propagande contrôlé par le révérend Donald Wildmon, prédicateur antipornographique et grand ami du télé-évangéliste Jerry Falwell.

James se dit qu'il est temps de monter à Woody Creek consulter son bâtard de grand frère. Il a besoin d'aide, là. La République est en danger. Les saligauds ne désarmeront pas. Il faut en finir avec le mille-pattes robotisé qui brandit la Bible en répandant ses calomnies.

Hunter Thompson est un vieux de la vieille. Cet ennemi-là, il l'a combattu depuis le berceau. Il sait à qui James s'est attaqué : ce n'est pas pour rien que les accès à sa retraite sont minés, et qu'il a accumulé tout un arsenal chez lui. Il n'a pas froid aux yeux, Doc. Ce dont ils ont besoin, les deux frangins cinglés, c'est d'une puissance de feu apocalyptique, quelque chose de mégatonnique qui renvoie les asticots puritains et les rats d'égout devant le Seigneur que ces faux derches ne cessent d'invoquer. Mais qui serait assez riche pour offrir une telle bombe atomique aux deux guerriers chauves ? Qui aurait les moyens de volatiliser la vermine ? Hunter a l'idée de s'adresser à son ami Jim Mitchell, qui a gagné des millions dans l'industrie du cinéma pornographique. Quoi ? Le duo de hors-la-loi envisage de sauver la République avec l'argent du X ? Les revenus des films de cul employés pour expédier ad patres tous les culs-bénits ? Ah, mais c'est trop génial, c'est l'idéale revanche des sixties sur cette ère de calomnies et de dents cariées !

Stop ! James a lui aussi un pote qu'il a rencontré sur un tournage, dans le temps, et qui est encore plus friqué que Mitchell, et qui... Cet ami-là n'est pas qu'un nabab du porno, c'est l'Abraham Lincoln du X !

Dès lors, le sort des asticots et des coprophages est scellé. Le Jugement dernier qu'ils appellent à grands cris est à leur porte. Le Grand Exterminateur va entrer en scène.

4

Larry Flynt à la rescousse

« Je suis portée sur les queues, qu'est-ce que tu
    veux... Avec le Grand Zombie, je craque
    complet. » (MONICA À LINDA TRIPP)

Les Noirs étaient inflexibles, les femmes indignées,
mais la destitution du président restait possible.
Jusqu'au moment où Larry Flynt est venu ranger son
fauteuil roulant à côté de celui du conseil juridique de
la Maison-Blanche, Charles Ruff. En défense de Bill
Clinton. Autant Ruff se montrait éloquent, apaisant,
rationnel, autant Flynt était sulfureux, dérangeant,
illogique. Mais finalement c'est lui qui, par la menace
et le chantage, a contraint les Républicains à laisser
tomber.

Oui, le pornographe en chef a sauvé Bill Clinton en
se disant prêt à révéler d'autres actes pornographiques
commis cette fois par des personnalités publiques du
camp républicain. Il s'est mué en un Kenneth Starr
autodésigné et autofinancé. Pour lui, c'était une illumination, cette revanche sur les forces qui l'avaient
harcelé, emprisonné et finalement estropié. Immoral,
ce chantage l'était, mais il a aussi écarté le péril. Eux

l'avaient contraint à porter un drain dans son Willard et maintenant il revenait leur couper les couilles.

L'arme employée était d'une redoutable simplicité : une annonce dans le *Washington Post* offrant un million de dollars pour toute information, photographie ou vidéo qui établirait l'inconduite sexuelle de membres républicains du Congrès et du Sénat. C'était jeter une allumette dans le réservoir à essence d'un semi-remorque : l'explosion a retenti dans le moindre bureau, le moindre vestiaire, le moindre restaurant de Washington centre, et les débats télévisés du dimanche suivant ont vibré de protestations outragées et de cris d'effroi.

Les frasques extraconjugales de Henry Hyde avaient déjà été repérées par la presse, comme celles de Dan Burton ou d'Helen Chenoweth, cette égérie des groupes paramilitaires d'extrême droite. Et maintenant Flynt proposait une fortune pour couvrir d'opprobre les moralistes de la Coalition chrétienne, il retournait l'épée des fondamentalistes contre eux, menaçait de les couper de leur base. Alors les Républicains de Washington tremblaient devant ce Caliban de la vallée de l'Ohio, ce pécore implacable qui avait appris depuis belle lurette à estourbir un adversaire avec un rouleau de billets de banque ou la crosse d'un revolver. Il était leur ennemi depuis toujours, à chaque minute de sa vie pécheresse, et il disposait de toute la haine, de toute astuce et de tout l'argent requis pour parvenir à ses fins.

Larry Flynt est né dans un trou bien nommé du Kentucky, Licksville, l'une des zones les plus pauvres de l'Amérique, un endroit si reculé qu'une paysanne du cru, apercevant un avion pour la première fois de son existence, s'était exclamée : « Oh Seigneur, je savais que Tu allais revenir mais je ne T'attendais pas si tôt ! » A l'âge de sept ans, il annonce à son père :

« J'parie que tu sais pas quoi ! J'viens de baiser Imo-
gène ! », une juvénile petite amie. Deux ans plus tard,
il enfile une poule, confiant à ses copains que « c'te
sac à œufs était aussi serré qu'une chatte de fille »
mais que « la volaille se remue vachement plus ».

Adolescent, il est victime des assauts pédophiles
d'un policier. A quinze ans, il entre dans l'armée,
rejoint la marine à dix-sept. Pendant ses heures de
repos, il vend du whisky de contrebande et des bibles.
Affecté au porte-avions *Enterprise*, il est présent lorsque John Kennedy visite le navire. Voulant attirer son
attention sur le matelot anonyme qu'il est, il accomplit
un geste métaphorique dont l'écho va dominer toute
sa vie : il marche sur le pied du président !

Il commence à lire des essais psychologiques tels
que *Devenez riche avec votre tête !* de Napoleon Hill.
Dans un bordel en France, il paie pour les vingt pen-
sionnaires, les fait se déshabiller, les aligne fesses en
l'air et parcourt la ligne jusqu'à ce que des contrac-
tions musculaires le contraignent à arrêter. Il a pris
l'habitude de se bourrer d'amphétamines et de liquider des litres de bourbon. Découvrant que sa première
femme le trompe, il lui tire dessus, divorce, est
envoyé en hôpital psychiatrique où il est soumis mas-
sivement aux électrochocs. Il a alors... dix-huit ans.

C'est à Dayton, dans l'Ohio, qu'il explore le filon
des bars et des boîtes de nuit, en rachetant un vieil
établissement, le Kiwi, qu'il rebaptise le Repaire à
Ploucs, avec Hank Williams et Johnny Cash en
musique de fond, le genre d'endroit où le sol était
couvert de bière et de sang à la fin de chaque soirée.
Il s'enrichit, achète d'autres bars dans le coin, manque
de tuer un client quand il lui assène un coup de crosse
entre les yeux et que le revolver part, en esquinte un
autre en le savatant sans pitié.

A Dayton toujours, il ouvre un bouge appelé le
Hustler Club, le club des maques, avec des taxi-dan-
seuses aux seins nus. « Je vends de la moule au verre

et mes clients ne regardent pas le prix des consos »,
se vante-t-il. S'enrichissant rapidement, il crée des
boîtes du même style un peu partout dans l'Ohio.
Comme il fonctionne sans arrêt au speed, il peut passer quatre jours sans dormir, avoir six ou sept partenaires sexuelles dans la journée. « Je l'ai déjà baisée,
celle-là ? » demande-t-il un jour à son frère devant
une femme dont le visage lui rappelle quelque chose.
Sa secrétaire fait le compte pour une semaine : dix-
huit nanas, lui annonce-t-elle. Quand il se sent fatigué
ou déprimé, il s'exclame : « Faut que j'enfile quelqu'un ! »

Il se lasse des bars, regarde vers la presse. Sa
grande idée : « Si tes nanas écartent un peu plus les
jambes sur les photos, tu vends un peu plus d'exem-
plaires. » Son journal aura pour titre *Hustler*, bien sûr,
parce que « n'importe qui peut être un "playboy" et
habiter un "penthouse", mais il faut être un vrai mec
pour devenir un "hustler" », un maquereau. Premier
scandale quand il fait poser une fille avec la toison
pubienne teinte en rouge, blanc et bleu, les couleurs
de la bannière étoilée. Deuxième scandale, encore
plus bruyant, quand il invente le « pink shot », le gros
plan d'un vagin « ouvert comme une rose épanouie,
toute nacrée et fragile » selon ses propres termes. Et
l'émoi prend des proportions nationales lorsque, en
août 1975, il publie des photos d'excellente qualité de
Jackie Onassis en tenue d'Eve. Le gouverneur de
l'Ohio en personne est surpris en train d'acheter son
Hustler !

Il s'éprend d'Althea Leasure, une jeune danseuse
qui travaille dans l'une de ses boîtes. Son père ayant
massacré toute sa famille, elle a grandi dans un orphe-
linat où, dira-t-elle, « les bonnes sœurs me fourraient
la tête entre leurs cuisses ». Elle a à peine dix-sept
ans quand elle devient accro à l'héroïne. Larry Flynt
l'épouse. Leur mariage fonctionne selon des règles
mutuellement consenties : lui peut coucher avec

toutes les femmes qu'il veut, à condition de ne jamais les embrasser, elle est libre de faire l'amour avec toutes celles qui lui chantent mais pas avec un autre homme, ce qui lui convient très bien puisqu'elle préfère ses semblables. « On était heureux, racontera Flynt. Je me tapais plein de nanas, elle se tapait plein de nanas. » Althea l'aime au point de lui faire une promesse solennelle : s'il se retrouve un jour dans une mauvaise passe, elle ira se prostituer pour lui. Et lui, pour prouver son amour, la nomme numéro deux à *Hustler*.

Partis vivre à Columbus, capitale de l'Ohio, ils s'installent dans un manoir qui a appartenu à un ancien gouverneur de l'Etat, dont ils font équiper toutes les fenêtres de vitres anti-balles, et dans le sous-sol duquel Larry installe une statue d'un mètre de haut, la réplique de la poule qu'il a connue si intimement à neuf ans.

En juillet 1976, à Cincinnati, dans cet Ohio que Flynt appellera « l'endroit où les abrutis viennent mourir », il est inculpé de « proxénétisme, outrage aux bonnes mœurs et participation à une association criminelle », tout cela parce qu'il est le directeur de *Hustler*. Le procureur, selon lui « infichu de faire la différence entre un clitoris et un rutabaga », est décrit en ces termes par l'un de ses amis, l'écrivain Harold Robbins[1] : « Il me rappelle un sergent-instructeur des Marines, mais pas n'importe lequel ; le genre qui flanque une tannée à un bleu et qui essaiera ensuite de l'enfiler, histoire de faire la paix. » L'intéressé — qui en effet porte des rangers de Marines à l'audience ! — accuse notamment Flynt d'avoir « présenté le père Noël sous un aspect honteusement dégradant »,

1. Milliardaire à vingt ans en spéculant sur le sucre pendant la Prohibition, ruiné par la seconde guerre mondiale, Robbins a décrit les milieux de la magouille et de l'argent qu'il connaissait si bien dans plusieurs ouvrages à succès, dont *The Carpetbaggers* (*Les Ambitieux*), porté au cinéma par Edward Dmytryk en 1964. (*NdT*)

en raison d'une caricature où on le voyait avec une monstrueuse érection, et soutient que son magazine est « le fruit des cauchemars d'un pervers ». Condamné à vingt-cinq ans de prison — peine qui sera cassée en appel —, il lance, tandis que les gardes l'entraînent vers la prison : « Et on dit que nous vivons au pays de la liberté ? »

La sœur évangéliste de Jimmy Carter, Ruth Carter Stapleton, lui téléphone pour lui parler de Jésus. Comme elle lui confie qu'elle va jusqu'à fantasmer de faire l'amour avec le Christ, il part la voir en compagnie d'Althea, à bord de leur nouveau jet privé couleur « rose craquette ». Ils sympathisent. Lors d'un autre vol, en compagnie de Ruth cette fois mais sans Althea, Larry Flynt a une vision de l'Eternel, en tunique blanche et sandales, avec à ses côtés l'apôtre Paul et un petit type barbu qu'il identifie : l'humoriste scato Lenny Bruce. Il voit aussi un homme dans un fauteuil roulant et quand il s'aperçoit qu'il s'agit de lui-même, il a une crise d'angoisse. Cette nuit-là, Ruth reste avec Flynt, lui tient la main, mais il ne lui dit pas de se déshabiller et de se pencher en avant. Lorsqu'il parle de son illumination à Althea, elle réplique : « Dieu est entré dans ta vie, d'accord, mais alors ça veut dire que vingt millions de dollars annuels viennent de disparaître en fumée. Ou bien ça veut dire quoi, que tu veux faire à la fois dans les godes *et* dans les crucifix ? »

En mars 1978, Larry est obligé de se rendre dans un bled de Géorgie, Lawrenceville, où encore un autre procès contre *Hustler* l'attend. Alors qu'il arrive au tribunal avec ses avocats, il entend des coups de feu, a soudain l'impression qu'on lui a « enfoncé un tisonnier chauffé à blanc » dans le ventre. Aussitôt après, il est touché une seconde fois, dans le dos. Pas moins de onze interventions chirurgicales sont nécessaires pour stopper l'hémorragie, mais il ne retrouvera jamais l'usage de ses jambes, une des balles ayant touché le bas de sa colonne vertébrale, provoquant des dommages irrémédiables à son système nerveux. Il est condamné à vie au fauteuil roulant qui lui est apparu dans sa vision.

Les douleurs sont affreuses. « Comment on peut bander quand on est plongé en permanence dans un chaudron d'eau bouillante ? » se plaint-il. Il va d'un hôpital à l'autre en quête d'un traitement qui le soulage : « C'était comme si on m'avait étripé et suspendu à un crochet dans le séchoir à viande de mon grand-père. Je pleurais, je hurlais, je criais à l'aide. » Avec Althea, il part à Los Angeles, achète la maison de Bel Air où ont vécu Errol Flynn, puis Robert Stack, puis Tony Curtis, puis Sonny et Cher. Pendant qu'Althea s'occupe du journal, il se bourre de calmants, s'abreuve de « cocktail de Brompton », ce mélange de cocaïne et de morphine que l'on réserve aux malades dans un état critique. Victime de fréquentes overdoses, il est conduit aux urgences six fois, survit à deux reprises à un arrêt cardiaque.

Bob Guccione, le directeur de *Penthouse*, et sa compagne Kathy Keeton portent plainte contre lui à cause d'un dessin humoristique de *Hustler* qui prêtait à Guccione des tendances homosexuelles. En réponse, il en publie un autre, cette fois consacré à Kathy Keeton, suggérant que Guccione lui aurait repassé la syphilis. Ni l'un ni l'autre n'ayant saisi le clin d'œil, l'action en justice de la petite amie de Guccione arrive devant la Cour suprême, qui refuse à Larry Flynt de venir présenter lui-même sa défense. Assis dans le public, il commence à hurler : « Vous n'êtes que huit trous du cul et un gros con en chef ! » Le président de la Cour, Warren Burger, le désigne du doigt en criant : « Arrêtez cet individu ! » Assailli par les gardes, Flynt a le temps d'ôter sa chemise, sous laquelle il porte un tee-shirt avec le slogan « Aux chiottes ces juges ! ». Dehors l'attend une limousine ornées d'omniprésents drapeaux américains.

A une autre audience, il se présente encore avec la bannière étoilée, qu'il a cette fois passée en guise de culotte de propreté. Indigné par ce traitement de l'emblème national, le juge vocifère : « Je vous condamne à six mois en prison psychiatrique ! Quittez immédiatement mon prétoire ! » Larry gueule en retour : « Quoi, rien que six, trouillard de merde, fils de pute ? Tu peux pas faire mieux ? – Douze mois ! » s'étrangle le magistrat. « Mieux que ça, poule mouillée, suceur de queue ! – Quinze mois ! – Flanque-moi la perpète ferme, connard ! Et va te faire enculer ! »

Il est placé dans des centres médico-pénitentiaires du Missouri puis de Caroline du Nord. Jetant ses excréments au visage du psychiatre de la prison, il éructe : « Enfant de putain, tu m'as tout volé mais tu ne me prendras pas mon cœur ! » De sa cellule, il annonce son intention de briguer la présidence des Etats-Unis. A propos de Ronald Reagan, il écrit : « Jamais la Terre n'aura eu pour leader mondial une sous-merde aussi stupide, fasciste et bouchée ! » Peu avant sa remise en liberté, il fait savoir que tous les membres du Congrès, les sénateurs et les juges de la Cour suprême recevront prochainement un exemplaire gratuit de *Hustler*.

En 1983, il publie une parodie de la campagne publicitaire de Campari aux Etats-Unis, « Ma première fois ». « Jerry Falwell parle de sa première fois », informe le titre sous une photo du révérend et d'un verre de Campari glacé. Suit une pseudo-interview :

Falwell : « Moi, c'était dans les chiottes du jardin, du côté de Lynchburg, en Virginie.

Q : Vous n'étiez pas un peu à l'étroit ?

Falwell : Pas après que j'ai jeté la chèvre dehors, non.

Q : Je vois. Il *faut* que vous m'expliquiez !

Falwell : Eh bien, en fait je n'aurais jamais pensé le faire avec M'man, mais comme elle avait donné du bon temps à tous les autres gars du coin je me suis dit : "Pourquoi pas, merde ?"

Q : Avec votre mère ? Ce n'est pas un peu... étrange ?

Falwell : Non, pourquoi ? L'apparence, ça n'a jamais beaucoup compté pour moi, chez une femme.

Q : D'accord. Et donc...

Falwell : Alors on était sur notre cul de bons chrétiens, ronds déchirés au Campari, ginger ale et soda — "Feu et soufre", on appelle ça —, et M'man était plus en forme qu'une pute baptiste qui vient de recevoir cent dollars à la quête.

Q : Du Campari aux gogues avec Maman... Original ! Et alors, comment était-ce ?

Falwell : Le Campari, extra. Mais M'man, elle est tombée dans les pommes avant que j'aie fini.

Q : Et... Et vous avez réessayé ?

Falwell : Bien sûr ! Plein de fois ! Mais pas aux chiottes, non, parce qu'entre M'man et le caca, ça devenait intenable, rapport aux mouches.

Q : Je parlais du Campari.

Falwell : Ah, oui ! Je me biture toujours avant de monter en chaire. Vous croyez quand même pas que je pourrais trouver toutes ces conneries à jeun, hé ! »

Curieusement représenté par l'avocat de *Penthouse*, le prédicateur lui demande quarante-cinq millions de dommages-intérêts. A nouveau l'affaire remonte jusqu'à la Cour suprême et là, le choc : huit pour, zéro contre Larry Flynt ! Ce qui aurait dû constituer sa grande victoire est cependant relativisé par un drame personnel. Le 27 juillet 1987, Althea meurt du sida, infectée par une seringue en se droguant ou par une transfusion sanguine. Elle expire dans leur salle de bains, tout près de Larry qui a alerté l'infirmière en lui disant qu'elle s'y trouvait depuis trop longtemps.

Lui-même n'a pas pu se porter à son aide car son fauteuil roulant n'était pas à côté de son lit.

Tel est donc l'homme qui promet une récompense d'un million de dollars à ceux qui pourront compromettre des Républicains. Qu'ils soient conservateurs ou ultra-conservateurs, ces derniers ne se souviennent que trop bien de la caricature de *Hustler* où l'on voyait Gerald Ford, Nelson Rockefeller et Henry Kissinger en train de violer collectivement la statue de la Liberté, de ses canulars sans pitié contre les fondamentalistes chrétiens et l'extrême droite. Ils savent aussi que Larry Flynt a fini par apprendre, après toutes ces années, que l'auteur de l'agression de Lawrenceville était un Blanc raciste outragé par un sujet-photo de sexe interracial publié dans son magazine.

Et ceux d'entre eux qui siègent au Congrès se rendent compte à quel point ils sont particulièrement vulnérables à cette menace. Bob Dole en personne ne parle-t-il pas de la « Fosse aux singes » lorsqu'il évoque le Capitole ? La sulfureuse Rita Jenrette n'est-elle pas allée jusqu'à raconter ses ébats érotiques avec son mari sur les escaliers de l'auguste assemblée ? Le vaste bâtiment abonde de bureaux discrets où chandeliers en cristal, canapés rembourrés, grands miroirs et plafonds décorés offrent l'espace rêvé pour une explication en tête à tête avec une jeune assistante parlementaire. Mieux encore : en tant que président de la Chambre, le providentiel Newt Gingrich a rétabli une vieille coutume longtemps prohibée qui autorise les membres du Congrès à passer la nuit au Capitole, pour le cas où ils désireraient approfondir des recherches de première main sur tel ou tel sujet-objet consentant. Ce sont des hommes politiques, mon Dieu, non des saints ! Mais dans ce contexte, qui ne frémirait pas sous l'épée de Damoclès du million de dollars ? Pas Gingrich lui-même, en tout cas, surpris un jour le derrière à l'air sur sa table de travail en compagnie d'une collaboratrice, et que l'on disait maintenant plus que familier avec plusieurs jeunes femmes, dont Arianna Huffington, la Sorcière. Ni Dick Armey, accusé par trois fois de harcèlement sexuel au temps où il enseignait les sciences économiques à la faculté. Ni Tom DeLay, qui a signé pour cinq mille trois cents dollars de chèques aux frais de la banque du Congrès. Sans mentionner les faiblesses, très humaines au demeurant, auxquelles s'étaient laissés aller tant de représentants républicains...

Ainsi que ses cibles potentielles vont rapidement s'en rendre compte, Larry Flynt n'a pas pour habitude de se cacher derrière des boîtes d'allumettes. Rien à voir avec l'âme damnée de la Créature de la Nuit, le privé Tony Ulasciewicz, qui pratiquait l'intimidation par le truchement du téléphone public, fréquentant les cabines du coin de la rue avec une telle assiduité qu'il avait besoin en permanence d'une sacoche de contrôleur d'autobus pleine de monnaie. Pas de ces simagrées avec lui ! Larry Flynt dispose de sa compagnie de téléphone personnelle en l'espèce de l'autre Larry, King, le présentateur-vedette de CNN. « Je suis actuellement sur huit pistes, déclare-t-il à King, si elles se concrétisent, le parti républicain va être dans une de ces panades... »

Pour diriger son opération « Un million de dollars », il a choisi Dan Moldea, un redoutable journaliste de terrain qui en son temps a révélé les relations douteuses que Ronald Reagan entretenait avec le magnat d'Hollywood Lew Wasserman. Il bénéficie aussi des conseils de Rudy Maxa, ancien chroniqueur mondain du *Washington Post* devenu au fil des années une banque de données vivante sur les turpitudes du petit monde politique. On lui attribue aussi, bien qu'il s'en défende, la collaboration de deux détectives privés que l'équipe Clinton a jadis employés pour déterrer des vérités embarrassantes au sujet des Républicains, Terry Lenzner et Jack Palladino.

L'excentrique patron de presse démontre une

grande finesse tactique dans son entreprise en tenant deux discours bien distincts. Le premier, pour la galerie, consiste à dire qu'il vise principalement les Républicains qui exigent la démission du président alors qu'ils ont des cadavres sexuels dans leur propre placard. Le second, en coulisse, est un chantage pur et simple destiné aux intéressés : « Si vous avez un truc à vous reprocher *et* si vous attaquez Clinton, je vous coince », les prévient-il. Le côté le plus effrayant du stratagème, c'est que personne ne sait quelles informations il détient réellement, ni ce qu'il va arriver à déterrer, ni ce que l'appât d'un million de dollars risque de faire sortir. On est dans le suspense parfait, quand c'est l'imagination du spectateur, et non ce qu'il voit sur l'écran, qui suscite avant tout la terreur.

Et là, les événements s'enchaînent, suscitant d'abord l'étonnement du public, puis sa stupéfaction, puis... Premier coup de tonnerre, la démission de Newt Gingrich. Là, on s'interroge : est-ce la conséquence de la déroute républicaine aux élections de novembre, comme on le dit, ou bien a-t-il voulu se mettre rapidos à l'abri des missiles que Flynt s'apprête à lancer ? Quelques mois plus tard, son divorce et les allusions à sa liaison sentimentale avec une collaboratrice renforceront l'idée que sa chute a bien été l'œuvre du patron de *Hustler*. A la deuxième surprise, il n'y a d'ailleurs plus de place pour le doute : Bob Livingston, celui qui devait remplacer Gingrich à la tête du Congrès, préfère se démettre en apprenant que Flynt se préparait à sortir des révélations sur son compte. De lui-même, il reconnaît des liaisons extraconjugales mais il ne répond pas directement aux rumeurs selon lesquelles Flynt possède des cassettes vidéos où on le voit dans une partie de jambes en l'air à trois. Bonnie Livingston, son épouse, téléphone à Larry en le suppliant de garder pour lui les détails. Grand seigneur, celui-ci accepte, en remarquant : « Ce mec a démissionné, vous savez ? Alors à quoi bon ? »

Bob Barr est le suivant. Le procureur sans peur et sans reproche, autre petit chéri de la Coalition chrétienne, n'a cessé de démentir avoir persuadé son ancienne femme d'avorter, et avoir lui-même payé l'opération, mais Flynt a dans sa poche des déclarations sous serment de l'intéressée qui prouvent exactement le contraire. L'un des adversaires les plus fanatiques du droit à l'avortement convaincu d'avoir organisé celui de son propre enfant...

Tandis que la procédure de l'impeachment, suivant son cours laborieux, parvient au Sénat et que Flynt continue à piocher de son côté, un remarquable glissement se produit dans la position de certains sénateurs et d'autres responsables républicains : d'un coup, on ne parle plus de « destitution » mais de « censure ». Les commentateurs politiques expliquent gravement cet infléchissement par le résultat des élections partielles, ou par l'appel à la modération que Gerald Ford et Jimmy Carter ont lancé de concert dans le *New York Times*. Les plus cyniques se demandent à quel point l'« effet Larry Flynt » peut peser sur les dignes législateurs. Autrement pourquoi un ennemi de Bill Clinton aussi tenace que Richard Shelby, sénateur de l'Alabama, se mettrait-il brusquement à poser au modéré qu'il n'est pas ? Pourquoi d'autres conservateurs s'emploient-ils soudain à mettre des bâtons dans les roues des enquêteurs de la commission du Congrès ? La vraie question, peut-être, est de savoir ce que Larry Flynt a dans sa manche et ce qu'il compte en faire.

Car les sénateurs ne sont pas des saints, eux non plus, et il n'est presque plus la peine de le rappeler à quiconque. On relève parmi eux un John Tower, qui après avoir taquiné la bouteille poursuivait ses assistantes à travers son bureau, braguette baissée ; un Joseph Montoya, qui avait parmi son staff une secrétaire particulière dont la fonction était de lui administrer une pipe tous les après-midi ; un Orrin Hatch, qui avait tenu à prendre dans son équipe une ancienne actrice porno répondant au nom savoureux de Missy Manners ; un Chuck Robb, sniffant de la coke dans un restaurant connu et s'envoyant en l'air avec une reine de beauté de vingt et un ans, à ce détail près qu'il était marié, et avec la propre fille du président Johnson encore, Linda Bird Johnson ; un Strom Thurmond, qui à quatre-vingt-seize ans avait encore une réputation de chaud lapin parmi ses collègues ; un Daniel Inouye, rappelé à l'ordre par le bureau du Sénat en raison de ses avances sexuelles intempestives auprès de subordonnées...

Quand le calme est revenu et que Bill Clinton a gardé son poste, personne n'a remercié le petit gars de Licksville, Kentucky, d'avoir sauvé la peau présidentielle du petit gars de Hope, Arkansas. Aucune des organisations pour la défense des femmes qui avaient désiré si ardemment le maintien de Clinton à la Maison-Blanche n'a eu un mot pour celui que certaines féministes disaient « en tout point aussi dangereux qu'Adolf Hitler ». Quant aux médias, ils ont congratulé les sénateurs, saluant leur lucidité et leur modération dans cette affaire.

Il n'y a eu qu'un seul personnage public à reconnaître le mérite de Larry Flynt, et ce non en paroles mais en actes : John Fitzgerald Kennedy Jr., qui l'a prié d'être son hôte à une occasion des plus médiatiques, le dîner de l'Association nationale des correspondants à Washington. Le fils d'une femme que Larry Flynt avait montrée nue dans *Hustler* s'est assis à côté de l'homme en fauteuil roulant, du patron d'un empire bâti sur le corps exposé de Jackie Kennedy. Et c'est qu'il devait être mû par un impératif moral supérieur, JFK Jr., pour se retrouver au coude à coude avec ce roi de l'immoralisme, avec le pornographe de l'Amérique.

5

L'As de pique

MONICA : Je crois que j'en pince pour Vernon Jordan.

LINDA TRIPP : Oh, ça ne m'étonne pas... Il est très du genre à se faire pincer.

MONICA : Je vais raconter ça au Grand Zombie. Ça risque de le rendre jaloux.

Un centimètre de plus et Vernon Jordan aurait dû ranger son fauteuil roulant près de ceux de Larry Flynt et Charles Ruff pour former la ligne de défense de Bill Clinton : une balle calibre 30-06 lui avait également transpercé le corps, tout comme Larry Flynt, et elle était propulsée par le même mobile, la haine raciale.

Mais c'était il y a très longtemps, n'est-ce pas ? Rien, absolument rien à voir avec la manière dont Kenneth Starr le traitait maintenant, l'encerclait dans le filet de son enquête, s'égarait jusqu'au point de croire que lui, Vernon Jordan, pourrait finir par compromettre ou accuser le président des Etats-Unis... Ou bien si ? Est-ce que Starr l'avait dans sa ligne de mire de la même façon que l'agresseur du Ku Klux

Man, membre du parti nazi américain, avait cherché à l'abattre à Fort Wayne, dans l'Indiana, en 1980 ?

Il n'avait pas la queue d'une chance, Kenneth Starr. Même s'il avait raison, même si Bill Clinton et lui s'étaient ligués pour entraver le cours de la justice en persuadant Monica de mentir dans l'affaire Paula Jones, il était impensable que Vernon Jordan le reconnaisse. C'était quelqu'un qui avait pris une balle en défendant ses convictions, et elles étaient les mêmes que celles du président. Quelqu'un qui était allé au bout de la plus sombre des ruelles pour aider un ami cher et pour agir en conséquence. Quelqu'un qui savait se comporter aussi bien dans la rue que dans un conseil d'administration, dans un vestiaire que dans un dîner mondain, et qui plus encore se retrouvait naturellement « en charge » de la situation, par sa seule présence. « On est potes, tout simplement, disait-il de Bill Clinton. On casse la graine ensemble, chez lui ou chez moi. Si Hillary est là, elle vient dîner. S'il n'est pas en déplacement, il passe pour le petit déjeuner. » Et Clinton : « Trahir une amitié, ce serait la dernière chose qu'il ferait. C'est une bénédiction, un ami pareil. » Et Jordan : « J'ai toujours été convaincu qu'il deviendrait président. » Et Clinton : « Ce qui m'a attiré, chez Vernon, c'est qu'il en impose, qu'il est au-dessus. »

Certes : avec son mètre quatre-vingt-dix sanglé dans des costumes Brooks Brothers et des chemises de chez Turnbull & Asser, avec son Davidoff churchillien entre les doigts, avec ses talents oratoires dignes d'un Martin Luther King, il était le charisme noir incarné. Il pouvait être un vrai macho dans un contexte masculin, mais aussi un être délicieux de séduction et de tact en compagnie de femmes. Il montrait autant d'aisance à citer la Bible, à allonger une grande claque dans le dos, à lancer une vanne dévastatrice, ou encore à croiser les bras sur sa poitrine et à fixer son interlocuteur d'un regard implacable en disant : « Vous n'avez pas la *queue* d'une idée de ce que vous racontez ! » Il était capable de se montrer souriant, détendu, cool, puis de glacer l'assistance par ses railleries. Il savait étudier les êtres, comprendre immédiatement ce qui les faisait vibrer. C'était quelqu'un à ne pas traiter à la légère, quelqu'un qui n'oubliait jamais. Synthèse de Sidney Poitier et de Richard Burton, il était le modèle de Denzel Washington. Il incarnait, absolument, le surnom admiratif que ses pairs et amis blancs lui donnaient : l'honneur d'atout noir, « l'As de pique[1] ».

En 1997, à soixante-deux ans, Vernon Jordan siège directement ou par l'intermédiaire de sa deuxième femme, Ann, qui a été maître de conférences à l'université de Chicago, au conseil d'administration d'American Express, de Xerox, de JC Penney, de Dow Jones, de Sara Lee, de Revlon, de Bankers Trust, de RJR Nabisco, d'Union Carbide et de Ryder. Il participe à la direction de la Fondation Ford et de la Brookings Institution, est conseiller de l'Institut de sciences politiques d'Harvard et diplômé d'honneur de Brandeis University. Il est aussi l'un des trois principaux associés du plus influent cabinet de droit politique de Washington, comptant parmi ses clients la République populaire de Chine, l'Association des exportateurs chiliens, le gouvernement colombien, le Cercle du commerce extérieur coréen et diverses multinationales nippones.

Il compte parmi ses amis l'ex-président George Bush, les anciens secrétaires d'Etat Cyrus Vance et James Baker. « Vernon connaît plus de patrons d'entreprise, plus de dirigeants syndicaux et plus de chefs

---

1. Ace of Spades. La charge de ce terme, en argot américain, vient de ce que « spades », la couleur pique aux cartes, peut désigner aussi les Noirs, image venue d'une expression en vogue au début du XXᵉ siècle, « Black as the ace of spades », noir comme l'as de pique. On retrouve peut-être un écho de cette formule dans les paroles du compositeur rap francophone MC Solaar : « Je suis l'as de pique qui pique ton cœur... » (*NdT*)

d'Etat que n'importe qui », constate William Coleman, secrétaire aux transports sous Gerald Ford. Ses petits déjeuners de têtes à Washington sont passés dans la légende, autant pour la distinction de ses invités que pour l'amabilité de Jordan envers serveurs et serveuses comme à l'égard de ses puissants convives. Avec Ann, il forme l'un des « couples-pouvoir » sélectionnés par le magazine économique *Forbes*. A Washington, tout le monde, jusqu'à Linda Tripp, voit en lui l'avocat le plus influent de la capitale, avec des revenus qui dépassent le million de dollars annuel, et qui pourtant n'a jamais mis les pieds dans un prétoire ni rédigé de conclusions. Lui, il travaille dans l'influence, le contrôle, le pouvoir.

L'As de pique apparaît rarement sous les feux de l'actualité. Il observe, organise, conseille en coulisse. Et comme il n'aime pas la lumière des projecteurs, il décline l'offre de Bill Clinton qui aurait fait de lui le premier procureur général noir des Etats-Unis, refuse de siéger au Comité à la sécurité internationale, décline la proposition de prendre un poste de responsabilité à la Ligue de football américain. Lorsque IBM se cherche un nouveau PDG, ses dirigeants viennent trouver Vernon Jordan, mais il se contente de leur dire qui choisir.

Il est à son aise dans la discrétion des sanctuaires du pouvoir et de l'argent, comme le très exclusif Century Club de New York ou le Bohemian Grove en Californie du Nord, sans se priver de secouer ces bastions de la richesse blanche par des pieds de nez pleins d'humour. A son premier déjeuner au Century Club, dont l'accès avait été longtemps interdit aux Noirs, il commande de la pastèque, l'ordinaire traditionnel des esclaves du Sud. Et lorsqu'on lui demande d'ouvrir le débat au Bohemian Grove, il intitule son discours « La Révolution qui vient » : « Je me suis dit que cela piquerait l'intérêt des gens, qu'ils seraient intrigués ou effrayés. D'accord, il y avait un risque

que certains s'attendent à me voir arriver bardé de cartouchières et de grenades, mais je n'étais pas chez les Black Panthers, moi, seulement à l'Urban League [1] ! » L'As de pique, décidément, qui trinque avec le gratin mais ne lui laisse jamais oublier qu'il ne se laisse pas abuser par les apparences.

Mis à part, peut-être, le conseil juridique adjoint de la Maison-Blanche Bruce Lindsey, il est le meilleur ami de Bill Clinton. « Aussi proche du président que Bobby Kennedy l'était de son frère », constate William Coleman, et Lloyd Cutler, un ancien de la Maison-Blanche lui aussi, remarque que « les présidents ont besoin de quelqu'un avec qui se détendre, plaisanter, d'un ami sûr et loyal, et c'est ce qu'il est ».

Leur amitié remonte aux années soixante-dix, au temps où Vernon Jordan sillonnait l'Arkansas pour le compte de l'Urban League et où il allait rencontrer Bill Clinton à une réunion de soutien électoral. Devenu président, ce dernier prend son premier repas washingtonien chez Jordan. Chaque année, leurs familles passent la soirée de Noël ensemble. L'As de pique et le chef de l'Etat se retrouvent fréquemment sur le terrain de golf, bavardent au téléphone plus d'une fois par jour. Les deux couples partent même en vacances ensemble. En 1992, c'est Vernon qui dirige l'équipe de transition de Bill, et en 1996 c'est Ann qui co-organise sa cérémonie d'investiture.

Le président veut sonder Colin Powell pour savoir s'il accepterait de devenir son secrétaire d'Etat. Il s'adresse à l'As de pique. Lorsqu'il a besoin d'être représenté à l'entrée en fonction du premier président démocratiquement élu de Taiwan, il fait appel à lui. De même quand il faut préparer en douceur la démission de Lee Aspen du secrétariat à la Défense, ou

---

1. Fondée en 1910, la National Urban League est l'une des plus anciennes organisations vouées à l'entraide sociale et à la promotion de la condition noire aux Etats-Unis. (*NdT*)

quand il s'agit de trouver un nouveau conseil juridique de la Maison-Blanche pour remplacer Bernie Nussbaum, ou encore quand il faut trouver un job à Web Hubbell, sur le point de renoncer à son titre de procureur général adjoint parce qu'il est sous le coup d'une action en justice. Après le suicide de Vince Foster, c'est lui qui accompagne Bill Clinton allé présenter ses condoléances à la veuve, puis qui lui tient compagnie à la Maison-Blanche jusqu'à deux heures du matin.

Les hauts fonctionnaires de l'appareil présidentiel mesurent la portée de son influence. Lorsque George Stephanopoulos veut un poste qui lui donne l'accès direct au Bureau ovale, ce n'est pas Bill Clinton qu'il sollicite mais Vernon Jordan, qui lui obtiendra ce qu'il désire et que Stephanopoulos appellera « notre sage ». Mais la proximité, la « fraternité » des deux hommes s'exprime sans doute le mieux dans la photo que Jordan aime montrer à ses amis. Debout côte à côte, ils sont en train de chanter *Lift Every Voice and Sing*, tenu par beaucoup pour être l'« hymne national noir ». Bill l'a dédicacée à son ami en ces termes : « De la part du seul WASP qui connaisse les paroles. »

Il y a aussi une profonde complicité de mâles entre eux. A un journaliste qui lui demande de quoi il parle avec le président pendant leurs parties de golf, Vernon Jordan répond : « De cul, principalement. » Doté d'un appétit sexuel aussi aiguisé que celui de Bill Clinton, il a une réputation de « tombeur » et ne se prive pas de commenter les attraits d'une jeune convive dans un dîner officiel en baissant théâtralement la voix, ni de lancer à la cantonade quelque paillardise dans le même contexte.

Ce que l'on dit de lui ne l'impressionne guère : « J'aime les gens, quels qu'ils soient, et je ne vais certainement pas m'arrêter. La façon dont les autres interprètent ça n'a absolument rien à voir avec ma responsabilité professionnelle. » Ou, dans la version bras croisés et regard intimidant : « Je me connais. Le garant de mes mœurs et de mon éthique, c'est moi. Sur ce plan, je n'ai de comptes à rendre qu'à moi-même. » Son épouse ne paraît pas plus affectée par ces rumeurs : « Je suis bien certaine que les femmes le trouvent séduisant, puisque c'est mon cas ! »

L'intérêt qu'il porte à trouver des débouchés professionnels à de jeunes protégés, en particulier de sexe féminin, n'est évidemment pas étranger à sa réputation de Casanova. « Il sera demandé beaucoup à celui qui reçoit beaucoup », rétorque-t-il à ce propos, sybillin. Une débutante qu'il a aidée dans sa carrière constate que « si vous êtes une femme, et avec un certain charme, et si Vernon vous fait une faveur, on s'attend toujours à ce qu'il y ait des développements "non professionnels", disons ». Une autre reconnaît qu'il « aime flirter, ça fait partie de lui. Mais je ne me rappelle pas avoir entendu une femme se plaindre qu'il ait été lourd avec elle. Non, je ne vois pas un seul cas où il y ait eu de l'amertume, du ressentiment. Simplement : "Ah, c'est bien Vernon, ça !"... ». Même Monica a pu détecter la vibration sexuelle de Jordan. « Embrassez-le pour moi », lui dit-elle un jour en parlant du président, et lui, du tac au tac : « Je n'embrasse pas les hommes. »

A un dîner officiel en 1995, les observateurs ont pu avoir un exemple très révélateur de l'intense camaraderie masculine entre les deux hommes. Alors qu'ils étaient assis de chaque côté d'une ravissante blonde à table, le président contemple un moment les assauts de séduction que lui livre l'As de pique, puis il lui glisse : « C'est moi qui l'ai vue le premier, Vernon. » Et les deux amis d'éclater de rire à l'unisson.

D'après l'ancienne porte-parole de la Maison-Blanche Dee Dee Myers, « Vernon en connaît un rayon sur le président et sur sa vie personnelle, mais il ne se laissera jamais aller à des confidences sur ce sujet. Parce qu'il comprend mieux la logique du pou-

voir que n'importe qui, à mon avis. Il peut parler
d'absolument tout avec le président, mais il sait qu'il
porterait atteinte à son pouvoir s'il était indiscret là-
dessus. Il protège son ami ». Pour Mary Frances
Berry, membre de la Commission des droits civiques,
« c'est un vieux de la vieille, Vernon. Il connaît les
dossiers, il maîtrise les vrais problèmes, il sait où les
cadavres sont enterrés... ».

Et c'est sur cet homme hors du commun, blessé sur
le front de ses convictions, ce frère noir de Bill Clinton plein de séduction et rempli d'expérience, que
Kenneth Starr comptait pour traîner en justice le président des Etats-Unis ?

Son prénom lui vient de Mount Vernon, la résidence de George Washington. Il a eu la chance de ne
pas être nommé Warren Harding, comme l'un de ses
frères, en hommage au vingt-neuvième président américain dont le mandat avait été marqué par tant de
scandales... Il a grandi à Atlanta, dans une banlieue-
ghetto. Son père travaille pour la poste militaire, sa
mère est pâtissier-traiteur pour les riches familles
blanches de la ville. Lui aussi est un fils à sa maman,
dont il n'oubliera pas les conseils avisés : « Avec un
peu d'argent, on est plus libre de faire ce que l'on
veut », « N'oublie jamais d'où tu viens, qui tu es.
Mais ce n'est pas parce que tu es né ici que tu ne dois
pas garder ton sourire, parce qu'il te conduira loin ! ».
Dès qu'il revient de quelque part, elle lui demande :
« Qu'est-ce que tu as vu ? Qu'est-ce que tu as entendu ? Qu'est-ce que tu as appris ? »

Il perçoit la réalité de la ségrégation tout enfant :
« Même l'eau potable : il y avait celle pour nous et
celle pour les Blancs. Au cinéma, vous *saviez* que
vous deviez aller vous asseoir en haut, jamais en bas.
C'était la vie, c'était une chose que l'on comprenait
mais cela ne signifiait pas qu'on l'acceptait, pas du

tout. » Il découvre le monde des Blancs à dix ans, en accompagnant sa mère dans les maisons de l'élite locale pour les réceptions dont elle assure le buffet. Là, il aide au service ou à la cuisine mais il observe aussi les invités. Un groupe d'avocats prospères aperçu au Club du barreau d'Atlanta lui laisse une impression indélébile : « Leur façon de s'habiller et de se comporter m'a plongé dans l'admiration. Et aussi leur manière de formuler les choses, même si sur le fond ce qu'ils disaient ne pouvait pas me plaire. »

Dans les écoles qu'il fréquente, et où la discrimination raciale est aussi rigide que dans les bus ou les toilettes publiques, il est travailleur, excellemment noté, et pratique assidûment le basket. Accepté à l'université DePauw, dans l'Indiana, il est le seul Noir de sa classe, l'un des cinq étudiants « de couleur » sur tout le campus. Il participe à la troupe de théâtre, écrivant même une pièce sur le thème du racisme, continue le basket, devient le vice-président du Club démocrate de la faculté, obtient avec mention son diplôme en sciences politiques, reçoit le premier prix d'éloquence dans un concours organisé au niveau de l'Etat. N'ayant pas les moyens de continuer jusqu'à un doctorat en droit, il part à Chicago, travaille seize heures par jour comme chauffeur d'autobus et finit par entrer à la Howard University.

Ses études achevées, il reçoit des propositions de plusieurs cabinets d'avocats de la Côte Est, en majorité ou en totalité blancs. Mais il préfère retourner à Atlanta, où il met toute son intelligence et son énergie au service de la lutte pour l'égalité raciale et où il devient clerc au cabinet de l'avoué Donald Hollowell, très respecté en raison de son engagement en faveur des droits civiques. Son héros est un autre avocat progressiste noir d'Atlanta, AT Walden, qui pendant des années défendra des causes perdues d'avance face à des juges blancs figés dans leurs préjugés racistes : « Je le revois dans mes souvenirs dressé de toute sa haute taille, si digne... Son maintien vous donnait envie de vous comporter comme lui, de vous exprimer comme lui. »

En 1961, à vingt-six ans, c'est lui qui accompagne jusque dans l'amphithéâtre Charlayne Hunter la première étudiante noire admise sur le campus de l'université de Géorgie. Sur les films d'actualité de l'époque, on voit ce grand garçon à la beauté hollywoodienne lui faire rempart de son corps en traversant une foule blanche surexcitée qui hurle : « A mort les négros, à mort ! »

A une époque où la violence raciale menace d'embraser toute l'Amérique, Vernon Jordan développe sa philosophie sur la question. Rejetant les appels à la violence des Black Panthers, il croit à la lutte politique, à la voie des urnes et au boycott des entreprises racistes, il place ses espoirs dans une élite intellectuelle noire qui s'engagera dans les cours de justice et les conseils d'administration en faveur des secteurs moins éduqués de la population noire.

Devenu activiste de la NAACP, il parcourt tout le Sud au volant de sa voiture afin d'organiser le combat selon ces principes. Sans cesse sur la brèche, prenant quelques heures de sommeil dans le couloir d'une église, il réussit à convaincre les Noirs de s'enregistrer sur les listes électorales. En 1968, ils sont près de deux millions de plus à pouvoir voter dans le Sud, où le nombre d'élus noirs a été multiplié par dix, et Vernon Jordan a acquis une stature nationale, « l'une des figures les plus capables et les plus efficaces du mouvement revendicatif » selon le révérend Ralph Abernathy. Même auprès de la frange nationaliste, son prestige est tel qu'il devient un médiateur reconnu entre les différentes tendances de la mobilisation.

En 1970, alors qu'il envisage de se présenter aux élections parlementaires, on lui demande de prendre la tête du Fonds uni pour l'éducation noire. Il renonce à ses ambitions politiques personnelles pour s'atteler à ce qu'il considère être le plus grave handicap de sa communauté. Un an plus tard, il accepte la présidence de la National Urban League après le décès accidentel de Whitney Young.

Convaincu que la lutte s'est désormais déplacée du Sud raciste aux ghettos des villes industrielles, et que l'Urban League constitue pour les patrons blancs un interlocuteur beaucoup plus constructif que les partisans du Black Power, il pousse les grandes compagnies à développer une vraie politique de formation professionnelle et d'aide à l'éducation de base, se muant selon Drew S. Days, qui a été responsable des droits civiques au département de la Justice, en « pont essentiel entre le mouvement revendicatif et le monde du travail », capable de « convaincre les patrons, avec des arguments de bon sens, que leur intérêt allait souvent dans cette voie ». L'un d'eux, qui a travaillé avec lui à cette période, dit qu'il était « quelqu'un qu'on ne pouvait pas rouler, ni manipuler, quelqu'un qui sait répondre non quand il l'a décidé ».

Bientôt, il dispose d'un budget de cent millions de dollars alloué par les industries et les autorités fédérales : « Si je fais bien mon travail, déclare-t-il, le bénéfice n'ira pas qu'aux Noirs, mais aussi à l'ensemble du pays. L'amélioration de la condition noire est un intérêt commun. » Quand il n'est pas en réunion avec les chefs d'entreprise, il donne des conférences pour faire prendre conscience aux simples citoyens des conditions de vie lamentables qui règnent dans les ghettos.

Le 29 mai 1980, à l'hôtel Marriott de Fort Wayne, dans l'Indiana, il prend la parole devant la section locale de la National Urban League. Il y fustige notamment « l'enthousiasme aveugle qui conduit le pays à droite, en particulier dans le sens d'un équilibre budgétaire réalisé aux dépens des programmes sociaux ». Pendant le dîner qui suit, il fait la connaissance d'une secrétaire de trente-six ans qui appartient au bureau de la section, Martha Coleman, une Blanche divorcée qui a été jadis mariée à un Noir. A la fin de la soirée, Vernon Jordan la raccompagne chez elle. Selon le témoignage de Martha Coleman, ils boivent un café, écoutent de la musique, puis elle le reconduit en voiture au Marriott à deux heures du matin.

A trois kilomètres de l'hôtel, alors qu'ils sont arrêtés à un feu rouge, un véhicule plein de jeunes Blancs se garent à leur hauteur et se mettent à insulter le couple avant de s'éloigner. Martha Coleman l'a à peine déposé devant le Marriott qu'il est atteint d'une balle au bas du dos, juste à gauche de la moelle épinière. Le calibre est celui que les chasseurs utilisent pour les ours ou les chevreuils. « Sitôt entré, le projectile a explosé en provoquant des effets comme je n'en avais jamais vus, rapportera un des chirurgiens des urgences. C'est un miracle que la colonne vertébrale ait été épargnée. Si l'explosion s'était produite un millionième de seconde plus tard, les chances de survie auraient été absolument nulles. » L'impact a laissé une plaie béante de la taille d'un poing. Vernon Jordan doit être opéré à cinq reprises.

La police de Fort Wayne classe l'affaire sous la rubrique « querelles domestiques » : puisqu'il a été vu en compagnie d'une Blanche qui a été mariée à un Noir, n'est-ce pas... On souligne pesamment qu'ils ont passé plusieurs heures en tête à tête chez elle, « avec la stéréo allumée ». Dans une conférence de presse, le vice-président de la section locale de l'Urban League, John Jacob, s'élève contre « ces insinuations et ces commérages visant à détourner l'attention de la nature odieuse de ce crime ».

L'une des premières déclarations publiques de l'intéressé après l'agression est du Vernon Jordan typique : « Il est important de noter qu'après toutes ces années où tant de Noirs sont morts sur le bord d'une route parce que aucun hôpital proche ne voulait les accepter en raison de leur race, ici, dans une petite ville telle que Fort Wayne, en 1980, j'ai été conduit d'urgence dans une salle d'opération où l'interne, l'anesthésiste et le chirurgien étaient noirs. On ne peut pas ne pas voir là un progrès certain. »

Le tireur dans l'ombre, celui qui guettait depuis deux heures le retour de Vernon Jordan sur un talus avoisinant, est un marginal de trente-deux ans originaire de Mobile (Alabama) qui s'est lui-même rebaptisé Joseph Paul Franklin, en double hommage à Benjamin Franklin et à Paul Joseph Goebbels, le chef de la propagande hitlérienne. Il a milité un temps au parti nazi américain et au Ku Klux Klan. Ses avant-bras sont tatoués de l'aigle américain et de la grande faucheuse, l'emblème de la mort.

A son actif, il a déjà une lettre de menaces envoyée au président Jimmy Carter et une descente à Chicago dans l'espoir d'assassiner le leader noir Jesse Jackson. Bien des années plus tard, il affirmera s'être trouvé « par hasard » à Fort Wayne et avoir appris que Vernon Jordan allait y donner un discours. Comme son intention était de provoquer une guerre raciale en Amérique, il a été tellement frustré d'entendre la police parler de « querelle domestique » qu'il s'est rendu en hâte à Cincinnati, où il a tiré sur deux adolescents noirs.

De son vrai nom James Clayton Vaughn, il naît avec l'œil droit déficient, de père et de mère alcooliques. Il fréquente peu l'école : « J'avais des notes vraiment mauvaises, racontera-t-il, la seule fois où j'ai eu un A, c'était en discipline. J'étais un de ces gosses qu'on n'entend presque jamais. » A onze ans, vivant chez son oncle en Géorgie, il arpente les bois avec une carabine chargée, « mais juste pour faire semblant ». A douze ans, il tire son premier coup de revolver. A seize ans, son frère lui offre un fusil et lui apprend à chasser. Depuis, il a « toujours eu une arme ».

Fasciné par les westerns à la télévision, il se déguise en cow-boy, mais exclusivement en noir, du chapeau aux bottes. Dans les films, il n'aime jamais le shérif : c'est le hors-la-loi qui parle en lui. Très tôt, il se met à lire des textes nazis, notant que « plus on passe de temps là-dessus, plus ça vous rentre dans l'esprit et vous vous dites que les Noirs et les juifs sont même pas des êtres humains ». Quand il quitte Mobile à dix-sept ans, il est pétri d'une haine particulièrement tenace envers les Noirs qui fréquentent des filles blanches. Il se marie à deux reprises. L'union dure à chaque fois à peine une année ; l'une et l'autre de ses épouses se plaignent d'avoir été battues.

Le 21 septembre 1976, dans une banlieue de Washington, il agresse avec une bombe de gaz paralysant un Noir et une Blanche qui marchaient ensemble dans la rue. Il ne paie pas sa caution, et ne sera pas poursuivi.

Début 1977, il pose une bombe à la synagogue Beth Shalom de Chattanooga, dans le Tennessee, qui détruit l'édifice. On lui attribuera également l'attaque à l'explosif du domicile d'un Israélien à Washington un mois plus tard.

Pour survivre, il attaque les banques, à l'image des bandits de ses westerns préférés. Il en dévalisera seize avant d'être finalement arrêté.

Toujours en 1977, il traverse Madison (Wisconsin) au volant de sa Capri 72 quand il est pris dans un embouteillage. La voiture qui le précède est conduite par un Noir, avec une femme blanche assise à côté. La rue se dégage mais il trouve que l'automobiliste devant lui ne roule pas assez vite, il le klaxonne jusqu'à ce que l'autre se gare, sorte du véhicule et vienne le trouver. Franklin, qui a attaqué peu avant une banque et qui est en possession d'une arme volée, l'abat « comme ça, sans y avoir pensé ». Il tue la femme aussi, puis il s'en va : « C'était juste qu'ils étaient là et que je les vomissais. Quand les Blanches se mettent à coucher avec des nègres, elles ne sont plus des êtres humains non plus. »

Quelques semaines après, il abat un homme de confession juive devant une synagogue du Missouri. En février 1978, c'est un couple de promeneurs, un Noir et une Blanche, qui passaient sur un trottoir d'Atlanta. En juillet, c'est un jeune Noir de Chattanooga qui bavardait devant une pizzeria avec sa petite amie, blanche. « C'était ma mission, proclamera-t-il. J'étais en guerre avec le monde entier. Mon rôle, c'était de liquider autant d'êtres malfaisants que possible. Je sentais que Dieu m'avait commandé de tuer des gens. »

En 1979, il « liquide » un chauffeur de taxi noir en train de parler avec une Blanche dans le parc de Piedmont, à Atlanta.

Le 29 mai 1980, en apprenant que Vernon Jordan est venu à Fort Wayne, il arrête sa voiture sur le bord de la route fédérale 69, ouvre le capot comme s'il était en panne, gravit le talus qui fait face à l'hôtel Marriott et commence à attendre.

En juin, c'est le tour de deux jeunes Noirs à Cincinnati, puis de deux autostoppeurs noirs en Virginie un mois plus tard, puis en août de deux couples mixtes qui faisaient leur jogging ensemble à Salt Lake City... Finalement, il est arrêté le 28 octobre à Lakeland, en Floride, alors qu'il s'apprêtait à donner son sang pour cinq dollars : un avis de recherche avec sa photo avait été envoyé à tous les centres de don sanguin. Le président Carter, qu'il a menacé par lettre, étant attendu dans la ville quelques heures plus tard, les autorités policières disent « ne pas pouvoir exclure » que sa présence à Lakeland ait été « plus qu'une simple coïncidence ».

Au total, il va être accusé de vingt assassinats.

En 1997, tandis qu'il attend toujours son exécution

au quartier des condamnés à mort du Missouri, des enquêteurs venus de tout le pays continuent à lui rendre visite, tentant de lui attribuer des crimes restés inexpliqués. Il paraît très satisfait de toute cette attention. « Les Noirs, ils n'ont toujours pas trop la cote avec moi », plaisante-t-il. Quand les procureurs l'ont taxé de « bête sauvage », il a répliqué en souriant : « Je suis Jesse James, ou Billy the Kid. Je me considère comme un bandit de l'Ouest. Ils ne s'attaquaient pas à des femmes innocentes, eux. Moi non plus, je pourrais jamais faire une chose pareille. »

Parfois, on croirait que Franklin accorde ses audiences tel un souverain royal. Aux inspecteurs d'Atlanta qui veulent lui poser d'autres questions, il répond qu'il ne les recevra que s'ils viennent avec une « jolie fille » qu'il puisse regarder à loisir pendant l'entretien. Lorsqu'ils arrivent avec une de leurs policières, il va passer les deux heures à reluquer ses seins et à se lécher les babines.

Parvenu jusqu'au bout de sa folle obsession, Kenneth Starr, le fils de prédicateur, connaît enfin le bonheur égaré de tenir l'As de pique devant son peloton d'exécution républicain. Mais là, renversement des rôles : Vernon Jordan leur réserve le sort que le fusil de Joseph Paul Franklin n'a pas réussi à lui infliger. Il les volatilise, les disperse à tous vents. Sans rater la moelle épinière, lui.

Q : « L'aide apportée par vous à Miss Lewinsky, telle que vous l'avez décrite, était-elle de quelque manière dépendante de l'attitude qu'elle, Miss Lewinsky, pourrait prendre dans le cadre de l'instruction du dossier Paula Jones ?

R : Non.

Q : C'est très précisément cela, donc : vous vous fixiez pour tâche de trouver un travail à Miss

Lewinsky, plutôt que de servir simplement de référence dans sa recherche.

R : Je ne sais pas si j'ai jamais pris cela pour une "tâche". Chercher un emploi à des gens n'a rien d'inhabituel pour moi, alors non, je ne ne vois pas cela comme une "tâche". Quelque chose qui entre dans le cadre de mes activités, rien de plus.

Q : Au cours de l'entretien avec Miss Lewinsky déjà mentionné, quelle idée vous êtes-vous faite d'elle ?

R : Une jeune femme pleine d'enthousiasme, assez imbue d'elle-même et de son expérience. Effervescente, très animée, assurée... En fait, c'est plus ou moins la même impression que vous-même avez eue quand vous l'avez rencontrée. Vous êtes sorti en disant qu'elle était impressionnante. Donc nous sommes arrivés à peu près à la même conclusion, vous et moi.

Q : Et a-t-elle exprimé devant vous le fait qu'elle appréciait son poste de stagiaire parce qu'il la plaçait dans la proximité du président ?

R : Je n'ai jamais vu un ou une stagiaire de la Maison-Blanche qui n'appréciait pas d'être là où il ou elle était, de sorte que sa satisfaction d'être stagiaire à la Maison-Blanche était grosso modo la même que celle de tous les autres stagiaires. Ils "apprécient", voilà.

Q : A-t-elle fait allusion à quiconque ayant pu éprouver une certaine insatisfaction de la voir à la Maison-Blanche ? L'impression qu'on ne voulait pas d'elle, là-bas ?

R : Elle se sentait indésirable, sans aucun doute. Quant à savoir qui ne voulait pas d'elle là-bas, et pour quelle raison, ce ne sont pas mes affaires.

(...)

Q : Après votre entretien du 11 décembre avec Miss Lewinsky, avez-vous eu à quelque moment une autre conversation avec le président ?

R : J'imagine que vous comprenez qu'une conversation entre le président et moi ne constitue pas un événement exceptionnel.

Q : Je le comprends, oui.

R : Parfait.

Q : Permettez-moi d'être plus précis. A-t-il laissé entendre qu'il avait connaissance de ce qu'elle avait perdu son emploi à la Maison-Blanche, et de son désir de trouver un travail à New York ?

R : Il était évidemment conscient qu'elle n'avait plus son poste à la Maison-Blanche puisqu'elle travaillait déjà au Pentagone. Il n'ignorait pas non plus son souhait de trouver un emploi à New York, dans le privé, et il comprenait que c'était dans ce but qu'elle était en relation avec moi. C'est indubitable.

Q : Et il vous a remercié d'aider Miss Lewinsky ?

R : Absolument.

Q : Et au cours de l'une de ces conversations que j'ai récapitulées, le président vous a-t-il dit que Miss Monica Lewinsky figurait sur la liste des témoins dans l'affaire Paula Jones ?

R : Non.

Q : Et jugiez-vous que cette information avait une quelconque importance dans vos efforts en vue d'aider Miss Lewinsky ?

R : Je n'y ai jamais réfléchi. »

Bang ! Une seule balle venue du talus ! Vernon Jordan venait de gagner la Croix d'honneur dans ce qui était à ses yeux une guerre pour le progrès et la justice sociale. Décoré par la communauté noire, et par nombre de Blancs, par des présidents, par d'importantes sociétés. Et c'était lui que Kenneth Starr et ses acolytes avaient pensé affronter ?

En octobre 1998, Joseph Paul Franklin déclare à un juge de l'Ohio : « Vous n'êtes que le représentant d'un système satanique et vous serez jugé par Jésus-Christ. — Quand ce sera le cas, je n'aurai pas vingt encoches à la crosse de mon revolver », réplique le magistrat aussi sec.

Vingt et une, presque. Car entre-temps Franklin a reconnu une autre agression qui aurait pu être fatale. A Lawrenceville, en mars 1978. Contre Larry Flynt, le patron de *Hustler*. Il est tombé sur un sujet érotique avec un couple mixte dans le magazine et il s'est retrouvé « par hasard » là-bas alors que le procès de Flynt commençait. Mais lui n'était pas là pour l'« outrage aux bonnes mœurs ». C'est la vue d'un Noir et d'une Blanche faisant l'amour qui l'a mis hors de lui.

Dans le contexte de la procédure de destitution de Bill Clinton, la coïncidence a de quoi couper le souffle : le président vient d'être sauvé en grande partie grâce à deux hommes — le fidèle As de pique et le pornographe brandissant son épée de Damoclès au-dessus du Capitole — qui ont été visés par le même tueur ! Que se serait-il passé s'il avait été meilleur au tir ? Quel aurait été le sort de Bill Clinton, dans ce cas ? Et celui de Jesse Jackson s'il avait été à Chicago quand Franklin le cherchait ? Et celui de Jimmy Carter si Joseph Paul n'avait pas été neutralisé avant son arrivée à Lakeland ?

Joseph Paul Franklin personnifiait tout ce que ma génération a rejeté, tout ce dont elle a voulu purger la société américaine : le racisme, l'antisémitisme, le mythe du cow-boy, la fascination des armes, le sexisme, la violence conjugale. Il n'était qu'un clampin dérangé qui n'abhorrait pas plus les Noirs et la mixité raciale que ne les détestaient la Créature de la Nuit, la Ratte, la Trimardeuse ou Führer Man.

Quand Hillary a évoqué une « vaste conspiration de droite », nombre d'entre nous ont pensé qu'elle utilisait la formule par simple opportunisme, que c'était plus un alibi destiné à sauver son mari et leur présidence. Mais quoi, étions-nous censés gober que l'admirateur de Goebbels se soit trouvé « par hasard » à Fort Wayne et aussi à Lawrenceville, au moment où

Vernon Jordan et Larry Flynt s'y rendaient ? Ce n'était pas là quelque montage sensationnaliste concocté par un Oliver Stone pour nous pousser à acheter un ticket de cinéma. Ni une improvisation « gonzo » sortie tout droit du cerveau enfiévré de Hunter Thompson. On était dans le réel, ici !

Alors, en supposant que tout cela appartenait à une grande, une invisible mais permanente guerre secrète qui avait pour but la conquête du cœur et de l'âme de l'Amérique, ce que les éditorialistes désignent par l'euphémisme de « conflit de culture », jusqu'où allait-elle aller ? JFK y avait succombé, et Bobby Kennedy, et Martin Luther King, et Medgar Evers [1]... Et Bill Clinton avait failli connaître le même sort, sur un autre plan, avant d'être secouru par deux hommes qui avaient déjà reçu les balles du tireur embusqué. D'un talus à l'autre... Où serait le prochain ?

---

1. Dirigeant noir du Mississippi assassiné d'une balle dans le dos en juin 1963. (*NdT*)

6

Al Gorf ♥ Tipper Galore

Le jour où le rapport Starr est sorti a été l'un des plus tristes moments de ma vie, et l'un des plus fastes.

Je savais désormais que le président que j'avais servi et admiré allait laisser un souvenir fort pertinemment résumé par le genre d'outrances verbales rock and roll qui avait tant scandalisé ma Tipper. Mais je voyais aussi se dissiper, et ce à jamais, l'affreuse paranoïa dans laquelle j'avais vécu depuis 1993, ce soupçon terrible que Bill ait pu molester ma Tipper dans des circonstances similaires à celles où il avait corrompu Monica Lewinsky.

Je savais maintenant que Ken Starr et son armée de limiers fanatisés auraient mis à jour le forfait, si par malheur il s'était passé quelque chose entre eux. Avec un seul mémo établissant que le vice-président avait été cocufié par son commandant en chef, il aurait pu nous détruire ensemble, lui et moi. Et détruire du même coup une histoire d'amour encore plus forte que celle qu'Erich Segal a écrite sur nous.

Le Rocher de Gibraltar de mon existence depuis près de trente-trois ans, c'est mon épouse, la mère de mes quatre enfants, la femme que j'ai d'abord appelée Tipper Galore après avoir vu un film de James Bond avec elle au temps où nous étions étudiants[1].

---

1. Ce clin d'œil à la sublime aviatrice de *Goldfinger* (Guy Hamilton, 1964) nous rappelle que le nom même du personnage incarné par Honor

Au début, ma mère ne l'a pas aimée. « Elle n'a pas de références », a-t-elle décidé. Elle attendait que je courtise des filles « sophistiquées » de Boston. Mais par la suite elle n'a pas apprécié Bill, non plus : « Ce n'est pas quelqu'un de bien. Ne te lie pas trop à lui. Il a grandi dans un contexte très... provincial. »

Je respecte ma chère mère mais c'est une snob professionnelle et il lui arrive souvent de... Bon, je vais employer ces termes de mâle dominateur que ma nouvelle conseillère de presse, Naomi Wolf, voudrait me voir utiliser plus souvent : Mère dit souvent de grosses conneries.

Dans mon enfance au huitième étage du Fairfax Hotel de Washington, elle était « Mandame M. le Sénateur » pour les domestiques, et mon père « Mêssié M. le Sénateur ». Albert Gore, le révéré sénateur populiste et libéral du Tennessee. Et Mère, Pauline, son meilleur conseiller en stratégie électorale.

Papa, qui avait jadis fait le violoneux à la radio, avait désormais exclusivement recours au tweed écossais et aux costumes bleu séminariste. Mère, qui était serveuse de restaurant lorsqu'ils s'étaient connus, présidait maintenant le Forum des épouses au Congrès, ainsi que la section féminine du Conseil national démocrate. Comme ils étaient en voyage la plupart du temps, je restais dans notre suite avec ma nounou noire, Ocie Bell, qui me servait à table en veillant à ce que je trouve « joli » ce qu'elle mettait dans mon assiette. Quand mes parents étaient là, nous sortions pour des promenades au crépuscule, allant et venant en grande pompe devant les ambassades étrangères, ou bien nous montions au toit-terrasse du Fairfax, où

Blackman, Pussy Galore (Chatte à Gogo), avait inquiété les producteurs. Craignant la censure britannique, ils avaient d'abord pensé l'appeler Kitty Galore, ce qui signifie aussi Chatte à Gogo en anglais, mais au sens propre du terme. (*NdT*)

je buvais un verre de lait pendant qu'ils sirotaient leur whisky-soda.

Mon père, qui m'appelait « chéri », m'emmenait souvent avec lui à des réunions sénatoriales et m'autorisait à jouer avec mon sous-marin en plastique dans le bassin du Sénat. Un jour, il m'a présenté au vice-président Nixon, qui m'a pris sur ses genoux. Il me conduisait aux cours de danse du samedi après-midi et m'apprenait les pas de la valse. Il m'a fait commencer le violon aussi, mais Mère y a mis fin en disant que « les dirigeants du monde de demain ne jouent pas du crincrin ».

Parfois, quand j'étais seul et que je m'ennuyais, je montais en cachette à la terrasse de l'hôtel et je lâchais des bombes à eau sur les limousines garées devant l'entrée. J'ai connu le président Kennedy, d'abord à une réception chez nous puis la fois où mon père m'a laissé écouter leur conversation téléphonique, même lorsque le président a traité certaines personnes de « fils de pute ». Il m'a aussi entraîné dans son bureau personnel un jour que le président était absent. Je me suis assis dans son fauteuil à bascule.

A l'âge requis, mes parents m'ont inscrit au lycée Saint Albans, un établissement privé non loin du Fairfax qu'avaient fréquenté bien des Kennedy et bien des Roosevelt. C'était « gonflant », pour utiliser un terme à la Naomi Wolf. Les autres m'ont surnommé Al Gorf.

Mais j'étais un bon élève, tout comme j'avais été un gentil petit garçon. Un de me professeurs, des années et des années plus tard, m'a confié : « Vous étiez tellement mûr, tellement avancé pour votre âge, que je devais presque vous regarder à deux fois en me demandant si vous étiez encore un enfant ou déjà un adulte. » J'étais un enfant qui s'ennuyait.

La seule nouveauté intéressante dans ma vie, c'était le Jockey Club, le restaurant le plus chic de la ville qui

venait d'ouvrir au rez-de-chaussée du Fairfax ; à tout
moment, je pouvais me glisser dans les cuisines et
manger ce qui me tentait. Et puis Papa a décidé de
m'envoyer chaque été à Carthage, la petite ville du
Tennessee où il était né et où nous avions une ferme.
Il fallait que je travaille dur tous les jours là-bas. Nettoyer les porcheries l'été et puis revenir au Jockey
Club et à Saint Albans...

Le train-train a continué pendant des années et des
années. L'école, la ferme, les parents peu souvent à
Washington, ni à Carthage d'ailleurs. Et pas de vrais
amis. Alors je jouais au foot, au basket, et j'écoutais
sans arrêt la radio, Jackie Wilson, Sam Cooke, Chuck
Berry... Il y avait un portier noir de l'hôtel qui m'aimait
bien. Des fois, il m'entraînait dans le passage derrière
le Jockey Club et on se repassait le ballon.

Au lycée, Al Gorf a appris à garder un balai en équilibre avec le bout du manche sur le nez pendant une
demi-heure. Et à Carthage, un jour, il a aperçu une
fille dans une voiture à l'arrêt, qui écoutait du Ray
Charles, et il l'a abordée.

J'avais treize ans, elle seize. Donna Armistead...
Donna, c'était la chanson de Ritchie Valens qui venait
de sortir et que j'adorais, alors j'ai proposé à cette
Donna de sortir avec moi. On est allés dans un drive-
in avec des copains à elle. Le lendemain, je lui ai
demandé de m'être fidèle. Elle a dit d'accord.

Et on a appelé ça un béguin de petit garçon mais
n'empêche, quand je suis revenu à Saint Albans j'avais
une amoureuse ! Je lui écrivais deux fois par jour et
je lui téléphonais tous les samedis soir à 19 h 30. Mes
parents étaient si souvent absents que j'ai commencé
à passer la nuit au dortoir du lycée. Le matin, je dormais le plus tard possible avant le service à la chapelle : j'avais découpé une chemise dans le dos, avec
la cravate toute prête, et je n'avais qu'à enfiler le tout

comme un tee-shirt avant de mettre ma veste ! Ou bien des fois je me réveillais à trois heures du matin, je m'habillais pour le lendemain et je me recouchais.

A Carthage, on s'embrassait beaucoup, Donna et moi, et on se pelotait et tout, mais on n'est jamais allés jusqu'au bout. On était les Ken et Barbie des montagnes du Tennessee. Une fois, on était en train de se frotter dur l'un contre l'autre sur le canapé d'en bas chez mes parents quand ma mère est descendue en courant. Je ne l'avais pas entendue revenir de la ville. Elle nous a séparés et elle m'a dit d'aller prendre une douche glacée, ce que j'ai fait. Une autre fois, on était arrêtés en voiture dans un coin pour amoureux et soudain il y a eu des phares derrière nous. Je suis sorti à toute vitesse, et au lieu des miennes c'était les chaussures de Donna que j'avais aux pieds ! Je me suis retrouvé devant mon père, qui m'a lancé : « Qu'est-ce que tu penses fabriquer ici ? Tu ne crois pas qu'il est temps qu'on se rentre à la maison ? » On s'est rentrés à la maison.

La dernière année à Saint Albans, j'ai été dans la sélection de football et de basket de l'école. On a merdé sec : une victoire et sept défaites au foot, deux matchs remportés et quatorze perdus au basket. Quand l'almanach de l'école est sorti, ils avaient mis sous ma photo : « C'est affreux de n'avoir aucun défaut. »

J'ai fait deux ou trois bals de débutantes, Al Gorf se remuant sur Johnny Mathis, mais je continuais à écrire à Donna deux fois par jour. Avec trois camarades de classe, je suis allé voir les Beatles au stade de Washington. Eux, ils ont tous adoré John mais moi je préférais Paul. J'ai fêté mon diplôme de fin d'études en sillonnant la ville au volant de la Chrysler Imperial de mon père, tout seul, et en jetant des pétards par la vitre. L'un d'eux m'est revenu sur les jambes, ce qui a failli mettre fin à la vie sexuelle d'Al Gorf avant même qu'elle ait vraiment commencé.

J'étais sans doute bien plus proche de Powell, le portier noir de l'hôtel, que de tous mes condisciples à Saint Albans. On avait le culte de Jackie Wilson en commun, et j'en connaissais tellement long sur la musique qu'on ne manquait jamais de sujets de conversation, lui et moi. Je savais que Lefty Frizzell était en prison à Roswell, au Nouveau-Mexique, la nuit où les soucoupes volantes avaient atterri, et que Jerry Lee Lewis avait été à deux doigts de tuer Paul Anka pendant une tournée en Australie, et que Ray Charles en avait une plus grosse qu'Elvis, et que Brenda Lee était une naine d'à peine treize ans.

J'ai demandé à Powell s'il était cap' de m'emmener au Howard Theater, une boîte de rhythm and blues dont tout le monde parlait, pour voir James Brown. Il a marché. Il m'a mis KO, Brown. Je jure que j'ai presque eu un orgasme en regardant ce cinéma qu'il faisait avec sa cape à la fin du spectacle.

Je l'ai connue au bal de fin d'année. Elle était avec un autre. De l'autre bout de la salle, elle a été une apparition blonde, cheveux longs et visage angélique, des yeux d'un bleu transparent... Marianne Faithfull avec un sourire cinégénique à tomber. Belle ô ma belle !

On a parlé un brin. Tipper Aitcheson, elle s'appelait. Un petit nom que sa mère lui avait donné à cause d'un air à succès des années trente, *Tipi Tipi Ting*. Je n'arrivais pas à détacher mes yeux d'elle. Un cas de pur magnétisme animal, comme Tipper a dit plus tard.

Le lendemain, je l'ai appelée en lui proposant de nous refaire un bal de fin d'année le soir même, rien que pour nous. On a dansé, dansé... Tout tournait, tout s'est effacé autour d'elle. C'était la première fois que je trouvais Johnny Mathis vraiment bon, même.

Tipper était folle des Stones, et notamment de Mick. Elle tenait la batterie dans un groupe amateur de filles, les Chattes sauvages. Elle était transportée par ce que les paroles de *Satisfaction* avaient d'osé. Elle avait une Mustang bleu électrique. Elle était sortie avec un de mes camarades de classe, le genre de gars dessalé, et lui avait offert un 45 tours de *Get Off of My Cloud* en écrivant « Rolling Stones Toujours ! » sur la pochette, en français ! Elle était sortie avec un autre de mes camarades de classe, lui aussi du genre dessalé, et sur son livre-souvenir elle avait écrit : « Amuse-toi tant que tu veux mais je finirai par t'épouser un jour ! »

Elle vivait depuis son enfance chez ses grands-parents, à Arlington, parce que ses parents avaient divorcé quand elle était toute petite. Son père battait sa mère, qui avait été hospitalisée pour deux dépressions nerveuses. A l'école, les autres se moquaient d'elle en disant qu'elle n'avait « pas de papa ».

Elle avait un sens de l'humour très leste, parfois jusqu'au mauvais goût. Pas du tout le style Paul McCartney, quoi. Et moi je l'invitais tout le temps mais ce n'était pas du tout des plans à la Rolling Stones. Je mettais un costume et une cravate, je l'emmenais dans des restaurants chics avant d'aller au cinéma. On s'est fait des tas de chateaubriands, même en bas de chez nous, au Jockey Club, ce qui m'a permis de la présenter à mon ami Powell, le portier.

J'étais désespérément, follement, magnifiquement amoureux d'elle. Plus que de l'amour, en réalité. J'ai vite compris qu'elle était mon amie, le meilleur ami que j'aie jamais eu. J'ai téléphoné à Carthage, j'ai dit la vérité à Donna. Elle a brûlé toutes les lettres que je lui avais envoyées.

Je me suis senti mal, mal... Pendant toutes ces années avec Donna, je ne lui avais pas proposé une seule fois de venir à Washington. Elle faisait partie de mes étés, comme le nettoyage des soues à cochons.

Une fille de ferme pour satisfaire le fils du sénateur jusqu'à ce qu'il rencontre sa princesse. C'était ce qu'elle avait été pour moi, Donna ? C'était ainsi que je m'étais comporté avec elle ? J'espérais bien que non. Je l'espérais avec toute la sincérité de mes remords.

En première année à Harvard, j'avais la photo de Tipper sur mon bureau. Elle, elle finissait à Saint Agnes. Toute la nuit je me tournais et me retournais dans mon lit, et dans un sens, et dans l'autre. Je souffrais sans elle. Je revenais la voir dès que je le pouvais.

Je me suis acheté une moto. Il n'y avait rien de mieux au monde que de sentir Tipper blottie contre moi, ses bras passés autour de ma taille et ce grondement entre mes jambes... Je faisais les allers-retours à Harvard avec.

J'ai été élu président du Conseil des jeunes étudiants. Nos grands thèmes, c'était la propreté des dortoirs, la soirée commune avec ceux de Princeton, et la qualité de la salade de dinde. J'ai remporté quelques concours de buveurs de bière, capable que j'étais d'engloutir une chope d'un quart de litre en trois secondes. Je partais en randonnées solitaires sur ma moto la nuit. J'ai même vaguement participé au grand chahut annuel du printemps : des centaines de types à quatre pattes qui bloquaient le périphérique en faisant semblant de chercher leurs lentilles de contact. J'ai mis sur pied l'équipe de basket des premières années mais je restais en touche la plupart du temps.

Tipper occupait sans cesse mon esprit. Je l'ai présentée à mes parents. Mère a été froide avec elle, je l'ai dit, mais elle a plu à Papa. Il m'a déclaré qu'elle avait des yeux « pétillants, charmants, très beaux ». Qu'elle était « agréable » et « bien tournée », ce qui était le plus loin qu'il puisse aller dans ce genre de commentaires. Il a été encore plus impressionné quand elle est apparue le lendemain matin pour le petit déjeuner : « Tous ses cils bien en place ! Et habillée comme pour aller au bal ! » Quand j'ai demandé à Tipper ce qu'elle pensait de mon père, elle m'a répondu : « Œdipe, ça te rappelle quelque chose ? » Seigneur, qu'est-ce que j'ai ri !

Elle est venue à Boston pour le grand week-end du printemps, accompagnée de sa grand-mère qui faisait office de chaperon. On est allés voir les Temptations. Je l'ai suppliée de continuer ses études à Boston et elle m'a dit d'accord, qu'elle s'inscrirait au Garland Junior College. Tout près du campus de Harvard, en métro.

Avec le passage en deuxième année, le monde a changé pour moi. Engloutir de la bibine, passé de mode. Pour être dans le coup, il fallait fumer des joints. Et puis Tipper était là, près de moi ! A la résidence étudiante, j'ai fini la soirée écroulé sur plein de canapés. Ou bien Tipper me rejoignait dans ma chambre. C'était comme si je vivais à l'intérieur d'elle, défoncé ou lucide.

On se lisait les poèmes de Wallace Stevens à voix haute. Et on se touchait tout le temps, on se prenait la main, on s'enlaçait. Elle a dit à Al Gorf : « Tu as des jambes fabuleuses ! » Elle nous préparait des cookies très, très spéciaux.

On parlait d'habiter au bord de la mer. Elle, elle se consacrerait à la peinture, moi à l'écriture. Ou bien on irait vivre sur les collines du Tennessee, dans une communauté, à faire pousser des légumes. Parfois on s'attardait sur la pelouse du campus, tous deux en combinaison rembourrée, et on riait en regardant passer mon nouvel ami texan, Tommy Lee Jones. Tout en velours bleu, une rose à la main, très allumé, il déclamait du Shakespeare avec son accent de là-bas.

On rigolait quand, dans sa phase d'existentialiste à col roulé noir, il vous sortait brusquement : « Je viens juste de me rendre compte que je vais mourir. » Moi j'ai laissé pousser mes cheveux — Papa était furieux —, j'ai déliré sur *Star Trek* et *2001, l'Odyssée de l'espace.*

Tipper et moi, on a été révoltés par la guerre au Vietnam. On a participé aux manifestations mais je devais être prudent, éviter de mettre en difficulté Papa, dont le libéralisme de plus en plus déterminé heurtait plein d'électeurs du Tennessee. En 1968, il m'a demandé de l'accompagner à la Convention démocrate. Je n'avais pas envie de m'éloigner de Tipper mais j'ai accepté. J'étais dans la salle, en train de l'aider à rédiger un discours, pendant que le monde entier était captivé par ce qui se passait dehors. Le soir des élections, nous avons prié pour Hubert Humphrey, Tipper et moi. Cependant, c'est celui que mon père appelait « le pire félon » qui est passé.

Yesterday, tout semblait si parfait... Et là je me retrouvais avec le problème de la conscription. J'étais convaincu de l'immoralité de cette guerre, et fou amoureux en plus. Mais j'étais aussi le fils d'un sénateur qui représentait un Etat rural, traditionnaliste, et qui comptait se faire réélire d'ici deux ans.

Papa m'a dit de prendre ma décision tout seul. Qu'il me soutiendrait, quelle qu'elle soit. S'il n'y avait pas d'autre issue, Tipper était prête à partir au Canada. Mais Maman a mis les points sur les i : en ne répondant pas à l'appel, je ruinerais la carrière politique de Papa.

J'y suis allé. On a pleuré, Tipper et moi, dans les bras l'un de l'autre. C'était dur mais je n'avais pas le choix. Je ne pouvais pas détruire mon père. Je me suis même porté volontaire pour le Vietnam. Je savais que ce serait une bonne image pour mon père d'avoir un fils au combat, au beau milieu d'une campagne électorale.

Ils m'ont envoyé à Fort Rucker. Nous on disait
« Mother Rucker », comme dans motherf... Quand je
me suis regardé dans la glace, je n'ai pas reconnu le
bidasse au crâne pelé que j'avais devant moi. Tous les
jours, je téléphonais à Tipper, qui achevait sa dernière
année.

J'ai sympathisé avec des soldats qui réprouvaient
cette guerre autant que moi. Certains week-ends, on
prenait une chambre de motel et on se passait le joint
en écoutant Hendrix ou Zeppelin. A cette époque,
j'ai adoré *Easy Rider* et *M*A*S*H**, et en livres *Dune*,
Les Béatitudes bestiales de Balthazar B et *Vol au-dessus
d'un nid de coucou*. Parallèlement, j'ai été nommé trois
fois « Meilleur enfant de troupe » parce que j'avais
l'uniforme le plus impeccable et les rangers les mieux
cirés.

J'ai eu chaud un jour : la police militaire m'a repéré
dans un champ sur le bord de l'autoroute, où j'étais
en train de chercher un trèfle à quatre feuilles pour
un pote qui partait au Vietnam. Je leur ai expliqué ce
que je faisais là et ils m'ont laissé repartir, Dieu merci.

Notre mariage a été célébré à la grande cathédrale
de Washington, à deux pas de Saint Albans. L'amour
de ma vie portait une robe à traîne en dentelle
blanche, avec un bouquet d'orchidées et d'œillets
blancs à la main. Moi j'étais en uniforme d'apparat.
L'organiste a joué de la musique des Beatles et Tipper
m'aimait, yeah, yeah, yeah !

On est partis vivre à Rucker, dans une caravane
infestée de cafards avec un break Volkswagen. On
passait le plus clair de notre temps au lit. Je me sentais
revivre. Elle était là, sa main dans la mienne, ses
caresses, sa façon de me faire rire... Je remerciais le
Seigneur de ses bienfaits, nuit et jour.

Mais Papa était en mauvaise posture, lui. Le « pire
félon » l'avait pris pour cible. A cause de son amitié

avec les Kennedy. Soutenant qu'« Albert Gore entend effacer son image rustique par un recours au libéralisme salonard », Harry Haldeman, le bras droit de Nixon, a ordonné à un subordonné de pondre une liste de tous les dîners auxquels Père et Mère avaient été conviés, avec le menu à chaque fois, « et plus c'est français, mieux ce sera ». Pendant ce temps, l'adversaire républicain de Papa choisi par Nixon en personne clamait que « nos campus (étaient) envahis par les trafiquants de drogue, nos tribunaux entravés dans l'application de la justice, nos bâtiments visés par des bombes, nos écoles menacées ». Et d'ajouter : « La pornographie pollue nos boîtes à lettres. Le crime organisé s'infiltre partout. Violeurs, pickpockets et cambrioleurs sèment l'insécurité dans les rues et dans nos maisons. » Et le tort de tout cela revenait à Papa et aux libéraux en général, bien sûr !

J'ai essayé de l'aider autant que possible. Nous avons enregistré un spot télé ensemble, moi en uniforme et lui qui me disait : « Chéris toujours ton pays, fils. » Après toutes ces années, il a même ressorti son crincrin pour jouer *La Dinde dans la Paille*, mais le résultat n'a pas été très probant. Ses affiches électorales avaient beau le montrer à cheval ou en train de jouer aux dames avec des papys dans un jardin public, les hommes de Nixon le présentaient comme un arriviste éloigné de ses électeurs, un richard snob en veste de chasse et chapeau tyrolien, un politicien qui disait lutter pour le clampin moyen mais qui n'aurait pas supporté sa présence à côté de lui, la variante méridionale de l'establishment « progressiste » de la Côte Est.

Amère ironie : même mon initiative de me porter volontaire au combat s'est révélée inutile. On m'a annoncé que je partirais au Vietnam, oui, mais dans le premier transfert de troupes *après* les élections.

En apprenant sa défaite, Papa a crié : « Damnation ! » Mais après, il a dit que « les idéaux pour les-

quels nous nous sommes battus restaient vivants », et
que « la vérité finirait par triompher ». Moi j'ai pleuré,
sur mon père et sur moi. Je m'étais engagé dans une
guerre abhorrée pour lui mais il avait perdu quand
même et moi je partais au Vietnam, j'allais risquer ma
vie pour rien, laisser derrière moi ma femme adorée,
la laisser seule...

Baisé dans les grandes largeurs, voilà ce que j'étais.
Et par moi-même.

Tiens, Naomi Wolf devrait apprécier la formule.

Six mois sur le terrain. Journaliste de l'armée. Je
parlais tout le temps de Tipper, au point qu'un pote
de chambrée, Mike O'Hara, avait l'impression de la
connaître personnellement.

J'ai fumé plein d'herbe, tapé plein de cigarettes,
écouté plein de musique. Beaucoup de bodysurfing,
aussi : j'ai même sauvé la vie à O'Hara en le sortant
d'un courant traître. Les gars m'appelaient « Frère
Friqué » », pas Al Gorf, et me disaient que j'avais
« une chance de cocu ».

J'ai appris que Tipper était déprimée, qu'elle pleurait tout le temps. Moi je déprimais et je pleurais
quand j'étais sûr que personne ne pouvait m'entendre.

Je prenais régulièrement ma garde sur le périmètre
de la base, dans ces petites guérites qu'on installait en
pleine jungle. Si quelqu'un bougeait, on tirait d'abord
et on posait les questions après.

J'ai vu des hommes et des femmes coupés en deux
par les rafales de mitrailleuses héliportées.

Je n'ai jamais eu à me retrouver face à face avec
quelqu'un que j'aurais dû tuer pour survivre.

J'ai juré à Dieu que je me repentirais de mes péchés
et que je me purifierais si je m'en tirais.

Je mettais Bob Dylan à fond et je rêvais de Tipper.

La mascotte de notre compagnie était un énorme python que nous avions surnommé « Moonbeam ». Il dévorait les rats, qui se comptaient par milliers, mais comme il leur préférait de loin le poulet nous allions acheter les plus gros volatiles dans les villages de la zone et nous les lui ramenions.

Je le contemplais souvent engloutir d'un coup sa proie, paupières closes, cruel, impassible. Une nuit où j'avais beaucoup fumé, je me suis dit en le voyant se nourrir : « Ce serpent, c'est le Vietnam en train d'avaler l'Amérique. »

Tipper Gore ! Tipper Galore ! Me voici ! Je suis de retour ! J'ai réussi ! J'ai survécu ! Oh mon Dieu, qu'est-ce que tu m'as manqué ! Oh mon Dieu, qu'est-ce que je t'aime ! Je t'aaaaaaiiime...

Alors Tipi Tipi Ting, Tipi Tipi Tang, Tipi Tang Tipi Ting, toute la journée et toute la nuit, Tipi Tipi Tang jusqu'à en devenir exsangue...

Je suis revenu plein de colère et d'amertume. Elle m'a apaisé. J'avais des cauchemars de carnage. Elle m'a secouru. Je suis allé me repentir. Elle m'a aidé. Je me suis purifié. Elle a participé. Je suis devenu reporter dans un journal qui avait déjà employé le fils de Bobby Kennedy, celui d'Arthur Schlesinger. Elle prenait les photos.

On a fait un bébé. Puis un autre.

Je ne réussissais pas trop dans le journalisme. Nous devions penser à notre avenir. Que faire ? Vivre dans une communauté et planter des légumes ? Au bord de la mer et peindre, écrire ?

Nous avions des enfants maintenant. Nous étions des parents.

Que dois-je décider, Tipper Gore, Tipper Galore, Tipi Tipi Ting, Tipi Tipi Tang ? Dois-je tenter le Congrès ?

Oui.

Oui ?
Oui !
Elle m'a embrassé.
J'ai rendu publique ma candidature. Mais juste avant, j'ai été pris de vomissements.

Après mon élection, nous sommes repartis à Washington, dans la maison d'Arlington où elle avait grandi. Nos filles ont fréquenté l'école publique où elle était allée. C'était toujours le même employé municipal qui surveillait le passage piétons à la sortie des cours.

Mère insistait pour acheter à Tipper des tenues « dignes de la capitale », jusqu'à ce que je mette le hola. Ma femme était plus belle, plus sinueuse, plus pleine que jamais. Elle a créé une chambre noire chez nous et elle a vendu quelques-unes de ses photos, en free-lance. Elle a travaillé bénévolement dans des foyers de sans-abri. Elle était en jean et pieds nus à la maison.

Pas moi. J'étais membre du Congrès, moi. Chaque jour, je devais porter un costume bleu marine, une cravate rouge et des chaussures élimées. Sur mon bureau, j'avais un ordinateur d'un côté, une boîte de fiches de l'autre. C'est comme ça que j'ai trouvé mon premier bon mot à être repris dans tout le pays : « Le système fiscal est une blague nationale qui vous fait très mal à force de rire. » J'étudiais personnellement toutes les questions que je jugeais importantes, parce que je ne voulais pas laisser des collaborateurs décider à ma place. C'est ainsi que j'ai mené mes recherches sur un lait de synthèse qui présentait des dangers pour les nourrissons, que j'ai découvert un complot visant à maintenir les lentilles de contact à un prix abusif. J'ai animé des commissions en vue de renforcer les mises en garde sur les paquets de cigarettes, ou à propos des dons d'organes. J'ai appris que le meilleur moyen d'obtenir l'attention de ses collègues au Congrès était de s'arranger pour qu'ils vous voient à la télé ou dans les journaux.

J'ai repris le basket au gymnase du Capitole. Al Gorf, le maître des tirs feintés, était capable de faire rebondir le ballon sur le mur du fond et de marquer, ou de placer un filet étendu sur le dos en milieu de terrain.

La ravissante Mme Tipper Gore et moi-même participions à maints dîners officiels, pendant lesquels elle me mordillait l'oreille.

On avait trois filles. On voulait un garçon. On a lu un livre. On l'a mis en pratique.

Tipi Tipi Ting, Tipi Ting Tipi Tang là où elle était d'une blancheur d'ilang-ilang... Pour moi : slips trop serrés proscrits, des litres de café quotidien et pénétration profond-profond, mais non à la missionnaire.

Et ainsi de suite, profond-profond à la demande, au commandement impérieux de son thermomètre entre ces globes d'ineffable neige.

On l'a eu, notre petit.

Elle s'est fâchée la fois où la baby-sitter a apporté avec elle un CD de Prince et qu'il y avait ces paroles dans le dernier titre de l'album, *Darling Nikki* : « Je l'ai rencontrée dans le hall de l'hôtel Bellevue / Elle se masturbait avec une revue. » Et puis il y avait ces clips de MTV dont nos filles parlaient à la maison, celui de Van Halen où une prof fait un strip-tease, celui de Mötley Crüe avec des femmes emprisonnées dans des cages et gardées par des hommes en cuir...

Avec d'autres épouses de législateurs, Tipper a mis sur pied un regroupement qu'elle a appelé le Centre de réflexion parental sur la musique. C'était une personnalité publique, soudain. Tantôt ma ravissante femme apparaissait au journal du soir de CBS pour traiter de questions comme « Bondage et fellation sous la menace d'une arme », tantôt elle me racontait au dîner que Prince aimait arroser son public d'un liquide qui suggérait les sécrétions féminines, ou que Wendy Williams faisait mine de se masturber avec un marteau-piqueur sur scène.

L'industrie du disque a contre-attaqué, durement. Frank Zappa, qui avait été l'une de nos idoles pendant nos années universitaires, l'a traitée de nazie. La propre Wendy Williams lui a répondu qu'elle avait tout simplement peur que nos filles expérimentent l'autostimulation.

J'étais fier de la fermeté avec laquelle elle défendait ses convictions, certes, mais en moi-même je me posais la question : est-ce que nous étions en train de devenir des vieux ? Que dire des appels de Jagger à « baiser les étoiles » et de toutes les audaces rock and roll qui nous avaient tant amusés au lycée ? C'est elle qui avait été fascinée par ce côté canaille, pourtant, et moi le fan de McCartney, tout de même ! Elle paraissait presque faire une fixation sur Prince, ses peignoirs violets sous lesquels il était nu en scène. Est-ce que cela ne faisait pas partie du spectacle, du rituel rock and roll, est-ce qu'on était si loin de la cape de James Brown en concert ?

Lorsqu'elle a entendu Ice-T lui répondre, elle a réussi à rire. Moi pas, franchement. « Quoi, cette cinglée nympho, la Gore ? Qu'est-ce qu'on en a à branler, là ? Moi je dis quoi centre, quoi réflexion, quoi parentale, quoi musique, on y va basique, nous, alors je dis : où il est le lézard, Tip ? Pas assez de bite dans ta vie, c'est ça le problème ? Tu râles sur le rock and roll, c'est d'la censure ça, pauvre pomme ! »

Je n'aurais même pas eu la force de lui parler de la cassette que nous avions tous reçue au Congrès, de cette chose que tous les assistants parlementaires se repassaient en gloussant :

Rien que ta bouche me donne le manche
Tu fais la roue avec tes hanches
Tes nénés sont à se damner
Et sous tes bras ça doit chauffer

Entre tes lèvres je veux aller,
Viens jouer à Tipper gagne
Tu vas finir par exploser
Viens, i'faut qu'on se magne

Tes yeux sont grands tes yeux sont bleus
T'as tout ce qui faut pour nous bluffer
Tes jambes nous mènent tout là-haut
A la cerise sur le gâteau

Entre tes lèvres je veux aller
Dès qu'le benêt sera au Congrès
A Tipper gagne viens jouer
Tu sais déjà qu'tu vas t'imposer

Alors viens Tipper viens
Bouge-moi cette chute de reins
Viens vite Tipper viens
Tout'ce que je dis est pour ton bien !

Quand une superstar du rock s'est enfin décidée à prendre son parti, nous avons ri, nous avons bien ri : c'était Paul McCartney.

Mais enfin, elle s'est accrochée, elle n'a jamais reculé. Quelques années plus tard, alors que je briguais la présidence, elle a eu cette phrase : « Ce que nous voulons, simplement, c'est que son nom finisse par devenir aussi connu que le mien. »

J'ai tenté la présidence, donc, et je me suis fait bouler. Mère m'a envoyé un mot (« Sourire. Se relaxer. Réattaquer »), et puis notre garçon a été heurté par une voiture et nous l'avons choyé jusqu'à ce qu'il retrouve la santé. J'ai écrit un livre qui a été un succès de librairie. Avec les enfants, on est partis en excursion sur une péniche et je me suis laissé pousser la barbe. Et on a décidé, Tipper et moi, que je ne me représenterais pas à la présidence.

Un soir, Tipper est montée sur scène pour jouer de la batterie avec le groupe Grateful Dead. Et à un dîner de la presse à Washington, alors qu'il y avait des photographes dans tous les sens, elle m'a mis carrément la langue dans la bouche.

Quand Bill Clinton m'a proposé d'être second sur son ticket, elle n'a pas été d'accord. Ce qu'on avait décidé sur la péniche, c'était de nous consacrer en priorité à notre couple et aux gosses. Mais je me suis souvenu des paroles de mon père le soir de sa défaite, « La vérité finira par triompher », et là Tipper a dit : « Bon, ça recommence... Alors allons-y, sauvons l'humanité ! »

J'aimais bien Bill Clinton. Je trouvais qu'il avait de bonnes idées pour l'Amérique, j'étais sûr que je pourrais l'aider. D'autant que nous avions deux approches inverses de la politique : la sienne était instinctive, la mienne cérébrale. Il se laissait guider par ses tripes, moi par ma tête. C'était un John Lennon et moi je resterais à jamais un Paul McCartney.

J'avais parfaitement conscience de nos différences. Par exemple, on faisait un jogging ensemble à Little Rock avant la Convention démocrate, on passe devant un groupe de lycéennes et lui : « Waoouh, regarde-moi ce cul là-bas ! » Il pouvait être pince-sans-rire aussi. Lorsque Ross Perot a renoncé à la course à la présidence, il m'a téléphoné pour m'annoncer : « Je me cherche un nouveau coéquipier. Je t'avais choisi dans le contexte d'une triangulaire, mais maintenant que c'est un face à face je prends Bob Kerrey. »

C'est alors que nous faisions une grande tournée

du Midwest en bus avec Bill et Hillary que j'ai découvert à quel point Tipper l'appréciait. Qu'ils soient nés
le même jour de l'année, elle et lui, il en faisait tout
un fromage. Il la touchait tout le temps, au propre et
au figuré : en gardant un moment la main sur son bras,
ou en attirant le regard de ses yeux si bleus, ou en lui
répétant qu'elle allait être un « atout » dans la campagne. A peine lui avait-elle parlé des dépressions de
sa mère qu'il lui a dit avoir l'intention de la nommer
à la tête d'une Commission à la santé mentale qu'il
créerait à la Maison-Blanche.

Au départ, nous ne devions participer à la tournée
que pendant deux jours, mais Tipper s'amusait tellement qu'elle a tenu à ce qu'on reste le double. Pour
les bains de foule, m'a-t-elle expliqué.

En regardant Bill se comporter avec elle ainsi
qu'avec d'autres éléments féminins de l'équipe électorale, j'ai repensé à une phrase que j'avais lue dans le
journal et j'ai pressenti qu'elle était juste : Tipper et
moi, nous étions sur le point de devenir les chaperons
de la collectivité partie à un rendez-vous par petites
annonces avec le premier président rock and roll
qu'elle ait jamais connu.

Je devais espérer ne pas me tromper en comptant
que Tipper ne me ferait pas faux bond dans ce rôle
ingrat mais nécessaire, car déjà certains titres de
presse s'intéressaient au thème de son « amitié avec
Bill Clinton ». D'après un hebdomadaire, Bill et elle
partageaient un « certain sens de la fête » tandis
qu'Hillary et moi aurions été plus ressemblants sur le
plan du caractère. Et sur ce dernier point il y avait
peut-être du vrai : pendant la même tournée, j'ai dit
une fois à Hillary qu'elle était craquante sur le podium
et elle m'a ri au nez.

A cette époque, je me suis demandé également si
Bill ne prenait pas une drogue quelconque, parce qu'il
était tout vaseux le matin, ne commençait à reprendre

son rythme qu'autour de midi. « Les allergies », m'a-t-il dit.

On était comme Butch Cassidy et le Kid, se réjouissait la presse. Mais moi je me suis interrogé en repensant au film : et Katharine Ross, alors ? Est-ce qu'elle ne sort pas avec les deux, d'abord Newman, ensuite Redford, ou le contraire ?

Et donc, Tipper, Butch et le...

Ce qui m'énervait, c'est que je n'arrivais plus à me rappeler le dénouement : avec lequel elle partait, finalement ?

Lorsque nous sommes rentrés à plein régime dans la campagne, j'ai bien vu que Tipper paraissait plus stimulée que jamais. Elle m'enfonçait la langue dans l'oreille en avion, elle faisait des farces aux journalistes, et même dans l'intimité elle manifestait plus d'enthousiasme que dans la dernière période.

Ce qui m'a fait réfléchir encore. Etait-ce moi la raison, ou bien la présence de Bill ? L'effet qu'il avait l'air de produire sur presque toutes les femmes, un don qu'Al Gorf n'avait pas et n'aurait jamais. Une fois que je répondais aux auditeurs dans l'émission de Larry King, elle a même téléphoné en changeant sa voix et elle s'est mise à flirter avec moi.

Ces questions m'ont amené à me remuer, moi aussi. A bord de l'avion électoral, je hurlais « I feeeeeeel good » comme James Brown, ou bien je me servais d'un plateau-repas en guise de snowboard et je descendais le couloir en surfant pendant le décollage.

Sans surprise, Bill a nommé Tipper à la direction d'un « groupe de travail sur la santé mentale » dès qu'on a décroché la Maison-Blanche. Il lui a donné un bureau dans un immeuble tout proche, et une petite équipe administrative. Donc elle allait à la Maison-Blanche tous les jours et je savais qu'elle le voyait parfois. Pour faire quoi ? Parler psychiatrie ?

On aurait cru qu'elle avait rajeuni d'un coup, ou bien était-ce moi qui vieillissais tandis qu'elle gardait sa fraîcheur ? Un jour, elle a sauté en cavalière sur la moto d'un employé de la Maison-Blanche et ils sont partis à fond de train dans la ville ; Tipper levait de temps en temps les bras très haut, comme elle le faisait quand je l'emmenais derrière moi. Ou bien un de mes amis m'apprenait qu'il était tombé sur elle dans un bar à l'aéroport national de Washington, en jean « complètement crade » et casquette à visière, pas maquillée et avec une bière devant elle. Ou bien elle plongeait dans le lac Michigan tout habillée. Et elle a commencé à sortir en rollers.

Apparemment Bill m'aimait bien lui aussi. On m'a rapporté qu'il demandait « Qu'est-ce qu'Al pense de ça ? » quand je n'étais pas présent à une réunion. Il paraît aussi que James Carville trouvait que j'étais « incroyablement focalisé sur le message ».

J'ai essayé de lui être du plus grand soutien possible sur le plan personnel. Quand on jouait au mini-golf, je perdais la partie. Pendant le jogging, je ralentissais et d'ailleurs, une fois, Bill a lancé après une course : « Je tiens à remercier Al de ne pas m'avoir fait terminer en rampant. » Il m'arrivait aussi de me mettre à mon ordinateur pour remanier à la dernière minute un discours qu'il allait prononcer.

Je pouvais le faire rire, également. Un jour qu'il se plaignait de la froideur des Démocrates du Congrès envers lui, de ce qu'ils n'avaient jamais un mot sympathique pour lui, j'ai dit : « Je vais leur parler, moi ! » Et là il a tellement rigolé que ça s'est terminé en crise d'éternuement.

En retour, il pouvait être compréhensif. Après une

conférence de presse très dure où ils m'avaient passé sur le gril, il est sorti du Bureau ovale, il a passé un bras autour de mes épaules et il m'a lancé : « Qu'ils aillent se faire foutre ! Tu t'en es bien tiré. » Mais c'était toujours une sorte de distance ironique, un clin d'œil permanent, un zeste de rock and roll. Comme cette fois où arrivant dans une réunion, il s'est arrêté sur le seuil, ses traits se sont figés d'un coup, ses bras se sont plaqués au corps et il a pris une voix de robot : « Bonjour, mon nom est Al. » J'ai bien ri, moi.

Une autre fois, alors que je partais à un raout électoral, il m'a conseillé : « Hé, vieux, n'oublie pas de serrer les mains autour de toi ! »

J'étais le vice-président des Etats-Unis — « J'ai fait un meilleur travail sur lui que sur mon mari », allait regrettablement déclarer Mère à la presse —, mon bureau était à trois mètres de celui du chef de l'Etat, et je me demandais si l'amour de ma vie n'était pas là-bas, en ce moment même...

Je connaissais une des remarques me concernant que Bill avait faites à un tiers : « J'apprécie vraiment Al. Il a du plomb dans la tête, c'est clair. Son problème, c'est qu'il voit toujours des trucs là où il n'y en a pas. » J'avais une inquiétude : c'était de politique qu'il parlait, là ? Pas de Tipper, au moins ?

J'ai aussi beaucoup médité toute sa phase Prince, comment il avait presque viré à l'obsession pour Tipper, toute cette excitation à propos de fouets et de pratiques bizarres. Etait-ce là encore une indication de certaines... tentations restées inaccomplies chez elle ? Je savais que Bill présentait des tendances comparables, ayant écouté les bandes enregistrées par Gennifer Flowers. Celles où on l'entendait dire également que « dans le genre barbant, Al Gore, c'est la mort ».

Ah, Tipper Gore, Tipper Galore, Tipi Tipi Ting, Tipi

Tipi Tang, je mourrais si un jour tu disparaissais de ma vie dans ta Mustang !

Angoissé, j'ai fini par acheter un livre d'astrologie afin de voir ce qu'elle et lui pouvaient avoir en commun. A propos de leur signe, j'ai lu : « Brillants, entreprenants, vous réalisez tout ce que vous décidez d'entreprendre. Prenez garde cependant à qui vous laissez entrer dans votre existence. Sur le plan relationnel, les gens vous croient presque parfaits, mais non, vous avez vos faiblesses et vous le savez ! Le problème, c'est que les autres auront parfois du mal à l'accepter. »

« Accepter » ? Tipper et Bill ? Jamais !

J'ai regardé ce que le livre racontait à propos de ma date de naissance, le 31 mars : « Vous avez tendance à ne rien croire de ce que l'on vous dit. Essayez de prendre moins au tragique les déceptions dans votre vie sentimentale. Un mariage hors des sentiers battus pourrait vous y aider. »

Quel « mariage hors des sentiers battus » ? Tipper et Bill ? Ou Tipper, Bill et moi ? Ou Tipper, Bill, Hillary et moi ?

Jamais !

La publication du rapport Starr m'a donc montré que j'avais construit toute cette histoire dans ma tête. Pourquoi ? Parce que j'aimais Tipper à la folie, parce que je prenais de l'âge et que Bill, dans la dimension mâle dominateur, était nettement mieux placé que moi.

Le jour où la procédure de l'impeachment a été déclarée valide, je suis resté avec lui dans son bureau et je l'ai regardé pleurer. J'ai pleuré avec lui. J'ai pris sa main et je l'ai tenue.

Après la sortie du rapport, Tipper a déclaré publi-

quement, en parlant des enquêteurs du Congrès :
« Ce qui va être intéressant, c'est quand le peuple
américain va découvrir en détail quel genre d'esprit
ont ces gens. Je brûle de voir ça ! »

Ainsi Naomi Wolf, cette belle et talentueuse jeune
femme qui est ma conseillère en image, s'efforce de
me transformer en « mâle alpha », comme ils disent.
En chef de la horde. A en croire tout ce qui se
raconte sur moi, elle ne doit pas avoir la tâche facile,
la pauvre.

Je suis monocorde et univoque. Raide, coincé, prétentieux. Donneur de leçons. J'ai une dégaine de boy-
scout, ou de médecin de famille dans les feuilletons.
Mes pantalons sont toujours trop courts, mes costumes ont l'air d'avoir été repassés sur moi. J'applau-
dis comme un automate, je bouge comme un
mannequin en cire : si je tourne la tête, il y a tout le
torse qui bouge avec. Je suis le bêcheur, le fayot, celui
qu'on aime chahuter à la récréation...

Oui ? Continuez, ça m'est égal. Parce que Tipper
Gore m'aime, elle !

Tipper Galore ♥ Al Gorf !

On lui demande quels livres j'ai sur ma table de
nuit et vous savez ce qu'elle répond, Tipper Gore ?
« Comment ça, des livres ? Il vit avec moi, d'accord ?
Vous ne croyez pas qu'il a mieux à faire qu'à lire, le
soir ? » En quittant le bureau, je lui passe toujours un
coup de fil parce que je sais qu'elle veut avoir le temps
de se recoiffer et de se mettre du rouge avant mon
retour. Quand j'arrive à la maison, elle est dans le
jardin avec les enfants, elle les fait chanter en les
accompagnant au tambour. Moi je prends mon harmonica et je me joins volontiers au chœur depuis
qu'elle a dit que j'avais une voix « douce, très jolie ».

Pour Halloween, on donne une soirée costumée.

L'an dernier, on était déguisés en momies, Tipper et moi.

Il nous arrive encore d'aller au cinéma. On s'assoit au balcon, main dans la main, chacun avec sa casquette de base-ball.

Hier, elle m'a offert un autocollant. Dessus, il y a marqué : « Six années après sa mort, Nixon pas encore aussi raide que Gore. »

Quand Linda McCartney, la femme de Paul, a été emportée par la maladie, j'ai serré Tipper contre moi toute la nuit, le plus fort que j'ai pu.

Naomi Wolf a conseillé Bill avant de devenir ma conseillère en virilité. Son mari écrit des discours à la Maison-Blanche. Il y a environ un an est sorti un roman, l'histoire d'une femme mariée à un type qui écrit des discours à la Maison-Blanche. Elle a une aventure avec le président des Etats-Unis.

Vous croyez que Bill et Naomi...

Oh et puis zut, assez avec ça !

Vous voyez, je recommence, monsieur le président. C'est juste que je suis... comme je suis.

Au temps où j'étais un petit garçon qui parcourait tous les couloirs du Fairfax, il y avait un vieux monsieur, très grand et avec une canne, qui avait une suite là-bas. A chaque fois que je le croisais dans l'ascenseur, il faisait une grimace horrible et il éclatait de rire en me voyant m'enfuir dès que les portes se rouvraient. C'était un sénateur lui aussi. Le sénateur Prescott Bush. Eh bien en novembre 2000, c'est à sa tête à claque de petit-fils que je vais flanquer une raclée monumentale, voilà !

Ça vous paraît assez « mâle alpha » ?

7

La putain d'Hitler

A force de se prendre la tête, Monica essayait vainement de l'occuper ailleurs. De moins se morfondre sur son sort. Elle avait repris la couture, fabriquait des sacs et des écharpes pour sa famille ou des amies. Mais rien à faire, elle se retrouvait à chaque fois tétanisée, hallucinée par le petit écran qui lui renvoyait vingt-quatre heures sur vingt-quatre l'image la plus cruelle d'elle-même.

C'était plus fort qu'elle. Elle se revoyait sans cesse à genoux devant lui. Elle se sentait bafouée, violentée, comme si les autres ne pouvaient plus l'imaginer autrement que dans cette position humiliante. Elle se faisait l'effet d'avoir été prostituée. « La putain d'Hitler », disait-elle à ses copines. Alors elle tournait en rond, elle pleurait, elle sanglotait, elle devenait hystérique.

Le comble, l'ultime trahison, a été Andy Bleiler. Son premier amant, son grand amour de jeunesse, l'homme qui lui avait pris sa virginité, paradait maintenant sur toutes les chaînes, devant sa villa de Portland avec sa femme, en train de tenir... des conférences de presse ! Pour la traiter de menteuse et de catin, en plus ! Andy, Kate et un avocat qu'ils avaient pris, ils s'acharnaient tous les trois sur elle, la déshabillaient sans pitié sous la lumière crue des caméras, soutenant qu'elle aurait eu « une tendance certaine à déformer la réalité, notamment pour enjoliver sa personnalité à ses propres yeux », qu'elle « parlait de sexe sans arrêt, à l'évidence une obsession chez elle », révélant au monde entier qu'elle avait eu un avortement, laissant entendre qu'elle n'était entrée à la Maison-Blanche que dans le but de séduire le président. Kate avait dit qu'elle était « le genre *Liaison fatale* », prétendait l'avoir entendue lancer — *elle !* — qu'elle allait se « chercher des genouillères présidentielles à la Maison-Blanche ». Ils la faisaient passer pour une paumée pathétique, qui pouvait téléphoner jusqu'à cinq fois par jour de Washington... Elle regardait Andy et elle pleurait de plus belle, et elle prenait les cachets que son psy lui avait donnés. « Putain ! Grosse salope ! » Même lui, même Andy en était arrivé là.

Le cauchemar se poursuivait jour après jour. Impossible de se concentrer sur sa couture. Crise de larmes, comprimés. Accès de boulimie. Elle reprenait du poids, n'arrivait plus à sortir, même pas sur son balcon puisque les caméras la guettaient d'en bas, dans la rue. Piégée entre la télé et Internet, zappant ou surfant pour ne recevoir que l'image de la grosse catin telle qu'ils la voyaient, eux ! Encaissant de nouveaux coups : hier Andy, le lendemain son soi-disant premier petit ami, Adam Dave, un garçon à qui elle avait à peine donné un baiser et qui racontait maintenant leurs joutes sexuelles, qui affirmait qu'elle lui demandait de l'attacher au lit avec des menottes... Oh la grosse salope !

Par hasard, elle est tombée sur une vidéo où l'on voyait Bayani Nelvis arriver à sa comparution devant le grand jury. Son ami l'intendant de la Maison-Blanche. Le coup a été presque aussi dur qu'avec Andy Bleiler et Adam Dave, parce qu'elle a tout de suite reconnu la cravate qu'il portait. Une de celles qu'elle avait offertes au Zombie ! Il faisait tellement

cas de ses cadeaux qu'il les refilait aux domestiques...
Mais évidemment ! Quel serait l'homme qui penserait
garder les présents d'une grosse catin ?

La veille, elle avait reçu la lettre d'une inconnue,
qu'elle avait aussitôt transmise à son avocat. Une
New-Yorkaise qui affirmait que Kenneth Starr la cherchait, elle aussi, et qui reconnaissait avoir eu des aventures avec des hommes mariés connus, mais jamais
avec le Zombie. Elle ne savait pas que faire, écrivait-
elle. Normal ! Une putain demandant conseil à une
autre ! Reprenant sa télécommande, elle avait zappé
sur une interview de la psychologue Joyce Brothers.
En train de demander : « Pouvez-vous imaginer la tête
de ses parents si un garçon ramenait Monica Lewinsky
à la maison et leur annonçait qu'il voulait l'épouser ? »

Quand ils ne la piétinaient pas, ils s'en prenaient à
sa mère. Sa pauvre mère. Leur situation lui rappelait
un vieux film avec Sophia Loren qu'elle avait vue dans
le temps, où une mère et sa fille étaient victimes d'un
viol collectif. Côte à côte. Et elles ? D'abord violées
par Starr, maintenant par les médias. Sa mère avait
manqué s'effondrer pendant l'audition devant le grand
jury. Il avait fallu faire venir une infirmière, un fauteuil
roulant. Son avocat l'avait emmenée aux toilettes, où
elle s'était laissée tomber au sol, hystérique. Le soir,
en rentrant chez elles, Monica avait trouvé sa mère
recroquevillée sur le carrelage de leur cuisine, en sanglots. Son psy avait dû venir d'urgence, en pleine nuit.

A la Maison-Blanche, ils avaient appelé cette tactique de Starr « On attache Maman sur les rails et on
attend le train ». Son père s'était indigné : « Essayer
de dresser une mère contre son enfant, la forcer à
parler... Tout cela m'évoque l'ère de McCarthy, ou
l'Inquisition et même, sans trop exagérer je crois, le
temps d'Hitler. » Et sa mère : « Quel meilleur moyen
de contraindre quelqu'un à agir contre sa volonté
que de menacer ses proches ? Ma famille a vu cette
technique abondamment et efficacement utilisée par

Joseph Staline, et c'est pour cette raison qu'ils ont quitté la Russie. »

Toutes ces sombres références accumulées, Mc-Carthy, l'Inquisition, Hitler, Staline, mais les médias n'ont rien voulu entendre, rien. Au contraire, ils sous-entendaient que sa mère l'avait encouragée à attirer l'attention du président sur elle. Qu'elles étaient des intrigantes, toutes les deux. Ils n'étaient pas loin de soutenir que sa crise nerveuse devant le grand jury était un coup monté, une opération de relations publiques visant à faire de Starr une sorte de Savonarole moderne. Ils se moquaient bien qu'elle soit restée dans un état épouvantable après, qu'elle ait pris les calmants de Monica, qu'elle ait consulté *son* psy ! Qui se souciait d'une catin ? D'une grosse salope ? De la « putain d'Hitler », justement ?

En zappant encore, elle est tombée sur *elle*. Linda Tripp ! Ah, elle souhaitait la mort à ses enfants ! Et à son stupide clebs, Cleo ! Elle avait téléphoné à son coiffeur la semaine dernière et Ishmael lui avait annoncé qu'*elle* venait chez lui, maintenant ! Cette femme lui avait volé sa dignité, sa vie privée, sa vie tout court, et même son coiffeur ! Et à chaque fois qu'elle la voyait faire son intéressante, elle avait sur elle quelque chose que Monica lui avait donné : un vieux manteau, le faux sac Chanel qu'elle avait acheté en revenant de Corée... Comme si la Tripp la narguait par caméra interposée : « Tu as vu tous ces trucs de merde que tu m'as refilés, hein ? Mais là tu es en train de payer ! La "pute d'Hitler", oui, puisque c'est même pas un vrai, ce sac Chanel ! »

Elle se sentait seule, horriblement seule. Il y avait sa mère, d'accord, mais le train lui était passé dessus, à elle aussi. Egalement détruites, salies, comment pouvaient-elles s'entraider ? En s'échangeant leurs cachets, leurs ordonnances, leurs psys respectifs ? En comparant leurs souvenirs sur l'aventure que sa mère n'avait pas eue avec Pavarotti et sur celle qu'elle avait eue avec le président ? Non, il n'y avait personne d'assez fort autour d'elle pour lui tendre la main. Son avocat, ce Ginsburg ? Vaste plaisanterie ! Un schmoque à tendance suicidaire ! Comment son père avait-il pu lui dégotter une calamité pareille ? Spécialisé dans la défense des erreurs médicales, le type ! Et il était sur toutes les chaînes, et il se croyait très malin. Quand elle lui avait demandé d'arrêter de se donner en spectacle, qu'est-ce qu'il avait répondu ? « Si vous ne jetez pas à manger à l'ogre, il aura faim et il vous bouffera. Si vous le nourrissez trop, il vous dégobillera dessus. Mais si c'est juste ce qu'il faut, il vous laissera tranquille. » Ah oui, « juste ce qu'il faut » ? Et il trouvait que la presse la laissait tranquille, sans doute ? Où est-ce qu'il allait, comme ça ? Elle avait lu son interview dans *Time*. Et de parler de « l'agressivité » de sa mère, et de comparer Monica à « un chien en cage, enfermé avec sa libido de toute jeune femme ». Son propre avocat ! « Chien en cage », c'était sans doute pour ne pas dire « chienne en chaleur ». Pute, quoi.

Le vieux fou avait raconté aux journalistes qu'il lui avait embrassée « l'intérieur des cuisses » quand elle n'avait que six jours, et qu'il s'était extasié : « Regardez-moi ce petit toukhess ! » On parlait comme ça, devant tout le monde ? Quand les autres répétaient déjà qu'elle n'avait pas de pudeur ? L'imbécile !

Un vieil obsédé, aussi. Sans cesse à exiger d'elle des détails « plus précis » sur ce qui s'était passé dans le couloir du Bureau ovale. Reçu à dîner dans sa famille et déclarant qu'il avait « déduit » que le président aimait exclusivement les femmes dont la toison pubienne était brune. A table ! Elle, la putain du maître du monde occidental, il était clair qu'elle n'était pas blonde de là, et ce Ginsburg qui sort ça en plein dîner ! Sa belle-mère en avait quitté la pièce. Et cet article qu'il préparait pour la revue *L'Avocat califor-*

nien ? « Grâce à vous, Mr. Starr, nous savons maintenant que d'autres lèvres que celles de la First Lady se sont posées sur le pénis présidentiel ! » Quelle maladresse, quelle grossièreté !

Mais qu'attendre d'un bonhomme qui avait débarqué pendant une séance photo à Malibu, remarqué du premier coup d'œil la robe bleue qu'ils lui avaient demandé de porter et s'était écrié : « Quand il va voir ça il va en mouiller son caleçon, le président ! » Une séance très classe sur une plage privée de Malibu, artistique et tout, mais non, il fallait que son « avocat » vienne gâcher l'ambiance ! C'était *ça* qui était censé la protéger du viol collectif ?

Pourtant, elle en connaissait un qui devait bicher en regardant tout ce déballage, en attendant d'autres détails, en rêvant de l'intérieur de ses cuisses, de son toukhess, de sa toison, en prenant son tour dans la file des violeurs...

Elle songeait à toutes les autres femmes qui avaient été des putains de l'Amérique, des putains du monde libre, qui avaient connu une éphémère célébrité juste parce qu'elles avaient été surprises avec leur culotte baissée ou non, à genoux ou au lit avec des hommes connus. Elles revenaient maintenant sur toutes les télés et sur Internet... Grâce à elle. Elles avaient cru pouvoir retrouver l'anonymat mais non, on les traînait à nouveau sur la scène mondiale, on les dénudait encore, on redisséquait leurs putasseries, et c'était un autre viol collectif qui recommençait sur leur corps de femmes vieillies... A cause d'elle.

Elles étaient figurantes dans le spectacle dont elle était la star. Elles aussi avaient occupé le premier rôle jadis, mais moins longtemps, et avec une distribution tellement moins prestigieuse ! Faire une turlute à un sénateur lambda ou au président des Etats-Unis, ce n'était pas la même chose. Tout le monde ne pouvait pas être la putain d'Hitler.

En regardant toutes ces femmes revenues du passé, elle s'est demandé si ce serait son lot, à elle aussi : dix ou vingt ans plus tard, réapparaître pour une poignée de dollars dans les talk-shows, évoquer la pipe historique de même que les vieux champions de baseball reprenaient laborieusement devant les caméras le coup qui avait scellé la victoire aux World Series ; signer des autographes en prenant un air joyeux ; sourire jusqu'à en avoir mal aux mâchoires, histoire de prouver que le viol collectif n'avait pas laissé de séquelles douloureuses, non.

Elle savait que celles qui l'avaient précédée n'avaient aucune raison de sourire, pourtant. Est-ce que Meredith Roberts, l'ancienne amante de Bob Dole qui vivait seule avec ses chats, avait le cœur à plaisanter ? Ou Elizabeth Ray, le jouet cassé d'un politicien gâteux, seule avec son chien ? Ou Fawn Hall, qui avait caché dans sa culotte des documents secrets de l'Iran-Contra pour le compte d'Oliver North, désormais à la dérive, minée par la drogue, répétant qu'« Ollie » l'avait traitée « comme un Kleenex usagé » ? Ou Jessica Hahn plaisantant avec Gennifer Flowers : « Si vous m'organisez un rancard avec Bill Clinton, je vous présente à Jim Bakker », et la réponse de Gennifer : « Merci, mais même en manque je ne le baiserais pour rien au monde »... Putains de légende, superstars de l'asservissement sexuel. Et elle, la plus scandaleuse de toutes.

Mais enfin, il y avait encore pire, sans doute. Oui ? Oui, si elle se souvenait de Megan Marshack, vingt et un ans quand elle avait connu le vice-président Nelson Rockefeller, qui en avait près de soixante-dix et qui était évidemment marié. Monica avait l'impression de la connaître, de la « reconnaître » dans sa propre expérience. Une fille de la Vallée, née au pied des lettres « Hollywood » sur les rochers. Grande, bien

charpentée, séduisante, ambitieuse. Diplômée en histoire et en journalisme, elle monte un jour dans le
bus de presse de la campagne Nixon, rencontre la
crème des chroniqueurs politiques, sort avec l'un
d'eux qui lui trouve une place de reporter radio à
Associated Press. Ses chefs la chargent d'interviewer
Nelson Rockefeller. Comme elle sait qu'il adore les
cookies, elle en achète une boîte, les enveloppe un
par un et les lui offre comme si elle les avait préparés
elle-même.

Les cookies lui plaisent, et Megan encore plus. Il
l'embauche à son service avec un salaire royal, l'installe dans un bureau tout proche du sien, l'emmène
avec lui à New York, lui prête quarante-cinq mille
dollars, lui offre un magnifique manteau de fourrure
et un sac Gucci... Une nuit qu'ils font l'amour dans
un appartement discret, il est foudroyé par une crise
cardiaque alors qu'il est encore en elle. Du coup,
Megan Marshack devient la « femme fatale » absolue...

Heureusement que le Zombie ne lui avait pas fait
ce coup-là, se disait Monica. Imaginez un peu : la pipe
mortelle, la clarinette qui prélude au silence infini.
William Jefferson Clinton terrassé par un orgasme
meurtrier. Son Willard raide, mais d'une rigidité cadavérique. Le dernier affront fait à Hillary.

De plus en plus déprimée par la vue et les souvenirs de ces femmes, elle en arrivait à se dire qu'elle
n'appartenait même pas à leur triste troupe itinérante
resurgie du passé. Cette pauvre Elizabeth Ray, entrée
dans l'existence sous la couronne de Miss Caroline
du Nord après s'être tapé les juges du concours de
beauté... Elle qui se voyait comme une deuxième Marilyn Monroe, le vieux politicien bedonnant l'avait payée
pour qu'elle devienne sa maîtresse, l'avait engagée
quand elle ne savait « ni taper à la machine, ni tenir
des dossiers, ni répondre au téléphone », de son
propre aveu, puis il avait épousé une autre de ses
secrétaires et n'avait même pas invité Elizabeth à la

noce. Humiliée, folle de colère, elle avait fini par forcer la porte de son bureau. Il avait demandé aux gardes du Capitole de la jeter dehors, alors elle était allée tout déballer au *Washington Post*. Ensuite, un joueur professionnel à New York, un producteur de théâtre, et à chaque fois bernée, à chaque fois jetée. « Je choisis toujours les mauvais numéros, reconnaissait-elle. J'ai été gâtée, habituée aux grands hôtels, à avoir une Rolls Royce qui m'attendait en bas de l'avion à Atlantic City. Mais qu'est-ce que j'ai payé pour ça ! » Ensuite, elle avait pris des cours d'art dramatique avec Lee Strasberg et Stella Adler, elle avait été chanteuse pendant une semaine dans un bar de Pennsylvanie, un titre de la presse masculine lui avait demandé de couvrir la Convention démocrate, et de poser nue par la même occasion. Elle consultait assidûment son psy — « Le jour où il n'y aura plus d'espoir, il m'a promis qu'il me préviendrait » —, elle avait sur son mur une grande photo d'elle étendue sur un drap en satin blanc avec une rose, comme Marilyn. Et elle vivait seule avec son chien.

Et le cas de Fanne Fox ? Tout aussi déprimant. Une strip-teaseuse repérée par un autre politicien vieux et gros. Avec lui et deux autres, tous ivres morts, elle est arrêtée par la police une nuit à Washington. Prise de panique, elle saute dans le canal. Une équipe de télé qui écoutait les liaisons radio des flics l'attend quand elle ressort de l'eau. Elle dit qu'elle l'aime, ce qui met fin à la carrière du bonhomme : « Ça m'apprendra à boire avec n'importe qui », commente-t-il. Elle essaie de reprendre le métier de strip-teaseuse sous le surnom de « la Bombe du canal », elle travaille dans la « promotion » de revues pour hommes, déshabillée bien sûr, elle tente de se suicider, fait un séjour dans un asile psychiatrique, tourne dans un film érotique, et philosophe : « Ce qui est passé est passé. Mais il y a des choses qu'on peut encore réparer pour ne pas avoir entièrement honte de soi-même. »

Etait-ce l'avenir qui l'attendait, elle aussi ? Une semaine dans un bar de cité ouvrière ? Un livre de souvenirs ? Des photos dans la presse masculine ? Une tentative de suicide ? Le cycle sempiternel abusée-jetée, répétition grimaçante du viol collectif initial ? Le remords éternel, ou la sensation de ne pas avoir « entièrement » honte d'elle-même ? Le désespoir et les « questions des auditeurs » ?

Une anecdote rapportée par Gennifer Flowers lui était restée en mémoire : « Un jour, je participais à un talk-show de chez moi, au téléphone. Soudain, j'ai eu terriblement besoin d'aller au petit coin. Mais je ne pouvais pas interrompre l'émission comme ça, bien entendu. Pendant que je regardais autour de moi dans la cuisine, en cherchant une solution, il m'est venu une idée géniale : me servir d'un bol ! Et donc, tout en continuant à répondre aux questions à propos de Bill Clinton, je me suis tranquillement soulagée là-dedans. Par chance il n'était pas en inox, ce bol. Ils n'ont pas entendu une goutte ! » C'était ça, son avenir ?

Le seul exemple un peu encourageant lui venait de Donna Rice. Quand elle avait croisé la route du candidat Gary Hart, c'était déjà une « party girl » consacrée, qui avait même rencontré le prince Albert de Monaco. Et ensuite, elle avait tourné cette pub très osée pour une marque de jeans : « Je n'ai pas d'excuses, je porte un jean Machin. » Mais elle n'avait pas écrit de livre, elle, ni posé nue, ni tourné dans un navet érotique, ni même daigné participer à un talk-show. Elle s'était mariée, elle avait été touchée par la foi, elle animait une organisation baptisée « Trop c'est trop » qui luttait contre la pornographie sur le Web... Pas pourrie-gâtée, ni abusée-jetée. Elle avait une vie, tout simplement, et des idées à défendre.

Elle zappait, elle zappait, écrasée par l'injustice de son sort, lorsqu'elle a vu... Oh Seigneur ! L'*autre*

Monica. La Monica de Nixon. La Crowley. A un débat.
Et le présentateur qui commence : « Nous avons avec
nous Monica Lewinsky... » Et la petite mijaurée :
« Pour un lapsus freudien, c'en est un ! »

Trop injuste ! Elle, cloîtrée dans son appartement
pendant que la Monica de Nixon la descendait en
flammes, démolissait le Zombie et pontifiait : « Nixon
aurait conseillé à Clinton de ne plus tergiverser, de
tenir sa promesse en s'expliquant plutôt plus que
moins, et tout de suite. » Nixon ? Le menteur patenté
aurait exhorté le menteur presque patenté à cesser
de dissimuler ? Et ils gobaient ce que racontait cette
fille ? Après ces histoires que Nixon était « comme
un grand-père » pour elle, et qu'elle avait seulement
reçu un « soutien moral » de ce Roger Stone, un type
qui passait des annonces dans les revues échangistes
avec sa femme ? Oh, c'était teeeeellement injuste !

Trop de télé, trop de catins, toutes ces voix qui
l'accusaient, ou parlaient à sa place... Assez ! Elle
comprenait son erreur, soudain. Ces autres femmes
n'étaient pas plus des putains qu'elle ne l'était elle-
même, ni que Monica Crowley d'ailleurs. Au diable les
racontars, au diable les insinuations ! Elles n'avaient eu
que le malheur de tomber amoureuses, ou de devenir
le jeu d'hommes pleins de cynisme et de mensonge.
Comme elle, même si dans son cas elle était tombée
amoureuse et avait été utilisée par un cynique, un dis-
simulateur. Elles s'étaient trompées, tout simplement.
Comme elle. Elles avaient leurs points forts et leurs
faiblesses, comme elle. Elles étaient... ses sœurs.

Elle était soulagée d'un coup. Au point qu'elle a
éteint la télé et qu'elle a téléphoné à la pâtisserie d'en
bas pour commander encore un gâteau à la mousse
au chocolat. Et elle a fait le compte de toutes ses
sœurs qui avaient fini par surmonter le traumatisme
du viol collectif. Vanessa Williams, qui chantait maintenant avec Pavarotti ; Jessica Hahn, refaite à neuf par
les chirurgiens esthétiques ; Gennifer Flowers, invitée

à donner des conférences dans les universités ;
Connie Hamzy, la groupie éternelle, qui se présentait
au Congrès et faisait sa campagne en bikini ; Koo
Stark, la tocade du prince Andrew, devenue anima-
trice vedette dans une télé londonienne ; Rita Jenrette
la scandaleuse, qui vivait maintenant dans un penthouse d'un million de dollars ; Fawn Hall, qui avait
réussi à sortir de l'enfer de l'héroïne et du crack...
Oui, il y avait une vie après le viol ! Ainsi que l'avait
résumé Judy Exner, une des conquêtes de JFK :
« J'avais vingt-cinq ans et j'étais amoureuse. Alors
quoi, j'aurais dû être plus raisonnable que le président
des Etats-Unis ? »

Elle était teeellement heureuse de ne pas être une
catin, de ne pas être « la putain d'Hitler », elle, une
fille de bonne famille juive. Et elle venait de découvrir
la bonté intrinsèque de ses sœurs, en plus. On a
sonné à la porte : son entremets arrivait. En savourant
la première cuillère, elle a vu son avenir devant elle,
non plus noir, mais rose, rose...

Elle allait balancer son schmoque d'avocat et
conclure un marché avec Kenneth Starr. La casquette
de base-ball à grande visière derrière laquelle elle
s'était cachée allait devenir l'accessoire à la mode. Les
gens se lèveraient pour applaudir quand elle entrerait
dans un restaurant. Un sondage Gallup la classerait
parmi les femmes les plus admirées au monde, à égalité avec la reine d'Angleterre.

Elle poserait pour *Vanity Fair* drapée dans la bannière étoilée. Le Zombie romprait son silence pour
dire tout le bien qu'il pensait d'elle. Andy Bleiler pla-
querait sa femme, démentirait ses déclarations et
reviendrait à elle en rampant. Elle perdrait plein de
poids. Elle ouvrirait peut-être sa porte à Andy. Et
quand Hillary finirait par jeter son Zombie, à plus ou
moins long terme, si jamais elle était encore mince et
qu'il passait par là un soir...

8

On touche le fond

> « A mon avis, il se fait même horreur, dans ses
> moments de lucidité. Genre : "Bon Dieu, mais
> qu'est-ce que je fabrique, là ? S'ils trouvent que
> l'autre truc était déjà assez affreux, qu'est-ce
> qu'ils vont me flanquer pour celui-là ?" » (LINDA
> TRIPP À MONICA)

Après la rebuffade infligée aux Républicains par
l'électorat noir et féminin aux élections de
novembre 1998, la destitution de Bill Clinton paraissait aussi probable que la présence d'Hillary dans le
casting d'un film X.

C'est pourtant un document à caractère pornographique du FBI qui allait conduire deux mois plus tard
la Chambre des représentants à adopter la procédure
de l'impeachment. Sans cette littérature hard mise à la
disposition d'une quarantaine de députés républicains
dans une salle placée sous haute surveillance au
Gerald Ford Building, la droite modérée aurait jeté
l'éponge. Finalement, la punition de Bill Clinton est
arrivée non pas en rétribution de ce qu'on lui reprochait — parjure et dissimulation de preuves —, mais
en réponse à une accusation de viol.

Recueillie par le FBI, la déposition de Juanita Broaddrick (désignée sous le code « Une telle n° 5 » dans le rapport Starr) a été transmise par le procureur spécial à la commission juridique de la Chambre en tant qu'annexe. Au départ, Kenneth Starr l'avait demandée alors qu'il cherchait un exemple d'obstruction à la justice imputable au président. Placée sous scellés avant d'être communiquée pour une lecture en petit comité — à laquelle aucun Démocrate ne devait assister —, elle n'a jamais été rendue publique. Les participants, en majorité des Républicains centristes que le chef de rang Tom DeLay avait encouragés à venir dans l'espoir de raffermir leurs convictions, allaient confier à des collègues l'« horreur » et l'« écœurement » provoqués par ce document. Peu d'entre eux se sont étonnés de sa présence dans le cadre de l'instruction, par contre. Puisque le témoignage d'« Une telle n° 5 » n'avait aucun rapport avec les charges d'accusation retenues contre Bill Clinton, que faisait-il là, devant la commission ? En fait, c'était le bâton fort merdeux que Kenneth Starr avait refilé au leader de la majorité républicaine, Tom DeLay, lequel l'avait repassé aux membres du Congrès qui à ses yeux risquaient de se dérober au moment du vote sur l'impeachment. Un essai transformé in extremis par les ennemis du président avant que Larry Flynt ne débarque avec la grosse artillerie sur le terrain de jeu.

L'histoire que les représentants du peuple ont eue sous les yeux était certes très, très moche. En 1978, Juanita Broaddrick, une séduisante trentenaire, infirmière diplômée, avait ouvert en Arkansas une maison de repos que Bill Clinton allait visiter pendant sa campagne pour le poste de gouverneur. Aussitôt, il lui avait demandé de passer le voir à son QG électoral de Little Rock. Broaddrick, qui vivait alors avec son premier mari, lui avait appris qu'elle devait se rendre là-bas la semaine suivante pour un séminaire. Lorsqu'elle avait appelé le centre démocrate après son arrivée à Little Rock, on lui avait donné le numéro personnel du candidat. Ils avaient convenu de se retrouver au bar de l'hôtel où elle était descendue. Une fois sur place, Clinton lui avait téléphoné de la réception : expliquant que le bar était trop bruyant et envahi par les journalistes, il lui avait proposé de monter boire un verre dans sa chambre. Et il était monté le premier.

Ils se trouvaient là depuis moins de cinq minutes, en train de regarder le fleuve par la fenêtre, quand il l'avait prise dans ses bras. Elle avait résisté mais il l'avait plaquée sur son lit, lui avait saisi la lèvre inférieure entre ses dents pendant qu'il lui déchirait son collant. Il l'avait violée. Elle pleurait, elle se sentait sans recours, paralysée. Enfin, il s'était relevé, il avait rajusté ses vêtements pendant qu'elle sanglotait toujours. A la porte, il avait remis ses lunettes de soleil et lui avait lancé : « Tu ferais mieux de te mettre un peu de glace là-dessus. »

Une amie l'avait découverte à la même place une heure plus tard, en état de choc. Ses lèvres étaient si tuméfiées qu'elle pouvait à peine parler, ses jambes prises dans le collant ouvert au milieu. « Je ne peux pas y croire », répétait-elle entre deux gémissements.

Après le vote à la Chambre, Tom DeLay allait réessayer la même opération avec le Sénat, confiant qu'« on ne sait jamais comment ces sénateurs vont voter tant qu'ils ne seront pas allés voir les preuves ». A ce moment, le Web bruissait déjà de rumeurs sur le compte de Juanita Broaddrick et de son témoignage.

Bill Clinton n'était pas le premier président américain à être accusé de viol. Au début des années cinquante, une jeune et spectaculaire starlette nommée Selena Walters était assise avec un ami dans un night-club d'Hollywood lorsqu'un homme très séduisant l'avait abordée. Elle savait de qui il s'agissait. « J'aimerais vous contacter, lui avait-il dit. Comment je fais ? » Elle lui avait donné son adresse, puis son ami l'avait reconduite chez elle et elle s'était mise au lit. A trois heures du matin, elle avait entendu des coups frappés à sa porte. C'était l'homme du night-club. Elle lui ouvre, il la pousse dans le salon, la jette sur le canapé et lui dit : « Faisons un peu connaissance. » Ensuite, « ç'a été la bagarre la plus dure que j'aie eue dans ma vie. Je lui ai résisté, je ne voulais pas de lui, mais c'est quelqu'un de costaud et il a continué comme si de rien n'était ».

En 1991, alors qu'il se rendait à un office religieux, des journalistes ont demandé à Ronald Reagan de s'expliquer sur le cas Selena Walters. Il n'a pas nié les faits. Il a dit, textuellement : « Je ne crois pas que le perron d'une église soit l'endroit approprié pour le mot que j'aurais à employer si je devais commenter cette histoire. »

Celle de Juanita Broaddrick circulait en Arkansas depuis 1980. Elle avait confié à des amis proches ce qui s'était passé, ainsi qu'à son second mari. Celui-ci, un jour qu'ils avaient croisé Bill Clinton par hasard, l'avait pris par le bras en lui ordonnant : « Ne vous approchez pas de ma femme, ni de Brownwood Manor », la maison de repos qu'elle dirigeait. Pendant les élections locales de 1980, un candidat opposé à Bill Clinton était venu lui demander de rendre l'affaire publique. Elle avait refusé, parce qu'elle voulait la paix et qu'elle avait peur aussi, des rumeurs inquiétantes laissant entendre qu'il ne faisait pas bon se mettre en travers de la route du gouverneur.

En 1984, son établissement est classé le meilleur de l'Etat. A cette occasion, elle reçoit une lettre de félicitations officielle, sur laquelle il a ajouté à la main, en bas : « Je vous admire beaucoup. » En 1991, alors qu'elle assiste à un symposium professionnel, elle est appelée hors de la salle de réunion. Bill Clinton l'attend sur le palier. Il lui déclare qu'il n'est « plus le même homme », la prend par les mains, lui présente ses excuses et demande ce qu'il peut faire pour qu'elle lui pardonne. Elle l'envoie au diable et tourne les talons. Peu après, elle apprend dans le journal qu'il a décidé de briguer la présidence.

En 1992, un ancien associé divulgue l'histoire qu'elle lui avait confiée à titre personnel et l'appelle à faire de même. Elle refuse à nouveau. Lorsque les avocats de Paula Jones se lancent sur sa piste, elle produit une déclaration assermentée niant tous les faits. Son avocat a préparé ce document avec l'aide du conseil juridique de la Maison-Blanche, Bruce Lindsey. Mais lorsque le FBI vient l'interroger sur instruction de Kenneth Starr, son fils de vingt-huit ans, un légiste, la met en garde : « On est passé à un tout autre niveau, là. » Il lui explique que son refus antérieur de témoigner peut, dans le contexte d'une enquête fédérale et d'un grand jury, l'exposer à des poursuites.

Alors que le Sénat s'apprête à voter sur le sort de Bill Clinton, un journal à scandale ressort l'histoire en soutenant que Juanita Broaddrick et son mari ont reçu de l'argent en échange de son silence. A cinquante-six ans, elle a derrière elle une vie de labeur et de respectabilité, l'allure d'une mère et d'une grand-mère idéales, et mène une existence harmonieuse en compagnie de son époux sur une propriété de vingt hectares où chevaux et vaches abondent. Bill Clinton la dégoûte, tout autant que les racontars de la presse bon marché. Pour la première fois, elle envisage de parler.

L'aile dure des Républicains est en émoi : quels effets pourraient avoir les révélations de Juanita Broaddrick sur la décision du Sénat ? Comment des sénateurs démocrates attachés à Bill Clinton mais à l'électorat composé d'un grand nombre de femmes réagiraient-ils à une affaire de viol ? L'opinion publique, ainsi que les élections de novembre l'ont montré, a fermé les yeux sur les fantaisies dans le couloir du Bureau ovale, sur le cigare... Mais sur un viol caractérisé ? Après Paula Jones, après Kathleen Willey, après Monica Lewinsky, Juanita Broaddrick peut-elle constituer l'écueil final sur lequel le bateau ivre ira se fracasser ? Peut-être, sans doute, mais à condition que l'histoire arrive à sortir, d'une manière ou d'une autre.

Le téléphone des Broaddrick est assailli par les demandes d'interviews. Une équipe de télé prend Juanita en chasse sur l'autoroute. Le *Time* envoie sur place des journalistes qui feignent d'être venus couvrir un tournoi de tennis local. La chaîne ABC lui offre le voyage à New York pour un entretien exclusif avec Barbara Walters...

Juanita Broaddrick a suivi les déboires de Kathleen Willey. Elle l'a trouvée sympathique à la télévision et elle pense que son histoire tient debout. Elle lui téléphone en Virginie pour la consulter, évoquer avec elle une expérience aussi difficile. Willey affirme qu'elle serait prête à témoigner une nouvelle fois devant les caméras si besoin était, elle lui conseille « d'être calme et de dire toute la vérité », elle propose même de venir l'aider à se préparer à l'épreuve.

Juanita Broaddrick se sent la force de passer le pas, désormais. Elle accepte de s'entretenir avec Lisa Myers, de NBC News. Le lendemain, soit le 20 janvier, en plein procès de Bill Clinton au Sénat, la journaliste est sur place. L'interview se prolonge du milieu de la matinée au soir tombé. Elle raconte tout, absolument tout.

On l'a prévenue que le document passerait à l'émission *Dateline* de NBC le 29 janvier. Le jour dit, rien. La date du vote sénatorial sur l'impeachment se rapproche rapidement : il est maintenant fixé au 12 février.

Sur Internet, tout le monde ou presque ne parle plus que de l'interview. Matt Drudge, le Cybercoprophage qui s'est déjà procuré tous les détails, harcèle sans discontinuer NBC, accusant son président, Andy Lack, de retenir l'information jusqu'à la décision des sénateurs « parce que la Maison-Blanche manipule General Electric, la compagnie qui contrôle NBC ». Sur son site, il emploie une formule énigmatique jusqu'à l'absurdité, écrivant qu'« on ne sait pas précisément si le secrétaire de presse de la Maison-Blanche John Lockhart est entré en contact avec la direction de NBC ». Ou on le sait, ou on ne le sait pas, non ? Ou Lockhart l'a fait, ou il ne l'a pas fait... Un porte-parole de la chaîne répond que le document est « encore en chantier », qu'il faut vérifier certaines dates et recueillir d'autres versions afin d'arriver à une « information en béton », pour reprendre les termes d'Andy Lack.

La principale intéressée se sent « trahie » par ces délais. « Honnêtement, je ne comprends pas pourquoi ils ne l'ont pas diffusée, déclare-t-elle, mais on peut se poser des questions, alors que le Sénat est en pleine délibération... »

Le révérend Jerry Falwell, encore lui, appelle ses partisans à « inonder » la chaîne de protestations. NBC croule sous les lettres, les appels téléphoniques et le courrier électronique. Chris Cannon, représentant républicain de l'Utah et cheville ouvrière du procès contre Bill Clinton, tempête. Les présentateurs de Fox

News, la station de Rupert Murdoch, portent à l'antenne des badges « Libérez Lisa Myers ! ». Selon le *Washington Post*, la journaliste et le chef du bureau de NBC dans la capitale, Tim Russert, sont « atterrés par les obstacles que leur direction oppose à la diffusion de l'interview. D'après eux et d'autres sources au sein de la chaîne, la direction place la barre de la crédibilité encore plus haut à chaque fois qu'ils apportent de nouvelles preuves corroborant le témoignage » de Juanita Broaddrick.

A NBC, on explique que l'hésitation vient en partie de ce que le père du principal témoin — l'amie qui a trouvé Broaddrick dans sa chambre d'hôtel après le viol présumé — a été assassiné par un homme auquel Bill Clinton a ensuite accordé sa grâce. Or le viol a été commis en 1978, la grâce du gouverneur est intervenue deux ans plus tard et c'est seulement *après* 1980 que l'amie en question a commencé à confirmer les dires de Broaddrick : par dépit de voir le meurtrier de son père échapper au châtiment ? Oui, relèvent nombre de sceptiques, mais Broaddrick n'a jamais parlé publiquement de cette histoire *avant* 1980, donc comment la parole du témoin pourrait-elle être mise en doute ?

Toujours est-il que cette fois, contrairement au cas de figure *Newsweek*-Monica, Matt Drudge n'arrive pas à forcer la main à la presse établie. Les principaux titres ne se sentent pas obligés de suivre le Cyber-coprophage sous prétexte que, selon son habitude, il est allé piller le travail de Lisa Myers. Ils attendent de voir ce que NBC va faire.

Et ils attendent encore quand, le 12 février, le Sénat refuse de destituer Bill Clinton. La chaîne poursuit toujours ses recoupements mais déjà l'impression générale est que l'interview ne sortira jamais. La crise vient de s'achever, l'Amérique se libère enfin du collet de scandales qui la menaçait d'étouffement, alors qui voudrait entendre parler de collant déchiré et de lèvre sauvagement mordue ?

Parmi ses collègues des médias, Dorothy Rabinowitz est considérée comme « une idéologue de la droite ». Elle publie dans les pages éditoriales du *Wall Street Journal*, qui au contraire des rubriques d'actualité du même journal ont une réputation très conservatrice. Dans le mot que Vince Foster a laissé, ce serait les commentaires parus dans ce cahier du quotidien qui l'auraient poussé au suicide.

Alors que le reste de ce titre est marqué par une approche équilibrée de l'information, les pages éditoriales du *Wall Street* ont tout de la maison hantée. C'est Halloween tous les jours, là-bas : on se fait peur. C'est ainsi qu'on y a traité avec le plus grand sérieux des allégations présentant Bill Clinton sous les traits d'un gros trafiquant de coke lié aux cartels colombiens, voire l'accusant de dizaines de meurtres.

Le Sénat ayant conclu ses délibérations, Dorothy Rabinowitz décide d'aller voir Juanita Broaddrick dans sa retraite bucolique d'Arkansas. Elle s'y rend... en limousine, excusez du peu. Et à nouveau Juanita Broaddrick raconte tout, absolument tout. Lorsque le *Wall Street* publie son (très) long récapitulatif des accusations, ce n'est pas dans le cahier d'informations comme la logique l'aurait voulu, mais dans les pages de commentaires, le fief conservateur. Mais enfin l'histoire est publique, maintenant, et puis le *Wall Street*, quand même, ce n'est pas n'importe quoi, et donc le *Washington Post* ainsi que le *New York Times* assurent leur propre suivi de l'affaire... Dorothy Rabinowitz vient de réaliser la réplique exacte du montage à la Matt Drudge. Et puisque la presse respectable s'est mise à l'eau, NBC peut envoyer le sujet de Lisa Myers ! De toute façon le Sénat a voté et Bill Clinton est toujours là.

Quand je l'ai vue sur le petit écran, elle m'a paru tout à fait crédible. Son témoignage était précis, détaillé et, plus encore, elle expliquait sa décision de prendre la parole par le fait qu'elle ne « pouvait plus continuer à garder ça pour (elle) », et qu'elle ne voulait pas que sa petite-fille lui demande un jour pourquoi elle s'était tue. Elle précisait qu'elle ne cherchait pas un contrat avec un grand éditeur, ni un procès retentissant, mais qu'elle s'était lassée d'entendre « chacun apporter son grain de sel à ces histoires qui circulaient partout ». Elle reconnaissait éprouver « une haine incommensurable envers lui ».

Interrogé après l'interview, Bill Clinton devait répondre en ces termes : « Eh bien, mon avocat a déjà fait une déclaration à ce sujet et... et je n'ai rien à y ajouter. » La déclaration en question, publiée par David Kendall, caractérisait de « totalement fallacieuses » les affirmations de Juanita Broaddrick.

En défense de Bill Clinton, il allait être souligné :

1. qu'il n'existait aucune preuve matérielle ;

2. qu'il n'y avait personne d'autre qu'eux dans la chambre ;

3. qu'elle n'arrivait pas à se souvenir du jour ni même du mois où les faits rapportés se seraient produits ;

4. qu'à aucun moment elle n'avait appelé à l'aide ;

5. que trois semaines seulement après le viol présumé elle s'était rendue à une réunion de soutien à la campagne de Clinton ;

6. qu'un an plus tard elle avait accepté un poste non rémunéré dans une commission d'experts de la santé au niveau de l'Etat, nomination proposée par le gouverneur ;

7. qu'elle avait nié ces faits dans une déclaration sous serment adressée aux avocats de Paula Jones ;

8. qu'elle s'était entretenue avec Kathleen Willey,

dont les propres accusations venaient d'être remises en cause par la publication de ses lettres adressées à Bill Clinton, peu avant son interview avec Lisa Myers.

D'après l'ancien conseil juridique de la Maison-Blanche Lanny Davis, « que son amie affirme qu'elle avait la lèvre enflée ne confirme rien du tout, n'établit en aucune manière qu'il y ait eu, effectivement, viol. Comment pouvons-nous être sûrs qu'elle n'a pas menti à tous ses amis et proches ? Ce que nous savons, c'est qu'elle a d'elle-même, sans pression de quiconque, produit une déclaration sous serment dont elle affirme maintenant qu'elle était mensongère ».

Et cependant un sondage réalisé une semaine après son passage à NBC montrait que 84 % des Américains croyaient en la sincérité de Juanita Broaddrick. Ou, en d'autres termes, pensaient que le président des Etats-Unis était un violeur.

Mais qu'importe. Nous étions un peuple fatigué, lassé de la pornographie aux infos de vingt heures, excédé d'avoir l'impression de nager dans l'ordure. Cette histoire-là était la pire de toutes, et nous avions donc d'autant moins envie de l'écouter.

Il s'est reproduit exactement ce qui s'était passé après la publication du rapport Starr : les détails, la crudité des détails, finissaient par se retourner à l'avantage de Bill Clinton. Il y avait déjà eu trop de boue, trop de pestilence. Accepter, assumer que le président des Etats-Unis, *notre* choix à la Maison-Blanche, était quelqu'un qui pouvait remettre ses lunettes de soleil en disant « Tu ferais mieux de mettre un peu de glace là-dessus », cela dépassait tout simplement nos forces.

De l'aveu même du rédacteur en chef du *New York Times*, Bill Keller, l'affaire Broaddrick était « visiblement dans une impasse, sur le plan juridique. Et le

Congrès ne va pas reprendre tout le processus de l'impeachment. Et puis, franchement, nous en avons tous
un peu assez, des scandales... ». Le *Washington Post*,
de son côté, reconnaissait que « si NBC avait diffusé
l'interview en pleines délibérations du Sénat et de
l'indignation provoquée par le cas de Monica
Lewinsky, ce document aurait pu avoir un impact
significatif sur l'état d'esprit du pays ».

La démarche de la chaîne avait-elle été guidée par
le souci déontologique de vérifier pièce par pièce une
histoire aussi complexe qu'explosive, ou sa direction
avait-elle cyniquement et malhonnêtement choisi,
pour des raisons qui n'appartenaient qu'à elles-
mêmes, de protéger le président ? Dans un cas comme
dans l'autre, le directeur Andy Lack, ou ses supérieurs, ou General Electric, avaient été pour Bill Clinton d'une aide aussi considérable que Vernon Jordan
ou Larry Flynt.

Le lendemain de la diffusion du sujet de Lisa
Myers, Bill était à Tucson, en Arizona, où il venait
prêcher la défense de la Sécurité sociale et du système
Medicare. Il allait passer plus d'un quart d'heure à
serrer les mains dans la salle, accablé de baisers et
d'étreintes par plusieurs femmes qui s'étaient portées
aux premiers rangs. Dehors, un petit piquet de protes-
tation brandissait des pancartes sur lesquelles on pouvait lire : « Je crois Juanita, Paula, Kathleen... »,
« Juanita Broaddrick était-elle consentante, Mr. Clinton ? », « N'approchez pas nos filles ! », « Violeur ! »...

Pendant son show télévisé, Matt Drudge devait
évoquer « tous ces bruits qui courent maintenant dans
les rédactions à propos d'une *deuxième* femme décidée à attaquer Bill Clinton pour violences sexuelles.
Je ne sais pas si c'est vrai, mais on en cause... ». Le
sibyllin Dick Morris constatait que « quand on viole

une fois, on recommence ». Et Lucianne Goldberg :
« Ces nouvelles accusations font état d'agression
caractérisée, non de viol. C'est arrivé après son entrée
en fonction et la personne qui les soutient ne peut être
mise en défaut. Je pense qu'elle va passer aux actes
le mois prochain. » On n'a vu personne.

Dans son dernier livre publié à la même période,
Michael Isikoff rapportait le témoignage d'une
ancienne Miss Amérique, Elizabeth Ward Gracen,
racontant à une amie qu'elle avait eu « une partie très
chaude » avec Bill Clinton au temps où il était gouverneur. « Clinton était tellement excité, écrivait Isikoff, qu'il l'avait mordue à la lèvre. »

Il était toujours là, donc, mais la fête était finie. Les
lumières de la rampe s'éteignaient une à une. Les gens
avaient du mal à le regarder en face, désormais. Jouer
avec son Willard, c'était une chose, mais là... Ouais,
rock and roll, mec, attends que j'mette mes Ray Ban
avant de refermer la porte... sur une femme meurtrie,
prostrée, dévastée. *Répulsion*. Oui, c'était le mot. On
le voyait à la télé, il souriait, il continuait à mener la
baraque mais ça ne fonctionnait plus. Juanita Broaddrick avait dessillé nos yeux plus que nous ne l'aurions voulu. Nous lui avions ouvert nos portes, nous
avions cru qu'il était un des nôtres, le premier président rock, le premier président noir, le premier président play-boy des Etats-Unis. Nous l'avions accueilli
dans nos foyers et il... il avait souillé le tapis. Certains
d'entre nous avaient bien cru renifler une drôle
d'odeur, mais avec Juanita Broaddrick aucun doute
n'était plus possible. Nous avions hâte d'ouvrir les
fenêtres, de changer d'air.

La campagne électorale de l'an 2000 a commencé

à l'instant où nous avons éteint la télé après avoir entendu Juanita Broaddrick sur NBC.

Et puis le *Washington Post* a affirmé qu'avant de donner son interview, Broaddrick avait « parlé au téléphone et échangé des mails avec la très controversée Lucianne Goldberg », et là je me suis dit : Oh non, pas ça ! Encore elle ! Non, pitié, mon Dieu !

Elle avait donné à Linda Tripp l'idée d'enregistrer Monica au téléphone. Elle avait entraîné Matt Drudge dans la machination médiatique, Drudge qui avait révélé les résistances au sein de NBC et que le *Wall Street Journal* avait fini par suivre... Et pendant ce temps, pendant tout ce temps, Lucianne Goldberg était en relation avec Broaddrick ?

Doux Jésus, soupirais-je en moi-même. Etait-il possible qu'une Trimardeuse à la voix de poissonnière, qu'une jacasse insupportable ait conçu tout, ou du moins une bonne part, de ce sinistre enchaînement ? Etait-il envisageable que, par le truchement de Juanita Broaddrick, elle soit parvenue à son but premier, l'assassinat symbolique du président ?

Seigneur. Aussi malin, aussi zinzin, aussi fin, aussi crétin qu'il ait pu être, Bill Clinton n'avait donc pas eu une seule chance, depuis le début. Richard Nixon, la Créature de la Nuit dont Lucianne Goldberg était la créature, avait obtenu son infernale, sa machiavélique revanche.

9

John Wayne McCain se dégonfle

Je t'ai fait faux bond, vieux. Non, je parle pas de quand j'ai vanné les ayatollahs Falwell et compagnie. Ou quand j'ai dit que le Prince héritier, comme je l'appelle, George Bush Bis, quoi, il était aussi faux derche que Clinton. Ni quand je me suis pointé au grand débat de Californie sur le miroir aux alouettes plutôt que d'y aller en chair et en os.

En restant le brave pistolet que j'ai toujours été, voilà comment.

Eh oui, j'ai écouté Bob Dole, mon ami, héros de guerre tout pareil que moi, mon camarade républicain. Il a réussi ce que les Viets n'avaient pas pu me faire, à Hanoi : il m'a convaincu de laisser tomber. De baisser les bras.

Hé, tu veux qu'on cause sans détour, pas vrai, l'ami ? Alors voilà : j'aurais pu devenir le président des Etats-Unis, mais je me suis dégonflé.

Moi, oui ! JMC dit John le Dingo, dit Max la Menace, dit John Wayne McCain, dit la Tornade blanche, dit Luke Skywalker, héritier du siège de Barry Goldwater au Sénat, grand poteau de Ronald Reagan. J'ai pas eu les couilles.

Plus franc que ça, pas possible, si ? Ça soulage un peu ta peine, au moins ?

Donc, ce qui s'est passé, c'est que j'ai dit à mes camarades républicains : Allez, les gars, on arrête les frais, on se tourne vers les vrais Américains et on oublie un peu les frappadingues anti-avortement, les grands méchants loups sudistes et les siphonnés qui pensent qu'à casser du nègre, du juif ou de l'homo. Okay ? Mais mes camarades républicains, ils réagissent comme ça : Ecoute, John, jusqu'ici on t'a vachement respecté d'avoir montré de quel bois tu te chauffais à ces enculés de cocos à Hanoi. Sauf que maintenant on voit bien que le doigt que tu leur faisais, c'était du flan, un camouflage d'infiltré. Ils t'ont retourné là-bas, John. Sacré bonsoir, t'en es un aussi, d'enculé de coco, même si que tu l'as pas voulu !

Et après ils m'ont plongé dans le goudron et les plumes, ils me l'ont mise à fond et ils m'ont lynché sur place, les empaffés.

C'est là que Bob Dole m'a convaincu de pas la sortir et de la poser recta sur la table, histoire de voir qui qu'a la plus grosse. Jesse Ventura, mon poteau le gouverneur du Minnesota, il me suppliait de le faire. Dans deux sondages, j'étais seulement quelques points derrière Gore et le Prince héritier, quand même.

Et c'est à ce moment que j'ai démontré, à mes propres yeux et à ceux de l'Américain moyen qui m'avait donné tout ce fric pour tenter la présidence, que j'étais plus républicain que citoyen de mon pays. C'est à ce stade, mes chers amis, une fois qu'ils m'avaient bien baisé, que je vous ai baisés à votre tour.

Ouais, je suis retourné aux oubliettes du Sénat et je vous ai abandonnés, vous qui aviez voté pour moi la première fois, vous qui aviez placé votre confiance en moi, vous qui aviez gratté quelques dollars par-ci par-là pour me les donner. Le bec dans l'eau, dans la même position pitoyable qui est la vôtre depuis des années. Rien qu'avec les autres candidats.

Ce que vous avez pigé, c'était que j'étais un politicien, après tout. Même si pendant un temps j'avais réussi à vous le faire oublier. Moi aussi, j'avais oublié.

Je m'étais présenté pour vous rendre l'Amérique, mes amis. Pour la reprendre aux maquerelles édentées que j'ai autour de moi au Sénat et qui sont payées à satisfaire les intérêts mesquins et les lobbys. Pour remettre sur ses pieds une Amérique où un Bill Clinton était salué pour son « courage », sa « bravoure », ses « principes qui ont subi l'épreuve du feu » avant de monter à la tribune. Parce qu'au scrutin de 1996 la participation des dix-huit - vingt-cinq ans avait été la plus faible de l'histoire.

Je m'étais présenté pour donner au peuple américain un accès total, illimité à ceux qui le dirige. Finis les robots, finis les cordons de sécurité, finis les gourous politiques pleins de vent qui causent comme des ventriloques. Mon ambition était aussi d'enlever le panneau « Motel Discount » à l'entrée de la chambre de Lincoln à la Maison-Blanche. Je voulais être président, crénom, pas réceptionniste.

Je suis un romantique et un aventurier. Dans ma jeunesse, mes modèles étaient des héros dignes d'Hemingway, prêts à mourir pour leurs convictions.

J'ai toujours pensé qu'il y avait une raison pour que je reste en vie. Dieu devait avoir une idée en tête à mon intention. Là, je ne parle pas seulement de mes cinq ans et demi de captivité à Hanoi, des bras, côtes, dents, genoux, épaules que j'ai eu de cassés, de la dysenterie, de la gerbe, de la torture. Non, il y a eu aussi cet accident d'avion au-dessus de Corpus Christi, pendant un entraînement, quand mon moteur m'a lâché et que je suis tombé à la baille. Et un autre encore à Philadelphie, moteur pété et moi planté sur la plage. Et en Espagne les lignes haute tension qui ont bien failli envoyer mon zinc par terre. Et sur le *Forrestal*, au décollage, quand j'ai été touché par une fusée tirée par mes propres gars et qu'il y a eu un incendie qui a tué plein de monde. Et puis bien sûr dans le ciel d'Hanoi, le missile SAM qui a arraché une aile de mon Skyhawk, moi qui m'éjecte et qui me retrouve dans le lac.

Mais j'ai survécu à chaque fois. Des miracles. Pourquoi Dieu épargne aussi souvent quelqu'un, d'après vous ? Pour qu'il puisse boire et se réjouir car demain il ne sera peut-être plus là ? Je crois pas, non.

Enfin, comme j'ai dit, j'ai grandi avec Hemingway, moi. Avant qu'il se flingue, attention.

J'ai eu l'idée de la présidentielle pendant que Bill Clinton était sur la sellette, mais lorsque j'ai pris un bout de papier et que j'ai fait le bilan ça paraissait pas trop tenir la route :

1. La majorité de mon parti me détestait.

2. D'ailleurs ils avaient déjà embouché les trompettes pour annoncer le couronnement du Prince héritier.

3. J'avais autant de problèmes du côté de la braguette que Clinton.

4. J'avais débarqué la femme toute bousillée qui me supportait depuis quinze ans en échange d'une minette sexy et pleine aux as.

5. Mon pire ennemi, c'était encore ma langue. J'avais dit un tas de conneries et froissé un tas de gens dans ma vie, et je savais que ça allait continuer.

J'ai gambergé sur cette liste pendant des semaines. J'ai fini par conclure que j'avais pas la queue d'une chance de devenir président des Etats-Unis.

« Donc je me présente », je me suis dit. Je suis comme je suis, j'y peux rien. Je suis qu'un être humain, imparfait. Je vais laisser le peuple américain découvrir mes défauts et après, après, ce sera à lui de décider.

Mon grand-père Slew, gros fumeur, gros buveur, a planté cinq zincs dans sa vie. Il a terminé soixante-dix-neuvième sur cent seize dans sa promo à Annapolis, ce qui l'a pas empêché de devenir amiral quatre étoiles. Mon père buvait encore plus que le papy, ce qui veut dire des litres et des litres. Il a terminé quatre cent vingt-troisième sur quatre cent quarante et un dans sa promo à Annapolis, ce qui l'a pas empêché de devenir amiral quatre étoiles.

A l'Académie navale d'Annapolis, je ne buvais pas aussi sec qu'eux mais j'ai toujours appartenu au Century Club, une association très sélecte d'étudiants qui ont beaucoup démérité. J'étais un aspirant indiscipliné, arrogant, qui voulait sans cesse prouver sa valeur en contestant l'autorité. En bref, j'étais le connard parfait. Et j'ai fait encore mieux que mon paternel et que Slew : j'ai fini cinquième de ma promo, en partant de la fin.

Je prenais des poses à la James Dean devant l'objectif. Je faisais le mur pour m'aventurer dans des bars à strip-teaseuses crasseux. Quand une femme ne voulait pas de moi parce qu'elle me trouvait trop jeune, je gueulais « Prends-la-toi là où je pense ! » et la PM me tombait dessus. A un officier qui me demandait si je savais qui j'étais, j'ai balancé : « Franchement, commandant, je m'en bats les couilles ! »

Je ressemble à mon grand-père, toujours à chercher la bagarre. A la capitulation des Japonais, Slew avait dit à un ami : « C'est comme qui dirait un choc, pour moi. Je suis perdu. Je ne sais plus quoi faire de ma peau. Me battre, je connais, mais rester tranquille... Je suis dans une passe affreuse. Ça va mal. » Une semaine après, il a eu une crise cardiaque et il est mort.

Et je ressemble aussi à mon père, qui a toujours aimé les belles femmes. Ma mère est très belle et elle a une sœur jumelle qui lui ressemble comme deux gouttes d'eau et qui n'a jamais été mariée. Dans leur jeune temps, elles étaient en permanence avec mon père, toutes les deux. « Comment tu arrives à les reconnaître l'une de l'autre ? » s'était étonné quelqu'un, et lui : « Ça, c'est leur problème. »

Mon ami Gary Hart dit qu'il y a en moi un petit garçon qui cherche à sortir de là. Il a sans doute raison. D'un autre côté, Gary Hart... Fichtre ! Il peut parler de petit garçon, lui !

Comme conseiller en stratégie et directeur des relations avec la presse, j'ai pris Mike Murphy. Certainement parce qu'il aime autant que moi ce bandit de Chuck Berry. Mais il y a quelques années, *Cosmopolitan* l'a cité parmi les célibataires les plus convoités du pays et je dois dire que ça m'a vachement impressionné, ça aussi.

Il a trente-sept ans, les cheveux longs, pas rasé, grosses lunettes, toujours en blouson cuir, chemise Hawaii et baskets. Un « Républicain rock and roll », comme il se définit lui-même. Le spot qui a mis à Pat Buchanan sa Mercedes dans le cul, c'est de lui. Et c'est lui qui a mené l'attaque tout en finesse sur le sénateur Chuck Robb en Virginie : « Pourquoi il ne peut jamais dire la vérité, Chuck Robb ? Il va à des soirées cocaïne et il paraît qu'il n'a jamais vu de drogues. Il reçoit une beauté dans sa chambre d'hôtel à New York mais il paraît que c'était seulement pour un massage... »

Quand je l'ai embauché, Mike faisait ce métier depuis déjà vingt ans. Il dirigeait déjà des campagnes de son dortoir sur le campus de Georgetown ! En tout, il a casé dix-huit de ses poulains à la Chambre ou au Sénat. Il m'a expliqué sa tactique : « Vous accusez et après vous laissez l'adversaire claquer un million de dollars pour se justifier. Il faut chercher la confrontation, s'adapter sans cesse à l'ennemi. » Il se vante d'avoir monté en épingle le viol d'une petite fille de neuf ans pendant une de ses campagnes, juste pour prouver que le candidat adverse était laxiste sur la criminalité.

Il m'a tout de suite plu. Pendant le temps qu'on a bossé ensemble, je lui ai trouvé plein de surnom, comme « Murphistophélès » ou « 008, le frère demeuré de James Bond ». Mais quand je l'ai engagé je l'ai présenté à la presse en disant : « Mike Murphy est le pire salopard que j'aie eu à croiser dans toute ma vie. Par certains aspects, il est encore plus atroce que mes tortionnaires vietnamiens. » Et il a adoré ça, Mike. Je crois qu'il m'a apprécié immédiatement, lui aussi.

Avec Murphistophélès, on a passé en revue mes points faibles. Faire ça avec lui, c'est pareil que d'aller à confesse devant un curé défroqué qui se pinte au whisky et qui a fait de la taule pour attaque à main armée et sévices sexuels. Le genre de questions qu'il m'a amené à me poser : Pourquoi le gratin républicain, et notamment tant de sénateurs, ne peut pas me souffrir ? Mis à part le fait que j'ai essayé de leur enlever leurs chers pots-de-vin, bien sûr.

Eh bien, lui ai-je expliqué, c'est que des fois je leur montre les dents et je les menace du poing. Littéralement. J'en ai pris un au collet en plein Sénat, une fois qu'il tentait de m'empêcher de m'exprimer sur un projet de loi. A un autre, j'ai sorti devant tout le monde qu'il fallait « être une sacrée lopette pour avoir une idée pareille ». Et pendant un débat, j'ai balancé à ce lèche-cul de Mitch McConnell qu'il nous encourageait à voter une législation favorable à l'industrie du tabac parce qu'ils lui paieraient sa campagne. Je me suis engueulé avec Ronald Reagan au sujet de l'envoi de troupes au Liban, également. Et bien sûr j'ai cherché à mettre fin à certaines magouilles masturbatoires de nos vieilles filles sénatoriales : un nouveau porte-avions dont la Navy ne voulait même pas mais qui devait être construit dans la circonscription électorale de Trent Lott, ou bien le déblocage d'un budget d'un million de dollars pour un centre de recyclage du purin, ou une enveloppe de sept cent cinquante mille dollars pour financer une étude sur les sauterelles...

Mais ce ne sont même pas les vraies raisons, ai-je continué devant Murphy. Ils me détestent parce que je ne pense pas qu'on puisse diriger à coups de compromis, de coalitions et d'accords plus ou moins foireux. Et parce que je suis un solitaire et que j'aime ça. Et parce qu'une fois que j'ai adopté une position sur un sujet je ne suis pas prêt à changer pour faire plaisir à la grue sénile qui siège à côté de moi. Et plus généralement parce que je suis un emmerdeur qui a toujours tendance à vous contredire, et c'est exactement pour ça que mes enfoirés de geôliers nord-vietnamiens me haïssaient autant, eux aussi !

A la fin, Murphistophélès a souri.

Il a continué : Et cette histoire d'avoir largué ma première femme ?

Je ne suis qu'un être humain, donc imparfait. Voilà. Pendant toute ma captivité, Carol m'a été fidèle et dévouée. Elle ne méritait pas que je la traite comme ça. Sauf que...

Sauf que quand je l'ai épousée, ai-je expliqué à Mike, c'était une belle fille. Grande. Mannequin, elle était. Je bichais. Elle avait déjà deux mouflets, que j'ai adoptés. On en a eu un autre. Et puis je suis parti au Vietnam. En prison, je parlais d'elle tout le temps. « Ma grande bringue à moi », je l'appelais.

Je suis revenu. Esquinté. Elle, elle avait eu un accident de voiture. Elle avait perdu dix centimètres depuis la dernière fois que je l'avais vue, à cause de toutes ces opérations. Et elle était dans un fauteuil roulant. Et elle avait énormément grossi.

On a essayé. Ça ne marchait plus. Avant, on était un couple de rêve. C'était fini. Ça faisait mal au cœur de se rappeler comment on avait été.

J'ai commencé à la tromper et puis j'ai rencontré Cindy. Grande. Style mannequin. Magnifique. Je suis tombé raide amoureux. C'était ma nouvelle grande bringue ! Un an après, j'ai demandé le divorce. Carol a été très triste mais elle m'a compris. Elle a dit que j'avais quarante ans et que je voulais faire comme si j'en avais à nouveau vingt-cinq.

Je sais que ça devait paraître pas net, non seulement parce que Cindy était tellement plus jeune et si belle, mais aussi parce qu'elle était l'héritière des droits de vente de Budweiser. Certains ont dit que j'étais tout pareil que Bob Dole : jeter la femme qui m'avait aidé à marcher à nouveau, etc. Je sais pas. Ce dont je suis sûr, c'est que j'ai essayé d'être au maximum correct avec Carol : bonne pension alimentaire, soutien financier pour les enfants, nos deux maisons que je lui ai laissées.

Avec le temps, les blessures se sont refermées. Il n'y a qu'à voir comment elle parle de moi dans les journaux, Carol : « Je suis folle de John McCain. Je l'aime à en crever. » Comme l'ex-épouse de Bob Dole, elle soutient mes campagnes. J'ai été le témoin de notre fils aîné à son mariage. Le plus jeune travaille dans la vente en gros de Budweiser.

Ça a été une tragédie, notre rupture. Et tout a été de ma faute, tout. Mais je peux vous dire que je n'ai pas épousé Cindy par calcul politique, seulement parce que je l'aime. Et le fait qu'elle ait une autre dégaine que Sabrina Forbes compte pour beaucoup là-dedans, c'est sûr.

Là, Murphistophélès a rigolé.

« Je lis "problèmes de braguette", ensuite. Comment, un vieux barbon comme vous ? »

Oui, ai-je reconnu, mais je ne l'ai pas toujours été, vieux barbon. A Annapolis déjà, on était un groupe, « l'Equipée sauvage ». C'était la phase James Dean dont je parlais tout à l'heure. Un des gars disait que sortir en perm' avec moi, c'était pareil que de se retrouver dans une catastrophe ferroviaire.

Je plaisais aux filles. J'avais un pote, Dittrick, eh bien il se collait toujours à mes basques dans l'espoir de récolter des restes. Dans ma bande, ils racontaient — je déconne pas, hein ! — que je rentrais dans une pièce et qu'on entendait les petites culottes tomber par terre.

Je suis allé à Rio sur un destroyer et là-bas j'ai fait la connaissance de cette petite chérie blonde qui était mannequin. Aïe, les yeux ! Les potes ont mis sa photo dans le journal de l'académie navale. Avec « C'est si bon de rentrer », en légende. Je me revois avec elle à la terrasse d'un café, avec une bouteille de champagne et un seau à glace. Oh nom de Dieu ! Croyez-moi, elle n'avait pas grand-chose sur elle.

Et puis il y a eu cette fille qui était strip-teaseuse. Marie. Elle se nettoyait les ongles avec un couteau à cran d'arrêt. Et quand on était basés dans le Mississippi il y avait de ces fiestas, avec des orchestres de Memphis et tout ! Les potes venaient spécialement de la Côte Ouest pour ça. Ah, ces gisquettes du Sud, Seigneur !

J'étais crevé, la vérité. Vachement épuisé. J'ai cru que j'allais mourir. En fait, je ne comprends pas pourquoi je ne suis pas mort, à ce moment-là. J'ai sans doute été plus près de canner que pendant mes crashs ou sur le *Forrestal*. Sur le pont du *Forrestal*, il a fallu que je passe à travers le feu pour sauver ma peau, mais c'était pas encore aussi chaud que ces filles du Mississippi à qui je donnais, je donnais...

« Assez, a soufflé Murphistophélès. J'en peux plus. »

« Bon, et le Vietnam ? »

Imagine le soir de Noël, vieux. Les enfoirés de bridés n'arrêtent pas de passer des noëls. Dinah Shore. Sans arrêt. Bon Dieu, tu n'imagines pas à quel point je la hais, Dinah Shore !

Un des Viets nous annonce qu'il va y avoir un service religieux. Moi, j'ai été en isolement complet pendant neuf mois. L'épouvantail qui s'est fait boulotter par les corbeaux. Mais bon, ils me traînent à l'autre bout du bâtiment. Il y a plus de fleurs qu'à un enterrement de la Mafia, là-dedans. Ils nous font asseoir sur des bancs, en laissant un espace entre les hommes pour qu'on puisse pas se parler. On est une cinquantaine de prisonniers, en tout. Un curé viet est devant l'autel. Et là, je remarque tous les photographes. Les flashs, les caméras super-8. Les enfoirés nous ont tendu ce piège pour concocter un film de propagande, je déduis tout de suite. Et ils se sont servis de Dinah Shore pour nous attirer dans le traquenard.

Je me lève avec un grand sourire et je me mets à saluer les autres : « Hé, comment ça va, vieux ? T'en as toujours deux ? » Un des enfoirés essaie de me faire rasseoir en criant : « Pas parler, pas parler ! — Mon cul ! » je réponds, puis je m'adresse au type installé le plus près de moi : « Salut, vieux. Moi c'est John McCain. Et toi ? » Un épouvantail aussi, sauf que les corbeaux l'ont pas tout à fait terminé.

Un Viet qu'on avait surnommé « Tatie les mains douces » intervient : « Pas parler, McCain ! »

Je continue mon cirque : « Mon cul ! C'est quoi, cette merde ? C'est une honte ! C'est pas Noël, ce merdier, c'est juste de la propagande ! » Je reviens au gars à côté de moi : « J'ai refusé de rentrer au pays. Pour ça, j'ai été torturé. Ils m'ont cassé une côte et ils m'ont recassé le bras. » Et l'autre : « Pas parler, pas parler ! »

Un garde qu'on appelait « Bite en bois » se précipite. « Pas parler, pas parler ! » Moi : « Mon cuuuuul !

Enculé de fils de pute bridée, je t'emmerde ! » Avec mes fers aux pieds, je me traîne devant les caméras, je leur fais un doigt et je continue à gueuler. Un épouvantail avec la danse de Saint-Guy, je suis !

Murphistophélès a souri : « Ça paraît presque marrant, raconté comme ça. »

Je souris aussi : « Bon, c'était pas *que* marrant. »

« "Un tas de conneries", reprend Murphy. Quoi, par exemple ? »

Je lui raconte ma blague sur Chelsea Clinton : « Pourquoi Chelsea est aussi moche ? Parce que son père, c'est Janet Reno, et sa mère Hillary. » Dans un autre genre, j'ai traité Leonardo DiCaprio de « mollasson androgyne » et Ross Perot de « secoué bon pour l'asile ». Une maison de vieux qui s'appelait « Détente et Loisirs », je l'ai rebaptisée « Descendre et Rôtir ». Ou bien j'ai dit que les victimes d'Alzheimer ne pouvaient plus cacher les œufs le matin de Pâques. Que le Congrès, c'était le « Fort Knox de l'hypocrisie », et que la plupart des membres du Sénat y allaient « parce qu'ils ne savent pas quoi faire d'autre ».

Commentaire de Murphistophélès : « Au moins c'est la vérité, tout ça ! »

Comment il faudrait qu'on traite le côté prisonnier de guerre, d'après moi, me demande Murphy.

Profil bas, comme je l'ai toujours fait. La première fois que je me suis présenté au Congrès, en Arizona, mon adversaire m'a accusé d'être un parachuté. « En fait, je lui ai dit, l'endroit où j'ai vécu le plus longtemps dans ma vie, c'est encore Hanoï. » Quand on m'a reproché de quitter Carol, mon gros malin de frère, Joe McKmart, leur a envoyé dans les dents : « Voilà un type qui a refusé de partir d'une prison nord-vietnamienne pendant près de six ans alors qu'on le lui proposait, donc je ne le vois pas sortir d'un mariage sans raison sérieuse. » Ou lorsqu'on a insinué que je me servais de mon influence politique pour aider un ami dans ses affaires : « Même les Vietnamiens n'ont jamais mis en doute ma moralité ! »

Profil bas, donc ! En plus, ai-je rappelé à Murphy, le temps qu'on arrive dans le New Hampshire, mon livre, qui parle pour l'essentiel de ce que les Viets m'ont fait, sera déjà sorti et ils seront en train de passer sur A&E un documentaire intitulé « John McCain, un héros ou un dieu ? ».

Murphistophélès a été plié de rire.

Pas facile de lutter contre un ex-prisonnier de guerre amoché de partout et drapé dans le drapeau national, ai-je conclu. C'est ce que l'un de mes premiers adversaires politiques a dit, en tout cas.

Il s'est mis à improviser des bouts rimés qui risquaient d'être repris par les journaleux, d'après lui : McCain a survécu aux camps, Bush pleurniche que tout fout le camp ; McCain a eu tous les os cassés, Bush ne pense qu'à l'argent bien placé ; McCain a décroché la Croix de guerre, Bush ne serait rien sans son père ; McCain a lutté contre la dysenterie, Bush croit encore à la petite souris ; McCain est un héros, Bush est un zéro ; McCain est viril, Bush est stérile...

« Il faut qu'on ait un rappel visuel de ça, même profil bas, a recommandé Murphy. Comme Dole, avec son stylo dans la main droite en permanence. » Il a réfléchi un instant avant de produire un sourire de sociopathe : « On va laisser les photographes entrer quand Cindy vous met de la laque sur les cheveux. Ça rappellera à tout le monde que vous ne pouvez plus lever les bras au-dessus de la tête. »

Diaboliquement murphistophélien, je me suis dit.

Les poches pleines de grigris, dont un vieux penny et un sachet d'herbe médicinale indienne, j'ai entamé ma campagne dans le New Hampshire. Plus que Luke Skywalker, je me faisais l'effet d'être Elephant Man. On n'avait pas d'audience, ni d'argent, ni de vraie équipe. Au début, ça se résumait à ma grande bringue, à Murphy et à moi.

A chaque réunion de quartier, je commençais pareil : « Mes amis, je vais vous dire des choses avec lesquelles vous serez d'accord, et d'autres non. Mais je vous promets que dans tous les cas ce sera sincère, ce sera vrai. Je m'y engage solennellement. Vous pourrez ne pas vous retrouver dans mes idées mais je ne vous tromperai jamais. Nous devons réformer l'Etat. Nous devons réformer la vie politique. Nous devons réformer notre institution militaire, et le système éducatif, et la fiscalité, et ainsi nous pourrons parvenir à plus de liberté pour tous les Américains. Ceux qui se contentent du statu quo devront voter pour quelqu'un d'autre. Mais ceux qui croient que l'Amérique est plus grande qu'une somme d'intérêts particuliers doivent rejoindre mon combat ! »

Parfois, les gus qui me mataient comme si j'étais une bête de cirque n'aimaient pas entendre la vérité, mais tant pis.

« Qui a gagné la guerre du Vietnam, d'après vous ? » m'a demandé quelqu'un dans une réunion locale. « Nous l'avons perdue », j'ai répondu.

Ou bien : « Donc vous pensez qu'une personne homosexuelle pourrait faire un bon président des Etats-Unis ? — Tout à fait. »

A un débat-radio, un auditeur appelle pour me dire : « Vous êtes mal informé. — Non ! je gueule dans le micro. C'est vous qui l'êtes ! »

Partout, n'importe qui pouvait me parler, m'approcher. Pas de cordons de sécurité, ni de gardes du corps, ni d'essaims de « conseillers ». Pas de petite cour, ni de grands airs, ni de fanfares prétentieuses.

Ils n'arrivaient pas à piger mon style. A comprendre que je puisse rester dans un meeting jusqu'à ce que toutes les questions aient obtenu une réponse.

A s'habituer à la manière dont je les animais, ces meetings. Par exemple, quand quelqu'un s'emberlificotait dans sa question, je lui lançais : « Allez, on va au but ! Crachez le morceau ! » Lorsque le moment était venu de présenter les notables politiques du coin : « Eh bien, nous avons avec nous quelques anciens combattants de la guerre du Mexique, aujourd'hui... » Si je repérais un type ou une nana bizarrement accoutrés dans la salle, ou avec l'air un peu déjanté, je les invitais à monter sur l'estrade et je leur tendais le micro.

Quant à Murphy, il me soutenait en déployant tout son numéro de rock and roll politique pendant les interviews télévisées, où des représentants de Bush étaient souvent présents. Mon moment préféré, c'était quand il était passé à l'émission *Face à la presse* avec un type à Bush et que Tim Russert avait demandé à ce dernier : « Comment allez-vous battre Al Gore en novembre prochain ? — Pas facilement », avait reconnu l'émissaire du Prince héritier, et Murphy s'était alors intercalé : « En choisissant McCain ! »

Pour me présenter à une assistance, il s'exclamait : « John McCain, le sconce dans les garden-partys de Washington ! » Je le montrais du doigt et je disais : « Voilà ce qui arrive quand vous embauchez des gens en passant par le programme de réinsertion des taulards ! »

Enfin, on était lancés, quoi. Je briguais la fonction suprême de ce pays. Je dépeignais aux gens la vérité telle que je la voyais. C'était dans ce but que ma vie avait été si souvent épargnée : épater de complets inconnus. Je ne m'étais pas autant amusé depuis le temps où je tirais des roquettes, que je lâchais des bombes et que je vidais des chargeurs de mitrailleuse.

J'étais cinglé. En tout cas, c'est ce que certains de mes collègues sénateurs chuchotaient à la presse « off the record ». Ils employaient plutôt le terme d'« irascible ».

Le problème, c'est pas qu'ils me traitent de siphonné. Je le suis très probablement un peu, quoique pas autant que Slew ou mon paternel, ou que mon dingo de frère, Joe McKmart, un ancien journaleux qui a écrit une fois un article sur le divorce de Mickey et Minnie Mouse. Ou que ma mère, qui à quatre-vingt-sept ans vient de s'acheter une nouvelle voiture pour visiter des endroits aussi évidents que la Mongolie extérieure et l'Ouzbékistan.

Le problème, c'est qu'ils disent que j'ai été rendu fou par mes cinq ans et demi de prison vietnamienne. J'ai enduré cette captivité pour l'amour de mon pays, en effet. Mais eux ils ont prétendu que ce patriotisme me rendait inapte à la présidence. Ce pauvre John, « il a trop souffert », vous comprenez ? Donc pas de Maison-Blanche pour lui. Et pour quelle raison il multipliait les meetings et les réunions, John ? Parce qu'à force d'avoir été contraint à la solitude de sa cage il avait un terrible besoin de parler et de rencontrer des gens, le pauvre !

« Mais où ils vont chercher toute cette merde ? » me suis-je emporté un jour devant Murphy, qui a rigolé en levant le doigt : « Attention... Irascibilité ! » Engler, l'hippopotame qui occupe le poste de gouverneur du Michigan lointain et qui rêve tellement de servir de marchepied au Prince héritier, a flatulé que j'étais « un psychopathe colérique ». Dans un sketch à la télé, ils ont raconté que je ne pouvais plus m'alimenter sans avoir les yeux bandés. Je n'avais pas le droit d'être agressif, m'a expliqué un reporter ; seulement « tendu », ou « irrité ».

Ah bon ? J'avais tellement la haine, en fait, que je me serais bien vu traverser la salle du Sénat en distribuant coups de boule et ramponneaux à ces lavettes abruties.

Et on a commencé à tourner tout le truc à la plaisanterie, Murphy et moi, parce que comme je le lui ai fait remarquer, « pour vouloir être président, il faut quand même avoir un petit grain, non ? ».

On a permis à CBS de venir tourner notre préparation pour le premier débat de la campagne. Dans sa chemise hawaiienne la plus monstrueusement colorée, Murphy s'est planté en face de moi : « En venant à ce débat, vous avez tué quelqu'un, monsieur le sénateur. Vous êtes un dangereux déséquilibré, et bruyant en plus. Vous explosez à chaque seconde. Est-ce que vous avez le caractère adéquat pour devenir président ? » Et moi : « Eh bien, vous savez, c'est justement la question qui me rend... diiiinngue ! »

Ils se sont mis en tête que j'étais fou pour une autre raison encore : à cause de notre bus de campagne.

On avait d'abord pensé le baptiser « le Baratin Express », avant de se rabattre d'un commun accord sur « le Parler vrai Express ». Chaque jour, on écumait tout le New Hampshire avec, et surtout on laissait les journalistes — que Murphy appelait « les embrouilleurs » — monter dedans à n'importe quel moment. Dans les mœurs politiques des Etats-Unis, c'était sans précédent : accès libre et permanent à l'information et droit de citer tout ce qui s'entendait. Puisque dans l'esprit de la plupart des Républicains la presse est l'ennemi, je prenais mes repas avec l'ennemi, je pissais avec l'ennemi et je ronflais avec l'ennemi, pratiquement vingt-quatre heures sur vingt-quatre. Conclusion : je devais être dingue, en effet !

Une liberté pareille, à une époque où Bill Clinton n'avait ` me pas été interrogé une seule fois sur le compte de Juanita Broaddrick, où le chargé de presse de la présidence, John Lockhart, essayait de ne mettre que ses bons copains correspondants au parfum, où tout le monde se souvenait de Ronald Reagan qui, la main en cornet sur l'oreille, faisait semblant de ne pas avoir entendu une question embarrassante à propos du scandale Iran-Contra... Beaucoup d'« embrouilleurs » avaient fini par avoir une vision tellement cynique de la classe politique qu'ils se sont d'abord sentis insultés par mon parti pris d'accès « libre et permanent ». Que je n'essaie pas de les manipuler, ils trouvaient ça manipulatoire. A force d'entendre les hommes politiques mentir, ils s'attendaient forcément à ce que mes vérités soient une forme de mensonge.

Ils sont montés dans le bus, ils ont vu qu'ils pouvaient me poser toutes les questions qu'ils voulaient sans que je me réfugie derrière le « ça reste entre nous » et là ils en sont restés babas. Je me rappelle encore celui qui embarquait pour la première fois et qui a commencé, tout timide :

— Est-ce que je peux vous poser une ou deux questions, sénateur ?

— Ici nous répondons à toutes les questions. Et parfois ça nous arrive de mentir. Mike Murphy est un des plus grands menteurs qui soient, dans ce bus ou ailleurs. (Il clignait des yeux, assez paumé. J'ai regardé Murphy :) Pas vrai, Mike ? (Il a hoché la tête en souriant.) Murphy a passé sa vie à essayer de torpiller des carrières politiques.

— Ouais, a confirmé Mike. Ce sera le cas de la vôtre le soir des élections.

Le scribouillard nous regardait, hébété. Murphy a repris à son intention :

— Le problème avec vous, les journaleux, c'est que vous faites une fixation sur le vote lui-même : combien de gauchers vont aller aux urnes, quelle proportion de jeunes mamans, et autres fichaises.

J'ai récapitulé pour lui :

— En résumé, vous n'êtes que des trous du cul.

Les embrouilleurs ont paru aussi effarés que les

assemblées électorales devant lesquelles j'assénais mes vérités.

— Euh... Pourquoi vous tentez la présidence, sénateur ?

— Parce que tout sénateur qui n'est pas sous le coup d'une inculpation ou dans un centre de désintoxication a l'obligation de bander pour la présidence.

— Et... Et les médias, sénateur ? Vous en pensez quoi ?

— Qu'ils m'ont donné ma première occasion de rencontrer des militants du Parti communiste, avec la carte et tout et tout.

— Jusqu'ici, quelle a été votre journée préférée dans la campagne ?

— Le jour où on est descendus à New York et que je vous ai vus, vous et vos confrères, en train de vous bousculer dans tous les sens et de vous étaler sur le trottoir verglacé.

— Pouvez-vous nous décrire votre vie au temps où vous étiez pilote de chasse dans la Navy ?

— J'avais une Corvette, je fréquentais des tas de filles, je passais tous mes temps libres dans les bars ou à des boums sur la plage et je gaspillais ma santé et ma jeunesse, globalement.

Moi qui aimais beaucoup John Fitzgerald Kennedy Jr., j'ai particulièrement apprécié son dernier éditorial avant le vote dans son magazine, *George*. Pour lui, mon combat politique était bien symbolisé par la lutte du Chevalier du ciel contre l'Etoile de la mort. Aussitôt, on s'est mis à déconner dans le bus en se poursuivant avec des sabres fluos avec le thème musical de *Star Wars*, signé John Williams, pour accompagnement. On disait souvent que la campagne avait deux slogans non officiels : « Mettez le feu ! », en honneur au Black Power et à Stokely Carmichael, et « Détruisons le mal ! », en hommage à George Lucas et Ronald Reagan.

A nous voir rejouer des passages de la célèbre série

et à nous gondoler, Murphy et moi, les embrouilleurs ont compris qu'ils étaient tombés dans une roulotte de cirque et ils ont commencé à pas mal s'amuser.

Plus sérieusement, je leur ai annoncé que si je l'emportais je donnerais une conférence de presse hebdomadaire, à l'exemple de JFK, et que je recevrais aussi chaque semaine dix membres du Congrès à une série de questions-réponses télévisées. « Mais ça ne risque pas d'être... gênant ? » s'est étonné un des leurs comme s'il venait de tomber sur une révélation dans la Torah.

« Justement », j'ai dit.

Un truc balèze était en train de se passer. Je voyais ça à la foule, toujours plus grosse et plus bouche bée à chaque étape. Il y avait quelque chose dans leur façon de vouloir m'approcher, me toucher, qui me flanquait des frissons dans le dos. Quelque chose dans leurs yeux qui me donnait le bourdon. « Clinton-Gore, y en a marre ! » ils gueulaient à s'en casser la voix dès qu'ils me voyaient, aussi fort qu'on scandait « Aux chiottes l'infanterie ! » à l'Académie navale, dans le temps.

Il y avait des banderoles qui disaient « Les végétariens avec McCain ! », « Les hippies pour McCain ! », « Les bouffeurs de viande soutiennent McCain ! », ou « Cindy est canon ! ». Une fois, toute une masse de gens ont pataugé dans la boue d'un chantier juste pour avoir l'occasion de me voir de plus près. Ils arrivaient aux meetings en serrant contre leur cœur mon livre, qui était maintenant dans les meilleures ventes. Une femme nous a raconté qu'elle était allée à une réunion de Bush mais qu'elle avait dû partir parce que son fils de trois ans n'arrêtait pas de me réclamer, moi.

« Je ne vous mentirai pas ! Je ne vous tromperai pas ! Nous avons besoin d'une réforme de l'Etat ! »

Quand je lançais que j'allais « battre Al Gore dans les grandes largeurs », c'était le délire. Je disais : « L'ère de la politique consistant à déformer la vérité, l'ère de Bill Clinton et d'Al Gore touche à sa fin », et eux : « Clinton-Gore, y en a marre ! Clinton-Gore, y en a marre ! »

Nos meetings se terminaient dans un de ces cha-huts ! La musique de *Star Wars* à fond, une DCA de confettis... Le DJ qu'on avait pris avait cinq anneaux à l'oreille. Il revenait juste d'une tournée avec les Foo Fighters et Nine Inch Nails.

Quand on a passé une journée à New York, j'ai senti la même électricité dans la foule, comme s'ils marchaient aux champignons hallucinogènes qui dopaient au lieu de calmer. Le Prince héritier et son copain le gouverneur Pataki — encore un candidat au poste de marchepied — continuaient à essayer de m'éjecter de la course. Murphy m'a donné l'idée de tenir une conférence de presse en face de l'ambassade de Russie. J'ai sorti : « En Russie, ils auront plus d'un nom sur les bulletins mais à New York, à moins qu'on fasse quelque chose, il ne va y en avoir qu'un, celui de George W. Bush ! » La foule : « Clinton-Gore, y en a marre ! Clinton-Gore, y en a marre ! »

On ne s'attendait pas aux résultats du New Hamp-shire. Dix-neuf points ! Le Prince héritier avait la honte, il n'a même pas voulu m'appeler. C'est seule-ment quand un de ses sous-fifres a téléphoné à mon adjoint, qui lui a dit d'aller se faire voir, qu'il a été obligé de prendre son téléphone. Dix-neuf ! Le plus fort taux de participation à des primaires jamais enre-gistré là-bas ! Idem pour la participation des jeunes électeurs !

Le panard ! On a fait la couverture des trois canards communistes du pays. Le lieutenant de l'Armée rouge Mike Wallace a déclaré qu'il envisa-geait de se mettre en congé de CBS pour devenir mon attaché de presse. Le commissaire Jay Leno nous faxait des blagues à ressortir en tournée. Rien que pendant la semaine qui a suivi, on a récolté cinq millions de dollars sur Internet ! La presse appelait ça « la mutinerie McCain ». Un collaborateur d'Al Gore a reconnu que « McCain est plus qu'un individu, c'est une idée, l'idée qu'il va au-delà de la politique politicienne. C'est fort ». Un sondage me donnait à égalité avec le Prince héritier en Caroline du Sud, notre prochaine étape, alors que j'étais à 27 % derrière lui quelques jours avant.

Le Prince héritier faisait une tête comme s'il s'était pissé dessus en public. Son Altesse a filé se réfugier au Texas, au milieu des rumeurs disant qu'il emportait son coussin fétiche dans tous ses voyages.

« Je crois que vous allez emporter les primaires et que vous serez le prochain président », m'a dit Murphistophélès et il ajouté, ce qui lui allait bien : « ... Pauvre diable. »

On savait que la Caroline du Sud était le point fort des prétentions du Prince héritier, la muraille réac derrière laquelle il voulait se planquer. C'est précisément pour ça qu'elle suivait le New Hampshire dans le calendrier des primaires : dans l'espoir que la populace fanatisée se précipite pour effacer les bombages qui resteraient sur le carrosse princier.

Nous, on s'est dit qu'on était capables de le battre sur son propre terrain, d'abord parce qu'il y avait là plus d'anciens combattants que partout ailleurs dans le pays. Quand on est arrivés sur place, à trois heures du matin, une foule de gosses enthousiastes nous a acclamés. Un motard de la police a stoppé notre bus rien que parce qu'il avait envie de me causer. Mais bon, c'était quand même un Etat où il se vendait des tee-shirts avec le portrait de Lincoln et « Sic Semper Tyrannis » (Tel sera toujours le sort des tyrans), les mots criés par l'assassin d'Abe avant de tirer.

Quand le Prince héritier a fait sa première apparition sur place, des relents de pisse flottant encore autour de lui, on a mesuré sa trouille rien qu'au site qu'il avait choisi : Bob Jones University, où les couples mixtes étaient interdits, les visites d'anciens élèves gays idem, la religion catholique considérée comme un culte satanique et le Pape comme l'Antéchrist. Le symbole du Sud confit dans son passé raciste, le nid d'aigle des ploucs avec la croix dans une main et la fourche dans l'autre. En ouvrant la réunion, ils ont salué George et Barbara Bush, ces « nobles âmes qui aiment notre Seigneur », et puis le Prince héritier a jeté le masque du conservatisme éclairé pour lancer un SOS pathétique au Reich sudiste : Sauvez-moi, car je suis des vôtres.

La première fois que je l'ai vu là-bas, j'ai pensé qu'il faisait un numéro d'imitation de McCain. Le label « réformateur » clignotait en permanence au-dessus de sa tête. Lui qui avait passé toutes ces années dans les couloirs de la Maison-Blanche posait maintenant à l'outsider. Et tiens, il avait un bus, lui aussi ! Il déployait des efforts terribles pour former des phrases complètes. Il veillait à ce que sa cohorte de gardes du corps n'apparaisse pas trop dans le champ des caméras. Brusquement, il daignait apparaître dans des réunions de quartier et dans ce qu'il appelait des « opportunités de presse ». Il pillait tout ce qui avait marché pour nous, dispersant ses hommes à travers la foule avec la consigne de glapir « Clinton-Gore, y en a marre ! Clinton-Gore, y en a marre ! ». Et maintenant ils lançaient des confettis ! Leurs stupides ballons rouge-blanc-bleu à la Nixon avaient été relégués dans quelque placard de son château d'Austin, Texas.

Ça m'a énervé, oui. « Ils croient quand même pas que ça va marcher ? j'ai dit à Murphy. Ça crève les yeux, qu'ils copient ! » Et lui : « N'oubliez jamais que les Républicains, c'est le parti de Simplet. »

J'ai compris à quel point il avait raison quand Dan

Quayle a été le premier Républicain à venir soutenir le Prince héritier. Comment, David Letterman et d'autres commentateurs influents disent que Bush est « un Dan Quayle en puissance » et ils ne trouvent que l'ancien vice-président du papa à rameuter ici ? C'était quoi, ce machin ? Une cérémonie de transfert du bonnet d'âne ? La preuve définitive de l'épuisement génétique de l'aristocratie ? Ou un sabotage machiavélique conçu par Murphistophélès ?

Et puis le Prince héritier s'est campé avec un mauvais sourire à côté du clown qui a lancé cette fameuse perfidie contre moi, que j'avais « oublié les anciens combattants dès que j'étais revenu de Hanoi ». Un poignard dirigé contre mon cœur et ce qu'il contient de plus sacré ! Les droits et avantages des anciens combattants, ma préoccupation de chaque seconde ! On ne pouvait pas laisser passer. Ça faisait trop mal. Bush se rengorgeant pendant que ce prurit vivant déballait son mensonge ! « La campagne sera rude, a annoncé Murphy. Comme McCain l'a dit, nous sommes prêts à riposter. On n'est pas Bill Bradley, nous autres. »

Aussitôt, il a pondu un communiqué en affirmant que le Prince héritier « jouait avec la vérité comme Bill Clinton ». Le Prince héritier s'est mis à trépigner et à piailler. J'aurais pissé dans le bénitier à Saint-Pierre qu'il y aurait eu moins de barouf ! Comparer George W. Bush à Clinton ! Ça méritait le bûcher, au moins ! Après décapitation et écartèlement, bien entendu. Partout dans les campagnes du Reich carolinien on brandissait croix et fourches !

L'Oberführer Pat Robertson a bombardé les administrés de messages téléphoniques enregistrés dans lesquels il traitait de « dangereux fanatique » mon directeur de campagne, Warren Rudman. Pareil que si Clinton accusait George Washington d'être un menteur. Chris Matthews ne s'y est pas trompé : « Ils s'en sont pris à Rudman parce qu'il est juif. C'est le genre de cartes qu'ils jouent. » Evidemment ! Dans le Sud profond, vous pensez ! Allez, manants, prenez vos croix et vos fourches pour défendre le Prince héritier contre les nègres, les papistes, les youpins, les pédales, les gouines et John McCain !

Prétendre qu'il n'avait rien à voir avec les messages de Robertson a été un autre mensonge gros comme une maison du Prince héritier. Alors qu'à sa droite, siégant officiellement à sa table au titre de consultant électoral, on trouvait Ralph Reed, ancien président de la Coalition chrétienne fondée par Robertson, furet apprivoisé de l'Oberführer !

Ah, la Caroline du Sud... Lors d'un questions-réponses à la radio, quelqu'un a téléphoné avec cette question : « Est-ce que vous avez commis le péché d'adultère avec des filles de mauvaise vie à Subic Bay ? »

Mais ce n'était encore rien comparé à ce que j'ai découvert dans les mails, les télécopies, les tracts, les pseudo-sondages qui inondaient le pays des croix et des fourches tandis que le Prince héritier prenait des airs pincés et regardait ailleurs. Ma famille et moi, nous étions arrangés comme suit : d'abord, je n'avais jamais été torturé pendant la guerre mais j'avais eu des rapports sexuels avec d'autres prisonniers, ainsi qu'avec plusieurs gardes vietnamiens, auxquels j'avais dénoncé des camarades. Cindy était indigne d'entrer à la Maison-Blanche, puisque c'était une droguée, qu'elle avait subi une ablation de l'utérus à cause d'une maladie vénérienne que je lui avais refilée — ou bien elle avait une déformation utérine et je la trompais pour cette raison —, et que son père avait trempé dans un meurtre. J'avais aussi payé des tueurs pour liquider un homme au courant de mes frasques adultérines. J'avais des bâtards noirs un peu partout.

Notre fille adoptive, Bridget, originaire du Bangladesh, avait en réalité pour mère une prostituée noire.

Ils voulaient me salir au point de décourager ceux qui avaient vu en moi un espoir de nouveauté et de moralité dans la vie politique américaine. Ils voulaient saccager la magie qui opérait déjà : faire confiance à quelqu'un, enfin. Ils ne cherchaient même pas à gagner de nouveaux électeurs, non, ils se contentaient de leurs partisans pourris. Leur but, c'était de décourager l'Amérique, de la rendre encore plus cynique. Pas de changement, pas de joie, pas d'imagination. Ils étaient les sphincters cancéreux du statu quo, et le parfum de l'eau bénite ne pouvait couvrir leur puanteur accablante.

Lorsqu'une femme m'a appris à une réunion électorale que son fils de quatorze ans avait fondu en larmes en recevant un message téléphonique où j'étais traité de menteur et d'imposteur, j'ai dit à Murphy qu'on allait arrêter la publicité négative. Il a résisté : « Ils nous massacrent, eux ! On doit leur passer dessus. Les gens prétendent qu'ils n'aiment pas les campagnes négatives et pourtant ils en tiennent compte dans leur décision. C'est un truc qui marche. » « Je m'en fiche, j'ai répondu. Je ne veux pas me réveiller après une victoire et me sentir sale. Pas envie d'arriver à la Maison-Blanche dans un camion d'éboueurs. »

Je me suis souvenu du Prince héritier à notre premier débat dans le New Hampshire, de son accolade soi-disant fraternelle, tout en « T'es mon copain, mec, j'suis fier de toi ! ». D'un coup il était devenu ce type affreux, et tout ça parce que je lui avais donné la pâtée là-haut ! Avec la Caroline du Sud, la campagne avait changé complètement d'ambiance. Ce que faisait Bush, a constaté Chris Matthews, c'était « la politique de la terre brûlée, à peu près l'équivalent du bombardement de Dresde par les Alliés ».

Moi, je voyais plutôt ça comme les voyous d'Hitler pendant la Nuit de Cristal.

On a remporté le Michigan et le Prince héritier n'a jamais appelé pour me féliciter, mais à ce stade je m'en coutrefoutais, franchement. J'étais encore ulcéré, non, *horrifié* par ce que j'avais vu en Caroline du Sud. Je m'étais retrouvé à Hanoi, là-bas : les rats qui grouillaient dans les coins, les plaies purulentes, la merde qui flottait dans le puits...

J'ai commencé à parler de ça, dans le Michigan. De « la droite chrétienne extrémiste », de « cette bande d'imbéciles qui tiennent Bob Jones University ». J'ai dit : « Mon parti a perdu la boussole, mes amis. Je crois que plein d'Américains ont l'impression de ne plus se retrouver dans le parti républicain, que nous avons une approche trop étriquée, ici. Je crois que nous devons veiller à ce que tout le monde soit sur le terrain, que les chances soient égales pour tous et qu'il n'y ait pas un groupe mieux traité que les autres, en raison notamment du poids financier de chacun. »

Ensuite, à bord de mon Skyhawk, j'ai mis le cap sur Virginia Beach, le fief de Pat Robertson, et je les ai pris dans mon collimateur, lui et son faux jeton d'acolyte, Jerry Falwell : « Nous sommes le parti de Ronald Reagan, pas celui de Pat Robertson. Nous n'avons pas pour valeurs le recours permanent au sectarisme et à la diffamation, le gain d'influences sur le terrain religieux et politique au moyen de la corruption. Aucun parti ne devrait avoir pour caractéristique de s'entremettre avec les franges les plus extrémistes et les apôtres de l'intolérance, qu'il s'agisse d'Al Sharpton ou de Louis Farrakhan à gauche, de Jerry Falwell ou de Pat Robertson à droite. »

Le lendemain, dans mon bus, j'ai repris ce thème : « Je suis là pour m'opposer aux forces du mal. C'est mon job. Quoi, il faudrait tolérer des influences malfaisantes dans son parti au nom de l'unité ? Ce n'est pas du tout ça, un parti. »

« Il a eu raison, a expliqué Murphy aux embrouilleurs. Ce discours, c'est exactement ce pour quoi il

se présente. » A moi, il m'a dit que j'avais marqué
« un coup au but ».

Mais je savais que j'avais été touché à l'aile, et salement. Je sentais mon Skyhawk partir en piqué, et moi
avec. Or il n'y a pas de siège éjectable dans une campagne présidentielle... « John McCain est politiquement mort », a décrété Lyn Nofziger, que j'avais
pourtant toujours vu comme le plus sensé des
conseillers politiques de Ronald Reagan. Je venais de
commettre le même crime que John Anderson, autre
Républicain, avait osé en 1980 quand il avait ouvert le
feu sur le lobby des armes aux Etats-Unis.

J'aurais peut-être dû me contenter de les traiter de
branquignols à la masse.

Pat Robertson, qui prédit la fin du monde avec la
même régularité que les présentateurs météo de
l'Arizona annoncent des orages.

Jerry Falwell, qui pense que Tinky Winky est gay
parce qu'il est rose, qu'il a un sac à main et qu'il porte
un triangle sur la tête.

Pat Robertson, qui pourfend le sexe avant le
mariage mais qui a trafiqué la date du sien pour cacher
que son enfant avait été conçu avant la bénédiction
nuptiale.

Jerry Falwell, qui a demandé à Carter pourquoi il
employait des « homosexuels actifs et notoires » à la
Maison, et qui pense que l'Antéchrist est incarné dans
« un juif vivant de nos jours » (Warren Rudman, sans
doute ?).

Pat Robertson enregistré pendant une séance :
« Satan a reculé, l'hernie est résorbée ! Si vous por-
tiez une ceinture, vous pouvez l'enlever, maintenant.
Elle est partie ! Plusieurs personnes ici ont été soulagées d'hémorroïdes et de varices ! »

Jerry Falwell à propos de l'allocation chômage :
« On devrait laisser ces gens-là sans manger jusqu'à

ce qu'ils reconnaissent que ça vaut la peine de travailler. »

Pat Robertson, qui dans son CV se dit expert en droit fiscal alors qu'il n'a jamais obtenu son diplôme ni pratiqué.

Jerry Falwell réclamant la mise en quarantaine ou l'emprisonnement d'homosexuels convaincus d'avoir eu des relations sexuelles après avoir été déclarés séropositifs...

Non, à bien y penser je suis fier de moi. « Malfaisants » est le terme qui leur convient exactement.

Après, je n'ai plus que des souvenirs brouillés où se détachent d'autres mensonges contre moi, et les curés qui ont commencé à sortir des basques du Prince héritier à chaque fois qu'il faisait un pas, ou le visage caoutchouteux du gouverneur Pataki figé à jamais dans le rictus du lèche-cul.

Murphy m'a montré quelques ripostes « modérées » à ces nouvelles diffamations mais j'ai dit non, assez de saletés, non... Tel un spectre blanchi, les yeux rouges, j'ai parcouru le pays en criant : « Dites au gouverneur Bush et à ses complices d'arrêter de détruire le système politique américain ! », « Le gouverneur Bush et ses amis ont annexé ces élections ! » et « Plus un jeune n'ira voter dans ce pays ! ».

J'ai fait le débat pour les primaires californiennes en duplex, oui. Parce que j'avais trop peur d'étrangler le Prince héritier si je me retrouvais dans la même pièce que lui, ou d'être traîné à l'asile dans une camisole de force. Je me rappelle qu'en répétant ma prestation dans un studio de Saint Louis je me suis arrêté net, soudain, et je suis resté là avec Murphy qui me disait « Tout va bien, tout va bien... ». Et puis je me souviens d'avoir murmuré : « Il peut bien être malhonnête, Murphy, avec des méthodes répugnantes, mais tout le monde s'en fout. »

La veille du Super Mardi, alors qu'on se faisait une vodka glacée, mon Murphistophélès et moi, il m'a confié qu'il ne pensait plus pouvoir continuer à travailler pour le parti républicain après cette expérience. « On a fait de vous l'homme politique le plus populaire du pays mais ils ne vont pas vous désigner ! » s'est-il indigné, et moi : « Ils préféreraient perdre les élections que de me prendre pour candidat, Murphy. »

Tout s'est terminé par une belle et fraîche journée, chez moi, à Sedona. A mes côtés, ma grande bringue me tenait la main. Tout s'est achevé non pas sur un hymne de victoire mais avec la version instrumentale du thème de *Rocky* : au lieu de retrouver mon héros Teddy Roosevelt, je restais avec Sylvester Stallone.

J'ai déclaré qu'on partait pour Bora Bora, ma grande bringue et moi. J'ai dit que oui, certainement, j'apporterais mon soutien au candidat républicain.

Murphistophélès pleurait. Moi j'avais la gorgée serrée.

Maintenant, je vais vous dire ce que je pense du candidat que je vais soutenir, George W. Bush, le Prince héritier.

Voilà : David Letterman avait raison de le taxer de « Dan Quayle en puissance » dont la meilleure définition était « un abruti avec des relations ».

Mais il s'est révélé dans toute sa dimension à Letterman quand celui-ci l'a interviewé après avoir subi un quintuple pontage cardiaque quelques semaines auparavant. « Quand vous dites que vous êtes là pour unir et non pour diviser, qu'est-ce que cela signifie ? » Réponse : « Cela signifie qu'au moment où on vous recoud le thorax, on met des points de suture au lieu de le rouvrir. Voilà ce que cela signifie. »

Non, ce que cela signifie, c'est que l'« abruti avec des relations » est également mauvais comme la gale.

Je suis parti à Bora Bora avec Cindy. On a pris le soleil, on a écouté mon conseiller spirituel, Chuck Berry. Dure, la désintoxication. Je luttais contre le manque, je me faisais des fix de temps à autre en appelant mon équipe.

Jesse Ventura a continué à me téléphoner. Il m'a appris que je restais très près des deux autres dans les sondages. Il me poussait à m'accrocher.

Bob Dole aussi, il appelait. Je l'aime, Bob Dole. Un de mes plus vieux amis. En 1996, je l'ai accompagné dans sa campagne et j'ai essayé de lui faire garder le sourire. C'était pas facile. Il a failli me prendre comme vice-président sur son ticket.

Et donc Bob Dole m'a parlé de l'unité du parti. « Unité du parti », il n'avait que ces mots à la bouche. « Le parti a toujours été bon pour toi, John. Tu es un Républicain dans l'âme, John. Ta mère en est une aussi. Quand il y a eu l'affaire Alger Hiss, elle était du côté de l'accusation, pas des espions cocos ! Tu aimes ta mère, John ! Tu n'es pas un Alger Hiss ! »

Il m'a eu, à plate couture. A la fin, j'ai dit à Jesse que je ne pouvais pas faire ça. Je *suis* un Républicain dans l'âme, c'est vrai, et j'aime ma mère ! On a décidé de se retrouver un jour dans une cage à requins, Jesse et moi. Peut-être que les commandos de la Navy, où il a servi six ans, sont plus gonflés que les pilotes de la Navy, en fin de compte. Il continue à aller au charbon plus que moi.

Je suis retourné au Sénat, où Trent Lott a dit que j'étais « un frère » pour eux mais aussi qu'ils n'allaient pas « organiser une parade » pour mon retour. Pendant qu'il m'interviewait, Dan Rather m'a déclaré : « S'ils ne tenaient qu'à eux, les dirigeants de votre propre parti vous couperaient la tête et jetteraient votre foie aux chiens. »

J'ai parcouru les journaux qui s'étaient accumulés sur mon bureau au Congrès. Frank Gamboa, mon camarade de chambrée à Annapolis : « A l'Académie,

John poussait le bouchon très loin. Il allait jusqu'à la limite, mais jamais au-delà. » Mon foudingue de frère, Joe McKmart : « John est quelqu'un qui a toujours su jusqu'où ne pas aller trop loin. » Et David Broder, du *Washington Post* : « C'est parce que les Républicains du Sénat le veulent bien que John McCain est le président de la commission sénatoriale du commerce. Et c'est pour lui une raison importante de demeurer un brave et fidèle Républicain. »

« Je me suis trompé. J'ai abusé mes concitoyens, ma famille, et j'ai déçu mon pays. »

Dans le temps, c'était comme ça que je m'imaginais ce qu'on devait ressentir en signant une confession sous la torture vietcong.

Bon Dieu, Murphistophélès ! Je t'avais bien dit que je n'étais qu'un être humain, avec ses faiblesses. Mais n'empêche, Murphy. N'empêche ! On se sera quand même bien poilés, non ?

10

L'homme au braquemard d'or

> « J'ai l'impression qu'il doit être au *Club du CD du mois* ou un machin de ce genre. Parce que j'ai jeté un œil à ses disques et c'est vraiment bizarre. Des trucs craignos style *Romantic saxo* ou *Les meilleurs slows*... Beurk ! » (MONICA À LINDA TRIPP)

Warren Beatty président ? Comment ? Vous dites Warren Beatty ? Dans tous ces relents de cigares et de Willards mouillés ? L'homme au braquemard d'or à la Maison-Blanche ? Même pour Hollywood, ville fameuse pour ses extravagances plutôt que pour sa rationalité, la nouvelle était confondante. Dieu, que j'aimais Hollywood ! Même après un quart de siècle passé à contribuer moi-même à ses histoires loufoques, je n'arrivais toujours pas à comprendre sa logique.

Warren président, pour moi, c'était à peu près aussi compréhensible que le mariage Barbra Streisand-James Brolin. Barbra, pratiquement plus juive que Golda Meir, avait épousé un cow-boy rustaud qui dans les années quatre-vingt m'avait téléphoné en plein dimanche après-midi pour se plaindre de mes représentants légaux alors que je négociais l'achat de

sa maison : « Vous et vos youpins d'avocats ! » Bon,
très bien. Warren Beatty serait notre prochain président. Un homme dont la plus notable contribution à
la vie politique américaine, jusqu'à ce jour, avait été
de persuader Paul Simon et Art Garfunkel de refaire
leur duo pour un meeting de soutien à McGovern...

Lorsque j'ai entendu que l'idée de sa candidature
avait été initialement lancée par Arianna Huffington
— « Nous avons besoin de quelqu'un qui nous fasse
tous asseoir autour du feu en nous tenant la main » —,
j'ai entrevu une sombre machination concoctée par la
Sorcière pour le compte de son opportuniste conservatisme, un plan secret destiné à semer encore plus
l'embarras dans le camp progressiste : Laissons les
libéraux danser avec Warren, laissons le public crier
son amour et puis déballons tout sur son appétit de
satyre pour la chair féminine, son narcissime, sa
mégalomanie. Entre la poire et le fromage, ce ne serait
plus de pipes et de masturbation qu'il allait être question dans les foyers américains, mais de priapisme et
de nymphomanie masculine. Et ce même si, à la
faveur d'une perle sur laquelle Hollywood s'étouffait
encore de rire, le *Los Angeles Times* avait écrit que
Warren était « politiquement vierge ».

Je me suis demandé comment les pauvres féministes, après toutes les humiliations déjà subies,
allaient accueillir un homme qui avait mis dans son
lit au moins trois générations d'actrices, qui comptait
parmi ses succès Leslie Caron, Julie Christie,
Madonna, Natalie Wood, Joan Collins, Diane Keaton,
Isabelle Adjani, Mary Tyler Moore, Michelle Phillips,
Britt Eklund, Joni Mitchell, Liv Ullmann, Carly
Simon, Diane Ladd, Rona Barrett, Jessica Savitch,
Jane Fonda, Vivien Leigh et Annette Bening, qui pendant des années avait abordé les femmes par un incontournable « What's new, pussycat ? », et dont la
propre sœur, Shirley MacLaine, avait dit : « J'aime-

rais bien tourner une scène d'amour avec lui juste
pour voir ce qu'il a de si spécial. »

Avec Bill Clinton, il avait des points communs qui
sautaient aux yeux. « Trois, quatre, cinq fois par jour,
et tous les jours, cela n'avait rien d'exceptionnel pour
Warren », avait confié une ex, Joan Collins, en ajoutant ce détail prémonitoire : « Et il était capable de
répondre au téléphone en même temps ! » D'après une
amie à lui, « Warren voudrait que le monde entier
couche avec lui ». Lui-même reconnaissait qu'il lui
arrivait de se réveiller à quatre heures du matin « en
me demandant pendant une minute où diable je peux
bien être », et notait modestement que « si tout ce
qu'on raconte sur ma vie sexuelle était vrai, je vous
parlerais d'un bocal à l'Institut médical de l'université
de Chicago ». Woody Allen avait soupiré qu'en cas de
réincarnation il adorerait être « les doigts de Warren
Beatty », et ce n'était peut-être qu'un euphémisme.

Par d'autres aspects, pourtant, il était spectaculairement différent de Clinton. Etiqueté « progressiste
d'Hollywood » depuis toujours, ses convictions égali-
taires apparaissaient beaucoup plus dans ses paroles
que dans ses actes. Ses relations avec les équipes tech-
niques, ainsi, étaient notoirement tendues. Une fois,
les techniciens de plateau l'avaient même enfermé
dans la cellule de prison où il venait de tourner une
scène tant leurs relations étaient mauvaises. A ce propos, il s'était fendu d'une mise au point : « Bon, d'accord, je ne fais pas copain-copain avec eux. Je ne suis
pas payé pour leur taper sur le ventre, et eux non plus.
Pour un acteur, il y a plus important sur un tournage
que de rigoler avec le perchiste ou l'éclairagiste. » A
Jack Warner qui lui recommandait d'aller voir JFK
à la Maison-Blanche s'il voulait pouvoir l'incarner à
l'écran, il avait répliqué : « Le président a envie que
ce soit moi qui fasse son personnage ? Alors dites-lui
de venir ici, lui. Parce que c'est à lui de s'imprégner
de *mon* atmosphère. » Ou bien, à un journaliste qui

remarquait que le sol de sa voiture était jonché de factures même pas ouvertes, Warren avait expliqué tout en conduisant : « Je ne peux pas me laisser embêter par des trucs pareils. Je n'arrête pas de dire à tous ces gens qu'ils s'adressent à mes managers s'ils veulent être payés. »

N'empêche : toujours à la recherche de nouvelles émotions, Hollywood bruissait et trépidait d'impatience. Soudain, le somptueux lupanar qu'était la résidence de Robert Evans s'était transformé en arrière-salle enfumée où l'on discutait ferme, non de box-office, mais de plans de campagne. Ici, Warren était chez lui et cette demeure où il avait passé tant de nuits en stimulante compagnie était le lieu idéal pour tester des initiatives qui répondraient aux besoins et aux désirs d'électrices nubiles, pour garder son éternelle jeunesse au contact du tissu social le plus ferme. Il avait jusqu'à son fauteuil personnel dans la salle de projection de Bob Evans, à côté de celui de Jack Nicholson, et là, dans la pénombre, il devait sans doute lancer des coups d'œil appréciateurs et oh, si cool, à la masse de futures supportrices aux traits indistincts mais aux formes appétissantes qui devaient se contenter de s'asseoir par terre.

Bob lui-même était tellement, tellement excité. La candidature de Warren, tour à tour certaine, annulée, probable, était un excellent tonifiant et il se voyait déjà le Henry Kissinger ou le Vernon Jordan du président Beatty. C'était beaucoup plus amusant que d'écrire des lettres pour résister à la montée de la maladie d'Alzheimer, ou d'errer chez lui avec la casquette de base-ball « George Bush » qu'on lui avait donnée. Le président Beatty donnerait des instructions très strictes afin qu'il soit maintenu « dans le circuit », ce qui mettrait fin à ces rumeurs à propos d'inculpation pour détention de cocaïne, ou au sujet de ce cadavre retrouvé dans le désert...

Pat Cadell était de retour en selle, lui aussi, stimulé par le même bain de jouvence que Bob et cependant un peu pâli, un peu gris, comme si le temps et les revers l'avaient desséché, l'étincelant libéral de jadis terni à force d'écrire des feuilletons télé qui servaient à occuper l'antenne entre deux pages de pub. Et puis on murmurait que Gary Hart s'était glissé également dans les coulisses, éminence grise de celui qui avait été son âme damnée après avoir servi pareillement à McGovern, un des plantages électoraux les plus spectaculaires de l'histoire américaine... Gary Hart, dont le lâche dégonflage au scrutin de 1988 l'avait à jamais relégué au placard des mirages politiques sans lendemain.

Quelle étrange équipe, me disais-je : Warren, la Sorcière, Evans, Cadell et Hart. Une mauvaise blague, très certainement. Observateur de nombril compulsif, snob professionnel, Warren n'allait pas s'exhiber (pardon) au vulgum pecus, ou en tout cas au vulgum pecus pris dans sa masse et non, individuellement, à ses éléments les mieux formés. Il n'était pas fait pour l'exhibition politique, mais sexuelle.

C'était là où il se montrait l'exact opposé de l'animal politico-sexuel Clinton : alors que celui-ci séduisait collectivement puis déchargeait l'énergie ainsi accumulée sur quelque anonyme électrice, Warren restait distant, au-dessus de la masse, séduction et conquête se limitant à des objectifs bien circonscrits. Bill Clinton aimait les bains de foule, les poignées de mains ; Warren protégeait son espace, n'appréciait pas les contacts physiques dans des salles trop éclairées. Son engagement était horizontal, non vertical. Bref, tandis que Bill Clinton était un homme politique qui aurait pu devenir acteur, Warren Beatty était un acteur qui jouait le rôle d'un homme politique.

Clinton, par exemple, savait que la fonction politique supposait que l'on se prostitue aux appareils photos. Ils pouvaient le prendre sous tous les angles, il avait tellement subi ces invasions qu'il ne sentait plus rien, désormais. Warren, lui, essayait toujours de leur présenter son meilleur profil, exigeait le contrôle sur l'éclairage, la distance, la vitesse d'obturation. Pour Bill Clinton, n'importe quel débile pouvait être derrière l'objectif, guettant son apparition sur le podium. Pour Warren, il devait forcément y avoir un Vilmos Zsigmond ou un Helmut Newton pour appuyer sur le déclic. Sans parler de ses derniers films, où l'on avait l'impression qu'il avait demandé à n'être photographié qu'à travers un voile de gaze. Narcissisme de l'acteur, très différent de celui de la bête politique. Les acteurs veulent maîtriser leur image dans les journaux quand les politiciens doivent se contenter de sourire et d'encaisser les flashs. Les uns gagnent leur vie avec leur tronche, les autres aussi mais ils sont censés ajouter quelques autres ingrédients dans le lot, du moins en théorie. Et j'étais bien payé pour savoir que, dans une ville où les acteurs narcissiques pullulaient, Warren arrivait haut la main en tête de cette catégorie.

Il avait vécu pendant plus de dix ans dans une suite en haut de l'ancien Beverly Wilshire Hotel que, peu après son départ, le studio pour lequel je travaillais alors m'avait réservée pour un jour. Comme j'avais terminé ce que j'avais à faire sur le tournage, je repartais à l'aéroport dans la limousine qu'on m'avait allouée lorsque j'ai été assailli par des crampes d'estomac et de violentes nausées. Alors que je cherchais à me soulager dans les toilettes de diverses stations-service, j'ai soudain repensé à la suite du Wilshire qui m'avait été gracieusement proposée et j'ai demandé au chauffeur de m'y conduire.

Il y avait des miroirs partout, absolument partout. Murs, plafonds, le penthouse n'était qu'une immense galerie de glaces. Je me suis vu là-dedans, dans *ses* miroirs : pâle, suant, verdâtre. Je me suis précipité aux toilettes. Que des glaces là aussi. J'ai laissé la porte ouverte et du coup je m'apercevais non seulement dans les miroirs des WC mais aussi dans ceux du salon. J'avais une mine épouvantable sous dix angles différents. Une bonne douzaine de mes reflets ont gerbé, se sont essuyés. Et là je me suis demandé quel genre d'individu il fallait être pour avoir envie de se regarder sans cesse, jour et nuit, dans toutes les attitudes et positions imaginables. Etait-ce une manifestation prévisible du bon vieux narcissisme hollywoodien ou la preuve d'une névrose autophage ? Est-ce qu'il aimait s'admirer en train de déféquer, Warren Beatty ? Il avait vécu dans un espace où il n'avait d'autre choix que de se voir sur le pot, en tout cas. Etait-ce là le point extrême de l'hubris local, ou bien une façon d'expier une existence trop confortable ? Sa manière à lui de rester en contact avec le commun des Américains ? Etait-ce par cet acte d'abnégation quotidien qu'il entretenait la flamme de sa compassion libérale ?

Une heure plus tard, je rendais la clé et je prenais la route de l'aéroport. Mon malaise et les évacuations subséquentes avaient coûté au studio la somme rondelette de deux mille huit cents dollars. Je me suis demandé sous quelle rubrique ils allaient apparaître sur le budget de la production.

En le considérant maintenant sous l'angle d'un « présidentiable », je me suis souvenu d'une autre expérience que j'avais eue avec lui autour de l'un de mes films, *Jade*, produit par Bob Evans. Je n'étais pas le seul à m'être exposé à cet aspect de Warren, qui en plus du reste était un réalisateur et un producteur couronné. A Hollywood, on appelait ça « voir sa mort ».

Warren avait la réputation d'avoir « défait » plus de

films qu'il n'en avait tournés. Ni simple acteur ni star, Warren se considérait comme un auteur ou, pour reprendre le terme employé par la Sorcière à son sujet, un « conteur-né ». Une fois qu'il avait accepté de jouer dans un film, il s'attelait à la réécriture du script avec le scénariste, puis à la redéfinition du programme avec le directeur de production, puis à la refonte des prises avec le réalisateur, puis à la modification des costumes avec la costumière, des coiffures avec le chef-coiffeur. Et lorsque tout avait été bouleversé à sa convenance, il abandonnait le tournage en déclarant qu'il ne croyait plus au scénario, pourtant remanié suivant ses recommandations catégoriques, ou qu'il ne faisait plus confiance au réalisateur, lequel avait été entre-temps terrassé par une dépression nerveuse.

Si les studios toléraient ces caprices depuis longtemps, alors qu'il n'avait rien fait de spectaculaire au box-office pendant toutes ces dernières années, c'était parce qu'il s'agissait de Warren Beatty, tout simplement. D'une star de légende, même si elle devait être photographiée flou. Après avoir gaspillé des fortunes dans tout le processus, le studio finissait par se dégoûter du projet et le film était enterré.

On comprend donc qu'en entendant Evans proposer Warren pour le rôle-titre de *Jade* j'aie été à deux doigts de souffrir des mêmes symptômes qui m'avaient étreint dans la suite du Wilshire plusieurs années auparavant. J'ai vraiment « vu ma mort », et je n'ai été sauvé qu'in extremis.

Warren a adoré mon scénario. Il avait « plein d'idées » à son sujet, bien entendu, et devait donc en parler sérieusement avec moi. Et puis il voulait huit millions de dollars. Ce qui m'a permis d'échapper au pire, c'est que Billy Friedkin, le réalisateur, était l'époux de Sherry Lansing, la patronne du studio : celle-ci aimait son mari et n'avait aucune envie de « défaire » son film avec Beatty. A sa place, on a choisi David Caruso, qui avait sans doute beaucoup moins d'idées mais qui ne cherchait pas à fourrer son nez dans le programme de tournage de Billy et qui n'a demandé que deux millions...

Du coup, je me suis demandé comment ce « conteur-né » qui n'avait jamais écrit un scénario de lui-même, cet « auteur » qui imposait ses caprices à Hollywood depuis des décennies, s'en tirerait à la Maison-Blanche. Demanderait-il à revoir personnellement le système de guidage laser des missiles Tomahawk ? Allait-il opposer son veto à tous les projets de loi tant qu'il ne les aurait pas réécrits avec des sénateurs ? Aurait-il besoin de vingt-quatre mois et de dix-sept rédacteurs pour mettre au point son discours sur l'Etat de l'Union... de l'année précédente ? Est-ce que les photographes de la Maison-Blanche seraient pris dans l'équipe de *Vogue* ? Allait-il charger Bob Evans de sélectionner les stagiaires ? S'empresserait-il de couvrir de miroirs les murs et les plafonds du Bureau ovale, du fameux couloir et des toilettes présidentielles ? Est-ce que la formule « What's new, pussycat ? » allait remplacer « E Pluribus Unum » sur nos billets de banque ? Est-ce qu'il se montrerait plus avisé que la fois où il avait refusé d'incarner JFK ? Est-ce que les affiches de ses films seraient en vente à la cérémonie d'investiture ? Allait-il confier à Madonna le portefeuille de la Justice ? Annette Bening, qui avait les cheveux pour, serait-elle la nouvelle Hillary ? Allait-elle donner des photos de plateau des *Arnaqueurs* pour la couverture de *Time* ? Et la Sorcière serait-elle sa porte-parole ? Allait-elle l'envoûter ? Le Braquemard d'or allait-il rester fidèle à Annette ?

Ce qui me chiffonnait aussi, c'est que Warren restait avant tout, « conteur né » ou pas, un acteur. Or mon expérience m'avait appris que les acteurs ne sont bons que si les répliques que quelqu'un d'autre a écrites pour eux le sont. Ce qui ne signifiait pas que Warren soit une marionnette, même si je savais que nombre d'acteurs se satisfaisaient aisément — et

lucrativement — de ce sort. Le danger que j'entre-
voyais, au contraire, c'est que les bons professionnels
se laissent prendre par leur rôle. Parfois encore bien
après la fin du tournage, quand ils devraient être
passés à un autre personnage. Au cinéma, cette altéra-
tion de la personnalité dure au moins deux mois, et
au théâtre encore plus longtemps si la pièce a du
succès. Mais un président ? Il doit changer de rôle
quinze fois par jour : faire les gros yeux aux terroristes à midi, rendre hommage aux flics à deux heures,
baratiner les députés républicains à quatre, accueillir
Tony Blair à six... Qu'allait-il se passer si Warren se
prenait au jeu ?

C'était un disciple de l'école de Stanislavski, il ne
fallait pas l'oublier, ce qui signifie s'imprégner d'un
personnage par une longue, une intense préparation.
Le risque était donc qu'il n'arrive pas à changer de
peau assez vite, d'autant plus qu'il aurait perdu du
temps à réécrire les dix-sept brouillons du même discours. On imagine l'interprétation cauchemardesque
du rôle présidentiel : rester dans l'état d'esprit « Les
terroristes ne perdent rien pour attendre » en recevant
Tony à la Maison-Blanche, dans le registre « Bravo
les keufs » face aux représentants républicains...

A force de me dire qu'il y avait des raisons de se
faire du souci, j'ai repensé à *Bullworth*, son dernier
film avant que sa candidature ne commence à être
évoquée. Il y incarnait un homme politique qui ose
« parler vrai », et il s'était identifié à son rôle, évidemment, comme le voulait la méthode Stanislavski, et...
Voilà, il ne fallait pas chercher plus loin : Warren
avait adoré son personnage, il l'avait interprété bril-
lamment et il voulait continuer à le jouer, maintenant !
Mais comment ? En refaisant le film jusqu'à l'épuisement ? Les studios ne marcheraient pas : avant peut-
être, mais plus aujourd'hui. D'accord, Stallone avait
été Rocky pendant des lustres mais Warren n'était pas
un Sylvester Stallone, lui. Il avait une conscience

sociale, de sincères convictions d'homme de gauche qu'il s'était forgées dans des palaces et des limousines du monde entier.

Il pouvait continuer à jouer Bullworth jusqu'à la fin de sa vie, à condition de le faire sur la scène politique et non sur un plateau. Ce serait aussi fort que de contempler son reflet dans tous ces miroirs. Plus, même : il se regarderait incarner Bullworth, improviser sur un script déjà écrit et tourné qui occuperait les meilleurs créneaux de l'audimat. En direct ! Prime time !

Derrière cette improvisation, il y aurait du travail, des répétitions, des ajustements, ce qui existe déjà dans le scénario et qu'il s'agit de creuser, mais il allait s'amuser parce que son personnage était marrant : Bullworth disait « fuck » à tout bout de champ quand Warren, en 1992, avait conseillé à Bill Clinton de muscler son message en le saupoudrant de mots de quatre lettres. Je le voyais déjà sur le petit écran, le premier président dans l'histoire américaine à envoyer « fuck » aux caméras. Un peu mieux que les blagues sexistes d'un Bob Kerrey ou que les grossièretés de George Bush. D'ailleurs c'était un truc en vogue à Hollywood depuis les années soixante-dix, ces pétards distillés dans le dialogue pour réveiller une assistance guettée par les bâillements, la version blanche du cri de l'opprimé black, « encuuuulé ! ».

Mes chers concitoyens, je ne sais pas ce qui se passe avec ces problèmes économiques de merde, mais j'y travaille et en attendant : Enculé de Saddam, enculé de Milosevic, enculés de bamboulas... Holà, non, pas ça ! Ça, c'était bon pour Bob Evans. Bullworth-Warren, estampillé « progressiste hollywoodien », n'emploierait jamais un mot pareil.

Alors qu'il avait déjà mis Hollywood sur des charbons ardents, le presque-candidat, l'éventuel candidat, le non-candidat Warren Beatty a pris la parole au Beverly Hilton, sans doute la plus grosse commotion locale depuis le cocktail en l'honneur du Dalaï-lama. Il recevait le prix Eleanor Roosevelt de l'Association des Américains pour la démocratie, en hommage à « une vie entière d'engagement artistique et politique ». Oui ? Vous parlez de *Dick Tracy* ? Ou d'*Ishtar* ?

Warren est arrivé dans la salle de danse du Hilton avec des lunettes de soleil et Annette Bening. Les lunettes étaient moins ringardes que celles de Bill Clinton, Annette plus jolie qu'Hillary. Il a même serré des mains, ou plutôt abandonné sa main aux admirateurs et admiratrices. Rien à voir avec ces poignées énergiques des vieux politicards machos. Un raffinement blasé, « européen », presque New Age.

Sa première remarque a été qu'il s'attendait à « un autre style d'éclairage. On peut pas avoir les chandelles, comme avant ? ». Dans un discours ennuyeux — quelques mots de quatre lettres n'auraient pas fait de mal —, il a développé l'idée qu'Al Gore et Bill Bradley n'étaient pas de vrais libéraux. Son speech était comme un film écrit par dix-sept scénaristes différents, pas inintéressant sur le plan visuel mais totalement vide. Il ne jouait pas Bullworth, là. Il était aussi rasoir que Gore quand il n'est pas avec Clinton.

La moitié du lupanar d'Evans était présente, applaudissant à tout rompre, mais Dustin Hoffman lui a ravi la vedette, le présentant en ces termes : « Warren Beatty ne commettrait pas les mêmes erreurs que d'autres présidents, lui. Contrairement à Richard Nixon, il aurait détruit les bandes. Contrairement à George Bush, il ne se laisserait pas "court-circuiter". Et contrairement à Bill Clinton, il ne croirait jamais qu'une fille de vingt-deux ans puisse être discrète. » Les initiés savaient que Dustin se sentirait forcé de sortir des blagues idiotes de ce genre. Quant à la « fille de vingt-deux ans », c'était l'âge de la grande majorité des séductrices qui se pressaient chez Bob Evans...

Il a aussi raconté que Warren, quand il n'était qu'un bambin de neuf ans, avait téléphoné à Eleanor Roosevelt pour lui dire son admiration et qu'il avait entamé la conversation par un « Comment vous êtes habillée, là ? ». Puis Penny Marshall a pris la parole pour affirmer qu'elle avait eu au moins treize mille conversations téléphoniques avec Warren et qu'il avait toujours commencé par « Comment tu es habillée, là ? ». Puis Gary Shandling est allé l'encenser au pupitre en donnant une version hollywoodienne de la fonction présidentielle : « Si tu es élu, Warren, veille bien à ce que ton nom soit *avant* le titre du pays ! »

A Hollywood, son gargantuesque toupet en imposait. Il avait dépassé la soixantaine, il n'avait pas tourné un succès depuis des siècles, son dernier film avait été un bide, le tournage du prochain, à propos d'un type atteint par le démon de midi, avait été reprogrammé (tiens, tiens !) et il n'était pas très bon, d'après ce qui se disait, il ne recevait plus les cachets mirobolants auxquels il avait été habitué, et pourtant il était revenu en première ligne de l'actualité, il passait aux infos du soir, et tout cela alors que *Bullworth* allait sortir en cassette vidéo !

Le filon de la promotion gratuite a vite attiré d'autres adeptes. Cybill Shepherd présidente ? Le ballon a été lancé par l'avocate Gloria Allred et aussitôt la Cybill est devenue plus clintonienne que Clinton. « Cybill : "Je suis chaude !" », titrait la revue auquelle elle aurait déclaré : « J'ai envie presque tout le temps. Il y a peu d'occupations aussi agréables que la sexualité, dans la vie. Et maintenant que je me retrouve brusquement célibataire, je me sens vraiment très, très chaude. » Elle dressait sa liste des « Américains les plus sexys » — « mes specimens », comme elle disait —, et c'était bien la première fois que quelqu'un briguant la présidence offrait un catalogue de convoitises érotiques en guise de plate-forme électorale. On relevait Clint Eastwood, Kevin Costner et Ted Turner dans ses « propositions ».

Etonnamment, la candidature de Cybill n'a pas étonné Hollywood. On savait qu'elle n'avait pas de film en vue, ni de feuilleton, et qu'elle se contentait de tourner des pubs pour des voitures. Laisser entendre qu'on briguait la présidence était une manière très classe de sortir du placard, se disaient les professionnels de la société du spectacle.

Peut-être impressionné par toute la publicité gratuite que Warren et Cybill récoltaient, Arnold Schwarzenegger a commencé à émettre des signaux évoquant son éventuelle candidature au poste de gouverneur de Californie. « J'ai pensé me présenter plein de fois, déclarait-il, c'est une possibilité parce que c'est quelque chose que je ressens très fort en moi. Je sens qu'il y a tout un tas de gens qui font de l'immobilisme en politique, qui ne se bougent pas assez. Alors il y a un vide dans lequel je peux me mettre. » Il paraissait honnête, Monsieur Biscoteaux — « Moi j'ai avalé la fumée, soufflé la fumée, tout ! » —, il sortait bientôt un film après deux plantages et certains producteurs s'inquiétaient de sa solvabilité à un moment où d'autres stars du muscle telles que Stallone, Seagal et Van Damme étaient déjà en chute libre. Un peu de vernis intellectuel, l'air de s'intéresser à l'avenir du pays ne pouvaient pas faire de mal...

Alors que les candidatures virtuelles de Warren, Cybill et Arnold étaient pieusement décortiquées à chaque bulletin d'information, Bill Clinton, le maître décortiqueur du monde, est arrivé à Hollywood pour une réunion de sponsors à la résidence du réalisateur Rob Reiner.

Ronald Reagan, allait confier Mel Brooks à Clinton, a été le meilleur acteur de toute l'histoire d'Hollywood et il aura réalisé son plus grand succès à la Maison-Blanche : « On croyait vraiment qu'il *était* le président, dites ! Même Gorbatchev s'est fait avoir ! » Réponse de Bill : « Si Reagan a été un acteur qui a pu devenir président, je pourrais peut-être devenir acteur, moi ! J'aurai une bonne retraite donc je ne demanderai pas cher. »

Mais non, impossible. Warren Beatty n'était pas Bill Clinton, et réciproquement. Sur un point, pourtant, ils se ressemblaient. Pour reprendre le mantra existentiel que l'excentrique Evans vous bourdonnait aux oreilles à la moindre occasion : « Le poil de cul, mon garçon, c'est plus costaud que le câble universel. »

11

George W. Bush par lui-même

Bon, faut que je vous dise que'que chose. C'est la vérité vraie, devant Dieu. Si vous pensez que mon paternel est une chiffe molle, eh bien... eh bien tant mieux. Parce que moi j'ai de la *campassion* pour les ratés de l'Amérique et ce côté mollasson de George Herbert Walker Bush, il sert à notre message. C'est un tellement brave type, mon papa ! Oh oui, oh que oui.

D'accord. Alors vous la voulez, la vérité ? Je m'en vais vous la dire, moi, mais attention, répétez à personne parce que c'est pas encore pour les téloches, ce machin. Pas ça, non. On a déjà dépensé un paquet de fric pour dissimuler ça. Donc : j'ai rien à voir avec mon papa. Je suis *pas* un brave type, du tout ! Si tu déconnes avec moi, mec, j'te rentre dedans ! J'te brise les jambes ! J't'arrache les yeux ! J't'aplatis les roustons ! Les larmes de ton corps, tu vas pleurer ! Tenez, vous avez vu la tête de John McCain le lendemain du Super Mardi, quand je l'ai esquinté, lui, le héros, le dur des durs ? J'suis un « terroriste politique », moi, comme dit cette belle garce de Mary Matalin.

Y a rien de « Poppa » chez moi, compris ? Vu que j'suis le fils à ma maman, le fils de Barbara, et Jeb, mon connard de petit frère, il l'appelle pas « la Discipli-neuse » pour des prunes !

Vous voulez en entendre une bien bonne ? La meilleure que j'aie entendue depuis belle lurette ? Voilà : grâce au popaul de Clinton, je vais me carrer les fesses au Bureau ovale. Grâce à son poireau, les carottes sont cuites. Fini l'avortement, fini le travail social, finis les mariages gays, finie la criminalité ! La prière à l'école ? Un peu, mon neveu ! Plus de prisons, plus de camps, plus de casernes pour tenir à l'œil les voyous ? Affirmatif, mon colonel ! La peine de mort pour des salopiots de quatorze ans ? Sans problème !

Je m'en vais vous démolir tout ça, et vite fait ! Et toi, Bill Clinton, toi, Hillary, la snob de mes deux, vous allez payer pour avoir obligé Papa et Maman à poireauter une demi-heure à la cérémonie d'investiture. Je m'en vais démantibuler tous vos « programmes », non mais ! Et toi, Al Gore, le grand dadais creux qui lèche la pomme aux bouddhistes, t'aurais jamais dû prendre cette noiraude de Donna Brazile pour diriger ta campagne contre moi ! Cette prêtresse vaudoue qui a osé accuser mon paternel de troncher sa secrétaire, en 88 déjà. Sous mon autorité légale, je vais te placer !

Les carottes sont cuites et archi-cuites, j'vous dis ! Vous pigez pas, non ? Même les superstars des médias, les grandes gueules qui savent tout, même Mr. Rather qui a essayé de biaiser George Herbert Walker devant la caméra, ils ont pas pigé ! J'vous répète que j'suis comme ma maman, moi, ce qui signifie qu'il va y avoir du sang et de la cervelle sur les murs !

Vous vous souvenez quand elle a dit qu'il fallait pendre Saddam Hussein ? Eh bien moi je peux être un méchant aussi, et sans petit doigt levé ! J'ai grandi avec George Jones et Johnny Rodriguez, pas avec leur musique hippie. Je porte des bottes de cow-boy avec l'étoile du Texas dessus, pas des mocassins à pompon !

Hé, je suis le gars qui a traité de « fils de pute à la con » ce mec du *Wall Street Journal*, Al Hunt, et devant sa bourgeoise et son propre fils, encore ! Je suis le gars qui répond « No comment, trou de balle ! » aux journalistes qui me déplaisent ! Je suis le gars qui a débarqué dans le bureau de John Sununu pour lui dire qu'il était terminé. Je suis le gars qui est allé trouver George Herbert Walker quand les médias s'apprêtaient à bavasser au sujet de lui et de sa secrétaire Jennifer Fitzgerald, et qui lui a dit : « Faut que tu m'dises la vérité, P'pa. Tu lui as bouffé le trognon, à Jennifer ? »

Vous voulez savoir les nerfs qu'elle a, ma mère ? Je m'en vais vous donner un exemple, moi : quand ma petite sœur est morte de la leucémie à quatre ans, le lendemain elle était sur le terrain de golf et elle bottait la balle. Et moi, son fils, je peux être aussi dur que Bar ! J'ai peur de rien et de personne ! J'aime mon père aussi, évidemment, mais un jour il m'a un peu trop couru sur le système et je lui ai fait : « Oh, tu veux qu'on s'explique là, tout de suite ? Entre hommes ? Mano a mano ? » J'ai toujours été comme ça, que voulez-vous. Quand ma mère a fait une fausse couche, c'est moi qui l'ai emmenée à l'hosto et après je lui ai dit : « Euh, M'man, t'as pas un peu passé l'âge pour continuer à faire des gosses ? »

Les médias m'ont collé cette image de premier de la fac, de collégien friqué, mais c'est pas plus mal. Les votes du Nord et du Midwest, c'est pas avec une dégaine de méchant qu'on les décroche. Un conservateur avec une conscience sociale, voilà ce que je suis, et c'est pas en traitant un mec de fils de pute devant son fiston que j'en aurai trop l'air. Alors j'ai repris cette image que mon père a déjà usée jusqu'à la corde, et j'espère bien qu'elle me sera utile dans les prochaines élections.

Mais en fait c'est pas moi, mes chéries. Moi, c'est quand Bob Bullock, le gouverneur adjoint du Texas, cherche à me coincer sur un projet de loi et que là, devant tout le monde, je le prends par le revers de son veston et je lui sors : « Si tu veux me baiser, faut d'abord m'embrasser ! » Je me rapproche de sa vilaine tronche, il a la bouche ouverte tellement il est baba et moi je lui fourre ma langue dedans ! Voilà qui je suis, moi.

Ils disent que je suis d'une famille de richards, que je suis né avec un tire-bouchon en argent dans le cul, mais je crois pas l'avoir jamais vu dépasser de là, si ? Je viens du Texas profond, moi ! Industries et ranchs, point. C'était Midland, mon bled, pas Palm Beach, ni Newport, ni Martha's Vineyard. Au lycée je me suis retrouvé devant le protal pour avoir envoyé un ballon de foot dans une fenêtre, ou pour me maquiller comme Elvis. Je me foutais de l'école, moi. Ce que j'aurais voulu, c'est jouer avec les Giants. Et rencontrer Willie Mays, mon idole, dont je connaissais tous les scores par cœur. Mon truc, c'était la batte de base-ball, pas les bouquins. Ce que je préférais chez mon paternel, qui d'ailleurs n'était presque jamais là, c'est qu'il était capable de rattraper une balle avec le gant derrière le dos. Sans déc'.

Je passais ma vie sur ma bécane avec les autres gosses, des Texans eux aussi, des méchants eux aussi. On a appris à jurer, à s'enfiler des bières et ensuite on a grandi et on s'est mis à faire des virées en caisse à Odessa. Il y avait des putes là-bas, des bars louches qui sentaient le pétrole. Un proverbe de chez nous dit que « bon père de famille à Midland, bon fils de pute à Odessa ». Alors le tire-bouchon en argent, je le voyais pas, non. Et jamais une petite s'est coupée les lèvres dessus, non plus.

Ce que j'ai compris très jeune, c'est que j'étais un mec, un vrai. Il y a plein de mecs qui sont incapables de se comporter en mec. Moi si. Je savais cligner de l'œil en racontant une blague cochonne. Je savais qui taper sur l'épaule, qui tapoter sur les fesses. Je savais attraper le regard de quelqu'un et le garder, ou lui tordre un peu le bras pendant que je lui causais, juste ce qu'il faut. Je savais appeler un chat un chat, et une chatte pareil. Je savais me balancer sur les talons de mes bottes cow-boy, incliner la tête à droite, à gauche. Je me sentais du feu de Dieu chez moi, à Midland, Texas.

Et puis ils m'ont envoyé à Andover. Tout là-haut en Nouvelle-Angleterre. Encore plus froid que le vous savez quoi de Patricia Nixon. Fils à papa de la Côte Est, petits merdeux qui connaissaient rien au base-ball. Demandez-leur les scores de Willie Mays, ils restent sans voix ! J'ai tout essayé mais j'ai seulement pu être chef de rang dans les supporters. Ouais, je sais, pas besoin de me dire ! Mais ça n'a aucune conséquence sur ma personnalité, aucune ! Pas plus que pour Richard Nixon d'avoir été enfant de chœur, ou porte-drapeau, ou un truc de tantouze dans ce genre.

Quand je suis arrivé à Yale, le merdier battait son plein. Manifs anti-guerre, hippies, tout le monde à cran, lourd, lourd... La déprime. Chacun se saoulant de sa propre culpabilité. Nous avec nos soirées habillées, les autres en train de crapahuter dans les rizières... Tu parles ! Ecoutez bien cette autre vérité vraie, devant Dieu : c'est pas que j'étais pour cette fichue guerre, ou contre, c'est que j'en avais rien à battre.

Je continuais à aller voir tous les matchs de base-ball possibles. J'ai découvert ce grand moment de bonheur total : un Jack Daniel's avec une Bud bien glacée par-dessus. Des fois je me faisais une poubelle pleine de punch. Sûr que j'ai essayé un peu d'herbe folle aussi, mais qui ne l'a pas fait ? Même Tricia Nixon, elle en a tâté. Bill Clinton pouvait toujours défiler contre la guerre en Angleterre, ou à Prague, ou à Moscou, ou à Hanoï — les amis CIA de mon père disaient que c'était à Hanoï —, mais moi j'étais à New Haven, USA, et je me faisais arrêter pour avoir volé une guirlande de Noël sur la porte d'un magasin avec mes potes.

Et je pleurnichais pas sur ce que l'Amérique avait d'affreux parce que j'y voyais rien d'affreux, moi. J'aimais mes copains de promo, et j'aimais entendre les bleubites gueuler quand on leur tatouait le cul avec un cintre en fer chauffé à blanc, et encore plus les cris des petites pacifistes babas cool quand je leur donnais du bon temps.

A cette époque mes parents habitaient River Oaks, près de Houston, et pendant les vacances d'été je sortais là-bas avec Lacey Neuhaus, une fille qui a failli se marier avec Teddy Kennedy ensuite : au moins un truc qu'on a en commun, lui et moi. Et avec Tina, qui était la fille de l'actrice Gene Tierney et qui avait le feu à la culotte, je puis vous le dire. Et comme Gene a été un des millions de coups de JFK, faut croire que j'ai aussi un truc en commun avec lui. Ensuite j'ai connu Cathy, une blonde sexy qui appartenait au country-club et qui en avait dans la caboche. On a été fiancés mais on a rompu, et certainement pas, je répète, parce que son beau-père était juif !

En ce temps-là, à lire les journaux et à regarder la télé, vous auriez pu croire que le pays était au bord du gouffre, mais moi je voyais rien de tout ça. Ce que je voyais, c'est cette manie qu'a la presse de tout dramatiser. Il y avait plein de jeunes comme moi qui n'avaient pas les cheveux jusqu'au cul, qui ne faisaient pas un potin du diable avec leurs colliers et ne puaient pas comme la roulotte d'une tireuse de cartes. La vérité, c'était qu'on était plus nombreux qu'eux, nous autres. Que ça soit devenu bien plus facile de tirer son coup qu'avant, c'était pas notre faute. Et renoncer à ça ? A un âge pareil ? Merde, Bill Bennett était sorti avec Janis Joplin, en ce temps dont je parle ! Je déconne pas, cow-boy. Bill le vertueux avec Janis la petite cochonne ! Vrai cent pour cent.

Attention, ça ne m'a pas changé d'un poil, moi. Pas troublé ma perception, comme pour tant d'autres. Je continuais à écouter George Jones et Johnny Rodriguez, je préférais toujours la bière à l'herbe des fous. Je jurais toujours comme un charretier, au point que M'man voulait plus jouer au golf avec moi, tellement je jurais. J'étais toujours aussi fana de base-ball. Je nageais. Je courais. Je fumais. Je chiquais.

A part notre club d'étudiants, le seul truc qui me plaisait vraiment, à Yale, c'était Le Squelette, un groupe vachement initiatique qu'on avait. Il fallait s'allonger dans un cercueil rempli de boue, à poil ! Il a jamais dû faire quelque chose d'aussi dingue, John McCain le martyr de guerre ? Mais le plus marrant, c'était ce rite qu'on avait : on devait se vanter de toutes nos expériences de cul devant les autres vantards du Squelette. Du coup, on savait tous qui faisait quoi, et c'était bien pratique : un jour, vous entendez que telle petite a telle spécialité et le lendemain vous l'appelez et peut-être qu'elle vous le fera à vous aussi. C'était comme se refiler des tuyaux sur des quartiers de bœuf ou des moteurs hors-bord d'occase.

Après mon départ de Yale, le campus est devenu une merde totale, grâce à Bill Clinton et à sa poufiasse, et aux Black Panthers, et au genre de présidents qui laissaient les manifestants pisser dans leur corbeille à papier. Moi, j'avais un problème concret : je voulais pas aller au Vietnam. Pas à cause de convictions classieuses à la Clinton, de doutes existentialo-capitulards, mais tout simplement parce que j'avais pas envie de me faire trouer mon jeune cul.

Alors on m'a parlé de ce machin, Défense aérienne nationale du Texas. Je suis allé trouver leur chef, je lui ai dit qui j'étais et il m'a dit super, bienvenue. De toute façon j'avais envie de piloter un chasseur, moi, depuis le temps que j'entendais que Papa devait être un héros. Et il y avait un vrai besoin de pilotes de chasse pour défendre nos frontières sud, non ? Si jamais l'aviation de Castro cherchait à s'emparer de Galveston ? On était au bon vieux temps de la guerre froide, faut pas oublier ça. Le type à la chaussure, ça vous rappelle quelque chose ? Ce Russe chauve ? Ce petit gros, là ? Il avait tapé sur la table avec sa godasse en gueulant qu'il allait nous enterrer tous !

J'ai bien aimé ça, la Défense aérienne nationale du Texas. Le lieutenant Lloyd Bentsen, troisième du nom, était le fils du sénateur Bentsen. Le capitaine John Connally, troisième du nom, était le fils du secrétaire aux Finances Connally. La moitié de l'équipe des Cow-boys de Dallas était là aussi, ils s'étaient tous engagés. J'ai passé cinquante-trois semaines à l'école de pilotage de Géorgie, dans ce trou du cul du monde qui s'appelle Valdosta. J'ai appris à tenir le manche, à me griser au son des réacteurs. J'ai bu plein de bière, encore plus de whisky, et les femelles de Valdosta, oh, mec ! Ils les descendaient par camions entiers de toutes ces forêts de pins qu'ils ont là-bas. Petits débardeurs, chaud devant, bière glacée et moi je me soignais mes démangeaisons... Rapport aux moustiques, genre !

C'était le délire, sans déc', et je suis le premier à l'admettre. Faut bien que folle jeunesse se passe, non ? Les belles de Géorgie, oui m'sieur ! Le mess des officiers, c'était rien de plus qu'une baraque en tôle, quatre murs et un toit, et là-haut par les nuits d'été, sur le toit brûlant, une fille en débardeur sur un toit brûlant, une chagatte sur un toit brûlant... Putain, mec, le juke-box à fond, et cette chaleur dingue, et des baignoires entières de Bud glacée, et que j'enlève ma chemise, et mon falze, suant de partout, et me voilà cul nu sur le bar à gueuler avec George Jones : « White Lightning ! White Lightning ! », et... Non, il ne faut pas ! Il-ne-faut-pas ! Ça n'est jamais arrivé ! Jamais ! A poil ? Sur un bar ? Oh non ! Oh non ! Devant les gars ? De Dieu, non !

Un jour, Papa m'a appelé à la base. Le commandement envoyait un avion me prendre. Le président

Nixon avait eu une riche idée : il pensait que Tricia et moi, on serait le couple idéal. J'avais vu des photos d'elle. Pas mal, jolis nichons, mais tout de même, wouahh... La fille de Nixon ? Papa m'a dit que ça lui prenait souvent, à Nixon. C'est lui qui avait marié Julie à David Eisenhower. L'Alliance des clans scellée au plumard. Les Nixon et les Eisenhower unis par le sang de l'hymen...

Bon, on était un clan, nous autres aussi. Les Nixon allaient se croiser aux Bush. Un peu comme les mariages entre les familles des chevaliers de la Table ronde. Nixon avait été brave avec Papa. Il avait fait campagne pour lui, l'avait adoubé à l'ONU. Un avion venait me chercher pour dîner avec Tricia Nixon à Washington.

« Sois gentil avec elle », m'a dit Papa.

Comment ça, gentil ? A quel point, gentil ? Au mess des officiers, ils en faisaient dans leur froc, les potes. Tricia Nixon ? Sans déc' ? On m'expédiait à Tricia Nixon comme une espèce de... de gigolo servi sur un plateau d'argent.

Donc on a dîné ensemble. Sympathique, ce dîner. Je n'en dirai pas plus. Tricia... Elle a des bons côtés, c'est sûr. Pas du tout aussi coincée que son père. Et après, Nixon a été encore plus prévenant envers Papa. Il l'a aidé à fond dans sa campagne de sénateur, il l'a adoubé président du Conseil national républicain, il a demandé à Gerald Ford de le sacrer patron de la CIA. Moi, j'avais fait mon boulot. J'avais été gentil avec Tricia. Elle m'aimait bien. Et moi, je vénère mon paternel.

Ouais, mais ça allait trop loin, c'était trop le délire, à l'époque ! Ah, folle jeunesse, inconsciente jeunesse ! Après l'école de pilotage, j'ai pris un appartement à Houston. Un studio à la résidence Chateaux Dijon. Que des célibataires là-dedans. Quatre cents piaules, huit piscines et des tas de secrétaires. Des filles ambitieuses, qui volaient de leurs propres ailes pour la première fois de leur vie. Sans papa-maman à côté. Toute la journée à jouer au volley dans la piscine. Toute la nuit à passer le relais chez elles.

C'en était arrivé à un point tel que quand George Herbert Walker est passé à Houston pendant sa campagne pour le Sénat, et qu'il m'a demandé de venir avec lui, j'ai dit d'accord mais j'ai enlevé ma chemise, j'ai marché derrière lui torse nu. Très beau, bronzé, en grande forme, d'accord, mais c'était quoi, cette putain d'idée de se donner en spectacle comme ça, à moitié à poil avec le paternel ?

C'est dans ces eaux-là que Jeb, mon connard de petit frère, a définitivement viré bredin, cheveux longs de clodo, à fumer la moquette comme d'autres des Winston...

Il fallait que je me décide à faire quelque chose de ma peau. Je suis reparti. Harvard Business School. Là-haut dans le nord, en territoire ennemi. Barry Goldwater avait bien raison de dire qu'il aurait fallu tronçonner tout ce coin-là et l'envoyer à la baille. Des manifestations partout. Des histoires comme quoi la jeunesse blanche était « les nouveaux nègres de l'Amérique »... La même pesanteur que j'avais ressentie à Yale, cette rhétorique bourrée de culpabilité, cette claustrophobie... Je n'avais pas le choix : rien à battre !

J'allais aux matchs de base-ball, j'allais en cours avec mon blouson de la Défense aérienne nationale du Texas. Tiens, vise un peu mon écusson pendant que tu distribues tes tracts pacifistes ! « Ouais, exact, chérie, c'est un blouson d'aviateur cent pour cent Otantic, et les taches dessus idem, d'origine ! » Je chiquais toujours et j'apportais mon crachoir dans l'amphi, histoire qu'ils entendent bien les « dzing, pam » pendant qu'ils jactaient désobéissance civile et boycott des vins Gallo. Qu'est-ce que j'en avais à foutre, des vins Gallo ? Je bois pas de la piquette, moi.

Je suis allé dans un bouibe quelque part autour de

Boston, le Ranch des Sudistes, avec mon blouson, tu parles que oui ! George Jones passait en concert. Pour la photo de fin d'année à Harvard, je me suis mis un polo et un falze déchiré au genou alors que tous les autres étaient en costard-cravate. Je m'y attendais, pour sûr. C'est pour ça que j'ai pris un polo fripé.

Toujours pas la queue d'une idée de ce que j'allais devenir. Normalement, avec les diplômes que j'avais, c'était une grosse boîte de la Côte Est qui m'attendait direct mais pour moi c'était impossible. Sur ma vie, j'aurais pas supporté ces contrées-là. Lourds comme ils étaient. Plein d'espace et ils te filent quand même la claustro. Et cette façon de battre sa coulpe tout le temps, sans arrêt. Toujours à chercher des victimes, toujours à se poser en victimes.

Je suis parti en bagnole vers l'Arizona, pour respirer un peu. Au passage, je me suis arrêté voir mes vieux potes à Midland et c'est pendant que je taillais des bavettes avec eux que la réponse m'est venue, aveuglante : ma place était là, sous le ciel chauffé à blanc et couleur pétrole, à siroter de la bière et du whisky au country-club climatisé, avec des *vrais* types, des types qui connaissaient les scores de chaque grand joueur de base-ball au lieu de patauger dans le crottin psycho-socio-machin. Pas fiers, les gars d'ici, et pas avec tous les malheurs du monde sur les épaules. Des Américains, des gens réels, des cow-boys qui voulaient vivre selon leurs couilles au lieu de se laisser saucissonner comme des veaux par les lassos de la culpabilité. A Midland, j'étouffais pas, j'avais mon espace, j'étais libre. Je pouvais me balancer sur les talons de mes bottes.

J'ai loué un petit pavillon transformé en débarras depuis longtemps. Au bout d'une semaine, je m'y sentais chez moi. Du linge sale partout, des vieux cartons à pizza sous le lit, des canettes de bière hérissées de poussière, le sommier cassé que j'ai remis d'aplomb en nouant autour des cravates tachées de sauce... Ma vieille Oldsmobile avait besoin d'un coup de peinture, je l'ai passée à la bombe. Un de mes potes m'a offert un sweater qu'il avait trouvé chez le fripier. Je le portais jour et nuit.

En même temps je me faisais des contacts dans l'industrie du pétrole en allant traîner au club des richards avec leurs bottes en peau d'autruche et en leur faisant ce que j'ai toujours su faire, le regard qui tue, les claques dans le dos, les blagues salaces, les trucs du dur à cuire que j'étais dans mes os mais pas dans le sang.

Des fois, quand je voyais Papa, j'avais l'impression qu'il me regardait bizarrement. Il était texan, bien sûr, mais pas *comme* ça... Même au lancer de fer à cheval, il n'était pas vraiment à l'aise, comme s'il avait peur de se salir. J'ai cru déceler de l'envie dans ses yeux, des questions du genre : « Mais comment il se débrouille, comment il arrive à faire le plouc aussi bien ? » Ouais, j'étais un poisson dans l'eau, à Midland. J'étais diplômé d'Harvard mais le dépotoir qui me servait de maison était Harvard Street à Midland...

La gnôle aidait pas mal aussi. Les vieux friqués de Midland, ils aimaient biberonner. Et moi donc. Je parle pas de suçoter des glaçons avec du scotch comme mon connard de petit frère, Jeb. Je parle vrai whisky ou tequila sur des litres de Bud bien frappée. Alors je buvais sec avec les vieux, et je leur parlais de fesse beaucoup, et ils adoraient ça. Je leur ressortais toutes les histoires de femelles que j'avais entendues à nos réunions du Squelette, plus quelques-unes de mon cru, et ils se croyaient au septième ciel, les papys !

Fumer, picoler, parler cul, s'envoyer du plat de côtes grillé... Il manquait plus que la thune mais je m'inquiétais pas pour ça, je savais que ça allait venir. Je le voyais comme le jour où je faisais un jogging avec l'un des plus blindés du coin : je lui ai descendu son short sur les chevilles, pour rigoler, et il s'est tellement gondolé, le vieux tromblon, qu'il a failli se chier dessus !

Ah crénom, la pinte de bon sang que j'avais ! Retour au pays, dans l'Amérique cent pour cent, avec des vrais mecs, des couillus, pas les psycho-crottin de cheval de la Côte Est ! D'accord, je voyais que j'attrapais trop la bouteille, et les culs qui passaient par là, mais je ne faisais de mal qu'à moi, hein ? J'étais responsable que de moi, de personne d'autre.

Et que je me charge au bar du golf, et que je me bourre de bouffe tex-mex à La Bodega, et que j'envoie George Jones sur tous les juke-box de tous les claques d'Odessa... Un soir Willie Nelson est passé là-bas, à Odessa, et nous qu'on faisait la fête dans le coin, on a décidé d'aller le voir. Dieu m'est témoin qu'on avait forcé sur le whisky, ça oui, mais ça n'explique pas entièrement que je me sois retrouvé sur scène, recta derrière Willie, en train de lui faire le chœur.

Je reconnais qu'à part ça je passais une bonne partie de mon temps à jouer au poker, tout comme je l'avais fait à Yale et à Harvard. Mais là, au Texas, c'était pas pareil. C'était plus qu'un jeu. C'était un ensemble, quoi. La totale : tu fumes, tu écluses, tu rigoles, tu sors des vannes salées, tu as des bottes pointues comme tout, tu clignes de l'œil, tu bouffes de la bidoche presque crue, tu parles fesse, tu te tapes de la fesse, et tu gagnes au poker.

Avec l'aide des anciens, j'ai monté une petite compagnie de forage pétrolier. Ça se présentait bien. Je prenais de l'impotence, euh... merde, de l'importance. Mais je picolais trop, sûr, beaucoup trop. Un de mes poteaux s'est mis à appeler les bars et les magasins à gnôle en leur disant qu'il ne fallait plus me vendre que de la bière ou du vin. Et puis mon meilleur cop's a chopé la leucémie et je me suis torché pendant une semaine complète, rétamé dès le réveil, à

gerber dans ma douche avant d'aller me faire un
bloody mary bien tassé.

J'avais déjà compris que j'étais doué pour regarder
les types dans les yeux, leur faire le sourire qui tue,
les prendre par le bras et obtenir tout ce que je voulais d'eux. Les hommes payaient pour m'avoir avec
eux. Les femmes aimaient être en ma compagnie. Il y
avait un message là-dedans, et bon, vient le moment
où il faut savoir piger le truc écrit au rouge à lèvres
sur la glace de votre chambre de motel, pas vrai ?
Puisqu'ils tombaient tous amoureux de moi, femmes
et hommes, ça signifiait tout un avenir pour moi.
Comme je suis pas bisexuel, il restait quoi ? La politique.

Alors finis les rades, on monte sur l'estrade ! Mon
père avait fait pareil, le grand-père itou, mais moi je
me calculais plus fort qu'eux pour amener les gens à
me donner leur argent et leur âme. Il était tellement
cul-serré, le papy, qu'il aurait jamais pu se faire élire
même dans notre fief familial de Kennebunkport, de
nos jours. Et mon paternel avait travaillé à mort son
image de petit gars du coin, côtelettes de porc et tout
le toutim, mais il n'avait jamais réussi à être vraiment
son personnage.

Moi j'avais déjà tout, les bottes, le clin d'œil explicite et l'œillade implicite, la grande gueule et la bonne
tape sur le derrière, tout pour que le fric et les
chattes me tombent dessus en veux-tu en voilà.

Un mois après avoir annoncé ma candidature au
Congrès, j'ai rencontré Laura, ma femme et mon
amour et maintenant la mère de mes enfants. Ouais,
bon, on se « connaissait » déjà, du lycée, mais à
l'époque, à part le base-ball, moi... Là, on s'est connus
à un barbecue.

C'était la fille timide, discrète. Instit' à Houston et
ensuite bibliothécaire à Austin. Une tronche. Elle a

passé toute sa vie avec son joli nez plongé dans de vieux bouquins qui sentaient le moisi. Quand j'ai appris qu'elle avait vécu dans la même résidence-lupanar de Houston où j'avais été locataire, le Chateaux Dijon, je suis resté sur le cul. Mais ce n'était pas le genre volley-ball dans la piscine et course de relais dans la chambre, Laura. Je vous le dis tout de suite.

Je la faisais rire. Elle écoutait super bien et moi je suis de la parlote. En plus elle était belle, intelligente, la fille idéale pour moi. Comme Maman a dit, j'ai été touché par un éclair de chaleur sur le coup. Elle avait rien de la merdeuse texane qui glousse pour rien, Laura. Réfléchie, bien ancrée dans la réalité. J'étais fou d'elle. Mon connard de petit frère, Jeb, à peine je l'avais présentée à tout le monde qu'il me sort : « Dis donc, mon frère, tu lui as posé la vraie question ou on fait rien que perdre notre temps ? » Elle m'appelait Bushie, mon petit Bush, et moi Bushy, comme dans touffe. Motivations différentes, évidemment. Jusqu'à aujourd'hui, on se donne ces noms-là.

Il y avait aussi un aspect politico-stratégique que je n'ai pas du tout mesuré, moi. Depuis l'annonce de ma candidature, mes adversaires ne demandaient qu'à me dépeindre comme un jeune chien fou picoleur et bouffeur de moules. Eh bien c'était râpé, maintenant. J'étais marié à une bibliothécaire. Une enseignante, dis donc ! Je n'y avais jamais pensé avant mais Laura me donnait un « profil », d'un coup. Je n'avais pas seulement épousé une fille belle et intelligente : je venais de me trouver une définition électorale. Un réservoir de sympathie et de crédibilité.

Enfin, pas tout de suite, non. Je me suis fait ramasser par un Démocrate qui m'a « défini » comme il fallait s'y attendre : jeune, fou, picoleur et bouffeur de moules, Bushy ou pas Bushy. Oh la haine que j'ai eue ! J'étais fou de joie avec ma nouvelle femme et tout, mais quand même : la haine ! Je crois qu'à ce moment j'ai recommencé à attaquer sérieux le Jack Daniel's.

Bushy avait raison, là-dessus. Je n'ai rien à dire, sur ce sujet. Elle me faisait la cuisine que j'aimais, les tacos, les boulettes, et elle ne risquait jamais une remarque, mais elle s'est mise à laisser traîner chez nous des bouquins sur le danger qu'il y a à se murger sévère. L'alcoolisme, comme on dit. Je les ai lus, moi, et j'ai continué à me pinter.

Nos filles sont nées, mes affaires marchaient bien. J'ai monté une autre compagnie à force de passer des coups de fil et de pomper les vieux amis de la famille, mais il y avait quelque chose qui n'allait pas, sans que je comprenne quoi. Peut-être qu'après toute cette vie de nomade en bottes de cow-boy j'avais du mal à devenir un mari et un père ? Non que ça m'ait déplu, attention ! Mais moi j'aimais aussi les bars, et la déconnade, et hurler à la lune avec George Jones, même en restant propre sur moi, n'est-ce pas ? Le problème, c'était Bushy. Ses boulettes. Son joli nez toujours fourré dans un livre moisi. Donc je savais pas trop mais il y avait quelque chose qui clochait, voilà.

C'est à ce moment-là que Jésus est venu me sauver. Pas Jésus en chair et en os, non, mais une incarnation de Jésus : Billy Graham. Je le connaissais depuis longtemps, Billy, grâce à mon père. Un jour qu'on se promenait ensemble dans le jardin de notre maison de vacances à Kennebunkport, il m'a parlé de son fils, Franklin, qui avait finalement vu la lumière après avoir astiqué la bouteille et tout ce qui bougeait autour de lui pendant des années.

Il m'a dit, Billy :

— Est-ce que t'es en règle avec Dieu, fiston ?

Je lui ai répondu que Bushy, les filles et moi on allait tous les dimanches à l'église méthodiste de Midland et que j'y donnais même des cours, parfois, mais il m'a pris par les épaules et il a insisté :

— T'as pas répondu à ma question, mon fils. Est-ce que tu as avec Dieu cette paix et cette communication qui peut seulement passer par Notre-Seigneur Jésus-Christ ?

Sa manière de me regarder, ça m'a rappelé les cintres chauffés à blanc dont on se servait sur les bleubites à Yale. Alors je lui ai parlé des fois où je sentais que ça ne tournait pas rond, et des verres de Jack Daniel's avec la Bud glacée. Et là il m'a dit :

— Etre sans Dieu dans ce moment, c'est une solitude terrible. S'il y a une chose que je veux que tu remportes avec toi, c'est ça : Dieu t'aime, George, et Dieu s'intéresse à toi. Pour réorienter ta vie en Jésus-Christ, il te reste encore à renoncer à ce dernier démon avant de pouvoir devenir un homme nouveau. Donne-le-Lui, George, donne ! Il va prendre le fardeau sur Lui et te libérer.

J'ai beaucoup repensé à ça une fois revenu chez moi, au Texas. Réorienter ma vie ? Donner le fardeau ? Devenir un homme nouveau ? Ça me paraissait bien, oui, mais j'avais encore envie de Jack Daniel's, et de ma bonne bière glacée, et d'une Winston ou d'un gros cigare par là-dessus. J'ai préféré le whisky à Jésus, la Bud au Créateur.

Pour mon quarantième anniversaire, j'ai emmené Bushy et quelques potes au Broadmoor Hotel de Colorado Springs. On s'est tapé un dîner de six services, des vins à cinquante dol's la bouteille, du cognac, plus quelques Jack Daniel's dans la chambre et quelques Buds bien glacées. A un moment, j'ai tout oublié. Sauf que Bushy m'a laissé seul et qu'elle est allée dormir dans une autre chambre.

Cette nuit-là, je ne l'ai pas respectée comme on doit respecter la mère de ses enfants. Que Dieu me pardonne. C'est un trip à la George Jones que je me suis fait, là. Le lendemain, je me suis réveillé avec du vomi partout. Je me suis regardé dans la glace et j'ai éclaté en sanglots. J'ai demandé pardon à Bushy, de toutes mes forces. A cet instant, c'en a été fini de la boisson, de la cigarette, de George Jones, et du sexe.

Enfin, ce dernier point, ça faisait déjà un moment, si je ne comptais pas Bushy, évidemment.

J'avais trouvé Jésus.

J'étais un homme, maintenant, comme le fils de Billy, Franklin. La seule différence, c'est qu'il avait eu la révélation à vingt-deux ans et moi à quarante. Je ne courtiserais plus jamais les démons dont Jésus m'avait délivré. J'allais courtiser l'Amérique, mettre toute l'énergie que je n'avais pas gâchée dans mon amour pour mon pays, travailler à faire de l'Amérique une contrée digne de Dieu.

Mes reins avaient brûlé pour la Budweiser, et pour les petites nanas, et pour Bushy. Désormais j'allais faire l'amour à l'Amérique. Grâce à Jésus ! J'ai senti que je venais de découvrir une vocation que j'avais entrevue dans ma jeunesse étudiante. Oui, j'allais transformer l'Amérique à force de la besogner avec ardeur, avec foi ! De fond en comble. Plus de lourdeur. Plus de culpabilité. Plus de victimes. Plus de complaisance. Par mes mots d'amour et mes énergiques poussées, j'allais lui faire oublier les jeux pervers qu'elle avait appris dans les années 60, les illusions sans lendemain. L'avortement. Les homos dans l'armée. Les mariages gays. Les femmes s'éreintant au travail au lieu de rester à la maison avec leurs enfants, comme Bushy.

J'allais apprendre à ma belle Amérique les vertus de la confiance en soi, de la responsabilité et de l'honnêteté. Et l'abstinence. Assez de tapin pour l'Amérique, mon Amérique ! Assez de fouets et de chaînes seulement consacrés au stupre ! Assez de turlutes collectives ! Assez de familles tuyaux-de-poêle ! La position du missionnaire, partout et toujours !

Mais avant de pouvoir séduire, conquérir et transformer l'Amérique, je devais me muscler, me faire beau... comme Rocky avant qu'il puisse affronter Muhammad Ali, dans le film. La séance d'entraînement, vous vous rappelez ? Avant de monter sur le ring et d'avoir toutes ces vidéos mobiles qui se braquent sur vous ? Comment me préparer ? Base-ball ! Bien sûr ! L'idéal. Impossible de trouver plus américain. Ce serait le ketchup dans le hamburger de ma candidature. Servir l'Amérique ! La libérer de ses proxénètes !

Base-ball ! J'ai pris des parts dans les Texas Rangers. Je suis devenu leur principal sponsor mais je ne suis pas allé m'asseoir avec le gratin, non, je m'installais derrière la première base, souvent à côté de Roger Staubach, le capitaine de l'équipe US, Captain America ! Je pissais dans les mêmes pissotières que le commun des supporters, je signais des autographes sur des casquettes avec ma photo. Je faisais mon jogging autour du terrain, l'après-midi. Je causais avec Nolan Ryan avant les matchs. J'ai enfin rencontré Willie Mays et je lui ai sorti tous ses scores. J'ai fait construire un vach'te stade tout neuf et puis j'ai revendu l'équipe pour un super-prix, avec seize millions de bénéfices pour moi.

Comme entraînement à la Rocky, ça se pose un peu là, non ? J'étais revenu à Jésus et en même temps j'étais devenu le grand prêtre de cette religion si typiquement américaine, le base-ball, dont les fidèles marmonnaient les points individuels et le total de home-runs comme autant de prières.

En 88, j'ai été conseiller sur la campagne présidentielle de Papa. C'est là que j'ai connu Pat Robertson. Il savait déjà tout à mon sujet, grâce à Billy Graham. Les nouvelles vont vite, chez les pécheurs repentis. Oh, bien sûr, on n'a pas été amis tout de suite. Il était opposé à Papa dans les primaires et donc on a dû le tempérer un peu, notamment en balançant à la presse ce que son grand pote Jimmy Swaggart avait demandé à une prostituée de lui faire.

On se respectait déjà, pourtant. Pat Robertson et Jerry Falwell, excusez-moi, mais ça c'est du rendement électoral ! En bétaillères, en pick-up ou en bus, leurs partisans, voisins et amis arrivent à la rescousse dès qu'ils en ont besoin, une petite croix dans la main, un petit drapeau américain dans l'autre. Ils votent pour Jésus, ceux-là. L'isoloir est leur chapelle. Quand l'échéance de 1992 est arrivée, on était tous liés, Pat, Falwell, Jim Robison et moi.

Ils savaient que j'étais un gars de la base et un chrétien pur bœuf. Mon père pouvait causer, ouais, mais moi j'étais sur le terrain. Plus de picole. Plus de tabac. Plus de George Jones. Plus de sexe, à part pour Bushy. On était dans la même barque, tous. Rien d'autre que les boulettes, les tacos, l'Amérique et Jésus. Quand j'ai rendu compte à mon Sauveur, le Seigneur Jésus-Christ, ils étaient à mes côtés.

Papa a commis une grosse, grosse erreur. Il a pensé pouvoir gagner en gagnant d'abord les centristes puis en embobinant la droite religieuse. Conneries. Pat, Jerry et les autres reniflent les conneries de loin. Ce sont des experts. Et nos campagnes qui fleurent bon le purin sont couvertes de petites églises blanches. Alors non, la voie de la victoire est inverse : se gagner les faveurs de la droite fondamentaliste, leur montrer à quel point vos convictions rejoignent les leurs, et ensuite coincer le centre !

Parlez de la « campassion », de la solidarité, de « Je suis là pour unifier, pas pour diviser », reprenez des thèmes gnan-gnan comme l'éducation, la médecine publique ou le cancer du sein, mais en même temps veillez bien à ce que Pat Robertson raconte aux ouailles que, oui, il l'a vérifié « personnellement », vous êtes pour la peine de mort, contre l'avortement, pour laisser les gays crever du sida et pour le triomphe de Jésus-Christ sur terre.

Je suis le prochain président des Etats-Unis. Je m'y entends mieux à vous regarder dans le fond des prunelles et à sucer vos votes que Bill Clinton. J'ai le clin d'œil plus sexy que lui parce que mes yeux à moi ont vu plus de noirceurs qu'il a jamais imaginé. Et chez nous c'est moi qui porte la culotte, point. Bushy fait ce que je lui dis de faire. Elle n'a pas envie de me revoir dans des trips à la George Jones, pas vrai ? C'est pas sur ma caboche que vous verrez des traces d'ongle, ça je vous le garantis !

Vous vous souvenez du moment où Bill Clinton allait être coincé et que Pat Robertson a dit : « Il n'y a qu'à juste blâmer le clown (il a piqué le terme à Papa), pas besoin de le destituer » ? D'après vous, pourquoi ? Pourquoi il a dit ça ? Je vous explique : parce qu'il savait que je serais le prochain président et que ce serait plus facile pour moi que Bill Clinton reste en place jusqu'au bout, histoire que tout le monde mesure bien notre honte et sa déconfiture.

Ce que j'espère, c'est que le connard de Jeb, cet abruti patenté — non seulement il s'est cru obligé d'épouser la première fille mexicaine qu'il ait baisée, mais c'était sa première fille tout court ! —, ne va pas finir par nous griller. Dans son État, en Floride, c'est le feu vert aux groupes anti-homos, la canonnade contre l'enseignement public, le niet à l'avortement et aux droits des gays, et de là à dire que c'est un bon aperçu de l'Amérique de George W. Bush... Chez mon connard de petit frère, vous passez sur l'autoroute et vous voyez des prisonniers en train de casser des cailloux avec les chaînes aux pieds. Un type qui consacre ses soirées à revisionner *American Gladiators*... Il a trop forcé sur la mauvaise ganja, à mon avis. Sortir des énormités comme « La politique, c'est un sport de contact » ? Il est où, le message de la *campassion* ? Il veut nous foutre l'électeur modéré définitivement à dos, ou quoi ?

Mais bon. Je suis prêt à tout pour devenir le président des États-Unis. Pas pour moi, non. Moi je m'en tape, pratiquement. Mais pour l'Amérique. Pour Jésus. Pour vos gosses. Pour les miens.

A tout, je suis prêt ! On a besoin d'éjecter John McCain ? Pas de problème. Pendant qu'il se taillait une veste de super-héros à Hanoi, ils l'ont transformé en robot communiste, vous saviez ? Ah, et puis il n'a pas quelques gosses pas enregistrés ? Noirs, peut-être... C'est pas moi qui le dis, ni Pat, ni Jerry. Juste quelqu'un qui vous chuchote ça dans le téléphone, autour de minuit. Coups bas ? Mais non, merde ! Juste un peu de lumière dans les tunnels des autoroutes de l'information ! Steve Forbes veut se présenter en piochant dans sa fortune éléphantesque ? Très bien. Mais c'est pas lui dont le père était un homo qui aimait bien se faire sucer par de petits Arabes ? Al Gore... Pfff, me faites pas rire. Je le tiens, celui-là. Il est fini. On va le montrer déculotté au monde entier. Papa n'a pas été patron de la CIA pour rien, si ? Et on n'a pas surnommé Maman « la Renarde argentée » pour rien non plus !

Nous sommes en train de reprendre ce pays. Grâce au popaul de Bill Clinton. Grâce à tous ceux qui ne pensent qu'au poireau de Clinton. Jusqu'à la fin, jusqu'à la seconde où ils vont mettre leur bulletin dans l'urne, ils penseront à ça. Et moi je vais y aller par l'autoroute, chaud devant ! Je vais me payer le luxe des grands mots, et je vais retarder les exécutions prévues dans mon bled, et je vais prendre des bébés dans mes bras, et je vais embrasser de petits mongoliens... Les mamans modernes et les étudiantes maigrichonnes, je vais les charmer jusqu'à ce qu'elles me donnent ce que j'attends ! Au placard les bottes de cow-boy, à moi les mocassins à pompon ! Je suis un leader, pas un blagueur ! Un gagneur, pas un diviseur ! Un réformateur, pas un informateur !

Et puis, quelque part pendant mon deuxième mandat, avec un Sénat et une Chambre cent pour cent républicains, je vais m'offrir deux plaisirs. Premièrement, je vais pendre Saddam Hussein par les couilles, pour Maman. Deuxièmement, je vais filer la Cour suprême à Kenneth Starr, pour Papa. Il aurait dû le faire quand il en avait la possibilité — aussi bien en ce qui concerne Saddam que Starr — mais voilà, il s'est dégonflé. Bon, personne n'est parfait, après tout. Et j'aime, je respecte mon père.

Vous pigez, maintenant ? On a gagné ! Compte les manches, chérie, parce que c'est du tout cuit ! Ou non, ce que je dirais plutôt, moi, c'est : Bouge les hanches, chérie, parce que je m'introduis !

12

Viens jouer avec nous, Billy !

MONICA : Tu vas tomber raide morte. Tu vas me
  gifler ! Qu'est-ce que tu crois que je lui ai dit ?
  Le pire que je puisse lui dire, d'après toi ?
LINDA TRIPP : Dieu seul le sait.
MONICA : Eh bien je lui ai dit : Je t'aime, bêta !
LINDA TRIPP : Et lui, qu'est-ce qu'il a répondu ?
MONICA : Rien. Il a juste... flotté, et puis ça a rac-
  croché.

Le temps a passé, accumulant les sujets de distraction, et les cadavres. Le Kosovo qui s'éternise,
puis le massacre de Columbine, puis l'accident
d'avion de JFK Jr., puis le gars d'Atlanta parti en
guerre contre les courtiers en bourse...
  Pendant ces interminables dix-huit mois qui le
séparaient de la fin de son mandat, Bill Clinton est
fréquemment venu se détendre ou jouer un peu au
golf à Los Angeles. En une occasion, il était là, officiellement, pour assister à la finale du championnat
du monde de football féminin qui opposait les Etats-
Unis à la Chine. Il était arrivé seul : Hillary présentait
son nouveau spectacle, *Un temps pour écouter*, lors
d'une tournée estivale à travers les zones rurales de

New York. Le président avait donc quelques jours pour décompresser avec ses potes d'Hollywood.

Environ une semaine avant le match, Mark Canton, ancien chef de production à Sony avant de revenir à la Warner, où il avait débuté sa carrière, prend contact avec son ami Rudy Durand. Mark est encore en plein dans le gâchis d'un divorce difficile avec sa femme, Wendy Finerman, récompensée par un Oscar pour sa production de *Forrest Gump*. Traité un jour d'« arriéré mental » par *Newsweek*, il a une liste impressionnante de succès cinématographiques derrière lui. Il veut proposer à Durand de venir suivre la finale dans sa loge du Rose Bowl, le grand stade de LA.

Rudy est froissé par cette invitation, d'abord parce qu'elle ne lui a pas été adressée personnellement mais par l'entremise de la secrétaire de Mark, et ensuite parce que venir s'asseoir aux côtés de Canton et d'Amy, sa nouvelle copine — avec laquelle sa femme l'a surpris sur la table de son bureau, d'où la procédure de divorce... —, dans l'une des meilleures loges du stade, l'obligera à acheter un billet à mille dollars.

Rudy Durand, quarante-six ans contre cinquante et un pour Mark, n'est pas quelqu'un à traiter si légèrement. Même à Hollywood, où les gens s'inventent et se réinventent régulièrement, il dispose d'une expérience vraiment fascinante. Le CV qu'il revendique inclut de nombreux passages à Washington, où il a été éclaireur pour JFK, à Palm Springs, où il a été associé à Frank Sinatra, et à Las Vegas, une fois que Frank l'a eu présenté à quelques-uns de ses amis mafieux. Débarqué ensuite à Hollywood, il a écrit et tourné un drôle de petit film, *Tilt*, où l'on voyait beaucoup de flippers et beaucoup de Brooke Shields. Quand la Warner s'est emparé de l'ouvrage et l'a coupé dans tous les sens, il a attaqué le studio pour enfreinte à sa liberté créatrice. L'instruction a traîné en longueur, comme c'est le cas lorsqu'on s'en prend aux studios : près de dix ans, pendant lesquels Rudy, désormais placé sur la liste noire, n'a rien fait d'autre que de s'occuper du dossier tout seul, sans l'aide de personne. Devenu le meilleur avocat amateur de la ville, selon la rumeur, il a défendu sa plainte devant la Cour d'appel fédérale, conduisant le représentant de la Warner à la nausée, littéralement, et décrochant sept millions de dollars de dommages-intérêts, libres d'impôts.

Un monsieur à aborder avec considération, donc, ainsi que l'un des principaux agents de la ville l'avait découvert après s'être permis une plaisanterie sur le compte de Rudy Durand. Piqué dans son honneur, celui-ci l'avait abordé sans ménagement : « T'as dit quoi ? C'est quoi, ces conneries que j'entends ? Ou tu arrêtes de vanner, ou tu te prends quelqu'un d'autre pour t'écrire des blagues ! C'est pigé, enfoiré de merde ? Ou bien tu veux la guerre avec moi ? C'est ça que tu veux, connard ? » Et le bonhomme, très influent à Hollywood, n'avait pu que balbutier : « Je sais qui vous êtes. Je ne pensais pas à mal. Mes excuses. »

Ils étaient nombreux à savoir qui était Durand, dans le coin. Ainsi de Kelly Preston, l'épouse de John Travolta, qui avait connu Rudy au temps où elle était une jeune serveuse au Gladstone's et où elle l'avait laissé prendre quelques photos éloquentes d'elle, dont elle cherchait encore à récupérer les négatifs...

Et puis Durand a connu Bill Clinton sur un terrain de golf, et ils ont sympathisé, et voilà pourquoi Durand rappelle Mark Canton après avoir reçu son invitation en lui disant : « Ben non, je peux pas y aller avec toi, à ce match. J'y serai avec le président. »

Et Mark Canton, qui n'a jamais approché le président des Etats-Unis, reste sans voix.

C'est un mensonge carabiné, définitif, assumé. Merde à Mark Canton, s'est dit Durand. Ce nain gonflé d'importance même pas capable de tenir un club de golf, ce type sorti d'un film de Peter Sellers qui se rengorge devant les photos de célébrités dont il a tapissé les murs de son bureau ! Au diable ! S'il veut jouer à de petits jeux débiles avec lui — le coup de fil de la secrétaire, les dix sacs du billet... —, il va lui décalquer la tête avec le président des Etats-Unis, rien que ça !

La veille du match au matin, Bill Clinton appelle Rudy Durand. Il est déjà à LA, chez son ami Ron Berkle, le propriétaire des supermarchés Ralph's. Est-ce que Durand serait partant pour une partie de golf ? Rudy répond qu'il adorerait, mais qu'il est déjà booké : il doit jouer avec Pete Sampras, qui vient de remporter le tournoi de Wimbledon.

Bill Clinton lui demande s'il peut donner le nom de Rudy pour entrer au Riviera. Il déteste l'autre golf select de la ville, le Bel Air : les maisons arrivent pratiquement sur le green, il n'y a pas moyen d'être tranquille, un téléobjectif est toujours susceptible d'attraper un cigare mâchouillé entre les lèvres d'un chef d'Etat noyé de sueur...

— Bien sûr !

— Bon, fait le président, alors peut-être à tout à l'heure, si vous avez un moment.

Lorsque Rudy se présente sur le parcours en compagnie du très beau Sampras, il découvre des agents des services secrets disséminés un peu partout et, non loin de là, Mark Canton en train de jouer avec un groupe d'amis. Lorsqu'il passe avec sa voiturette devant eux, le champion de tennis assis à côté de lui, Mark ne peut contenir son excitation : « Rudy, Rudy, le président est là ! » Durand lui répond qu'il le voit bien, que même Ray Charles pourrait le voir, puis il présente Sampras à Canton, qui lui cite aussitôt tous les films qu'il a produits, en réalité ou en imagination.

En redémarrant dans la direction où le président a commencé sa partie, Rudy entend les talkies-walkies des gardes du corps grésiller de « Six-cinq ! Six-cinq arrive ! ». C'est le code qu'ils lui ont donné et il sait que Mark Canton, bouche bée, a entendu lui aussi : Rudy Durand a un code personnel pour la sécurité présidentielle !

Arrivé plus près, Durand ralentit, ne voulant pas déranger l'auguste golfeur. Il est convaincu que les trois grandes bénédictions de l'existence sont « un climat super, une bonne partie de golf », et ce qu'il appelle « la pyramide », à savoir l'empilement progressif de mets succulents dans son système digestif. Il attend donc que le président ait joué son coup pour passer.

Bill Clinton est accompagné de Sylvester Stallone, ancien poids lourd du box-office qui fait désormais parler de lui en raison d'un scandale sexuel croquignolet (lui aussi !) : d'après un livre de révélations écrit par des call-girls d'Hollywood, Stallone avait fait installer un plateau en verre au-dessus de son lit, sur lequel il demandait aux filles de se soulager pendant qu'il les regardait d'en dessous, allongé sur son plume et la main droite occupée à une activité clintonienne.

Apercevant Rudy, le président s'approche et le serre dans ses bras. Stallone lui demande s'il sait que Durand est le meilleur producteur d'Hollywood. Rudy leur présente Sampras, que le président remercie d'avoir représenté son pays avec une telle classe à Wimbledon. Puis Durand leur propose de se retrouver tous les quatre à mi-parcours, à l'abri situé entre le dixième et le treizième trou. Le président et Stallone, qui paraissent bien s'entendre et qui ont certainement plein de sujets de conversation communs, acceptent.

— Je peux vous demander un service ? demande alors Durand.

— Evidemment, s'empresse Bill Clinton en l'entraînant un peu à part du groupe. De quoi s'agit-il ?

— Quand on va arriver là-bas, est-ce que vous pouvez me dire : « Hé, Rudy, vous venez toujours au match avec moi, demain ? »

— Pas de problème. Est-ce que vous voulez venir au match avec moi demain, d'ailleurs ?

— Pas du tout, non, répond Rudy, et ils éclatent de rire ensemble, complices.

— Alors c'est quoi, le plan ? s'étonne le président.

— Je vous raconte après.

Après avoir demandé des nouvelles de quelques amis communs, dont Jack Nicholson qui vient d'être encore accusé par une prostituée locale de s'être livré à de telles violences sur elle en 1996 qu'elle a eu un traumatisme crânien, Bill Clinton reprend sa partie.

Rudy et Sampras ont bien avancé la leur lorsque Mark Canton passe dans sa voiturette. Rudy lui explique qu'ils s'apprêtent à rejoindre Bill Clinton et Stallone au club-house de mi-parcours.

— Oh ! Je peux venir avec vous ? supplie Canton.

— Sans doute, oui...

— Je monte avec toi !

— Non, j'ai Pete avec moi. Tu n'as qu'à nous suivre.

— OK. Mais s'il te plaît, Rudy ! Il faut absolument que je me fasse une photo avec lui, pour mon bureau ! Tu dois me promettre, Rudy ! Il a toujours un photographe de la Maison-Blanche avec lui, on m'a dit. Il pourra nous prendre, dis ?

— Pourquoi pas ?

A leur arrivée, Bill Clinton et son compagnon sont déjà là. Mark salue Stallone, qui demande au président s'il sait que Mark Canton est le meilleur producteur d'Hollywood. Puis Mark serre la main de Clinton et cite exactement la même liste de *ses* films que plus tôt à Sampras, dans le même ordre.

Le photographe officiel de la Maison-Blanche s'approche, le président passe un bras autour des épaules de Stallone, l'autre autour de celles de Rudy, et Mark Canton se case autant que faire se peut dans la pose.

Quand Bill Clinton s'éloigne pour reprendre sa partie avec l'acteur, il se retourne et lance :

— Vous venez toujours au match avec moi demain, hein, Rudy ?

Et celui-ci :

— Pas question ! Je ne voudrais pas qu'on me voie avec vous !

Là, Mark Canton a la tête qu'il devait avoir le soir où Wendy est entrée dans son bureau et l'a trouvé sur la table avec Amy. Incroyable ! Hallucinant ! A se trouer le cul ! Non seulement le président prend la peine de vérifier que Rudy est toujours disposé à l'accompagner mais ils sont à un tel degré d'intimité que Durand peut le vanner de cette manière !

Pendant que Canton s'assure auprès du photographe qu'il aura rapidement un tirage, Bill Clinton, qui est en train de rigoler avec Rudy, lui glisse : « Vous voulez que je corse ça un peu plus ? » Et il continue, tout haut : « Je vous envoie un hélico si vous avez un problème de temps, Rudy. Mais je vous attends, hein ? »

Estomaqué, Canton regarde Rudy et Pete Sampras s'éloigner dans leur voiturette. Il n'entend pas le tennisman demander à Durand : « C'était qui, ce connard ? » Et Rudy : « Lui ? C'est Mark Canton, le producteur... »

Le lendemain matin, le téléphone sonne chez Rudy. Un employé de l'ambassade de Chine lui propose deux places dans la loge officielle de la République populaire pour la finale au Rose Bowl. Rudy, qui vient de conclure des contrats avec des investisseurs de Chine continentale et de Macao, accepte sans tarder. Il appelle ensuite Jack Nicholson, lui parle de ces deux tickets. Nicholson, qui était censé assister au match dans la loge... de Mark Canton, s'exclame : « J'y vais avec toi ! »

Quelques minutes plus tard, nouveau coup de fil chez Rudy.

— Jack y va avec *toi* ?
C'est Mark Canton.
— Il a dit ça, oui.
— Mais il devait venir dans ma loge !
— Où elle est, ta loge ?
— Sur la ligne des neuf mètres.
— Merde. C'est pratiquement en bout de terrain, ça.
— Comment ça, en bout de terrain ? C'est un super emplacement, oui ! (Un silence, puis :) Et la tienne, où elle est ?
— Tu veux dire la loge officielle de la République populaire de Chine ?
— Ouais.
— Oh, elle est juste à côté de celle de Bill Clinton. En plein milieu du terrain.

Mark Canton lui demande ensuite si ses voitures pourront suivre la limousine de Rudy et Jack en arrivant au stade. Alors que les « Six-cinq ! six-cinq ! » résonnent encore dans ses oreilles, il sait que dans ce genre de contexte les mesures de sécurité peuvent se révéler fort déplaisantes si l'on ne dispose pas de son propre code personnel.

A l'heure fatidique, donc, le cortège se présente. Jack et Rudy sont en tête, suivis par les berlines de Canton et de ses invités, parmi lesquels Dennis Hopper, accompagné de sa femme et de ses deux enfants et plutôt en pétard d'avoir dû débourser quatre mille dollars pour voir un match de foot. Dennis, le dernier symbole vivant des sixties, Easy Rider en personne, auteur-réalisateur d'un machin pompeusement intitulé *Le Dernier Film*, si mauvais qu'il a bien failli être son dernier, en effet... Dennis, jadis l'Homme-LSD, ancien résident à vie de ce lieu saint baba qu'est Taos, Nouveau-Mexique... Dans l'entourage de Mark Canton, désormais.

Soudain, les sixties sont de retour : Dennis, Jack,

lui aussi un rescapé d'*Easy Rider*, et Bill Clinton, l'ex-rock and roller qui n'avalait pas la fumée.

Lorsqu'ils passent le sas de sécurité, la formule magique crépite à nouveau dans les petites boîtes : « Six-cinq ! Six-cinq ! » Et quand la compagnie émerge de l'ascenseur pour gagner ses places respectives l'oreille du président capte les « Six-cinq ! » autour de lui, et il passe la tête par-dessus le parapet de sa loge pour crier : « Hé, Rudy ! »

Il fait entrer Durand et Nicholson, les présente à ses invités personnels, Gray Davis, le gouverneur de Californie, et le maire de Los Angeles, Richard Riordan. « C'est le meilleur producteur d'Hollywood », leur dit le président en montrant Rudy. Qui boit du petit lait, évidemment.

Puis Jack et le président taillent une bavette dans un coin, avec des sourires carnassiers, comme deux chiens de chasse contents de se renifler et de reconnaître leur odeur. Au pire moment du scandale, Jack Nicholson est venu publiquement à la rescousse du président, rejoignant Barbra Streisand à un meeting de soutien. Il aime bien Clinton, vachement bien, plus encore que Fidel Castro et presque autant que Robert Evans, son copain qui n'a jamais cessé de l'alimenter en petites poupées consentantes, ces myriades de filles de la campagne aux grands yeux vides venues à Hollywood pour devenir des stars du cinéma avant que leurs rêves ne se dissolvent à l'apparition des premières varices.

A la fin de leur conversation, Jack et le président se tombent dans les bras l'un de l'autre, puis Bill Clinton donne l'accolade à Rudy Durand et le Marine de garde dans la loge salue Jack, comme le font tous les Marines du pays depuis *A Few Good Men*[1].

---

1. *Des hommes d'honneur*, de Bob Reiner (1991), où Nicholson joue un colonel des Marines, Tom Cruise et Demi Moore deux lieutenants de cette arme. (*NdT*)

Ensuite, Jack et Rudy vont s'asseoir dans la loge des Chinois, juste en face de la ligne de mise en jeu. Les USA emportent la finale. Quel beau match !

Bill Clinton repart à Washington mais il sera bientôt de retour. Le lendemain, Rudy et Jack jouent au golf ensemble. Mark Canton accroche la fameuse photo dans son bureau. Il est si content de l'avoir qu'il signe à Rudy un contrat pour la production de deux films : le genre de deal que Durand n'avait pas obtenu à Hollywood depuis très longtemps.

Et tout ça, Rudy Durand s'en rend parfaitement compte, tout ça grâce à Bill Clinton. Il est trop, ce président. Tout le monde l'aime : Durand, Stallone, Nicholson, Canton... Hollywood !

13

Hillary se met à nu

Il finira comme Nelson Rockefeller. Le cœur implosé tandis qu'il s'agitait et ahanait sur la jeune garce qui sera devenue son assistante à force de l'aguicher. C'est drôle, quand même... En 1968, j'ai fait campagne pour Rockefeller, vous vous rappelez ? Alors que la Convention démocrate allait devenir le symbole d'un monde en plein bouleversement, j'étais où, moi ? A celle des Républicains, en train de m'activer pour Rockefeller ! Pensez-en ce que vous voulez, ceux d'entre vous qui comme Barbara Olson voient en moi le dernier dinosaure communiste, qui m'accusent d'avoir travaillé pour un rouge à Berkeley, qui prétendent que Saul Alinsky était mon Karl Marx... A propos, Dick Morris était un fana de Saul, lui aussi, et maintenant il est au service des Trent Lott et des Rupert Murdoch !

Vous l'avez lu, le livre de Barbara Olson ? Vous saviez que son mari, Ted, est un des grands amis de Kenneth Starr ? Qu'Al Regnery, l'éditeur qui l'a publiée, elle et tant d'autres décidés à diffamer Bill, a exactement les mêmes goûts que mon époux ? La police a fait une descente chez lui et ils ont trouvé son trésor X, sa réserve de trucs pas nets, avec des images « de sexe oral et d'introduction d'objets divers dans le vagin », *sic*. Vous voyez que j'ai mené ma petite enquête. Je me renseigne *toujours* sur mes adversaires, moi.

Mais pour en revenir à Bill, je dirai ceci : jadis, j'ai voulu croire, je me suis abusée à croire qu'il allait finir par se calmer avec l'âge. Que l'artériosclérose, à cause de tous ces cheeseburgers, et le ramollissement dû à une utilisation excessive de son machin allaient le sortir de son éthylisme priapique. « Abusée », oui, parce que grâce aux merveilles de la médecine moderne cette perspective n'a plus de sens. Personne n'a jamais réfléchi à ce que l'invention du Viagra a pu avoir de désolant pour une femme comme moi.

Bon, vous le savez déjà : entre nous ça n'a jamais marché très fort sur ce plan-là, même au début, même quand on essayait encore. Oh oui, il disait qu'il était content, lui, et pourtant je ne l'ai jamais vraiment cru. J'avais mes doutes bien avant de tomber sur les preuves, bien avant de commencer à lui faire les poches de pantalon à la recherche de numéros de téléphone dès qu'il s'était endormi. J'essayais de lui plaire, cependant. Je me rasais les jambes et les aisselles, alors que cela allait à l'encontre de toutes mes convictions, et vous avez tous vu le nombre incalculable de fois où j'ai tenté de changer de coiffure. D'ailleurs ce n'était pas un Adonis lui non plus, avec son bedon blafard qui pointait sous le tee-shirt, ses cuisses couvertes d'une graisse de vieux type avant l'heure. Mais j'ai fait des efforts, et encore des efforts, et encore des efforts, jusqu'à ce que la tristesse et l'humiliation me congèlent le cœur. Parce qu'il ne se contentait pas de me tromper, non. Il me le jetait à la figure.

Pendant un moment, je me suis demandé si la provocation ne faisait pas partie de l'amusement, pour lui. Vouloir entraîner Gennifer dans les toilettes de la résidence alors que j'étais juste à côté, alors que je les avais bien vus devant la porte, tous les deux... Ou bien demander à cette sauteuse de venir lui dire au revoir à l'aéroport, très conscient que je n'étais pas dupe. Et le lendemain des élections, quand nous devions partir pour Washington, il est descendu la rejoindre au sous-sol à cinq heures du matin quand j'étais encore là-haut, quand je savais pertinemment ce qu'il manigançait, quand je savais même qu'elle était venue avec un imperméable et rien dessous... Vous trouvez étonnant que j'aie détourné la tête quand il a voulu m'embrasser devant les photographes pendant la cérémonie d'investiture ? Je ne suis pas sa potiche, moi. Ni de lui ni de personne. Il ne peut pas m'avoir comme ça, le branleur ! A moins que je le veuille bien.

Je savais tout, depuis toujours, sur le compte de toutes. Seigneur, vous imaginez la souffrance que ça représente, d'être *obligée* de savoir ? Je devais être au courant de tout pour être capable de le protéger. De *nous* protéger. Nous voulions la Maison-Blanche, nous avions trimé pendant des années pour y arriver, alors il fallait réduire au silence les allumeuses et les professionnelles, les sauteuses et les groupies. L'enjeu était trop important. Il fallait leur faire comprendre que si par malheur elles parlaient de ce qu'il avait pu commettre avec elles, leurs propres faiblesses seraient mises au grand jour. Il fallait les rappeler, par tous les moyens, à leur « condition ». Les réveiller, les ramener sur terre. Comme pour une campagne électorale, en fait. Chercher la faille dans l'adversaire, et tenir sa langue. Parce que vous reconnaissez une aventure avec un homme et le monde entier finit par découvrir que vous vous êtes envoyé la moitié de l'équipe de foot du lycée, même si ce n'est pas le cas. Un encouragement à l'humilité, donc. Une injection préventive face au réflexe d'accepter cinq mille dollars du *National Enquirer* pour commencer à raconter n'importe quoi...

J'ai confiance en Terry Lenzner. On a travaillé ensemble sur le Watergate. Il connaît son camp. Il sait que ramener une petite pute à la réalité est un péché véniel, un acte de courage destiné à empêcher les salopards de revenir à la Maison-Blanche. Mais moi, moi ! Quelles conséquences cela pouvait avoir sur mes sentiments, vous vous l'êtes demandé ? Ces ordures que j'avais le devoir de connaître finissaient par empoisonner mon cœur, par m'éloigner un peu plus de mon mari à chaque nouvelle révélation. Alors même que je le sauvais, je le détruisais en moi. Et malgré tout je devais continuer, j'étais obligée de le détruire pour mieux le sauver ! Ma vie était désormais dominée par l'équation cauchemardesque que le Pentagone avait voulu appliquer au Vietnam, le paradoxe monstrueux contre lequel j'avais manifesté si souvent : il faut raser ce village pour son bien. C'était mon cœur et mon âme que je bombardais au napalm. Quand les médias me comparaient à Jeanne d'Arc, je riais sombrement. S'ils avaient su... J'étais en train de brûler mes émotions les plus intimes sur le bûcher de ma création.

Pourquoi, dites-vous ? Pourquoi en arriver là ? Qu'est-ce qui méritait de payer un tel prix ? Le pouvoir ? Le pouvoir en soi ? En tant que concept, en tant que prise de contrôle sur les autres ? Non. Ce sont des foutaises, ça. Je n'ai jamais été attirée par cet aspect du pouvoir. Mais le pouvoir d'accomplir du chemin vers une Amérique meilleure, de rendre ce pays plus solidaire, plus équitable, plus humain ? Oui, là je plaide coupable, je revendique la soif de *ce* pouvoir, et je la revendique au nom des enfants, des femmes, des minorités, des Noirs, des homosexuels, des personnes âgées, des mal-entendants... Pour les millions d'êtres opprimés, avilis, marginalisés, je dis oui, mille fois oui ! Cela vaut la peine, et l'humiliation, et l'autodestruction auxquelles je me suis condamnée. Un retour au réel, un rappel de sa condition humaine à la nation, tout comme mon équipe le faisait avec les catins et les gourgandines.

Y a-t-il quelque chose de répréhensible à désirer, à œuvrer pour une Amérique meilleure ? Mon chagrin n'appartient qu'à moi. Je l'assume. Je ne vous l'inflige pas. Mon but est de changer *votre* vie. Et puisque j'ai pris sur moi cette mission, pourquoi discuter, critiquer, railler les moyens que j'ai choisis, non, que j'ai été contrainte de choisir ? Pour arriver à la position qui me permette d'améliorer *votre* existence, est-ce que j'ai menti ?

Evidemment que j'ai menti. Bill aurait-il jamais été élu, et réélu, si j'avais déclaré : « C'est exact, il a transformé la résidence du gouverneur puis la Maison-Blanche en bordel » ? Ou : « En effet, je l'ai vu défoncé, il n'arrivait plus à aligner deux phrases » ? Ou : « Oui, il a esquivé l'armée. Oui, sa grande force, c'est de pouvoir séduire, aussi bien l'électorat que n'importe quelle petite grue » ?

Etais-je en mesure de dire la vérité, de révéler que c'était moi qui me souciais des affaires du pays quand il ne pensait qu'à la gloire et au succès et à ses catins ? Que les points positifs à son actif avaient souvent été réalisés uniquement parce qu'il avait peur de moi ? Peur de me contredire ? Peur de recevoir une claque ? Peur que je le quitte, ruinant ainsi le peu de prestige qu'il garderait dans la postérité ?

Donc oui, j'ai appris à mentir, et à bien mentir. A berner les médias et le public avec ces idées généreuses et geignardes et gnan-gnan qui me permettent de corriger mon image de pétroleuse : droits des enfants, médecine publique, sécurité sociale... Comment pouvez-vous ne pas m'aimer d'avoir levé tous ces étendards de Bon Samaritain ?

Oui, j'ai menti et je continue à mentir pour lui. Et quand il y a avis de tempête, quand sa cote descend trop, j'accepte, je veux bien accepter de lui servir de potiche, de faire-valoir. Je l'ai autorisé à raconter la fameuse histoire des femmes de ménage qui nous avaient surpris par hasard au lit, à la résidence de Little Rock, ce qui lui permettait de suggérer que nous couchions ensemble et même que nous pouvions faire l'amour. Ou bien, pendant la période la plus critique de son mandat, j'ai permis à un photographe de nous prendre « à notre insu » en train d'échanger un baiser, tous les deux en maillot de bain. Oui, j'ai accepté de montrer mon gros derrière à toute la planète dans le seul espoir de sauver la carrière de Bill Clinton !

Ce qui me heurte le plus, ce n'est pas, ce n'est plus ce qu'il *fait* avec ses greluches : c'est ce qu'il leur dit. A Gennifer, que son rêve était de se promener avec elle dans une rue jonchée de feuilles mortes par un beau jour d'automne. A la stagiaire, qu'il n'y avait que le travail dans sa vie... Devant cette morue, il m'appelait « la Matonne-chef » ! Même s'il voulait me trahir en tant que femme, il n'avait pas à le faire de cette manière. Rien que son travail dans sa vie ? En admettant que je n'existe pas, ou qu'il s'entête à ne me voir que comme sa geôlière, a-t-il oublié Chelsea ? Non seulement il se roule dans l'ordure avec une garce qui a presque l'âge de sa fille mais il nie l'existence de sa fille devant elle ?

Son animosité envers moi n'a aucune justification et pourtant sa rage transparaît dans tous ses actes. Je l'ai tiré d'affaire Dieu sait combien de fois en Arkansas, et encore à *60 Minutes* dans le New Hampshire, et encore quand il a frôlé la destitution. Si je l'avais abandonné à ce moment-là, tout le pays m'aurait applaudie et il n'aurait plus eu qu'à se prendre une chambre dans un motel sordide.

Mais avec les années j'ai dû constater que les femmes ne présentent à ses yeux qu'une seule et unique utilité, et qu'à ce niveau je ne suis pas une femme pour lui. Il s'est débrouillé pour me désexualiser dans sa tête. Parfois, je me demande s'il m'a même jamais considérée sous cet angle. Il m'a transformée en une sorte d'être hybride, à la fois sœur, conseiller personnel et copain de campagne. J'ai peut-être eu tort de ne pas me montrer plus féminine pendant nos années en Arkansas, mais j'avais peut-être raison de ne pas me raser ni même me doucher si souvent, parce que je sentais d'instinct qu'il n'était pas attiré par moi et que ma vengeance était de lui inspirer de la répulsion, précisément. Ou peut-être s'agissait-il de ma réaction horrifiée en m'apercevant que j'avais épousé un obsédé sexuel aux yeux exorbités et à la langue pendante... En public, c'était l'archétype de l'homme nouveau, attentionné, délicat, le futur président qui allait permettre aux femmes de prendre enfin toute leur place dans la société. Et moi je m'enfermais dans ma solitude, je perdais ma féminité et je partais à son secours à chaque fois que le scandale menaçait à cause de femmes dont il s'était servi comme de vulgaires mouchoirs.

Moi, il me touchait rarement de cette façon, et même quand il y condescendait je doutais de ses motivations intrinsèques, de la dynamique qui pouvait exister derrière le geste. Un des rares exemples qui me reviennent, au temps de l'Arkansas bien entendu, est une soirée où nous étions allés dîner avec Vince et l'une de ses associées, une jeune femme. Nous avions tous trop bu et quand nous sommes sortis du restaurant ils ont commencé à faire les idiots, Bill et elle, à s'embrasser. Aussitôt, Vince m'a prise dans ses bras et m'a donné des baisers. Je voyais tout : Bill et cette fille, Vince et moi, et notre chauffeur à côté, en train de regarder la scène. Puis nous sommes montés dans la limousine, Bill et moi, il a relevé la vitre de séparation et nous avons fait l'amour, là, sur la banquette. Il m'a baisée avec un enthousiasme comme je ne lui en avais pas vu depuis très, très longtemps, mais pendant tout le temps qu'il s'agitait en moi je pensais :

« Tête de nœud, va ! Salaud ! Tu n'es pas avec moi ! C'est cette petite blonde que tu es en train de niquer ! Ce n'est pas mes seins que tu pinces, mais ceux de cette fille ! Sauf que celle qui aura mal après, c'est moi, pas elle ! »

La mort de Vince a été pour moi la preuve définitive que j'avais eu raison de supporter toutes ces humiliations, d'assumer tous ces mensonges. Parce que les crapules du *Wall Street Journal*, ces vieux résidus de Neandertal accrochés à leur racisme de troglodytes qui avaient colonisé les pages éditoriales, l'ont tué avec leur plume pourrie aussi sûrement que s'ils avaient appuyé sur la détente. Quand ils ont commis ce morceau d'anthologie de la haine et de la diffamation, Vince s'est retiré de la vie politique, écœuré. Ils avaient assassiné son image publique mais son suicide a été comme un terrible défi : « Je vous emmerde ! Vous voulez mon image ? Je vous donne ma peau, rats que vous êtes ! Je vous force à voir ce que vous avez fait ! » Vince, mon Vince adoré, Vincenzo Fosterini, qui avait toujours été là pour moi quand je le voulais, comme je le voulais... Et elles me l'ont enlevé, elles l'ont emporté, les forces des ténèbres que je combattais depuis si longtemps, ces ombres qu'il fallait maintenir dans leur gothique désolation, loin de la Maison-Blanche, repousser sans cesse si l'Amérique en laquelle je croyais corps et âme devait survivre.

Lorsque j'ai vu apparaître dans ces mêmes pages pestilentielles du *Wall Street* l'histoire du soi-disant viol de Juanita Broaddrick, je n'ai pas été surprise une minute. Il y avait même une ironie morbide, là-dedans : moi qu'ils appelaient la dernière des communistes, j'avais été cruellement agressée par le symbole même du capitalisme, la gazette de Wall Street, et ce à deux reprises !

Que voulez-vous que je vous dise au sujet de cette femme, Juanita Broaddrick ? C'est un sujet très douloureux, voire insoutenable. En Arkansas, déjà, j'avais entendu les rumeurs chuchotées de-ci de-là, et lui, il avait démenti, à son habitude. Je crois que j'ai refusé plus ou moins consciemment de me confronter à la question jusqu'au jour où je l'ai vue s'exprimer à la télévision. Après, j'ai dû aller vomir. J'aurais voulu prendre une douche mais je savais que cela ne me soulagerait pas. J'étais convaincue, au plus profond de moi-même, qu'elle disait la vérité. Je suis restée seule, prostrée, en pensant que j'avais eu en moi ce qu'il avait introduit de force dans l'intimité de cette femme, que je l'avais désiré en moi, et même que je lui avais fait le reproche de me refuser. Et c'était ce qui me revenait maintenant à la face, à la télévision, sous l'apparence hideuse, grotesque d'un... instrument de torture. L'instrument qui avait engendré Chelsea.

J'ai médité le caractère insaisissable de ce bout de chair, capable de provoquer la plus cruelle peine comme la plus grande joie, la souffrance comme l'allégresse. Je n'en voulais plus en moi, plus jamais. Non, il faut être exact : je ne le laisserais plus jamais entrer en moi. Et c'était une idée aussi triste que spécieuse, puisque de toute façon il n'en avait plus l'intention depuis longtemps. Il allait même se sentir soulagé de la pénible obligation à laquelle il se pliait une fois, deux fois par an. Oui, la peine que je ressentais à cause de ce qu'il avait infligé à cette femme, la douleur qui m'inspirait le plus définitif dégoût physique que m'ait jamais inspiré un homme, allait sans doute lui rendre service, au final : il serait dispensé de ces quelques simagrées conjugales.

Parfois, je me demande où est passé le garçon de Yale dont j'étais si amoureuse. A d'autres moments, je me dis que c'est certainement moi qui l'ai mal lu dès le départ, qu'il devait être déjà comme ça mais que je ne l'avais pas compris, simplement. Je croyais que son mental irait en s'enrichissant, que les années allaient lui apporter la pénétration dont il manquait encore, sans savoir que même ce terme allait acquérir un double sens ricanant, se transformer en mauvaise plaisanterie pour moi. Je ne comprends toujours pas comment j'ai omis de voir que l'étudiant de Yale deviendrait un homme dont la spiritualité serait entièrement effacée par la sexualité, qui consacrerait ses temps libres non pas à la lecture des classiques mais au téléphone rose, et dont la seule façon de communier avec la nature serait de se jeter dans les buissons avec la première salope.

Je me rappelle encore le jour où il m'a offert *Feuilles d'herbe*, un exemplaire magnifiquement relié dont nous nous sommes lu des strophes l'un à l'autre pendant des semaines. Et je me souviens aussi du moment où j'ai appris qu'il avait fait cadeau à la stagiaire de ce même livre. Pendant les années qui se sont écoulées entre ces deux instants, je crois que quelque chose s'est brisé en lui, s'est consumé. « Je crois », oui... Ou bien ce n'était dans les deux cas qu'une entourloupette, un moyen de se faire bien voir par moi... et par elle. Peut-être qu'en nous tendant le recueil de Whitman il répondait à un sondage interne commandité par son ego : « Il paraît qu'elles aiment la poésie. Je vais leur en donner, moi... »

Maintenant que Vince n'est plus là, je n'ai pratiquement personne à qui me confier. Pour parler sérieusement de tout ce qui m'occupe, ma mère est trop âgée, Chelsea trop jeune. Je me suis absorbée dans ma candidature au Sénat. Je ne pense plus qu'à cette campagne. Qui sait, peut-être m'accorderai-je un jour quelques minutes dans mon bureau privé, avec un ou une stagiaire, et lui confierai-je qu'il n'y a que le travail dans ma vie ? J'ai fait énormément d'exercice, je suis enfin contente de ma coiffure. Il était temps, n'est-ce pas ? Lire dans la presse que vous avez « l'allure d'une reine », ou que vous êtes « pleine de classe », ou être appelée « la First Lady de Miramax », c'est agréable, tout de même... Miramax ! Et dire qu'Hollywood était censé être *sa* chasse gardée, depuis toujours !

Entre ma campagne à New York, ses déplacements et les miens, nous ne nous voyons plus guère. Les occasions d'échange se font de plus en plus rares, et d'ailleurs que pourrais-je lui dire ? « Hé, trouduc, t'as potassé tes *Feuilles d'herbe*, ces derniers temps ? » Je suis au courant de tous ses faits et gestes, parce que c'est mon rôle, de tout savoir. Et je sais à quoi il s'occupe, maintenant : il se tripote. Ça vous étonne ?

Par contre, je suis beaucoup en relation avec Eleanor. C'est elle qui m'a persuadée de me présenter dans l'Etat qui l'a vue naître. Je ne fais que poursuivre le combat qu'elle avait engagé. Dieu sait à quel point nous nous ressemblons, elle et moi, même si je lui envie le réconfort de son histoire avec Lorena. Je n'ai pas vraiment de Lorena dans ma vie, pour l'instant, mais dans l'avenir... On parle énormément de Bill et de Franklin, toutes les deux. Que cette stagiaire soit allée jusqu'à s'identifier à Lucy Mercer dans un mot qu'elle a écrit à Bill, c'est assez drôle, non ? Et la plupart des gens ignorent que Bill s'est toujours senti proche de Franklin Roosevelt, de sa personnalité. Il y a encore un autre parallèle très évident : ce brave Bill a raconté à Gennifer que j'étais lesbienne alors qu'Eleanor l'a été pour de vrai, et pendant le plus clair de sa vie. Une lesbienne affligée d'un mari volage qui lui avait imposé une ribambelle de gosses avant de se désintéresser d'elle. Les voilà, les deux grands exemples de Bill Clinton : JFK et FDR, les deux présidents queutards. Etonnant qu'il ne soit pas né avec trois bites, mon cher époux.

L'autre jour, au solarium, Eleanor s'est bien amusée en me rapportant l'un de ses souvenirs. Après une sérieuse dispute au sujet de Lucy, FDR lui avait promis de rompre avec sa maîtresse mais elle s'était rendu compte qu'il n'en était rien, qu'ils continuaient à se rencontrer en secret. En fait, le président montait dans sa limousine chaque jour, empruntait des itinéraires différents et à chaque fois Lucy l'attendait à un coin de rue, le tout ayant été soigneusement organisé par les services présidentiels. Elle sautait dans la voiture, satisfaisait les caprices de Franklin, puis ils la redébarquaient à un autre carrefour où elle attendait le bus et rentrait chez elle. Moi, je n'ai pas trop ri, j'avoue. Ça me rappelait trop les joggings incessants de Bill autour de la résidence à Little Rock, puis de la Maison-Blanche.

Je viens juste de me rappeler autre chose. Et là j'ai envie de rigoler, oui. Le prêtre qui a béni notre mariage était le révérend Nixon. Je ne blague pas ! Alors qu'il y avait des milliers d'officiants à la ronde, nous avons choisi un Nixon pour consacrer notre union. Ce n'est pas tout bonnement... hilarant, ça ? Nous avons juré fidélité devant Dieu, et devant Nixon.

14

La parole à Willard

Il aime pas la Matonne-chef, Billy. Il l'a jamais aimée. C'est moi qu'il aime, depuis toujours, déjà du temps où on était tout petits, lui et moi. Quand ses parents se disputaient et qu'il allait se cacher dans un coin en pleurant, tout pauvret, c'est *moi* qui restais avec lui. Il n'y avait qu'avec *moi* qu'il pouvait jouer, trouver la paix, se rassurer, retrouver le goût de la vie et de lui-même. Et lorsqu'il s'est mis à grossir d'un coup en grandissant, c'est *moi* qui l'ai convaincu de perdre sa bidoche, parce qu'il voulait vraiment me regarder et s'amuser avec moi mais c'était devenu impossible, avec cet estomac qui se mettait entre nous ! Et puis on s'est revus, et on est devenus des gros calibres, tous les deux, mais on a continué à jouer pareil. Avant une interview importante, avant sa déposition devant le grand jury, avant un discours sur l'Etat de l'Union, Billy me prend entre trois yeux et c'est *moi* qui lui apporte la même sérénité que du temps où on était petits.

J'ai été son pote quand il n'en avait pas d'autres. Il l'a pas oublié. Des fois il est tellement fier, tellement content de moi qu'il en rajoute. A toutes ces meufs, Kathleen, Dolly, Monica, Paula, il prend la main et il la pose sur moi, et il dit : « Vise un peu ça ! » Pour

mon ego c'est excellent, je sais, quoiqu'il n'ait jamais
été en berne, mon ego, franchement. Même quand on
était des chiards, lui et moi, on a toujours pris notre
pied avec les filles. La Belle au Bois dormant. Blanche-
Neige. La Barbie de sa cousine. Ma sorcière bien-
aimée. Toutes ces esclaves girondes dans *Les Dix
Commandements*...

Il m'a toujours sollicité à fond, Billy, mais je ne
fatigue pas, moi. Je n'ai jamais été défaillant. « Présent », je réponds ! Pas besoin de soupe d'ailerons de
requins, pas besoin d'huîtres, ni de poudre de man-
dragore, ni de corne de rhinocéros. Je me suis toujours occupé de sa santé. Mon hyper-activité garde sa
prostate en activité permanente, mon besoin d'exercice physique contrecarre les effets toxiques de
toutes ces graisses dont il se gave.

En retour, les attentions qu'il me porte sont vraiment stimulantes. Nourrissantes. Constantes. Vous
avez remarqué qu'il a très souvent les mains dans les
poches ? Je suis son grigri. Son rosaire. Son contact
avec la réalité. Il me chante même des airs tout bas,
des fois, dont le *Captain Jack* de Billy Joel, *notre* chanson. Il est attentionné, plein de tact. Il ne cherche
jamais à m'étouffer. Pas de capotes, pas de strings ridi-
culement serrés. Des caleçons en général. Il sait qu'il
peut envoûter une foule entière mais qu'une fois de
retour à la maison, quand Hilla file dans une autre
chambre, ce n'est que sur moi qu'il pourra compter.
Billy, le tube de vaseline et moi.

On a bien kiffé la vie, tous les deux. La majorité de
mes semblables, je ne l'ignore pas, sont condamnés à
l'obscurité. Des chiottes, des pissotières, des draps,
des slips, des vagins. Moi j'ai vécu au grand jour, principalement. Dans la lumière. J'ai vu du pays. Le Bureau
ovale, le cabinet privé, les photos de Billy chez Nancy
Hernreich. Les rouleaux sur la plage de Malibu, sous
plein d'angles différents. Presque toutes les pièces de
la résidence officielle de Little Rock, surtout au sous-

sol. Je suis devenu un expert en décors d'hôtel et aussi, grâce à des week-ends ou des tournées de sponsors, un fin connaisseur de tables de nuit Louis XIV dans les coins les plus huppés, Beverly Hills, Bloomfield Hills, les Hamptons... J'ai contemplé autant de couchers de soleil que lui, surtout dans les montagnes. Je suis un arriviste qui ne pense qu'à s'extérioriser, non sans panache.

Si j'ai festoyé sur ses succès, je ne l'ai pas lâché dans les passes difficiles. Adolescents, quand je commençais à avoir la trouille que lui et son amie Mary, dite « la Pogne », finissent par me déraciner. Dans l'Arkansas et à Oxford, où j'ai cru mourir de surmenage. Nous n'étions pas difficiles, en ces temps bénis. On fermait les yeux et on pensait à la porcherie, et on le faisait pour Betsy Ross. Parce que je n'avais jamais oublié ce que la mère de Billy avait dit d'elle : « Cette petite fille-là, elle est tellement vilaine qu'il faudrait qu'on lui mette des côtes de porc autour du cou pour que les garçons aient envie de s'amuser avec elle. »

A Oxford, ça a été flamberge au vent, pour la gloire des USA. Moi je répétais : « C'est fini ! J'arrête ! » On a passé la plupart du temps à blâmer la guerre, chacun à notre façon. Billy critiquait la doctrine McNamara de la « pression graduelle » sur le Vietcong mais il l'appliquait sur moi, à notre grande satisfaction mutuelle. L'Amérique s'empêtrait au Vietnam et nous dans de petites Anglaises obtuses qui comprenaient tout de travers quand Billy gueulait « Peace now ! », si bien que je prenais de ces saucées...

J'ai tenu bon dans d'autres tourmentes, également. A la Maison-Blanche, quand Billy ne pensait qu'à laisser une fille à peine majeure me mettre la langue dessus, une langue chargée de merde mentholée, en plus, histoire de me donner le frisson. Mais moi, impossible de le convaincre de me laisser me déployer en elle, prouver à Monica mon amour inconditionnel, décapoté. Certes, il m'a finalement autorisé à me liquéfier sur elle de manière tout à fait déplacée et choquante.

Et du coup Monica s'est mise à développer des instincts de copropriété-codépendance sur moi, ce qui a malheureusement déclenché le pire : nous nous sommes retrouvés en première page et en premier titre des news du soir, Billy et moi. Toute la planète parlait non seulement de lui mais de moi, maintenant ! J'aurais dû jubiler, me repaître de cette consécration bien méritée. Ma puissance enfin reconnue ! En réalité, tout a basculé dans le cauchemar : soudain, Billy n'osait même plus me toucher. Ça m'a rappelé la période de notre enfance où il s'était mis à lire la Bible matin et soir, et où il m'avait informé qu'Onan avait été puni de mort pour avoir répandu sa semence sur le sol. Heureusement, il s'était vite rendu compte que j'étais plus intéressant que l'école du dimanche.

Mais là il avait peur, à nouveau, et même quand on était seul à seul, même quand je poussais dans sa poche. J'avais beau comprendre qu'il se laissait trop impressionner par les prédicateurs et par les mamans modernes, il me traitait comme si je n'étais plus là, comme si on n'était plus ensemble. Ma trouille, c'était qu'il ait la trouille qu'Hilla se mette à inspecter son linge à la recherche d'un signe de vie qui trahisse ma présence, tout comme sa mère-grand nous avait fliqués dans notre jeune temps. Et Dieu merci, il y a eu Carly Simon ! La plus noire période de mon existence s'est achevée en plein milieu de notre crise planétaire, au moment où nous avons rencontré la belle Carly à l'aéroport de Martha's Vineyard et que nous l'avons serrée dans nos bras, disons. Quelques heures après cet émouvant contact, Billy me redécouvrait.

Que le métier choisi par Billy ait été une incroyable aubaine pour moi, j'en suis également très conscient. Son boulot consiste à être parmi les gens, et à les

séduire pour obtenir les votes. Si j'en retire quelque
bénéfice personnel, cela ne l'empêchera pas de rafler
tout autant les bulletins, non ? Il voulait être président, par chance, et non je ne sais quel truc aberrant,
star du football, disons : tous les week-ends sur le
terrain à prendre des coups de tatane, merci ! Coupe
ou pas coupe, ça finit par vous les couper, une vie
pareille. Non, lui, il préfère regarder les autres se faire
tataner à la télé. Là-dessus, on est en phase, Billy et
moi : nos championnats, on préfère les disputer en
chambre. Je marque, il fait « aaaah ! », elle fait
« oooooui ! », et tout le monde a gagné, et on part
tous ensemble dans notre DisneyWorld à nous.

Grâce à son choix, j'ai connu plein de trésors.
J'adore ce mot-là, trésor. C'est comme ça que Gennifer m'appelait après m'avoir intériorisé en elle, moi,
son petit rayon de miel sous-cutané, son secret à elle.
A vrai dire c'est encore elle la plus trésor que j'aie
connue, Pookie. Elle m'aurait bouffé tout cru, Pookie.
Il suffisait que Billy aille lui acheter des dessous en
dentelle pour que je me sente instinctivement le vent
en poupe, grandiose.

On a toujours déliré là-dessus, Billy et moi. Les tan-
gas, les bikinis, les monokinis, les porte-jarretelles, les
bas, les bodys, les tee-shirts mouillés, les fermetures
éclair, les colliers cloutés... Il demandait à Pookie de
se pavaner dans le lit avec son équipement et pendant
ce temps il m'agrippait comme si j'étais un boa aux
abois. Et ensuite il me lâchait dans son trésor et je me
sentais plus que jamais grandiose, jusqu'à l'obsession,
jusqu'au délire.

Ce qui se passait entre elle et moi relevait de la
plus totale inconvenance. Et je ne me vante pas, là.
Vous n'avez qu'à voir comment Pookie a tourné après
cette expérience. Le petit trésor a expérimenté le
full-contact avec un champion mondial de rodéo,
Larry Mahan, qui pour sûr s'y entendait quand il s'agissait de chevaucher quelqu'un. Et attention, c'était

après qu'elle se fut lassée du sémillant Evel Knievel, qui avait pourtant l'habitude d'avoir des méga-Harley entre les cuisses. Et ensuite elle a épousé un certain Finis Shellnut — je blague pas, non —, dont le Willard méritait aux yeux de Pookie le surnom de « Big Tex »...

N'empêche qu'elle m'a déçu quand elle a commencé à tout déballer. Et que je leur décris le « regard brûlant » de Billy, et que je leur raconte ses lèvres, « surtout la moue craquante que celle du bas faisait dès qu'il parlait »... « Parlait » ? On n'était pas là pour parler, tous les trois. On n'était même pas là pour Pookie et Billy. C'était de moi qu'il était question, et de moi seul !

A l'entendre jacter sur tout ça, j'ai vu à nouveau le body en dentelle qu'elle aimait porter, les bougies parfumées qu'elle allumait dans sa chambre. Le « regard brûlant », c'était le mien ! Pookie, mon trésor ! Je ne pouvais pas me passer de sa cassette. C'était mon paradis, ou non, hélas : mon paradis perdu.

Pendant un moment il m'avait flanqué les foies avec Hilla, Billy, mais j'ai vite compris que c'était un truc entre elle et lui, qui ne me concernait pas. Même pendant leurs fiançailles, on la trompait avec le petit trésor délicieux de quelqu'un d'autre, puis d'une troisième, et d'une autre... Qu'il garde Hilla loin de moi la plupart du temps, je n'en faisais pas une histoire : je sentais, jusque dans le moindre de mes vaisseaux capillaires, qu'elle ne m'aimait pas. Une hostilité dingue. Et donc tenter une thérapie en profondeur avec elle, ça ne m'intéressait en aucune façon. Je voyais bien qu'elle me prenait comme une sorte de châtiment aussi incontournable que traumatisant. Qu'elle s'imposait volontairement, en plus. Et moi, là-dedans, je n'étais pas à ma place. C'était froid, c'était aride. Je devinais qu'elle avait toujours d'autres objectifs non dits par là, et ça ne m'intéressait pas de creuser, pas du tout. J'avais peur qu'elle me fasse un sale coup quelconque, en fait, et Billy avait l'air de s'en rendre compte puisqu'il ne me convoquait pas là-bas plus de deux ou trois fois par an.

Pour être très franc, et parce que j'y ai réfléchi, il est possible que ça se soit passé comme ça parce que le trésor d'Hilla avait une aussi haute opinion de lui-même que moi. Peut-être que son trésor a besoin de la même attention permanente que Billy m'a réservée depuis toujours ? Peut-être que son trésor voudrait être moi, mais avec des gens à *ses* pieds...

Et puis il y a eu Monica. Si les choses avaient tourné autrement, je crois que ça aurait pu être exceptionnellement bien avec Monica. Une fille de Beverly Hills, vous me suivez ? Perruque orange fluo, draps en satin, menottes, miroirs, oiseaux, pastilles à la menthe... Une Pookie débutante, peut-être. Enlevez-moi ces plis de bébé grassouillet et j'ai déjà des images de glaçons dérivant sur le nombril, de cire brûlante à la dérive... Une jeunette qui avait un gros potentiel en conduite déplacée. J'ai beaucoup aimé la voir nue dans ses bottes. Et ses lèvres boxoniennes. Toujours prévisible, Billy était branché par ses lolos, lui.

Ah, ce faible qu'il a pour les pare-chocs multi-rembourrés, Billy. Dans notre jeune temps, la simple vue d'une pêche, d'une tomate, d'un melon, d'une aubergine nous tournait la tête. A cette époque, on allait faire les courses et on devait changer de slibard. Tout était bon, en ce temps-là. Il voyait avec ses yeux et aussitôt j'étais prêt à bondir de son falze, moi. Une grosse tomate bien mûre. Un steak saignant. L'odeur du poisson frais. Les courbes d'une Cadillac. Le radiateur d'une Cadillac. Les séductrices en route vers l'église à Hot Springs. La fille du pasteur. La femme du pasteur. Le parfum d'une averse. N'importe quoi ! On partait au quart de tour. Le bon temps. Beaucoup de fous rires. Beaucoup de slips à changer.

Pas comme maintenant, où je suis attaqué de partout et où pour la première fois de ma vie je sens ma fierté en berne. On raconte que je suis trop petit, finalement, et que c'est une des raisons de tout ce merdier. Bon, d'accord, je suis pas un de ces pieux de trois mètres de haut que les prêtres shinto trimbalent en procession, ni un de ces sucres d'orge jamaïcains, ni Lond Dong Silver de cinématographique mémoire... Mais si j'en crois le témoignage de Truman Capote, j'assure plus que celui de Jack ou de Bobby K., même si je ne pense pas pouvoir m'aligner avec LBJ, qui appelait le sien « Jumbo ».

Ces mauvaises langues, à tous les sens du terme, me décrivent criblé de boutons, d'éruptions et de Dieu sait quelles pustules encore. On voudrait me faire passer pour une sorte de Frankeinshlong tout bossu. Et le pire, c'est que je dois entendre ces sornettes à la radio, commentées par une kyrielle d'abrutis ! Alors que je n'ai jamais cherché la célébrité, moi : pour être exhibé comme le zoizeau du fameux gangster John Dillinger au Smithsonian Institute ? Pour être mis en bouteille et vendu au tout-venant comme celui de Napoléon ? Non merci ! Mais en attendant, ils racontent que j'ai Winnie l'Ourson tatoué sur moi, pareil que Michael Jackson ! Mauvais esprit. La politique de la diffamation permanente portée à son plus haut niveau, ou au plus bas : ça, ça dépend de mon humeur.

Alors s'il vous plaît, s'il vous plaît ! Je suis sain, alerte et bon Américain ! J'ai toujours été accueillant, solidaire, égalitaire, globalisant et anti-exclusion ! Je viens de l'Arkansas, mille dieux ! Bon, je sais que Billy donne parfois l'impression que je suis du Missouri, l'Etat m'as-tu-vu, mais ce n'est pas le cas. Je n'ai pas de boutons, pas de rougeurs, pas de stupides tatouages Disney. Billy n'a pas besoin de se mettre en quatre pour que je me tienne sur mes deux... Oh, je suis tellement traumatisé par tout ça ! Il faudrait peut-être que Billy me trouve un groupe de soutien pour que j'en parle ? Une structure accueillante, compréhensive. Chaude.

En plus il m'a blessé, lui aussi. Non, pas à ce niveau-là ! Je suis habitué à son rythme, je me suis fait à sa main. Mais avec les mots, avec cette seule remarque si indiscrète, si déplacée... Quel besoin il avait de me présenter comme un vieux machin rabougri, seulement capable de pisser vingt fois par jour désormais ? Même si c'était le cas, je ne voudrais pas en porter la responsabilité, de toute manière : on n'est que l'esclave de sa prostate et ça n'a rien de marrant, croyez-moi. Et puis pourquoi me ridiculiser en fourrant ce cigare précisément là où je rêvais de me glisser ? Pourquoi avoir permis à un Davidoff de réaliser ma grande ambition, être totalement moi-même avec la totale Monica ?

J'étais débraguetté, exposé, externalisé quand il a fait ça. Pourquoi ne pas m'avoir laissé dans mon cagibi au lieu de me laisser baver, lamentable, devant un cigare parti conquérir l'objet de mes plus tumescents désirs ? Pourquoi m'avoir imposé ce spectacle, de même qu'il allait imposer à Monica celui de ma dignité bafouée au-dessus d'un lavabo que ses caprices arbitraires avaient transformé en dégradante banque de sperme ! Ô combien déplacé, ô combien choquant ! Traiter aussi légèrement son plus vieil ami, quelqu'un qui s'est toujours levé au moindre appel, même aux plus rudes moments à Oxford, lorsque je tombais de sommeil mais que je répondais sans cesse présent, présent...

Mais la déception n'a jamais entamé ma solidarité quand notre longue complicité était ainsi traînée dans la boue. On le traitait de « masturbateur » comme s'il s'agissait d'un crime alors que c'est ici que commence l'amour du prochain, non ? « Masturbateur » ? Pour moi c'était tout simplement reconnaître l'influence qu'il avait sur moi, et moi sur lui. Et puis ils ont commencé à finasser en parlant de « masterbateur », à suggérer que le pauvre Billy n'avait pas d'autres moyens de se prouver sa propre valeur, que nous étions en face d'une sorte de déficience psychologique qui l'empêchait d'exprimer autrement sa volonté de puissance. A les écouter, c'était je ne sais quelle partie atrophiée de son cerveau, et non moi, son vieil et fidèle ami, qui le poussait sans cesse à rechercher un nouveau trésor dans lequel il m'aurait poussé-piégé...

Je me suis senti amoindri, une nouvelle fois, mais je me suis raisonné. « Sois sympa, me suis-je dit. Mets-toi à la place de Billy. Tu aimerais que le monde entier te décrète masturbateur, masterbateur ou misterbateur ? » Les psys se bousculaient à l'antenne, brandissant la nécessité d'une cure d'abstinence (jamais de la vie !), voire d'un programme de désintoxication en douze ou quinze étapes (pourquoi faire, puisqu'on est ensemble ?). Les éditorialistes ont abondé en ce sens, certifiant qu'il avait besoin de quelque chose « qui le tire vers le haut et lui fasse oublier le bas ». Tout à fait d'accord, tirer vers le haut... Même des avis aussi déplacés que ceux de Gary Hart ou de Bob Packwood poussaient dans le sens d'une thérapie de choc.

J'ai fait de mon mieux pour lui remonter le moral. Je lui ai répété : « Perds pas la main, Billy ! Faut jamais baisser la tête, Billy ! Je te la souhaite longue, Billy ! C'est la masturbation qui s'avance, et qui sera victorieuse demain ! La liberté ou la mort ! Ich bin ein Dillinger ! Quand y a de la gêne y a plus d'plaisir ! Prends ta vie en main, Billy ! Tu sais bien que j'ai raison, alors dis oui ! »

J'ai même mis ça en rap, histoire de le dérider et de lui rappeler qu'on est comme cul et chemise, nous deux :

Tu causes moi j'ose
Tu baratines moi je lutine
Tu traques les votes, je porte la botte

Tu couches avec Hilla c'est pas le pied là
Avec Gennifer et j'suis une barre de fer
Tu veux l'admiration moi j'attends la succion
Les honneurs ? J'me vois zoneur
T'es intello moi j'suis accro
Tu m'dis politique j'réponds nique, nique !

Gouverner ça vaut pas déflorer
T'as la trouille moi j'ai des couilles
T'es gaucho moi je suis chaud
Soixante-huit ? Oh non, soixante-neuf !
Tu t'sens veuf et moi, moi j'me tape les meufs

T'es tellement plouc quand j'mets l'souk
T'es obsédé, j'suis possédé
Dès qu'tu souris j'ouvre les paris
Dans ta pogne j'suis jamais en rogne

Tu t'envoles pour des pays lointains
Pendant douze heures j'suis dans ta main
Et quand il s'rait temps de passer la douane
J'ai laissé ma marque sur le siège d'Air Force One

Toi et moi c'est pour le meilleur et pour le pire
Alors laisse un peu tomber tous ces soupirs
Nous deux on est frangins jusqu'à la fin
Prête-moi ta main et rends-moi zinzin

Tu crois m'avoir à l'œil et au doigt
Résultat quoi ? Pour l'instant je suis le roi !

Grosso modo, c'est le message que le général Al Haig, dit Alexandre le Petit, avait envoyé quand *son* Billy, Ronald Reagan, chancelait : « C'est moi qui commande, ici ! » Eh bien je dis pareil, moi.

Je suis son moteur de recherche, son missile Minuteman, sa Sears Tower, son soulier de verre, son Kohinoor, sa flamme éternelle, son Rosebud. Son maître.

Je suis sa peau de banane, son cadavre dans le placard, sa pièce à conviction, sa paire de grolles Bruno Magli, son Dodi El Fayed. Son destin.

Merci à Ed Victor, Sonny Mehta, Michael Viner, Peter Gethers, Paul Bogaards et Tina Brown.

Filmographie

FIST (FIST), 1978, réalisé par Norman Jewison, avec Sylvester Stallone, Rod Steiger, Peter Boyle, Melinda Dillon...

Jagged Edge (A double tranchant), 1985, réalisé par Richard Marquand, avec Glenn Close, Jeff Bridges, Peter Coyote...

Betrayed (La Main droite du diable), 1988, réalisé par Costa-Gavras, avec Debra Winger, Tom Berenger, Betsy Blair, John Mahoney...

Music Box (Music Box), 1989, réalisé par Costa-Gavras, avec Jessica Lange, Armin Mueller-Stahl, Lucas Haas.

Basic Instinct (Basic Instinct), 1992, réalisé par Paul Verhoeven, avec Sharon Stone, Michael Douglas, George Dzundza, Dorothy Malone...

Sliver (Sliver), 1993, réalisé par Phillip Noyce, avec Sharon Stone, William Baldwin, Polly Walker, Martin Landau...

Jade (Jade), 1995, réalisé par William Friedkin, avec Linda Fiorentino, David Caruso, Richard Crenna...

Showgirls (Showgirls), 1995, réalisé par Paul Verhoeven, avec Elizabeth Berkley, Gina Gershon, Kyle McLachlan, Robert Davi...

Table

Acte II

MYSTERY TRAIN

Acte III

DES SOUPÇONS PLEIN LA TÊTE

Table 699

Composition réalisée par NORD COMPO

IMPRIMÉ EN ALLEMAGNE PAR ELSNERDRUCK
Dépôt légal Édit. 18210 – 02/2002.
Librairie Générale Française - 43, quai de Grenelle - 75015 Paris

ISBN : 2 - 253 - 15233 - 1